*Das vertauschte Gesicht*

Das Buch

Erik Winter fühlt sich bei weitem nicht mehr wie der jüngste Kriminalkommissar von ganz Schweden. Nicht nur, dass er bald vierzig wird, nein, er zieht mit seiner Freundin Angela zusammen und – sie ist schwanger. Als sei das noch nicht genug der Verantwortung, erreicht ihn ein Anruf aus Spanien: Seine Mutter bittet ihn, nach Marbella zu kommen, der Vater liegt im Sterben.
Dann jedoch geschieht ein ungewöhnlich grausamer Mord – nur ein paar Häuser von Kommissar Erik Winters Wohnung entfernt. Das ermordete Ehepaar, das auf dem Sofa sitzend aufgefunden wird, die Musik, die vom Endlosband kommt, die sorgfältig arrangierte Szene am Tatort: Allen im Ermittlerteam ist bald klar, dass es sich bei dem Täter um einen schwer gestörten Mann handeln muss – erst recht, als dieser beginnt, Winter aufzulauern und ihn persönlich in den Fall zu verwickeln. Und als sie dann herausfinden, dass der Mörder in den eigenen Reihen zu suchen ist, sieht sich Winter an die Grenzen seiner psychischen Belastbarkeit getrieben. Doch nicht nur der Kommissar selbst schwebt in großer Gefahr ...

Der Autor

Åke Edwardson, Jahrgang 1953, lebt mit seiner Frau und zwei Töchtern in Göteborg. Bevor er sich dem Schreiben von Romanen widmete, arbeitete er als erfolgreicher Journalist, u. a. im Nahen Osten, schrieb Sachbücher und hat an der Universität in Göteborg Creative Writing unterrichtet. Seine Kriminalromane wurden mit dem Crime Writer's Award der Schwedischen Akademie ausgezeichnet.

In unserem Hause ist von Åke Edwardson bereits erschienen:
*In alle Ewigkeit*
*Der letzte Abend der Saison*
*Tanz mit dem Engel*
*Die Schattenfrau*

Åke Edwardson

# Das vertauschte Gesicht

Roman

Aus dem Schwedischen
von Angelika Kutsch

List Taschenbuch

Besuchen Sie uns im Internet:
www.list-taschenbuch.de

List Verlag
List ist ein Verlag des Verlagshauses
Ullstein Heyne List GmbH & Co. KG.
1. Auflage September 2002
3. Auflage 2003
© 2002 für die deutsche Ausgabe by
Ullstein Heyne List GmbH & Co. KG
© 2001 für die deutsche Ausgabe by
Econ Ullstein List Verlag GmbH & Co. KG, München/Claassen Verlag
© Åke Edwardson 1999
Titel der schwedischen Originalausgabe: *Sol och skugga* (Norstedts Förlag, Stockholm)
Übersetzung: Angelika Kutsch
Umschlagkonzept: HildenDesign, München – Stefan Hilden
Umschlaggestaltung: Hauptmann und Kampa Werbeagentur, München – Zürich,
unter Verwendung eines Gemäldes von Lucas Cranach d. Ä.,
»Die Prinzessinnen Sibylla, Emilia und Sidonia von Sachsen«, um 1535 (Ausschnitt)
Titelabbildung: akg-images
Satz: Franzis print & media GmbH, München
Druck und Bindearbeiten: Ebner & Spiegel, Ulm
Printed in Germany
ISBN 3-548-60221-5

*Für Rita*

# SEPTEMBER

# 1

Es hatte angefangen zu regnen. Simon Morelius stellte die Frequenz neu ein. Seit fünf Minuten kein Funkruf. Es war bald zehn, und alles war ruhig. Greger Bartram hielt bei Rot vor der Ampel. Zwei Frauen überquerten die Straße, die eine drehte sich zum Streifenwagen um und lächelte, und Greger Bartram hob grüßend die Hand.

»Siebenundzwanzig und hübsch«, sagte er. »Und sie denkt dasselbe von mir.«

»Mich hat sie angelächelt, nicht dich«, sagte Morelius.

»Sie hat mir direkt in die Augen gesehen«, beharrte Bartram. »Mich hat sie gemeint.«

Die Ampel wurde grün, und Bartram bog in den Korsvägen ein.

»Und dann hat sie festgestellt, dass dahinter niemand zu Hause ist«, sagte Morelius.

»Haha.«

Aus dem Sender ertönte eine Frauenstimme: »Neun eins zwanzig, neun eins zwanzig, kommen.« Von irgendwoher das Gemurmel einer Antwort und wieder die Frauenstimme: »Bei Liseberg liegt jemand vorm Focus, wahrscheinlich besoffen. Dort hält sich eine Gruppe Jugendlicher auf. Bitte übernehmen.«

Sie hörten jemanden aus einem anderen Streifenwagen auf den Anruf antworten: »Wir haben gehört. Wir sind auf der Prinsgatan und fahren runter zum Focus.«

Morelius griff nach dem Mikrofon. »Hier elf zehn. Wir sind näher dran, wir befinden uns auf dem Korsvägen und fahren hin.«

»Okay, elf zehn.«

Der Streifenwagen vom Bezirksrevier Lorensberg verließ den Kreisverkehr und fuhr vor das Einkaufszentrum. Eine kleine Gruppe Menschen hockte auf dem Parkplatz. Als das Auto hielt, lief jemand von ihnen auf die Autotür zu, die Bartram gerade geöffnet hatte.

»Ich hab angerufen«, sagte ein Mädchen, etwa fünfzehn oder sechzehn Jahre alt, und schüttelte das Handy, als ob es anfangen sollte zu klingeln, um zu bestätigen, was sie eben gesagt hatte. Ihre Haare glänzten, und ihre Augen waren groß und erschrocken. Sie roch nach Alkohol und Tabak. Ihre Armbewegungen waren übertrieben weit ausholend. »Da liegt sie, Maria, aber ihr geht's schon wieder besser.«

»Ich hab einen Krankenwagen gerufen«, sagte Bartram.

Morelius folgte dem Mädchen die wenigen Schritte zu der Gruppe Jugendlicher. Sie standen im Halbkreis um ein Mädchen herum, das sich gerade langsam aufrichtete. Als Morelius näher kam, schwankte sie, er streckte einen Arm aus und fing sie auf. Sie wog fast nichts und sah aus wie die Zwillingsschwester von dem Mädchen, das mit ihnen gesprochen hatte, aber ihr Blick war glasig. Bei ihr ist wahrhaftig niemand zu Hause, dachte Morelius.

Sie roch nach Alkohol und Erbrochenem. Morelius spürte die Schmiere unter den Schuhsohlen. Er musste aufpassen, dass er nicht ausrutschte. Ein paar Sekunden später sah das Mädchen ihn mit einem plötzlich scharfen Blick an.

»Ich will nach Hause«, sagte sie.

»Was hast du genommen?«, fragte Morelius.

»Ni... nichts«, antwortete sie. »Nur ein paar Bier getrunken.«

»Ein paar Bier, was?« Morelius musterte die Gruppe von fünf oder sechs Jugendlichen. »Was hat sie genommen? Es ist wichtig. Wenn ihr was wisst, dann sagt es jetzt, und zwar ein bisschen dalli.« Er hob seine Stimme, und die Gruppe wirkte eingeschüchtert.

»Wie sie gesagt hat«, antwortete ein Junge mit Strickmütze und Trainingsoverall, »nur ein paar Bier ... und etwas Schnaps.«

»Schnaps? Was für Schnaps? Hat einer von euch die Flasche?«

Die Jugendlichen wechselten Blicke.

»DIE FLASCHE!«, wiederholte Morelius.

Der Junge mit der Strickmütze steckte seine Hand unter den zu weiten Overall und zog eine Flasche hervor. Bartram nahm sie und hielt sie ins Licht der Neonschilder.

»Da ist kein Etikett drauf«, sagte er.

»Nei... ein.«

»Was ist das?«, fragte Bartram. In dem Augenblick ertönte von der anderen Seite von Gothiaskrapan die Sirene eines Krankenwagens. »Was ist das für ein Fusel? Ist das Selbstgebrannter?«

»Ja... ich glaub, ja«, sagte der Junge. »Ein Kumpel hat ihn mir verkauft.« Der Junge sah aus, als würde er gleich anfangen zu weinen. »Er hat gesagt, der ist in Ordnung.«

»Nichts ist da in Ordnung«, sagte Morelius. Er spürte, wie das Mädchen in seinem Arm schwer wurde. Sie war wieder auf dem Weg in die Bewusstlosigkeit. »Wo bleibt denn der verdammte Krankenwagen?«, sagte er. In dem Augenblick bremste der Wagen zwei Meter von ihnen entfernt, und rasselnd wurde eine Tragbahre herausgezogen.


Sie saßen im Wartezimmer der Notaufnahme. Das Mädchen war ins Untersuchungszimmer geschoben worden. Nach zwanzig Minuten kam ein Arzt heraus. Morelius sah seinem Gesicht an, dass das Mädchen lebte.

Ein Junge, noch ziemlich jung, tigerte nervös im Wartezimmer herum. Vielleicht war er auch dabei gewesen vorm Focus. Morelius kam er bekannt vor. Wie hatte er es so schnell hierher geschafft?

»Alkohol in einem jungen Körper, tja ... das ist keine gute Kombination«, sagte der Arzt.

»Wie geht's ihr?«

»Den Umständen entsprechend gut, wie man so sagt. Sie muss aber über Nacht hier bleiben.«

»Dann war der Alkohol also ... in Ordnung?«, fragte Bartram.

Der Arzt warf ihm einen merkwürdigen Blick zu. »Sie meinen, es war Selbstgebrannter? Ist so was jemals in Ordnung?«

»Sie werden ja verdammt noch mal verstehen, wie ich das gemeint hab?!«

Der Arzt sah ihn an.

»Es gibt keinen Grund, so aufzubrausen«, sagte er. Er strich über seinen Kittel, als ob er Bartrams Fluch wegwischen wollte. »Nicht den geringsten.«

»Entschuldigung«, sagte Bartram. »Wir nehmen eben Anteil an diesem Mädchen. Manche Polizisten sind so.«

»Wir möchten nur wissen, ob es noch ... andere Folgen gibt ... als die üblichen ... falls der Schnaps doch gefährlicher war als er normalerweise ist«, sagte Morelius.

Der Arzt sah sie zweifelnd an, als glaube er, sie wollten ihn auf den Arm nehmen.

»Im Augenblick scheint alles normal zu sein«, sagte er. »Aber hier überlassen wir nichts dem Zufall. Sind übrigens die Angehörigen benachrichtigt?«

»Ja«, sagte Morelius. »Die Mutter muss jeden Augenblick kommen.«

»Jaa ... na dann«, sagte der Arzt und wollte gehen.

»Vielen Dank, Doktor«, sagte Bartram.

Sie sahen ihn durch die Schwingtüren verschwinden.

»Arroganter Kerl«, brummte Bartram.

»Er scheint dasselbe von dir zu denken.«

Bartram murmelte etwas Unverständliches und sah seinen Kollegen an. Es war kurz nach elf, und Morelius' Gesicht war fleckig von dem grellen Licht im Wartezimmer.

»Es ist also die Tochter von der Pastorin. Bist du da sicher? Hanne Östergaard? Die unsere gemarterten Seelen heilt?«

»Das ist kein Grund, so ironisch zu werden.« Morelius hielt die Brieftasche des Mädchens in der Hand. Er hatte ihren Ausweis studiert. »Maria Östergaard. Eine Straße in Örgryte. Unsere Polizeipastorin heißt Hanne Östergaard, wohnt in Örgryte, und sie hat eine Tochter mit Namen Maria.«

»Woher weißt du das eigentlich alles?«

»Spielt das eine Rolle?«

»Nein, nein.«

»Ganz sicher bin ich übrigens nicht.« In dem Moment kam eine Frau zur Tür hereingestürzt. »Oder doch«, sagte Morelius und ging auf Hanne Östergaard zu.

»Wo ist Maria?«, sagte sie. »Wo ist sie, Simon?«

»Immer noch im Untersuchungsraum oder wie das heißt«, sagte Morelius. »Aber es scheint alles in Ordnung zu sein.«

»In Ordnung? Alles scheint in Ordnung zu sein?« Hanne Östergaard sah aus, als würde sie gleich anfangen zu lachen. »Kann mir einer zeigen, wo sie ist?«

Eine Krankenschwester war durch die Schwingtüren gekommen, und Hanne Östergaard folgte ihr ins Untersuchungszimmer.

Der Junge, der im Hintergrund auf und ab gegangen war, ging ihr hinterher. Er sah sich noch einmal um und verschwand im Korridor.

»Na, so was«, sagte Bartram. »Und sie kannte sogar deinen Namen.«

Morelius antwortete nicht.

»Nicht mal Pastoren bleiben verschont«, sagte Bartram.

»Von was?«

»Davon, dass nahe und liebe Angehörige in aufrüttelnde Erlebnisse verwickelt werden. Aber du hast wohl keine Kinder?«

»Die Antwort ist nein. Aber diese Geschichte scheint ja ein glückliches Ende zu nehmen.«

»Und das haben sie uns zu verdanken.«

»Och. Nur ein Gör, das zu viel getrunken hat und kotzen musste. Vermutlich wäre sie nach einer Weile von selbst wieder zur Besinnung gekommen, und jemand aus ihrer Clique hätte sie nach Hause gebracht. *Happens all the time.* Ist dir das noch nie passiert?«

»Mir? Soweit ich mich erinnern kann, nicht.«

»Das hat vielleicht nicht viel zu sagen.«

»Wollen wir fahren?«, fragte Bartram.

Sie fuhren in Richtung Zentrum, an Chalmers und dem Vasa-Krankenhaus vorbei. Der Regen war stärker geworden. Das

Licht der Straßenbeleuchtung wirkte jetzt schwächer, wie in Nacht gehüllt. Bartram hielt bei Rot. Zwei Frauen gingen über die Straße, aber diesmal drehte sich keine der beiden nach ihnen um und lächelte. Morelius stellte die Frequenz neu ein. Sie lauschten den wenigen Funkrufen. Ein verwirrter alter Mann, vor ein paar Stunden in Änggården verschwunden, war wieder aufgetaucht. Eine lautstarke Auseinandersetzung in einer Wohnung in Kortedala war bereits beendet, als die Kollegen vor Ort eintrafen. Ein Betrunkener, der sich bei Brunnsparken gegen eine haltende Straßenbahn gelehnt hatte, war hingefallen, als die Bahn wieder anfuhr. Kann man das als Verkehrsunfall bezeichnen?, fragte Bartram sich.

Morelius dachte an Hanne Östergaard und an das Gespräch, das er vor einigen Wochen mit ihr gehabt hatte. Greger hatte nicht weiter gefragt, und dafür war er dankbar.

Erik Winter machte das Licht in seinem Zimmer aus und ging hinaus. Es hatte aufgehört zu regnen. Er fuhr mit seinem Fahrrad über Heden nach Hause. Auf der Vasagatan wich er einem Fußgänger aus, der nicht auf den Verkehr achtete. Wasser spritzte gegen seine Hosenbeine, vielleicht auch anderer Dreck. Es war zu dunkel, um etwas sehen zu können. Er wollte an den Markthallen vorbeifahren, ließ es dann aber bleiben. Sein Handy klingelte. Er hielt an und nahm es aus der Innentasche seines Regenmantels.

»Ich kann mich nicht entscheiden, was ich mit dem Sofa machen soll«, sagte Angela, als er sich meldete. »Ich brauche auf der Stelle einen Rat.«

»Dann müssen wir es wohl mitnehmen, wenn du dich nicht entscheiden kannst. Bei mir ist ja Platz.«

»Aber wo soll es stehen?«

»Hat das nicht Zeit bis heute Abend?«

»Ich wollte alles so gut wie möglich vorbereiten.«

»Mhm.«

»Es ist eine wichtige Entscheidung.«

»Ich weiß.«

»Hast du dir wirklich alles genau durch den Kopf gehen lassen? Vielleicht sollten wir doch nicht …«

»Bitte, Angela ...«

»Ich weiß, ich weiß. Es ist bloß ein so gravierender Einschnitt. Das alles.«

Das ist vielleicht das richtige Wort, dachte Winter und wischte sich ein paar Wassertropfen von der Schulter. Ein gravierender Einschnitt. Zum ersten Mal in seinem erwachsenen Leben würde er mit einem anderen Menschen zusammenziehen. Nach Jahren des Getrenntlebens würden er und Angela zusammenwohnen. Er hatte das Gefühl, dass sie es war, die alle Entscheidungen traf. Nein, das war ungerecht gegen sie. Er selbst musste auch Verantwortung übernehmen.

Es hatte keine Alternative gegeben. Entweder würden sie zusammenleben oder ... es wäre aus. Aber das war nicht mehr vorstellbar. Er würde es nicht wagen, Schluss zu machen. Die Einsamkeit wäre zu groß, oder nicht? Und sie würde schlimmer werden. Einsam im neuen Jahrtausend. Silvester: Musik aus dem CD-Player und allein ein Gläschen Sekt. Das war's dann. Eine trostlose Szene, vom Silvesterfeuerwerk angeleuchtet.

Bald waren es nur noch drei Monate bis zum Jahr 2000, er würde vierzig werden und nicht mehr der jüngste Kriminalkommissar des Landes sein.

Winter machte sich zum Weiterfahren bereit.

»Wir sehen uns um acht«, sagte Angela, und er drückte auf Aus.

In der Wohnung war Nacht, kein Licht brannte mehr. Vierundzwanzig Stunden hatte eine Stehlampe geleuchtet, aber jetzt war die Glühbirne kaputt. Am Tag sickerte der Herbst durch die Jalousien, und durch ein heruntergelassenes Rollo fielen Lichtflecken ins Schlafzimmer.

Der Kühlschrank brummte. Auf dem Küchentisch standen ein Weinglas und eine leere Weinflasche. Auf dem Schrank neben dem Herd stand eine ovale Servierplatte mit einem Rest hart gewordener Tagliatelle. Daneben ein Topf mit inzwischen schwarzer Pilzsoße. Auf einem Brett trockneten drei Tomatenscheiben langsam ins Holz. In der Spülmaschine drei Teller neben einigen Beitellern und Gläsern, Besteck und noch einem Topf.

Der Wasserhahn tropfte gleichmäßig, die Dichtung war kaputt, und das Geräusch war Tag und Nacht in der ganzen Wohnung zu hören, doch das Paar, das auf dem Wohnzimmersofa saß, hörte nichts.

Um die beiden herum lagen Kleider verstreut, zogen sich weiter in einer Linie von der Küche durch den Flur: die Strümpfe eines Mannes, lange Hosen, ein Rock, ein Frauenstrumpf, ein Pullover aus dünnem Material. Um das Sofa herum lagen eine Bluse, ein Hemd und Slips von einer Frau und einem Mann. Durch das Fenster drangen Geräusche der Nacht herein, Straßenbahnen, einige Autos. Ein plötzlicher Wind und Lachen von Leuten, die aus einem Restaurant kamen.

Der Mann und die Frau waren nackt. Sie hielten sich bei den Händen. Sie waren einander zugewandt. Aber mit ihren Köpfen stimmte etwas nicht.

War es so? Würde es so sein? Stimmte das Bild? Er versuchte es sich vorzustellen, es vor sich zu sehen.

Er stand in der Küche, ging in den Flur. Die Kleider lagen auf dem Fußboden. Als er sich dem Sofa näherte, hielt er sich die Hand vor Augen. Er sah auf. Das Sofa war leer. Er schaute wieder, und dort saßen sie, einander zugewandt. Ihr Gesicht war so vertraut.

Ihre Köpfe. Ihre KÖPFE.

Er strich sich heftig über die Augen. Jetzt hörte er Geräusche von der Straße und öffnete die Autotür. Er spürte den Regen im Gesicht, als er ausstieg. Dann stand er vor dem Haus auf der Straße.

Er wünschte sich zurück in der Zeit. Die Menschen, die auf der Straße unterwegs waren, wussten nichts, nicht das Geringste. Nichts. Sie wussten nicht, dass sie im Paradies lebten.

# OKTOBER

# 2

Winter stand im Flur, ohne Licht anzumachen. In einer Stunde würde Angela kommen, vielleicht eher.

Wie lange wohnte er hier schon? Zehn Jahre? Waren es zehn Jahre? So ungefähr. Wie viele Menschen hatte er während dieser Jahre in seine Wohnung gelassen? Er könnte die Hände ausstrecken und sie an den Fingern abzählen, das würde vermutlich reichen.

Er ging in der Wohnung herum, die von der Straßenbeleuchtung erhellt wurde. Eine seiner letzten Wanderungen in angenehmer Einsamkeit. Er lächelte. Bald würde er im Vorraum durch Unterwäsche waten müssen. Ein Strumpf über der Sofalehne. Er kannte Angela. Du brauchst ein bisschen Unordnung in deinem Leben, hatte sie gesagt. Du bringst mir das Chaos, hatte er erwidert. Endlich, hatte sie geantwortet.

Im Badezimmer würde er sein Rasierzeug im Regal beiseite schieben müssen. Vielleicht blieb ihm nur eine winzige Ecke neben all den geheimnisvollen Döschen und Tuben, die sie aufstellen würde.

Wenn sie nun doch nein gesagt hätte, hatte er vor langer Zeit gedacht. Wenn sie genug gehabt hätte von mir.

Unten auf dem Vasaplatsen kamen und fuhren die Straßenbahnen. Die Wand gegenüber den großen Fenstern im Wohnzimmer war weiß im Licht des Abends. In einer Ecke leuchtete der rote Punkt der Musikanlage. Winter ging hin und nahm die Springsteen-Box, die ihm sein Freund aus London, Kriminalkommissar Steve Macdonald, im letzten Herbst mit hohen Portokosten geschickt hatte. Das hatte er extra so gemacht, damit Winter immer daran dachte, wie viel die Fracht gekostet hatte und deshalb besonders andächtig zuhörte. Winter mochte am liebsten Jazz, und Steve Macdonald akzeptierte das, hatte sich aber in den Kopf gesetzt, Winter all das näher zu bringen, was er während seines beschützten Aufwachsens mit John Coltrane verpasst hatte.

Das Merkwürdige war, dass er noch mehr Jazz hörte, seit er auch mit Rock angefangen hatte. Er hörte jetzt andere Nuancen bei Coltrane heraus, eine neue Schwärze. Zu seiner Verwunderung hatte er einige einfache Rocksongs gefunden, die ihm gefielen. Vielleicht war es das. Die Einfachheit.

Wenn man älter wird, strebt man nach Einfachheit. Ich werde älter, sehr bald werde ich vierzig. Das ist, relativ gesehen, ein hohes Alter. Vielleicht bin ich kein einfacher Mensch, aber ich bin immer noch lernfähig. Vielleicht bin ich aber auch immer eine einfache Seele gewesen. Angela hat es erkannt. Deswegen hat sie mich unter Zehntausenden ausgewählt.

Er legte die vierte Scheibe der Box in den CD-Player und drückte das zehnte Lied, sein Favorit des letzten Monats oder wenigstens seit die Entscheidung gefallen war. *Die* Entscheidung. *I'm happy with you in my arms, I'm happy with you in my heart, happy when I taste your kiss, I'm happy in love like this.* Das kleine Leben. Angela hatte es verstanden. Vielleicht würde er das Glück finden.

Die Ballade füllte die Räume, als er sich auszog, *happy baby, come the dark.* Plötzlich dachte er an gar nichts mehr, als er sich unter die Dusche stellte. Er hörte die Musik durchs Wasserrauschen, jedoch auch das Klingeln an der Tür und Geklapper, als Angela die Tür mit ihrem eigenen Schlüssel öffnete.

Lars Bergenhem fuhr über die Älvsborgsbrücke. Das Auto vibrierte im Wind. Er hatte frei, und im Tunnel hatte er sich gefragt, was er dort eigentlich zu suchen hatte. Im Tunnel. Im Auto. Er könnte zu Hause sitzen und seine zweijährige Tochter anschauen, während sie schlief. Das hatte er früher auch gemacht. Ada schlief, und er schaute sie an. Er könnte auch Mar-

tina zusehen, wie sie die Küche nach Adas Abendbrot schrubb-
te. Er könnte auch selber schrubben.

Es hatte wie immer angefangen. Ein Wort zu viel, ein Streit,
den keiner von beiden verstand. Als Ada endlich schlief, war es
so still geworden, dass er keine Kraft hatte, zu Worten zurück-
zufinden, die nicht alles noch schlimmer machten. Er war
Fahnder, aber hier saß er fest. Er war Detektiv, aber er war kein
*detective of love*. Kam das nicht in einem Song vor? *Detective
of love*? Elvis Costello? *Watching the detectives*.

In Höhe vom Frölunda Torget drehte er um und fuhr zurück
nach Norden. Ausflüge hatte er früher auch schon unternommen, aber das war lange her.

Alles war gut gewesen. Lange war die Unruhe in ihm verschwunden gewesen. War sie zurückgekommen? War etwas in
ihm oder in Martina? Diese Worte, von denen niemand etwas
wissen wollte. Woher kamen sie? Es war wie ein Kopfschmerz.

Das Reihenhaus sah gemütlich aus, als er aus dem Auto stieg.
Gemütlich. Es brannten mehr Lichter als nötig.

Martina saß in der Küche bei einer Tasse Tee. Sie hatte geweint, und er fühlte sich schuldbewusst. Er musste etwas sagen.

»Schläft Ada?«

»Ja.«

»Gut.«

»Was?«

»Dass Ada schläft.«

»Wie redest du denn? Du haust einfach ab und kommst nach
Hause und tust so, als ob nichts passiert wäre.«

»Ist denn was passiert? Was ist eigentlich passiert?«

»Das fragst ausgerechnet du!«

»Hab ich etwa angefangen?«

Sie gab keine Antwort. Sie saß mit gesenktem Kopf da, und
er wusste, dass sie wieder weinte. Er hatte nur zwei Möglichkeiten. Entweder sagte er sofort etwas Vernünftiges, oder er musste wieder aufstehen und raus zum Auto gehen und wieder weg
über die Brücke fahren.

»Martina ...«

Sie hob den Kopf und sah ihn an.

»Wir sind beide müde«, sagte er.

»Müde? Ist es das? Wir sollten munter und fröhlich sein und anfangen an Weihnachten zu denken. Ada...« Sie ließ den Kopf auf die Tischplatte sinken.

Er suchte nach Worten. Die Uhr an der Wand tickte lauter als vorher.

»Soll es so weiterlaufen, bis es bei mir wieder losgeht?«, fragte er.

»Es kann sich doch nicht immer nur darum drehen, wie es sein soll, damit du nicht...«, sagte sie. »Muss es denn dauernd ruhig und still sein, damit du es aushältst, Kriminalbeamter zu bleiben?«

»Du weißt, was ich meine.«

»Bald weiß ich gar nichts mehr.«

Er stand auf und ging zu Ada und betrachtete seine Tochter, die mit dem Daumen im Mund schlief. Er beugte sich nah über ihr Gesicht, lauschte auf ihre Atemzüge und hörte ein schwaches Piepsen, als sie die Luft durch die Nase einatmete.

Sie hatten die bösen Worte sacken lassen, so gut es ging. Er trank Kaffee im Wohnzimmer, und sie kam aus der Küche.

»Winter zieht mit Angela zusammen«, sagte er.

»Warum nennst du ihn Winter? Er heißt doch Erik. Die Leute sagen doch auch nicht Bergenhem und Martina, wenn sie von uns reden.«

»Nee, klar ... aber man nennt eben häufig den Nachnamen. Bei uns ist das jedenfalls so üblich.«

»Dann ist es wohl nicht so persönlich, wie? Wird es dann leichter? Kommt es euch darauf an?«

»Ich ... ich weiß nicht.«

Martina hatte Angela vor bald zwei Jahren kennen gelernt, als Adas Geburt kurz bevorstand. Es war unter dramatischen Umständen gewesen. Lars Bergenhem war ausgerastet und einfach verschwunden, und Winter hatte Angela gebeten, Martina ins Krankenhaus zu begleiten, während er nach seinem Kollegen suchte.

»Hoffentlich geht alles gut«, sagte er gedankenversunken. »Ich glaube, es geht gut.«

»Was meinst du damit?«

»Der Umzug. Dass sie zusammenziehen, Erik und Angela. Dass es gut geht mit den beiden.«

»Das wird es schon. Wo werden sie denn wohnen?«

»Ich hab vergessen zu fragen. Aber ich … ja, das Natürlichste wäre wohl seine Wohnung. Die ist größer als ihre.«

»Woher weißt du das?«

Er sah sie an. Jetzt lächelte sie. Es war eine einfache Frage, nicht mehr.

»Ich weiß nicht«, sagte er. »Komisch. Wahrscheinlich halte ich das einfach für selbstverständlich.«

»Vielleicht kaufen sie sich ja ein Haus.«

»Ich kann mir Winter nicht in einem Haus vorstellen.«

»Warum nicht?«

»Tja … irgendwie gehört er in die Stadt. Hohe Häuser, Plätze, Taxis.«

»Das glaub ich nicht. Der kauft sich ein Haus am Stadtrand und füllt es mit seiner Familie.«

»Für mich klingt das wie eine Utopie.«

»Bald haben wir 2000«, sagte sie. »Da kann alles passieren.«

Nicht wirklich alles, dachte er. Alles darf nicht passieren. Alles sollte lieber so bleiben, wie es jetzt ist, ungefähr so wie jetzt.

»Vielleicht machen sie eine Einweihungsparty«, sagte sie. »Wann ist es so weit?«

»Vor Weihnachten, glaub ich.«

»Find ich gut, das freut mich.«

# 3

Angela kam vor acht. Es war wieder Abend. Ihre Haare trug sie offen, sie schimmerten im Licht des Treppenhauses, das durch die offene Tür hereinfiel. Vielleicht hatte sie einen neuen Ausdruck in den Augen, etwas, das er noch nicht gesehen hatte: einen Glauben daran, dass es eine Zukunft für sie gab. Aber da war auch noch etwas anderes. Es zeigte sich wie eine andere Art Licht in ihren Augen, als würde die helle Beleuchtung im Treppenhaus ihren Hinterkopf durchleuchten und ihren Augen einen besonderen Glanz verleihen.

Sie zog die Stiefel aus, und Schmutzwasser spritzte aufs Parkett. Winter sah es, sagte aber nichts. Angela folgte seinem Blick und hob die Hände über den Kopf.

»Soll nicht wieder vorkommen«, sagte sie.

»Was?«

»Ich hab deinen Blick gesehen.«

»Und?«

»In dem Augenblick hast du gedacht, wie um alles in der Welt soll das gut gehen, was passiert mit meinem Fußboden, wenn sie einzieht.«

»Ach was.«

»Daran musst du arbeiten«, sagte sie.

Er nahm ihre Hand, und sie gingen in die Küche. Es roch nach Kaffee und getoastetem Brot. Der Tisch war beladen mit Butter, Käse, Radieschen, grober Leberpastete, Cornichons.

»Hier soll's wohl ein Fest geben«, sagte sie.

»Rustikal und einfach und dennoch elegant.«

»Meinst du die Leberpastete?«

»Die steht für das Rustikale. Jetzt kommt die Eleganz«, sagte Winter, ging zur Anrichte und holte eine Glasschüssel.

»Was ist das?« Sie trat an den Tisch. »Ah. Eingelegter Hering. Wann hast du das denn noch geschafft? Du hast es doch selbst gemacht?«

»Vorgestern Nacht. Kurz vor zwei. Und jetzt ist er perfekt.«

»Jetzt ist er perfekt«, wiederholte sie. »Fehlt nur noch der Schnaps, aber wir trinken keinen, oder?«

»*Du* kriegst keinen«, sagte er. »*Ich* könnte mir einen Schluck genehmigen, aber ich will solidarisch sein, wenigstens heute Abend.«

»Es ist ja wohl ziemlich üblich, dass man mit seinen Frauen in dieser ... Situation solidarisch ist.«

»Ach?«

»Manche Männer nehmen sogar aus Solidarität zu.«

»Das kannst du von mir nicht erwarten.«

Morelius fühlte sich steif. Die Steifheit hatte er von zu Hause mitgebracht, sie hatte auch nach dem Sport nicht nachgelassen, der den Abenddienst einleitete.

Hinterher hatte er auf der Bank vor der Spindwand gesessen, seinen Nacken massiert und sich die Bilder der nackten Mädchen angeschaut, die an der Innentür von Bartrams Spind klebten. Es waren ziemlich harmlose Bilder, irgendeinem alten Journal aus den sechziger Jahren entnommen. Nichts für den heutigen Geschmack. Bartram hielt am Vergangenen fest. Manchmal behauptete er, die Bilder zeigten seine Frau, aber in Wirklichkeit hatte er gar keine.

Es war die letzte Woche vom Sechs-Wochen-Dienstplan. Das bedeutete diesen Freitagabend einen Extradienst und zwei Abendschichten am Wochenende, die wie eine Drohung im Dunkeln lauerten. An diesem Wochenende war Zahltag gewesen. Er wusste, dass die Leute da draußen schon angefangen hatten, ihren Reichtum zu feiern. Es war fast Viertel nach acht, und das Bezirksrevier hatte für die Öffentlichkeit geschlossen.

»Hast du Genickstarre?«, fragte Bartram, der an seiner

Dienstwaffe herumfummelte. Er war ruhig und ernst, bereit für den Abend und das Wochenende.

»Nur ein bisschen steif«, sagte Morelius.

»Dann bleibst du heute Abend wohl am besten drinnen.«

»Wieso?«

»Du musst dich vor Luftzug in Acht nehmen. Und heute Abend wird's verdammt zugig in der Stadt.«

»Ach was. Es wird wie üblich.«

»Denk dran, es ist Zahltag gewesen, Simon.«

Morelius und Bartram gingen die Avenyn entlang. Manche zogen es vor, allein zu gehen, dazu hatte Morelius früher auch gezählt, aber im letzten halben Jahr hatte sich das geändert. Die Einsamkeit war keine Freiheit mehr für ihn. Ein oder zwei Male hatte er Angst gehabt. Er hatte Dinge gesehen, die hatten ihn erschreckt.

Einmal war er dem Tod im Gnistängstunnel begegnet, wo ein junges Paar im Auto direkt vor ihm gegen die Wand gerast war. Er hatte im Auto hinter ihnen gesessen und alles gesehen. Wie im Film. Wie in einem verdammten Film hatte er es gesehen. Es war wirklich gewesen und doch nicht wirklich. Der Mazda vor ihm war plötzlich nach links ausgeschert und mit einem unheimlichen Geräusch von zersplitterndem Glas und knautschendem Blech gegen die Wand gekracht. Er war nicht mal im Dienst gewesen, war nur so über die Schnellstraßen gefahren, wie er das manchmal machte, wenn er frei hatte. Er konnte gerade noch bremsen, war aus dem Auto gesprungen und zu dem Wrack gelaufen, wo das Mädchen … Ihr Kopf hing … Ihm war jäh schlecht geworden, genau vor ihr, wie ein gewöhnlicher … ein gewöhnlicher … und dann hatte er angerufen, aber während er die Nummer wählte, hörte er schon die Sirenen von den Kollegen und von einem Krankenwagen.

Daran dachte er jetzt, als sie zum zweiten Mal am Park-Hotel vorbeikamen. Hinter den Fenstern glitzerte es festlich, in der Bar, im Restaurant, Frauen bewegten sich im Licht. Bartram drehte den Kopf nach links.

»Pass auf, dass du keine Genickstarre kriegst.«

»Haha.«

»Vielleicht ist es das wert.«

»Man kann es ja ausgleichen, indem man zur anderen Seite guckt.«

Morelius schaute in die andere Richtung, über die Avenyn. Vom Götaplatsen näherte sich eine Gruppe Jugendlicher. Eine von circa fünfzig, die freitags abends durchs Zentrum zogen. Auf der Avenyn bewegte sich eine eigentümliche Mischung aus eleganten Menschen fortgeschrittenen Alters, unzufriedenen Dreißigjährigen, denen die Midlifecrisis ins Gesicht geschrieben stand und verzweifelt wirkenden Heranwachsenden.

Die, die am betrunkensten waren, suchten Kontakt, provozierten. Die Gruppe schickte immer den Kleinsten vor, wartete, ging dann zum Angriff über.

Bartram sah jetzt nach rechts.

»Guck mal, das blonde Mädchen in der Clique dahinten. Das ist doch die Tochter von der Pastorin.«

»Ja. Maria Östergaard.«

»Die hat sich aber schnell wieder erholt.«

»Es ist doch schon eine Woche her. Ich hab ja gleich gesagt, dass es nicht so schlimm war.«

»Aber dass sie sich schon wieder in der Stadt rumtreibt. Was sagt denn unsere Pastorin dazu?«

»Du kannst sie ja selber fragen. Da kommt sie.«

Und so war es. Hanne Östergaard kam schnell näher, sie lief fast, überquerte die Avenyn vom Theater her, und die beiden Polizeibeamten sahen sie bei der Gruppe Jugendlicher ankommen. Sie packte ihre Tochter am Arm. Morelius konnte ihre Stimmen hören, aber nicht verstehen, was sie sagten.

»Jetzt kommst du mit mir nach Hause!«

»Du hast nicht über mich zu bestimmen.«

»Ich hab dich gebeten, heute Abend zu Hause zu bleiben.«

»Du willst bloß, dass ich dauernd zu Hause sitze.« Das Mädchen zog seinen Arm zurück. »Lass mich los!« Sie sah die anderen an, die um sie herum standen.

»Nur heute Abend!«, sagte Hanne Östergaard. Sie hatte den Jackenärmel ihrer Tochter losgelassen. »Ich habe solche Angst. Stell dir vor, es pass... wenn es wieder passiert.«

»Es passiert nichts«, sagte das Mädchen. »Ich hab noch nicht mal ein Bier getrunken.« Sie atmete der Mutter ins Gesicht. »Oder riechst du Bier?«

Hanne Östergaard fing an zu weinen. »Bitte, Maria, ich möchte nur, dass du jetzt mit mir nach Hause kommst. Ich mach mir so entsetzliche Sorgen.«

»Es gibt keinen Grund, Mama. Ich bin mit meinen Freunden zusammen. Um eins bin ich zu Hause, wie ich es versprochen habe.«

Hanne Östergaard sah das Mädchen, die Gruppe an und schaute dann über die Straße zu den beiden Polizisten. Sie machte eine Bewegung, als wollte sie zu ihnen hinüberstürmen und verlangen, dass sie eingriffen und das Mädchen nach Hause nach Örgryte brachten.

Bitte, lass sie nicht hierher kommen, dachte Morelius. Aber wenn es schlimmer wird, müssen wir wohl rübergehen. Er hörte den Ruf. »NEIN.« Er sah, wie das Mädchen sich jäh umdrehte und den Boulevard hinunterlief. Ihre Freunde zögerten. Ein Junge lief ihr plötzlich nach. Er sah wie der Junge aus, der in der Notaufnahme im Krankenhaus gewartet hatte, an den Wänden entlanggeschlichen war. Die Gruppe zerstreute sich, verteilte sich auf dem breiten Gehweg, entfernte sich von der Frau, die allein zurückblieb.

»Denkst du oft daran, wie es wird, Vater zu sein?«

Er fühlte sich überrumpelt, wie bei einem Verhör mit einem Verdächtigen. Überrumpelt. Keine Zeit zum Nachdenken.

»Natürlich«, sagte er.

»Du lügst.«

»Warum sollte ich das? Es wird das wichtigste Ereignis in meinem Leben, mal abgesehen von meiner eigenen Geburt.« Er sah sie an. Die zurückgestrichenen Haare, der leicht gerundete Bauch. »Und von dem Tag, als ich dich getroffen habe.«

»Das war die richtige Antwort. Aber ich glaube trotzdem, dass du schon angefangen hast, dir Sorgen zu machen, was alles schief gehen könnte.«

»Du täuschst dich, Angela. Ich bin Optimist, das weißt du doch.«

Sie brach in Lachen aus.

»In diesem Fall bin ich zumindest einer«, sagte er.

»Ich glaub, du denkst schon darüber nach, wie es wird, wenn … wenn unser Kind in die Pubertät kommt und sich mit der Clique auf der Avenyn rumtreibt.«

»Hör doch auf!«

»Ist es nicht so? Klar ist das so!«

»Bis dahin gibt es keine Avenyn mehr.«

»Keine Paradestraße mehr in der Stadt? Spricht da jetzt der Optimist?«

Winters Handy, das auf dem Nachttisch lag, klingelte. Es war drei Minuten nach Mitternacht. Die wenigen, die seine Handynummer kannten, riefen aus dem Dienst an, außer Angela, aber sie lag neben ihm, nackt, immer noch weich und rot, an ihrem Haaransatz schimmerten drei kleine Schweißtropfen.

Und außer seiner Mutter. Es ist ein Mord oder Mutter, dachte Winter, ohne zu lächeln. Er rollte sich auf die andere Betthälfte und meldete sich.

»Erik! Ein Glück, dass du da bist.« Seine Mutter war atemlos, als ob sie zwei oder drei Hügel in Nueva Andalucía hinaufgelaufen wäre. Winter hörte im Hintergrund das Rauschen der Costa del Sol.

»Was ist, Mutter?«

»Wieder Papa. Diesmal ist es ernst, Erik.«

Winter dachte an das vorige Mal, im letzten Jahr. Der Vater war in Marbella wegen Verdachts auf Herzinfarkt ins Krankenhaus gekommen, aber es war nur eine Herzmuskelentzündung gewesen. Winter hatte erwogen, nach Spanien zu fahren, aber es war nicht nötig gewesen.

Er hatte den Vater nicht mehr gesehen, seitdem seine Eltern mit ihrem Geld mehr oder weniger aus Schweden geflohen waren. Und im letzten Jahr hatte er sie nicht sehen wollen und wollte es auch jetzt nicht, wenn es irgendwie zu vermeiden war.

»Ist es wieder der Herzmuskel?«

»Ach, Erik. Er hatte einen Herzinfarkt. Erst vor wenigen Stunden. Ich rufe vom Krankenhaus an. Er liegt auf der Intensivstation, Erik. ERIK? Hörst du mich?«

»Ich bin da, Mutter.«

»Er wird sterben, Erik.«

Winter schloss die Augen, holte Luft. Ruhig, ganz ruhig.

»Ist er bei Bewusstsein?«

»Was ... nein, er ist bewusstlos. Sie haben ihn gerade operiert.«

»Sie haben ihn operiert?«

»Das sag ich doch. Es war eine lange Operation. Ich glaub, sie haben die Adern gereinigt.«

Angela hatte die Decke über die Brust gezogen und sich im Bett aufgerichtet. Ernst sah sie ihn an. Sie hatte schon verstanden.

»Hast du mit Lotta gesprochen?«, fragte er. Seine Schwester war Ärztin. Sie konnte ein wenig Spanisch. Angela war auch Ärztin, aber sie sprach kein Spanisch. Seine Mutter konnte sich zwar auf Spanisch verständigen, aber er war nicht sicher, ob sie den Arzt verstanden hatte. Ihr Wortschatz war vor allem geeignet, um Wein und Schnaps einzukaufen. Auch wenn der Arzt Englisch gesprochen hatte, war sie vielleicht zu aufgeregt gewesen, um zuzuhören. Selbst wenn der Arzt Schwedisch gesprochen hätte.

»Ich hab dich zuerst angerufen, Erik.«

»Haben die Ärzte *irgendwas* gesagt?«

»Nur, dass er noch in Narkose ist.« Sie weinte in sein Ohr. »Wenn er nun nicht wieder aufwacht, Erik.«

Winter saß mit geschlossenen Augen da, sah sich schon im Auto auf dem Weg nach Landvetter, im Flugzeug. Blauer Himmel über den Wolken. Er sah auf seine Hand. Sie zitterte. Vielleicht sind es die letzten Stunden, dachte er.

»Ich nehme das erste Flugzeug.«

»Bekommst du denn noch einen Platz? Um diese ... diese Jahreszeit sind sie doch immer ausgebucht.«

»Ich krieg das schon hin.«

Angela sah ihn an. Sie hatte alles gehört. Er würde es schaffen. Er würde um sieben, oder wann der erste Flug ging, in diesem Flugzeug sitzen.

# 4

Er hatte die Tür hinter sich geschlossen. Oder er war hinge-gangen und hatte sie später geschlossen, bevor es angefangen hatte. Wer versuchte hineinzugelangen, würde einige wichtige Sekunden opfern müssen, die nicht reichten.

Sie hatten gegessen, er erinnerte sich nicht, was es gewesen war. Er hatte nicht gemerkt, was er in den Mund steckte. Sie hatte gelacht, ein- oder zweimal. Er, der andere, hatte nicht gelacht. Als ob er wüsste ...

Als ob er wüsste, wer *er* war, warum er hier war.

Dass ich einfach so dasitzen kann, dachte er. Jetzt rede ich. Ich sage etwas ohne Bedeutung. Ich weiß nicht, ob sie überhaupt zuhören.

Im Kopf hörte er die Musik, sie begann leise, wurde lauter und hob und senkte sich. Es war, als ob er zu Hause wäre und zuhörte, oder im Auto. Aber er hörte selten Musik im Auto, denn er wollte nicht gegen eine Felswand im Tunnel fahren.

Er lauschte, das war, bevor es angefangen hatte. Oder hatte es damit angefangen, dass er lauschte? Er versuchte, nicht hinzuhören, und eine Weile war es gut gegangen, aber jetzt war es unmöglich. Und jetzt war es egal, jetzt, wo er hier saß. Er sah sich in der Küche um. Sie hatten gefragt, ob er in der Küche sitzen wollte, und er hatte mit den Schultern gezuckt. Dann gehen wir ins Wohnzimmer, hatte sie in einem Ton gesagt, der ihn ganz kalt werden ließ im Kopf, wo die Musik sich hob und senkte. Er fragte sich, ob sie es sahen, ob sie es schließlich auch hören konnten, vielleicht genau in dem Augenblick, als es passierte.

Die Gitarren dröhnten in seinem Kopf. Die Stimme schrie, rasselte, fauchte mitten in der Musik, die ihn nicht verließ: *Lying in the black field, memories start to move into my mind, visions of the red room, my bloodied face, bloodied head.*

Visionen vom roten Zimmer. Er schloss die Augen. Die Erregung wurde stärker. Sie sah es und lächelte. Sie wusste nichts. Der andere schien sich unruhig zu bewegen, begann sich aber langsam aufzulösen, wurde ein Schatten. Als er sie anschaute, wurde auch sie ein Schatten. Es war Zeit.

Sie sagte etwas.

»Wie bitte?«

»Hallo! Jemand zu Hause?«

»Was … ja …«

»Du scheinst sehr weit weg zu sein.«

»Nein … ich bin hier.«

»Du hast den Kopf geneigt, als hörtest du irgendwo zu. Drinnen im Kopf.«

»Ja.«

»Vielleicht dürfen wir es auch hören«, sagte sie und grinste. Der andere lachte nicht. Er sah ihn direkt an, als sähe er die, die in seinem Kopf spielten. »Wie klingt es?«, fragte sie, stand auf und lehnte sich an sein Ohr. Er spürte ihr Gewicht und roch Schnaps in ihrem Atem. Sie hatten getrunken, bevor er kam. Er hatte nicht getrunken. Nicht damals und nicht jetzt. »Ich hör nichts«, sagte sie und lehnte sich noch schwerer gegen ihn, dann küsste sie ihn. Er spürte sie drinnen in seinem Mund. Er rührte sich nicht. »Was ist mit dir?«, fragte sie. »Bist du nicht scharf?« Sie drehte sich zu dem anderen um. »Er scheint nicht scharf zu sein. Ich dachte, er wäre ein Swinger.«

Der andere sagte nichts. Er sah ihn immer noch forschend an. Vielleicht bedeutete das nichts.

Sie verließ die Küche, blieb ein Weilchen weg und kam wieder. Aus einem anderen Zimmer ertönte Musik. Er wollte sie nicht ansehen. Er sah ein Stück ihrer Haut.

»Wie gefällt sie dir?«, fragte sie.

»Was? Was?«

»Die Musik«, sagte sie. »Die Musik! Ich dachte, wir sollten sie alle hören.«

Er versuchte zuzuhören, hörte aber nichts, das das Metal durchdringen konnte, das in seinem Schädel schrillte.

Sie rief etwas, bewegte sich wie im Tanz.

Sie riss den anderen hoch, zerrte an ihm, küsste ihn. Schielte in seine Richtung. Sie begann, das Hemd des anderen aufzuknöpfen und legte seine Hand auf ihre linke Brust. Bewegte sich zur Musik. Lachte wieder.

»Elton John!«, schrie sie. »Das swingt!«

Plötzlich wurde ihm schlecht, und gleichzeitig war er entsetzlich erregt. Jetzt sahen sie ihn an, beide. Der andere nickte ihm zu, während er die Hand in ihrer Bluse hatte.

Sie machten zwei oder drei Tanzschritte vor ihm.

Er erhob sich.

# 5

Winter nahm seinen Koffer vom Laufband und ging durch den Zoll hinaus zum Mietwagen. Er zog seine Jacke aus und setzte sich hinters Steuer. Das Auto hatte im Schatten vorm Flugplatz gestanden. Im Flugzeug hatte der Kapitän die Temperatur in Málaga mitgeteilt, das dreitausend Meter unter ihnen an der Meeresküste wie graue Klippen aus einer verbrannten Erde aufragte. 32 Grad im Schatten, die Hitze über Andalusien gab sich noch nicht geschlagen. Er war noch nie hier gewesen.

Winter war müde, und in seinem Kopf pochte es leicht. Er startete das Auto. Er spürte große Trauer, die von der Hitze noch verstärkt wurde. Als ob die Hitze ein Vorbote wäre.

Winter breitete die Landkarte der Sonnenküste aus, die er von der Autovermietung bekommen hatte, und überprüfte die Wegbeschreibung nach Marbella. Es sollte nicht schwer sein, hinzufinden, immer die E 15 entlang. Die Autobahn hatte den Ruf, die gefährlichste der Welt zu sein, aber das hat man über andere Autobahnen auch schon gehört, dachte er und fuhr rückwärts aus der Parklücke.

Er fuhr nach Westen und stellte das Radio an. Ein Spanier sang in lispelndem Kastilisch eine Version von *My Way*. Darauf folgte ein instrumentaler Flamenco, der in Winters Ohren fröhlich und falsch klang. Der Flamenco wurde zu einer mexikanischen Rumba mit zehntausend Trompeten. Dann kam der Spanier wieder mit *Green, green grass of home*.

Das Gras draußen war trocken und schien tot zu sein, fast farblos.

Er fuhr durch die Vororte. Die Hochhäuser waren schwarz unter der Sonne, der Beton bunt gefleckt von den Wäschestücken, die aus schiefen Fenstern hingen. Die kleinen Gassen zwischen den Häusern waren leer, abgesehen von kleinen Gruppen verwilderter Hunde, die einander zwischen Abfallhaufen jagten. Die Siesta hatte gerade angefangen.

Er wich einem Laster aus, der in einer Kurve an ihm vorbeidonnerte. Der Fahrer saß ganz ruhig da, den Ellenbogen gegen das Fenster gestützt, und rauchte. Auf dem Beifahrersitz spielte eine Frau mit zwei kleinen Kindern, eins der Kinder winkte Winter zu. Er winkte zurück. Er wischte sich übers Gesicht. Langsam brach ihm der Schweiß aus. Die Klimaanlage funktionierte nicht, »*The very best, señor!*«, und der Fahrtwind brachte auch keine Kühlung.

Links sah er jetzt das, was man Torremolinos getauft hatte, »Torrie«, wie seine Mutter es einmal nach den Engländern genannt hatte: Betonblöcke ragten auf in den Himmel und krochen zugleich ins Meer hinaus. Man konnte es als Paradies oder Hölle empfinden, je nach Geschmack, aber Winter hatte jetzt anderes im Kopf, und er wollte auch nicht anhalten. Er dachte nicht mehr an Torrie, als er vorbeifuhr, es war für ihn nur eine Mauer, die am Meeresufer erbaut worden war.

Er musste langsamer fahren. Jetzt kam er durch ein Gebiet, wo Hotels und Pensionen jede freie Fläche bedeckten. *Flatotel Apartamentos. Nueva Torre Quebrada. Hotel Costa Azul.* Die Straße führte jetzt am Meer entlang. Der *Palacio del Mediterraneo* verdeckte den Blick auf den Himmel, ein paar Buchstaben im Namen an der Wand fehlten. In Benalmádena sah er, wie rechts weiß gekalkte Dörfer an den Hängen der Sierra Blanca emporkletterten wie auf der Flucht vor dem Elend unten am Meer. Die unschuldigen Dörfer in den Bergen, dachte Winter. Wer kann sie vor all den geisteskranken Architekten schützen, die auf die Costa del Sol losgelassen wurden?

Bei Caracola de Mar kroch das Auto über die Straßenunebenheiten. Rundherum waren enorme Hotelkomplexe errichtet, manche sahen aus wie verrückte Imitationen der Tempel in

Lhasa. Die Landstraße durchschnitt plötzlich eine kleine Wüste, die auf Erschließung wartete. Überall standen Schilder. Verstaubte Gruppen von Palmen in der stechenden Sonne. Winter sah Geier über etwas kreisen, das ein toter Esel sein konnte.

Er kam an Fuengirola vorbei. Die Hochhäuser links der Autobahn schienen wie zufällig rechts von den Bergen in die Landschaft geworfen worden zu sein. In den Schluchten wuchsen die Villen der Skandinavier wie Metastasen die Hänge hinauf.

Scheiße, jetzt musst du aber aufhören mit diesen morbiden Gedanken, Winter. Vielleicht überlebt er ja. Vielleicht hat er sich schon einen T & T, einen Tanquerary and Tonic, bestellt.

Der Strandstreifen zwischen Straße und Meer an der Costa war leer. Ein einsamer Bus stand verstaubt und ausgeschlachtet am Wegesrand.

Winters Kopfschmerzen nahmen zu. In der Nähe von Myramar ragten verlassene Hotels aus dem Schotter. Sie wirkten wie Monster von einem anderen Planeten mit einer Haut aus gerissenem uringelbem Zement.

Rechts sah er das Gebirge, wild zerklüftete Berge, die darauf zu warten schienen, dass die zufällig hereingebrochene Zivilisation wieder ausgelöscht wurde und alles wieder die Farbe der Berge annehmen würde.

Schließlich sah Winter rechts das *Hospital Costa del Sol*, es war weiß und grün. Er bog beim Hotel *Los Monteros* ab, fuhr parallel zur Autobahn und um das Krankenhaus herum. Unterhalb einer Bushaltestelle parkte er und folgte der Ausschilderung. *Entrada Principal.* Das Gras war grün und die Blumenbeete rot. In einem riesigen Kreis waren Pinien um das mächtige Gebäude gepflanzt: Kakteen, Bougainvilleen, an den Balkons hingen üppig bepflanzte Blumenkästen.

Eine breite Treppe führte zum Eingang hinauf, der wie ein schwarzer Schlund war. Winter holte tief Luft, strich sich durch die kurzen Haare und ging hinein.

Simon Morelius verließ Bartram vor dem Park-Hotel und ging über die Avenyn zu Hanne Östergaard, die immer noch bewegungslos dastand. Sie sah ihn erst, als er neben ihr war. »Hier kannst du nicht stehen bleiben, Hanne.«

Sie schaute ihn an.

»Es ist doch nicht abgesperrt?«, fragte sie, und vielleicht hörte er ein trockenes Lachen. Sie hob den Blick und sah den Jugendlichen nach, die zwischen all den Leuten untergetaucht waren. »Diese Szene hat eine kleine Volksmenge angelockt. Jedenfalls warst du zur rechten Zeit am rechten Ort«, sagte sie und guckte ihn direkt an. »Wieder mal.« Dann legte sie eine Hand auf seinen Arm. »Entschuldige, Simon.«

»Du brauchst nichts zu sagen. Sollen wir dich nach Hause bringen?«

»Nein, danke. Mein Auto steht in Heden.« Es klang, als ob sie wieder dieses trockene kurze Lachen lachte. »Wenn es nicht inzwischen gestohlen wurde.« Sie sah die Berzeliigatan hinunter. »Mir hat mal einer deiner jüngeren Kollegen erzählt, dass in Heden geparkte Autos früher oder später gestohlen werden.«

»Das stimmt wahrscheinlich.«

»Dann brauche ich vielleicht Hilfe.«

»Wir können ja mit dir hingehen und nachgucken«, sagte Morelius.

»Bist du nicht im Dienst? Du trägst doch Uniform. Musst du nicht patrouillieren?«

»Das ist ja mein Dienst.«

»Also gut«, sagte sie und setzte sich in Bewegung. Morelius gab Bartram ein Zeichen, der winkte und ging weiter zum Götaplatsen.

»Man knallt fast durch«, sagte Hanne Östergaard und blickte vor sich hin, »wenn man sein Kind in der Stadt suchen muss.« Sie sah Morelius an. »Ich benutze sogar Wörter, die ich noch nie benutzt habe. Durchknallen.«

Morelius antwortete nicht.

»Es ist alles so plötzlich gekommen«, sagte sie. »Ich glaube … ich hätte nie geglaubt, dass mir so was passieren würde. Nie. Ha! Ganz schön naiv.«

Morelius sagte immer noch nichts. Er wusste, dass sie allein mit ihrer Tochter lebte, aber er wollte keine platte Bemerkung darüber machen, dass das nicht leicht sei.

»Es ist wahrscheinlich der Loslösungsprozess«, sagte Hanne

Östergaard. »Und wenn man die Tochter einer Pastorin ist, läuft das vermutlich noch heftiger ab. Deutlicher.« Sie sah Morelius wieder an, nachdem sie die Avenyn überquert hatten und am Södra Vägen darauf warteten, dass die Ampel grün wurde. »Glaubst du, dass es so ist, Simon?«

»Ich weiß es wirklich nicht«, sagte er und starrte gerade vor sich hin. »Ich bin wohl nicht die richtige Person, die man so was fragen kann.« Er spürte, dass er unter der Mütze zu schwitzen begann. Hoffentlich sah sie es nicht. Schweiß, der ihm über das Gesicht laufen würde.

»Warum eigentlich nicht?« Sie überquerten die Straße und gingen auf den hinteren Teil der Parkfläche zu. »Du kannst doch trotzdem eine Meinung dazu haben.«

»Ich hab keine Kinder.«

»Umso besser.« Wieder das trockene Lachen. »Warte mal.« Sie blieb stehen und sah sich um. »Ich weiß gar nicht genau, wo ich das Auto abgestellt hab. In dem Augenblick hab ich überhaupt nicht darauf geachtet.«

»Wie sieht es aus?«

»Ein Volvo, älteres Modell. Zehn oder elf Jahre alt.«

»Autokennzeichen?«

Sie sah sich wieder um und schaute ihn verblüfft an. »Das fällt mir im Moment nicht ein. Verrückt.«

»Das ist nichts Ungewöhnliches«, sagte Morelius, »dass man sein Autokennzeichen vergisst.«

»Besonders unter Stress, oder?«

»Ja.« Er ließ den Blick über die Autos gleiten. Überall Volvos, farblos im Dunkeln und im Neonlicht.

»Dahinten ist er ja«, sagte sie und begann, auf das Exercishuset zuzugehen. »Der, neben dem rechts ein Parkplatz frei ist.«

Das Auto war ziemlich schmutzig. Morelius sah es schon aus zehn Metern Entfernung.

»Das Autokennzeichen hätte man sowieso nicht erkennen können.«

»Ja, der müsste dringend mal gewaschen werden«, sagte Hanne Östergaard. »Aber im Augenblick habe ich andere Sorgen.«

Sie waren beim Auto angekommen. Die Pastonin schloss auf und setzte sich hinters Lenkrad.

»Dann ... vielen Dank«, sagte sie.

»Keine Ursache.«

Sie schaute nach vorn, die Autoschlüssel in der Hand, dann sah sie Morelius an, der leicht vorgebeugt dastand. Sie startete das Auto.

»Und ich hab immer geglaubt, wir hätten so eine gute Beziehung«, sagte sie. Aber Morelius hörte nur noch Bruchstücke.

Winter ging durch die große Halle zur Informationstafel neben dem Büro. Er las: *Ciudados Intensivos. Cirurgía. Traumatolgía. Medicina Interna. Cardiología.* Erster Stock: *primera planta.* Er wusste, dass sein Vater gerade von der Intensivstation auf eine normale Station verlegt worden war, also die Treppe links hinauf. Die Verlegung schien ein gutes Zeichen zu sein, aber die Stimme seiner Mutter hatte nicht überzeugend geklungen am Telefon. *Cirurgía. Cardiología.* Das klang so ... abstrakt auf Spanisch, wie Begriffe, die vom Körper selbst, von Blut und Sehnen, hübsch getrennt worden waren.

Er stieg die Treppe hinauf und sah sich im Korridor um. Links war die Intensivstation. Rechts der Eingang zur Inneren Medizin mit den Zimmernummern auf einer Tafel: *Habitaciónes 1101–1117.* Seine Mutter hatte gesagt, der Vater liege in Zimmer 1108. Er ging durch die Tür in die Station. Die Schmerzen sprengten ihm fast den Kopf. Seit sechs Jahren hatte er nicht mehr mit seinem Vater geredet. Es war ein Wahnsinn. Früher hatte er es nicht verstanden, aber jetzt begriff er, dass alles, was gewesen war ... es war wahnsinnig und sinnlos, und er dachte, Papa kann verflixt noch mal mit seinem Geld machen, was er will, wenn er nur lebt.

Er folgte den Zimmernummern, 1105-06-07-08 ... Die Tür stand offen und gab den Blick frei auf einen kleinen Vorraum und ein Zimmer. Durch das Fenster am Ende des Raumes sah er einen Schotterhof. Das Licht da draußen war sehr grell. Vom Hof war kein Laut zu hören. Als Winter das Zimmer betrat, nahm er den Geruch von Chlor und etwas wahr, das Schmierseife sein mochte. Alles war glänzend gewienert. Die Wände hatten einen Stich ins Gelbe. Der Fußboden war aus Stein. Rechts an der Decke hing ein Fernsehapparat. Links standen zwei Betten, das eine war leer. In dem anderen lag eine Gestalt, die an Schläuche und Glasflaschen rund um das Bett angeschlossen war. Auf einem Stuhl daneben saß eine ältere Frau, seine Mutter.

Sie hatte ihn nicht kommen hören, und als sie ihn bemerkte und den Kopf drehte, zuckte sie zusammen, stand sofort auf und kam ihm entgegen.

»Erik«, sagte sie. Er sah Spuren von Tränen in ihrem schmalen, stark sonnengebräunten Gesicht. Als er sie in den Armen hielt, war sie wie gewichtslos, als schwebe sie mit ihren dünnen Armen und Beinen in der Luft.

»Jetzt bin ich da«, sagte er und schaute über ihre Schulter zu seinem Vater.

Bengt Winter lag mit seitwärts geneigtem Kopf und geschlossenen Augen gegen Kissen gelehnt da. Sein Gesicht war grau, als ob die Sonnenbräune von der Krankheit in den Körper gesogen worden wäre.

»Wie geht es?«, fragte Winter und nickte zum Bett. »Wie geht es Papa?«

»Jetzt schläft er. Er hat starke Tabletten bekommen, damit er ausruhen und still liegen kann. Und noch irgendwas anderes. Aber ich glaube, sie bringen ihn zurück auf die Intensivstation.«

»Dann hätten sie ihn doch nicht erst hierher verlegt?«

»Ich weiß nicht, Erik.« Sie schluchzte an seiner Schulter. Er hielt sie immer noch im Arm. »Ich weiß überhaupt nichts mehr.«

»Aber war es denn kein Infarkt?«

»Doch. Es ist sehr ernst, sagt Doktor Alcorta.«

»Ist er jetzt da?«

»Ich glaub nicht. Wir können ja mal fragen. Aber ich rede morgen Vormittag mit ihm.« Sie schaute zum Bett, als ob sie jetzt zu ihrem Mann spräche. »Wir haben einen Termin vereinbart.«

Winter ließ sie los und ging zum Bett. Das Gesicht des Vaters war ein wenig in die Kissen gedrückt, die ehemals scharfen Züge waren milde und halb ausradiert, wie von einer Hand ausgeglichen. Winter sah seinen Vater an und sah sich selbst in ihm. Hier geht es auch um mein Leben, dachte er. Uns trennen nur 25 Jahre, und das ist nichts. Nichts.

Bengt Winter atmete, und ein Faden Speichel zog sich von seinem Mund übers Kinn zum Hals hinunter, der dunkel in all dem Weißen leuchtete. Winter wischte den Speichel mit der Hand weg. Das Kinn seines Vaters war rau von den Bartstoppeln, kalt. Die Haare standen ihm vom Kopf ab. Unter den Augen und um den Mund hatte er blaue Flecken, und die Augenlider waren von Adern durchzogen. In seiner Brust rasselte es. Er ist ein Sterbender, dachte Winter. Darum haben sie ihn verlegt. Sie konnten nichts mehr für ihn tun.

Er schaute aus dem Fenster, sah Palmen und Pinien hinter dem Schotterplatz und dem Parkplatz. Hinter den Bäumen erhob sich die Landschaft, braune hügelige Felder, ein weißes Dorf. Im Hintergrund ein Bergmassiv mit einem Gipfel, der fast die dünnen Wolken berührte. Den Blick auf den Berggipfel geheftet, blieb er stehen.

»Denselben Berg sehen wir von zu Hause«, sagte seine Mutter, die sich neben ihn gestellt hatte.

»Wie?« Er hatte ihr nicht zugehört. »Was hast du gesagt?«

»Wenn er aus dem Fenster schaut, sieht er den Berggipfel auf der Sierra Blanca, und das ist derselbe, den er von unserem Wohnzimmerfenster aus sieht«, antwortete seine Mutter. »Aber natürlich aus einer anderen Richtung.«

»Das ist bestimmt gut.«

»Es … ist ein gutes Gefühl.«

»Wann wird er zu sich kommen?«

»Das dauert noch eine Weile«, sagte sie und sah auf ihren Mann hinunter und dann wieder hinauf zu ihrem Sohn. »Hast du Hunger? Durst?«

»Vielleicht was zu trinken.«

»Wir können runter in die Cafeteria gehen«, sagte sie. »Da haben sie fast alles.«

Aber wohl kaum einen Gin Tonic, dachte Winter, und eine Sekunde später schämte er sich. Wenn sie vorher einen Drink zu viel genommen hatte, dann war sie jetzt jedenfalls wieder nüchtern.

»Können wir denn weggehen … ihn einfach allein lassen?«

»Wir sagen im Schwesternzimmer Bescheid. Die können uns innerhalb einer halben Minute holen.«

Die Cafeteria war groß, voller Licht, das durch viele Fenster strömte. Hinter dem Tresen hingen Bilder der warmen Gerichte, die im Angebot waren. Hinter Glasvitrinen standen Teller mit Tapas aufgereiht. Winter nahm den schweren Duft nach frittiertem Tintenfisch wahr, und erst jetzt begriff er, dass er in einem anderen Land war. Plötzlich hatte er großen Hunger. In einem Topf hinter dem Tresen sah er Tintenfischringe in Öl brutzeln. Eine Frau in beigefarbener Bluse und schwarzem Rock hob sie in einer Schöpfkelle an, einen nach dem anderen.

»Setz dich an einen Tisch, ich bestell dir, was du haben möchtest«, sagte seine Mutter. »Es gibt ...«

»Tintenfisch«, sagte Winter und nickte zu dem Topf. »Und ein paar Kartoffeln. Und bitte eine große Flasche Mineralwasser.«

Er setzte sich an einen Tisch nah der hinteren Fenster. Nach ein paar Minuten sah er seine Mutter mit einem Tablett herankommen.

Er hatte sie nicht gesehen seit ... drei Jahren. Bei einem Blitzbesuch, zu dem sie aufgetaucht war, um etwas wegen irgendwelcher Papiere zu regeln. Was Steuerflüchtlinge in Schweden eben zu regeln haben mochten. Lotta und die Mädchen hatten sie mehrere Male hier unten besucht. Aber seine Schwester hatte eine andere wirtschaftliche Moral in Steuerfragen als er.

Die Mutter kam mit dem Essen, ein geschundenes Gesicht über einem roten Plastiktablett. Wenn noch ein bisschen mehr Zeit vergangen wäre, er hätte sie nicht mehr wieder erkannt auf der Straße. Und jetzt sitze ich hier, dachte er. Nichts bedeutet mehr etwas. Wir können noch so erfolgreich sein, am Ende sitzen wir doch hier.

»Ich hol nur noch Servietten und das Wasser«, sagte sie und stellte das Tablett ab. Winter roch den Fisch, und plötzlich war sein Hunger weg, genauso schnell, wie er gekommen war.

Seine Mutter kam zurück und setzte sich. Er hatte das Tablett noch nicht angerührt. Sie begann, Teller, Gläser und Schüsseln mit Essen zu verteilen.

»Ich hab dich gar nicht gefragt, wie deine Reise war.«

»Willst du selbst nichts essen?«, fragte Winter und schaute auf die leere Fläche vor ihr.

»Ich nehm mir ein Stück Tintenfisch von dir«, sagt sie. »Ich hab was gegessen, kurz bevor du gekommen bist.«

Er wusste, dass es nicht stimmte, und legte einige Ringe frittierten Tintenfisch und Kartoffeln auf den Teller.

»Hattest du eine gute Reise?«

»Klar.«

»Und wie geht es Angela?«

»Gut.«

»Wie wunderbar, dass ihr ... etwas Kleines bekommt«, sagte sie und holte ein Taschentuch hervor. »Ich hab geweint, als du es erzählt hast.« Sie fing an zu weinen. »Und Papa ... er hat eine Flasche Cha...« Winter verstand das Letzte nicht, da ihr Gesicht im Taschentuch verschwand. Er wusste nicht, was er antworten sollte. Sie putzte sich die Nase und sah ihn an.

»Ihr müsst runterkommen, alle miteinander ... wenn Papa wieder gesund ist.«

»Natürlich.«

»Das wird schön.«

»Ja.«

»Ich geb dir nachher die Schlüssel.«

»Die Schlüssel?«

»Zum Haus. Ich schlafe heute Nacht hier, aber du kannst im Haus wohnen. Nach ihm sehen.«

»Ich hab mir ein Zimmer in einem Hotel in der Stadt gebucht. In Marbella.«

»Das ist doch ganz unnötig.«

»Aber ist es nicht ein ganzes Stück bis Nueva Andalucía? Liegt das nicht auf der anderen Seite der Stadt?«

»Nicht so weit.«

»Trotzdem. Es ist besser, wenn ich näher am Krankenhaus bin.«

»Ja, vielleicht. Mach es, wie du möchtest. Aber morgen, hoffe ich, können wir zusammen rausfahren.« Für einen kleinen Moment schien ein winziges Leuchten in ihren Augen aufzuglimmen. »Du hast das Haus ja noch nie gesehen.«

Winter antwortete nicht. Sie schwiegen. Er versuchte zu essen, aber der Appetit war wie weggeblasen.

»Du musst wissen, dass Papa nie etwas dazu gesagt hat, dass

du ... ihn in all diesen Jahren nicht treffen wolltest«, sagte sie plötzlich. Sie schaute aus dem Fenster, schien die Bewegungen des heißen Windes in den Palmen hinter dem Parkplatz zu verfolgen. Vielleicht betrachtete sie auch den weißen Berggipfel auf der Sierra Blanca, der das lebendige Leben dort draußen mit dem ... anderen hier drinnen verbindet, dachte Winter. »Er hat nicht ein Wort gesagt. Wenn ich versucht habe, mit ihm darüber zu sprechen, hat er geschwiegen.«

»Es tut mir Leid.«

»Deswegen sage ich es nicht, Erik. Glaub das bloß nicht. Du sollst nur wissen, dass er nie einen Groll gegen dich gehegt hat.«

Himmel, dachte Winter, will er die ganze Schuld auf sich nehmen?

»Es tut mir wirklich Leid, dass es so gekommen ist«, sagte er. »Ich hoffe, wir können das jetzt ändern.«

»Ja«, sagte sie, aber er wusste, dass sie beide spürten: Es war zu spät.


Sie gingen wieder auf die Station hinauf. Seine Mutter rauchte im Warteraum mit den weißen Jalousien und den grünen und schwarzen Stühlen an den Wänden. Winter zählte sie, es waren dreizehn. Unter dem Fenster stand ein schwarzer Papierkorb. Er zündete sich auch einen Zigarillo an und wurde ruhiger. Der Rauch aus dem dünnen Stängel ringelte sich zwischen die Spalten der Jalousien.

Sie kehrten in das Krankenzimmer zurück. Nichts war geschehen, während sie weg gewesen waren, nur die Sonne dort draußen und die Schatten hier drinnen hatten sich weiter bewegt. Sonne und Schatten, dachte Winter. *Sol y sombra*. Das ist ungefähr alles an Spanisch, das ich kann. Sonne und Schatten. Allein darum dreht es sich, nur hier nicht, in diesem Zimmer. Hier gibt es nur den Schatten zwischen all dem Weißen. Weiß ist die Farbe des Todes.

Seine Mutter ging in den Korridor. Er hörte sie dort draußen reden. Es war ein merkwürdiges Gefühl, die vertraute Stimme zum ersten Mal eine fremde Sprache sprechen zu hören.

»Er kommt erst in ein paar Stunden wieder zu sich«, sagte sie.

»Woher wissen die das?«

Sie zuckte mit den Schultern.

»Wenn du willst, kannst du ja einen Spaziergang machen«, sagte sie und zeigte durchs Fenster. »Da draußen.«

»Vielleicht mach ich das.« Er spürte, dass er Bewegung brauchte. »Ich bin ein bisschen steif.«

»Das kommt von der Reise«, sagte sie.

Im Korridor stand eine junge Frau am Telefon und weinte. Winter ging die Treppe mit dem Schild *Salida de Emergencia* an der Wand hinunter. Die große Halle war noch genauso leer und still wie vorher. Er hatte einen rappelvollen und chaotischen Empfang erwartet, verzweifelte Menschen, die »*caramba*« schrien und nach Knoblauch ... Nein, aber diese kühle, lautlose Eleganz im *Hospital Costa del Sol* überraschte ihn.

Die Hitze schlug ihm unmittelbar entgegen, als er auf die Treppe hinaustrat. Er sah sein Auto unten auf dem schwarzen Parkplatz. Wie ein Brötchen auf einem Backblech, dachte er und ging in die Sonne und links über die Fußgängerbrücke zur Autobahn. Im Westen war Marbella zu sehen: ein einzelnes Hochhaus und ein Häuflein halbhoher Häuser, die um eine Meeresbucht gebaut waren. Ein wahnsinniger Lärm von den Fahrzeugen unter ihm. Fünfhundert Meter entfernt erhob sich ein riesiges Schild: *Urbanización Bahia de Marbella*. Hinter dem Schild flossen Meer und Himmel zusammen. Der Heimatort seiner Eltern.

Winter ging über die Brücke zurück nach Osten, an dem Krankenhauskomplex vorbei und denselben Weg zurück, den er mit dem Auto gekommen war. Bei der Einfahrt zur Autobahn stellte er sich für einen Moment in den Schatten eines Wartehäuschens einer Bushaltestelle. Andere Wartende hatten ihre Zeichen in eine Holzbank geritzt, Namen, Jahreszahlen. Jemand liebte einen anderen. Jemand wünschte einem anderen Tod und Pein. Jemand war dort gewesen!

*Winter was here.*

Er ging über das Viadukt zur anderen Seite. Das heruntergekommene Hotel *Los Monteros* wurde einer gründlichen, langsamen Renovierung unterzogen. *Sorry for the trobbles*, stand auf einem Schild. Arbeiter in einer Fünferreihe reichten einander Ziegel zu, und alle schauten auf, als der blonde kurzhaarige Nordländer vorbeitrottete. Jemand sagte etwas, Winter hörte Lachen.

Hinter dem Hotel lagen gut gepflegte Privatvillen am Abhang zum Meer hinunter, das zwischen dem Grün schimmerte. *Avenida del Tennis*. Winter hörte ein Spiel hinter den weißen Mauern. Ein teures Auto kam den Hügel herauf, und der Fahrer winkte, als er vorbeifuhr.

Winter ging zurück und bog bei den Ziegelarbeitern nach links ab. Wieder ein Kommentar, wieder ein Lachen. Er erreichte die verfallenen Wirtschaftsgebäude des Hotels und andere Wirtschaftsgebäude. Hinter einem großen Schuppen lagen mindestens zwanzig verkommene Tennisplätze im Sonnenschein. Trockenes Gras wurde in Büscheln über den gerissenen Tartanbelag geweht, die Netze hingen durch. Stühle waren in einem Durcheinander mitten auf den Plätzen zurückgelassen worden, als ob dort plötzlich etwas passiert und man fluchtartig aufgebrochen wäre.

# 6

Als Winter in das Zimmer Nummer 1108 zurückkam, war sein Vater wach. Er trat ans Bett. Es war ein schwerer Moment. Winter konnte kaum schlucken. Sein Vater streckte eine Hand aus, und Winter nahm sie. Die Hand war warm und fest, wie bei einem gesunden Mann, aber Winter spürte die Knochen und Sehnen. Er versuchte etwas zu sagen, doch der Vater kam ihm zuvor.

»Gut, dass du da bist, Erik.«

»Ja.« Winter sah, dass seinem Vater die Bewegung Schmerzen verursacht hatte. »Ganz ruhig.« Winter drückte die Hand vorsichtig. »Das ist wichtig.«

»Alles an... andere geht sowieso nicht.« Bengt Winter sah seinen Sohn an. »Aber ich hab mir unsere Begegnung anders vorgestellt, wenn du schon mal bei uns in der Sonne auftauchst.«

»Macht doch nichts. Sieh zu, dass du wieder gesund wirst, dann kannst du mich empfangen, wie du es dir gedacht hast.«

»Da... darauf kannst du Gift nehmen. Schei... kannst du dieses Kissen ein bisschen hochschieben?«

Winter schob eins der Kissen unter den Kopf seines Vaters. Er nahm einen scharfen Geruch wahr und etwas anderes. Es dauerte eine Sekunde oder zwei, bis ihm das Rasierwasser seines Vaters wieder einfiel. Da fingen die Kopfschmerzen wieder an. Die Trauer über die Situation setzte sich in seinem Kopf fest wie ein Stück Erinnerung aus Stein.

Er klopfte die Kissen ein wenig zurecht.

»So ist es gut«, sagte der Vater.

»Bist du sicher?«

»Perfekt«, sagte die Mutter. Sie saß auf dem Stuhl. Winter wollte sie nicht ansehen.

»Wie war die Reise?«, fragte der Vater.

»Gut.«

»Mit welcher Gesellschaft bist du geflogen?«

»Irgendein Charterflug. Den Namen hab ich vergessen.«

»Das sieht dir ja gar nicht ähnlich.«

»Mhm.«

»Es war eben zu kurzfristig. Immerhin haben sie dir einen Platz besorgt.«

»Ja.«

»Dann musste wohl irgendein Golfer wegen dir auf den nächsten Flieger warten?«

»Keine Ahnung.«

»Das macht nichts. Es gibt sowieso zu viele Golfer hier unten. Als ob die nichts Besseres zu tun hätten.« Der Vater sah Winter an. »Guck mich an. In der einen Stunde ist man draußen auf dem Golfplatz und in der nächsten liegt man hier.«

»Ja, gesund ist das nicht.«

»Es ist ein lebensgefährlicher Sport.«

»Du bist bald wieder da.«

»Auf dem Golfplatz?«

»Ja. Und ... überall.«

»Weiß der Geier. Was ich hier erlebe, fühlt sich wie *the big one* an.«

»Mhm.«

»Das ist ein Gefühl wie ...« Mehr verstand Winter nicht. Plötzlich fing der Vater an zu nuscheln. Winter wartete, aber es kam nichts mehr. Die Augenlider des Vaters senkten sich, hoben sich, fielen wieder herunter. Winter merkte, dass er immer noch seine Hand hielt. Sie war kraftlos geworden und glitt zur Seite.

»Er muss sich ausruhen«, sagte die Mutter, die aufgestanden und ans Bett gekommen war. »Er hat sich so gefreut, dass du hier bist.« Sie umarmte ihn. »Es hat ihn wahrscheinlich sehr aufgeregt.«

»Mhm.«

»Er ist eine Viertelstunde, bevor du gekommen bist, aufgewacht.«

»Er wirkte trotzdem … stark«, sagte Winter und betrachtete seinen bewusstlosen Vater. Konnte er sie hören? Spielte das eine Rolle? »Alles wird wieder gut.«

»Ihr habt ein gutes Gespräch gehabt«, sagte die Mutter.

Es war ein Gespräch auf sicherem Boden, dachte Winter, keiner ist ein Risiko eingegangen. Wir haben uns weiträumig um ein großes verdammtes Loch bewegt.

Er hörte das Surren der Klimaanlage, nahm es zum ersten Mal wahr. Vielleicht ließ die Nervosität langsam nach. Nächstes Mal würde er versuchen, dem Vater mehr Fragen zu stellen, und vielleicht würde der ihn auch mehr fragen.


Sie waren ins Wohnzimmer gegangen. Sie hatte das Videogerät eingeschaltet, und ihre Körper bewegten sich. Es gab kein anderes Licht als den blauen Schimmer von der Mattscheibe und die Schatten, die sich wie lebendig die Wände entlang bewegten.

Die Geräusche aus dem Fernseher schwollen an und schwollen ab. Das ging ihm auf die Nerven. Er wollte den Fernseher ausschalten, aber er durfte ihr Ritual nicht unterbrechen. Er wusste, dass sie es war, die bestimmte, was jetzt passierte.

»Warum stehst du so rum? Komm her und setz dich zu uns.«

Sie winkte vom Sofa, das vorm Fernseher stand. Dort saßen sie beide. Die Hand des anderen war in ihrer Bluse, auf dem Tisch vor ihnen Gläser und Flaschen. Er hatte nichts getrunken, aber die beiden auf dem Sofa hatten einiges intus.

Er schloss die Augen, und es war wie in einer anderen Zeit, als er nach Hause gekommen war und auf einem Sofa wie dem da gesessen hatte. Da war er einfach eingetreten, als ob er direkt von einem anderen Kontinent käme. Er würde nicht dort sein. Sie waren überrascht worden. Er hatte sich umgedreht und war wieder gegangen.

Es geschah nicht zum ersten Mal.

Mit ihm stimmte etwas nicht. Er hatte geglaubt, es läge an *ihnen*, aber langsam begriff er, dass mit ihm etwas war.

Er versuchte, es zu unterdrücken. Jetzt war er hier.

»Lacht nicht«, sagte er, »bitte, lacht nicht.«

Sie sahen ihn beide an. Ihre Gesichter waren fleckig im blauen Lichtschein. Es sah aus, als wären ihre Stirnen tätowiert.

»Wir haben doch gar nicht gelacht«, sagte sie. »Hier lacht niemand.«

»Bitte lacht mich nicht aus.«

»Was zum Teufel ist eigentlich los mit dir?«, fragte der andere und richtete sich halb vom Sofa auf.

»Nichts ist los.«

»Ich glaub, du bist hier falsch.«

Der andere war jetzt ganz aufgestanden und wollte auf ihn zugehen. Sie war mit dem Glas in der Hand sitzen geblieben und beobachtete die Bewegungen der Körper auf der Mattscheibe.

»Ich hab Musik mitgebracht.«

»Was?«

»Ich hab gedacht, die könnten wir mal hören.«

»Musik?« Der andere blieb beim Sofa stehen und zeigte auf den Fernseher. »Da läuft schon was. Oder ist dir das entgangen?«

»Gibt's einen Kassettenrekorder? Ich hab hier was Besonderes.« Er sah schon die Anlage rechter Hand, aufeinander gestapelte Geräte in einer hohen schwarzen Kiste mit Einlegebrettern. Er nahm die Kassette aus der Brusttasche und ging auf die Anlage zu. Sekundenlang sah er ein anderes Gesicht vor sich, wie einen schwebenden Kopf. Er kannte es. Er wusste, dass es etwas bedeutete. Jetzt war der Kopf weg. Der hatte keinen Körper gehabt. In seinem Hirn dröhnte bereits der Song, er wusste nicht, ob er aus seinem Hals kam und ob die anderen ihn hören konnten. Sein Kopf schwebte, näherte sich ihren Köpfen. Alles floss zusammen. Noch einmal sah er das Gesicht. Dann setzte die Musik richtig ein.

Es hatte angefangen zu dämmern, aber es war immer noch warm. Winter fuhr nach Marbella. Im Autoradio brüllte ein Flamencosänger seinen Schmerz heraus. Winter stellte das Radio lauter und drehte die Fensterscheibe herunter. Ein Geruch nach Benzin und Meer lag in der Luft. In einer Querstraße zur

Uferpromenade, wo er das Auto parkte, roch es nach gebratenem Tintenfisch und Olivenöl. Er spürte, wie nass sein Rücken war, stieg aus dem Auto und schloss ab.

Das Hotel lag auf der Avenida Duque de Ahumeda nah am Strand. Winter musste eine Viertelstunde im Foyer warten und fuhr dann mit seinem Koffer in den zwölften Stock hinauf, um das Appartement anzusehen, ehe er sich eintrug, wie er es sich angewöhnt hatte.

Das Türschloss war locker. Die Wohnung bestand aus zwei Zimmern und Küche. In dem kleineren Zimmer waren die Fenster zum Balkon teilweise geöffnet, und der Wind zerrte an der blauweißen Markise dort draußen. Sie war zerrissen, von Sonne, Schatten und Salz fleckig geworden. Eine Lasche der Markise schlug gegen das Fenster. Winter ging näher und stellte fest, dass es ein Ostbalkon mit Blick auf ein anderes Hotel war. Er sah sich in dem größeren Zimmer um. Die Möbel aus imitiertem Leder waren einmal weiß gewesen.

Er ging ins Bad. Die Badewanne hatte um die Wasserhähne herum einen rostigen Rand. Im Waschbecken klebten Seifenreste. Er betrachtete sich im Badezimmerspiegel. In den letzten fünf Stunden war er hager und blass geworden.

Im Fahrstuhl auf dem Weg nach unten traf er auf ein Paar in seinem Alter, das es vermied, ihn anzusehen. Die beiden hatten eine Fünf-Tage-Bräune und waren für einen Drink im Sonnenuntergang gekleidet.

»*I don't like that room*«, sagte Winter zu dem Mann an der Rezeption und hielt ihm den Schlüssel hin. Warum gerate immer ich in solche Situationen?, dachte er.

»Was ist daran nicht in Ordnung?«

»Ich möchte das Zimmer nicht. Gibt es ein anderes weiter unten?«

»Aber was stört Sie an dem Zimmer?«

»*I DON'T WANT THAT FUCKING ROOM*«, sagte Winter laut. »*It's out of order.*«

»Was funktioniert denn nicht?« Die Augen des Mannes waren dunkler geworden.

»Nichts funktioniert. Alles Mögliche kaputt. Das Bad ist schmutzig. Haben Sie ein anderes Zimmer?«

»Nein. Wir sind ausgebucht.«

»Wie lange?«

»Auf Monate.«

»Können Sie mir ein anderes Hotel in der Nähe empfehlen?«

Winter hatte das Hotel nebenan gesehen, fand es aber nicht besonders ansprechend. Er war müde und verschwitzt und bedrückt. Er wollte ein angenehmes Zimmer, sich duschen, einen Whisky trinken und ein wenig nachdenken.

»Nein«, antwortete der Mann.

»Vielleicht ein kleineres Hotel, einfacher.«

»Keine Ahnung«, sagte der Mann mit abgewandtem Blick. Er ist in vollem Recht, dachte Winter. Er kann ja nichts dafür. Ich hätte wirklich höflicher sein können.

»Haben Sie ein Hotelverzeichnis der Stadt?«

»Was soll ich mit dem Zimmer machen?«, fragte der Mann, ohne seine Frage zu beantworten. Er sah Winter wie ein Ankläger an. »Jetzt steh ich da mit einem leeren Zimmer.«

»Verrammeln Sie es«, sagte Winter und ging davon. Seinen Koffer zog er rasselnd hinter sich her.

Er hatte Glück. Als er vorhin durch die Stadt gefahren war, war ihm wenige hundert Meter entfernt ein Schild an einer Hauswand aufgefallen.

Er fuhr die Avenida de Severo Ochoa ein Stück zurück und sah es an der Einfahrt zu einer kleinen Querstraße, die für den Autoverkehr gesperrt war. Er parkte und ging in die Calle Luna hinein, die verborgen im Abendschatten lag. Hundert Meter rechts war das *Hostal La Luna*. Hinter einer Glastür lag ein Patio. Winter sah die kleinen Balkone der Zimmer.

Eine Abbestellung in letzter Sekunde, er sah sich das Zimmer an, es war schlicht, ruhig und sauber, hatte Kühlschrank, Bad.

Das Auto bekam einen Stellplatz in einem Parkhaus auf der anderen Seite der großen Durchfahrtsstraße.

Er duschte und trank nackt im weichen Halbdunkel auf seinem Bett einen Whisky. Durch die offene Balkontür drangen leise Gesprächsfetzen des älteren Wirtspaares vom Patio herauf.

Sie konnten kein Englisch, nicht ein Wort, aber der Mann

hatte Winters Zustand bemerkt und ohne Worte ein kaltes Bier auf den Tisch unter dem Sonnenschirm gestellt, bevor Winter das Zimmer überhaupt für unbestimmte Zeit gebucht hatte.

Jetzt ließ er den Whisky durch seinen Mund rollen und in sein Hirn gleiten. Ihm wurde etwas leichter im Kopf. Das Zimmer roch fremd, als ob es mit Schmierseife und Kräutern des Südens gereinigt worden wäre. Die beiden Betten waren von romanisch-zeitlosem Design. Zwischen ihnen hing ein Bild der Madonna, die für ihn und seinen Vater betete. So kam es ihm jedenfalls vor, als er das Bild in seinem einfachen Rahmen betrachtete. Es war der einzige Zimmerschmuck.

So sollte man wohnen.

Er streckte sich nach seinem Handy auf dem Nachttisch und wählte die Nummer. Es war fast sieben, und die Sonne war jetzt nur noch ein schwacher Abglanz. Die Tür zum Patio hatte er angelehnt und die hölzernen Jalousien vor der glasfreien Fensteröffnung, die von einem schwarzen Eisengitter geschützt wurde, halb hochgezogen.

»Angela.«

»Hier ist Erik.«

»Hej! Wo bist du?«

»In meinem Zimmer. Aber nicht in dem Hotel, das ich ursprünglich gebucht habe.«

»Du hast gewechselt«, sagte sie, und er wusste, dass sie lächelte.

»Natürlich.«

»Wie geht es deinem Vater?«

»Sie haben ihn von der Intensivstation verlegt. Ist das ein gutes Zeichen?«

»Muss es wohl sein.«

»Wirklich? Du bist doch die Ärztin.« Er hoffte, dass seine Stimme nicht nörgelig klang.

»Ich kenne seine Krankenakte nicht, Erik.« Sie machte eine Pause. »Hast du mit ihm gesprochen?«

»Ja.«

»Und?«

»Er wirkt ziemlich … na ja, stark.«

»Das klingt gut.«

»Ja.«

»Und was war das für ein Gefühl, ihn wieder zu sehen?«

»Als ob wir uns letzte Woche zuletzt getroffen hätten.«

»Wirklich?«

»Nicht ganz so. Wir haben über ihn und die Krankheit und andere sichere Themen gesprochen.«

»Alles braucht seine Zeit. Es muss ihm erst besser gehen.«

»Mhm.«

»Bist du müde?«

»Nicht so müde, dass ich mir nicht ein Glas Whisky genehmigen könnte. Und du?«

»Uns geht's gut.«

Er empfand ihr »wir« wie einen Gruß von der neuen Familie: von Angela und ihrem zunehmenden Bauch.

»Arbeite bloß nicht zu viel, Angela. Dicken Gruß an deinen Bauch!«

»Was machst du heute Abend?«

»Geh irgendwo essen und fahr wieder zum Krankenhaus.«

»Mit Whisky im Körper?«

»Der hält sich mehr ans Gehirn. Und dies hier ist ein anderes Land.«

# 7

Er sah die Lichter der Schiffe auf dem schwarzen Meer. Der Wind trug Wärme ins Auto auf der Fahrt zum Krankenhaus. Marbellas östliche Stadtteile waren jetzt ruhiger, und es waren weniger Autos unterwegs.

Winter hatte in einer einfachen Bar in der Nähe vom *Hostal La Luna* einen Teller Paella gegessen. In einer Qualmwolke vorm Fernseher hatten sich fünf Männer heiser geschrien und den Fußballspielern obszöne Gesten gemacht. Die Begeisterung für das Spiel war überall gleich.

Sein Vater war wieder wach. Die Mutter saß auf dem Stuhl, den sie näher ans Bett gerückt hatte.

»Ich gehe in die Cafeteria und trinke eine Tasse Kaffee«, sagte sie, als er kam. »Möchtest du auch etwas?«

»Nein, danke.«

»Trink einen T & T für mich mit«, sagte der Vater.

Die Mutter lächelte und ging. Winter setzte sich auf den Stuhl.

»Du bist ja richtig in Fahrt«, sagte er.

»Jetzt ist T & T-time«, sagte der Vater. Er hatte den Kopf zum Fenster gewandt. »Ein kalter Drink vor dem Mittag.«

»Ist das nicht ein bisschen zu spät?«, fragte Winter und guckte auf seine Armbanduhr, die auf neun Uhr zeigte.

Sein Vater hustete, und Winter wartete. Draußen schepperte ein Krankenbett über den Flur. Von irgendwoher Gitarrenmusik. Der Vater hustete wieder.

»Wir haben uns spanische Gewohnheiten zugelegt.« Er räusperte sich vorsichtig. »Siehst du die Konturen von dem Berggipfel dort draußen?«

»Ja.«

»Das ist die Sierra Blanca. Die Weißen Berge. Schöner Name, oder? Dieselben Berge seh ich von zu Hause. Ist das nicht komisch?«

»Ich weiß nicht. Der Berg beherrscht ja wohl dieses Gebiet, wenn man so sagen kann.«

Sein Vater schien über seine eigenen Worte nachzudenken. Er sah seinen Sohn an. »Man hätte mich in einem anderen Zimmer unterbringen können. Mit Aussicht in eine andere Richtung. Es muss schon ein Sinn in dem Ganzen sein.«

»Wie meinst du das?«

»Dass ich in diesem Zimmer liege und den Berg sehe. Denselben Berg. Darin scheint der Sinn zu sein, dass ich ihn auch von hier sehe. Das ist mein neues Zuhause. Ich bin hierher gezogen, und hier komme ich nicht wieder raus.«

»Klar kommst du wieder raus.«

»Lebend, Erik, ich meine lebend.«

»Es scheint dir doch schon besser zu gehen. Red nur weiter so.«

»Ich meine es ernst.«

»Was sagen eigentlich die Ärzte?«

»Alcorta? Der gestikuliert typisch spanisch herum, und das kann alles bedeuten.«

»Das machen doch alle Ärzte?«

»Nicht wie in Spanien. Gestikuliert Angela auch so herum? Wie geht's ihr übrigens?«

»Gut.«

»Und du wirst Vater, Erik. Himmel. Hoffentlich gibt mir Gott Kraft, dass ich lange genug lebe, um das Wunderwerk zu sehen.«

»Du bist bald wieder zu Hause. Dann kannst du den Berggipfel wieder von der anderen Seite studieren.«

Morelius arbeitete sich durch die ersten zähen Stunden der Abendschicht am Empfangsschalter. Bald würde ein Kollege den Abend übernehmen, einer, der früher im Außendienst gearbeitet hatte.

Es war einer dieser müden Älteren, der bei der letzten Umorganisation seinen Posten im Außendienst verloren hatte. Ihm blieb nichts anderes übrig, als sich in die Reihe der Bezirkspolizisten einzureihen und die Macht abzugeben. Viele hatten sie für immer abgegeben. Aber der alte Beamte war ein verbitterter Mann. Manche waren zu Chefs geboren, und wenn sie das nicht bis ans Lebensende blieben, verbitterten sie.

Jetzt wollten sie aufbrechen. Bartram legte das Holster um. Er hatte die Patronen herausgenommen. Er wirkte müde oder wütend, aber das mochte andere Gründe haben.

Die Leitungszentrale hatte interessante Aufträge zurückgehalten, die man den Tagespatrouillen nicht mehr geben wollte, die jetzt Dienstschluss hatten. Häufig Einbrüche, die eine Weile unbearbeitet geblieben waren. Wie jetzt. Ein Hausmeister aus der Richertsgatan hatte in einem Mietshaus in Johanneberg einen Kellereinbruch entdeckt. Sie fuhren hin, drei Mann: Morelius, Bartram und Vejehag, der nach dreißig Jahren Plackerei als Ombudsmann der Allgemeinheit wirklich die Macht abgegeben hatte und nur noch auf seine Pensionierung wartete.

In die Häuser in der Richertsgatan wurde oft eingebrochen. Große, gut isolierte Häuser, die reichen Besitzer auf Reisen zwischen den Ferienwohnungen.

Sie hielten vor dem Haus, wo sie vom Hausmeister erwartet wurden.

»Scheißwetter«, sagte Vejehag, stieg aus dem Auto und stellte seinen Jackenkragen gegen Wind und Regen auf.

»Da waren ein paar Jungs, die sind die Treppe runtergelaufen, und dann waren sie im Keller«, sagte der Hausmeister.

»Haben Sie sie gesehen?«, fragte Vejehag.

»Nein, aber ein Mieter hat sie gesehen.«

»Wann war das?«

»Eben.«

»Eben? Die Anzeige ist doch schon vor Stunden eingegangen.«

»Ja, das war der erste Einbruch. Jetzt sind sie anscheinend zurückgekommen. Ich hab grad eben angerufen, Sie sind wirklich blitzartig hier.«

»Sie haben es soeben durchgegeben«, sagte Bartram drinnen

aus dem Auto und antwortete der Einsatzzentrale: »Wir sind schon da.«

»Wurde etwas gestohlen?«, fragte Vejehag.

»Heute Nachmittag nur Kleinigkeiten aus einem Kellerverschlag. Jetzt weiß ich nicht.«

»Welcher Keller ist es?«

»Meinen Sie den jetzt? Oder den von heute Nachmittag?«

»Den jetzt.«

»Da unten«, sagte der Hausmeister und zeigte auf den nächsten Hauseingang. Das Haus brauchte einen Anstrich. Fünfzig Meter entfernt standen ein paar Jugendliche und beobachteten die Polizisten.

»Dann gehen wir mal runter«, sagte Vejehag, Morelius stieg aus dem Auto und folgte ihnen ins Haus.

Bartram blieb sitzen und hörte sich die Funksprüche an. Er sah zum Himmel hinauf, der sich in einem dreckigen Grauschwarz über die Stadt legte.

Winter schaute zum Himmel über den Bergen. Links war er von den Lichtern der Stadt angestrahlt, war jedoch etwas verdunkelt, vielleicht von Regenwolken. Die Palmen hinter dem Kiesweg raschelten im Wind.

»Wie geht's mit deinem Job?« Die Stimme seines Vaters klang entfernt. »Ich verfolge deine Fälle in der *GP*.«

»Ich tu mein Bestes.«

»Damit kommt man weit, hab ich gesehen.«

»Mhm. Ich weiß nicht.«

»Ich hab nie richtig kapiert, was eigentlich mit dieser jungen Frau passiert ist, die letztes Jahr ermordet wurde. Die ihr am Delsjön gefunden habt.«

»Helene.«

»Hieß sie so?«

»Ja. Was ist dir da unklar?«

»Was ist aus dem Kind geworden?«

»Es ist alles gut gegangen.«

»Das Kind war doch verschwunden.«

»Nicht wirklich. Jemand hat sich um das Mädchen gekümmert, es beschützt.«

Sein Vater fragte nicht weiter. Winter hörte ihn angestrengt atmen, es klang wie ein schwacher Blasebalg. Er dachte an seine Arbeit. Nie hatte er Zweifel gehabt an dem, was er tat ... oder daran, dass er tatsächlich etwas erreichte. Oder war es nur eine Herausforderung? Eine von vielen? Könnte er nicht ebenso gut was anderes machen? Plötzlich war ihm der Gedanke gekommen, unterwegs im Auto auf dem Weg zum Krankenhaus. Es war ein beunruhigender Gedanke, der lähmend wirken könnte.

»Ich glaub, ich schlaf jetzt ein bisschen«, sagte der Vater.

»Ich bleib bei dir sitzen.«

»Solltest du dich nicht auch ein wenig ausruhen? Du hast eine lange Reise hinter dir.«

»Ich ruh mich auf dem Stuhl aus.«

Er hörte Regen gegen die Scheiben klatschen, zuerst schwach, dann immer heftiger.

»Es regnet«, murmelte der Vater. »Die Leute werden sich freuen.«


Bartram saß in seine Träume versunken, als die Haustür aufgerissen wurde und zwei Jungen herausstürmten und nach links wegliefen.

Bartram schoss hoch, stürmte über die Bepflanzung, schnitt einem der Jungen mit einem Tritt gegen das Bein den Weg ab.

Der andere Junge lief ins nächste Haus und verschwand. Bartram sah zu dem Jungen auf dem Boden, sah sich um und versetzte ihm dann einen Tritt in den Rücken.

»Au, Scheißbu...«

»Halt's Maul.«

»Nehmen Sie Ihren Fuß weg.«

»HALT'S MAUL, HAB ICH GESAGT.«

Vejehag und Morelius kamen aus dem Haus und liefen auf Bartram und den Jungen zu.

»Was ist da unten passiert?«, fragte Bartram.

»Wir haben sie auf frischer Tat ertappt«, sagte Vejehag.

»Habt ihr nicht. ICH hab sie auf frischer Tat ertappt«, sagte Bartram und trat ein wenig fester zu.

»Es reicht«, sagte Vejehag. »Wo ist der andere?«

»Ist in das Haus da reingelaufen.« Bartram zeigte auf die Haustür.

»Steh auf«, sagte Vejehag zu dem Jungen und gab Bartram ein Zeichen, den Fuß wegzunehmen.

Aus dem Zentrum näherte sich ein Streifenwagen.

»Das sind die von der Dienstfahndung«, sagte Morelius.

»Hast du über Funk gequatscht?« Vejehag sah Bartram wütend an.

»Kein Stück.«

Der Streifenwagen hielt neben ihnen. Das linke Fenster wurde heruntergedreht. Ein zweiundzwanzigjähriger Fahndungsassistent steckte seinen Kopf heraus.

»Was ist passiert, Opa?«

»Wir haben einen Pyjama mit Ninjaturtles drauf verloren und dachten, er wär da unten im Keller«, antwortete Vejehag.

»Haha.«

»Und was ist dir passiert?«, fragte Vejehag.

»Wer ist das da?«, fragte der Fahndungsassistent im Streifenwagen mit einem Nicken zu dem Jungen, der zwischen Bartram und Morelius hing.

»Das ist mein Vetter zweiten Grades«, antwortete Vejehag. Genau in dem Moment wurde die Tür im Haus hinter ihnen aufgerissen und der zweite Junge stürmte heraus. Bartram ließ den ersten los, machte einen Satz nach vorn und warf den anderen nach zehn Metern zu Boden. Der Fahndungsassistent öffnete seinen Mund. Drinnen im Streifenwagen sagte jemand etwas, durch die schwarzen Scheiben war jedoch nichts zu erkennen. Schwacher Applaus ertönte.

Der Fahndungsassistent sah Vejehag an.

»Noch ein Vetter von dir?«

»Wir sammeln gerade die Familie ein. Es geht ja auf Weihnachten zu.«

»Haha.«

Bartram kam mit dem Jungen in Handschellen heran.

»Gute Arbeit«, sagte der Fahndungsassistent.

»Kannst zugucken und was lernen«, sagte Vejehag.

»Gibt's da noch mehr davon?«

»Was?«

»Falls du noch ein paar mehr einsammeln willst, brauchst du vielleicht Deckung. Gegen gewaltsamen Widerstand.«

»Wir rechnen nicht mit mehr gewaltsamem Widerstand.«

»Aha.«

»Normale Randalierer bringen wir verbal zu Fall.«

»Was?«

»Wir versuchen, mit den Leuten zu reden. Auch mit Randalierern. Bei unserer Arbeit rechnen wir nicht mit gewaltsamem Widerstand.«

»Das seh ich.«

Vejehag tat so, als hätte er nichts gehört. »Falls es einem daran liegt, sich bei seiner Arbeit mit gewaltsamem Widerstand zu beschäftigen, sollte man vielleicht noch mal überlegen, ob man den richtigen Job hat.«

»Bis dann, Opa«, sagte der Fahndungsassistent, und der Streifenwagen rollte davon. Die Häuser der Richertsgatan spiegelten sich in den Scheiben.

»So 'n blöder Verein«, sagte Vejehag. »Sechs Männer, die nicht ohne einander können. Verstecken sich hinter schwarzen Scheiben.« Er sah Morelius an. »Irgendwie pervers, oder?«

»Vielleicht«, sagte Morelius.

»Die ganze Einsatzbereitschaft ist irgendwie pervers«, fuhr Vejehag fort. »Die mit ihrem Machogehabe sollten lieber einen Rhetorikkurs machen. Es kommt zwar äußerst selten vor, dass die Polizei von Göteborg eine Boeing 757 stürmen muss. Trotzdem scheinen die vom Fahndungsdienst dauernd den Großeinsatz zu üben.«

»Manchmal bringen wir Randalierer anders als verbal zu Fall«, sagte Bartram.

»Ja, aber jetzt wollen wir mal dafür sorgen, dass diese Jungs es schön warm kriegen.«


Maria Östergaard fror. Sie hatte es so eilig gehabt, von zu Hause wegzukommen, dass sie ihre Handschuhe vergessen hatte. Nur kurze Zeit später, nachdem sie das Café verlassen hatten, fühlten sich ihre Hände wie Eisklumpen an.

»Wohin gehen wir?«, fragte Patrik.

»Ich wär ja noch gern geblieben«, sagte Maria.

»Ich mochte die Typen nicht«, sagte Patrik. »Können wir nicht zu dir nach Hause fahren?«

»Mama ist total durchgedreht. Können wir nicht zu dir?«

»Mein Alter ist auch total durchgedreht.« Patrik lachte nicht.

Die Vasagatan war leer. Straßenbahnen schepperten über den Vasaplatsen. Eine Frau stieg aus einem Wagen, der die Aschebergsgatan heruntergekommen war, und ging auf eins der Häuser zu. Als sie die Haustür öffnete, fiel Licht von der Treppenhausbeleuchtung auf ihr Gesicht.

»Die kenn ich«, sagte Maria. »Die da grade reingeht.«

»Ach? Na und?«

»Sie ist hübsch.«

»Und?«

»Sie ist mit diesem Typ von der Kripo zusammen, Mama arbeitet jede zweite Woche bei der Polizei.«

»Haben die denn Pastoren bei der Polizei?«

»Offenbar. Er heißt Winter, der Kriminalbeamte. Heißer Name, was?«

»Och.«

Sie überquerten den Vasaplatsen.

Ein Streifenwagen kam die Aschebergsgatan von Johanneberg herunter. Morelius saß am Steuer.

»Die Jugendlichen da kennen wir doch«, sagte er. »Die beiden, die an der Haltestelle warten.«

»Jedenfalls das Mädchen«, sagte Bartram. »Die Stadt ist klein.«

»Da drüben links wohnt übrigens Winter«, sagte Morelius. »Der Star der Fahndung. Der Eingang da.« Er wedelte mit der Hand, als sie an dem Haus vorbeifuhren.

»Woher weißt du das?«, fragte Vejehag.

»Ich hab ihn mal nachts nach Hause gebracht.«

»Winter?«, sagte Bartram. »Ach so, der. Da wohnt der also?«

# 8

Als Winter aufstand, war das Quadrat vom Himmel, das er durch sein Badfenster sehen konnte, grau. Als er aus der Tür trat, stellte er fest, dass der ganze Horizont grau war. Aber es war warm. Er trug ein kurzärmeliges Seidenhemd, eine kühle Leinenhose und Sandalen ohne Strümpfe.

Er ging an der Küche am Ausgang vorbei, wo die Wirtsleute ihre Tage unter dem Sonnenschirm zu verbringen schienen, oder unter dem Zelttuch, das gestern nach Winters Ankunft über den halben Patio gespannt worden war. Gestern. War das nicht schon länger her?

Als er vorbeiging, sprach die Frau ihn an. Sie hielt einen Finger hoch, als ob sie ihm vorsichtig damit drohen wollte. Er meinte das Wort »chicas« gehört zu haben. Er hörte sie »no chicas« sagen. Dabei zeigte sie auf sein Zimmer am anderen Ende und fügte noch etwas von »en el habitación« hinzu. Ihr Mann lächelte, vielleicht verlegen. Nach ein paar Sekunden verstand Winter und machte eine schwach abwehrende Geste. Nein, nein. Er würde keine Frauen mit aufs Zimmer schleppen.

Draußen auf der Calle Luna bog er nach rechts ab und dann nach links in die Calle del Sol und ging hinunter zu einem kleinen Marktplatz, dann weiter zu der offenen Plaza Puente de Málaga, wo er links in der Ecke ein Café fand: *Gaspar. Panadería y Cafetería.* Er setzte sich an den letzten freien Tisch draußen. Es war halb neun. Um sich herum sah er nur Spanier, Männer und Frauen. Sie tranken aus hohen Gläsern Kaffee mit

Milch und aßen aufgeschnittene kleine Brote mit Butter und Marmelade oder nur mit Olivenöl und Salz. Ein Kellner kam, und Winter gelang es, *café con leche* und *pan con confitura* zu bestellen. »*Mantequilla?*«, fragte der Kellner, und Winter nickte, ohne zu wissen, was es bedeutete. Vielleicht Butter.

Er bekam seinen Kaffee, der sehr gut schmeckte, starker Espresso mit Milch. Das Brot kam, es war warm. *Mantequilla* war Butter. Er strich sein Frühstücksbrot, während die Spanier um ihn herum sich zwischen genussvollen Zügen an ihren Zigaretten in den Tag hinein husteten. Ein Mann am Nachbartisch wandte sich ab und hustete ganz fürchterlich. Ein anderer stimmte ein. Es war, als ob er im Frühstücksraum von einem Sanatorium säße. Nachdem der abgewandte das, was von seinen Lungen übrig war, frei gehustet hatte, gab er dem weiß gekleideten Kellner ein Zeichen wie einer Krankenschwester. Der Kellner ging ins Café und kehrte mit etwas zurück, das Winter für ein Glas Wasser hielt. Aber als der Kellner an ihm vorbeiging, nahm er den Geruch von Gin wahr. Ein anständiges Glas Gin zur Morgenstunde. Warum nicht. Winter lächelte, beendete sein Frühstück und zündete sich einen Zigarillo an. Jetzt rauchten alle an Gaspars Tischen. Der Rauch stieg in den Himmel, der auch grau war, immer noch. Darüber lag eine andere Stille im Vergleich zu gestern, eine Stille, die er am Vortag nicht bemerkt hatte. Es war nicht festzustellen, wo sich die Sonne befand, ein fast unmöglicher Gedanke an dieser Küste.

Nachdem Winter seinen Zigarillo zu Ende geraucht hatte, sah er auf die Armbanduhr, rief den Kellner und bezahlte. Ein andalusischer Hund kreuzte seinen Weg auf der Suche nach Schatten. Winter dachte an seinen Vater. Er spürte einen Spritzer Regen. Der Himmel hatte eine tiefere Färbung von grauem Stein angenommen. Die Berge hinter der Avenida waren ein Teil des Himmels und jetzt weißer als vorher. Alles sah irgendwie anders aus. Die Häuser reflektierten kein Licht mehr, was zur Folge hatte, dass die Haut der Menschen von innen her zu leuchten schien. Der Regen wurde stärker, und Winter sah den Vater in seinem Krankenhausbett vor sich. An der Sonnenküste begann die Nachsaison, und Winter versuchte, dies nicht als

Symbol für das zu sehen, was jetzt, hier und in dem Zimmer im *Hospital Costa del Sol* geschah.

Er überquerte die breite Avenida de Ramón y Cajal und ging zur Strandpromenade hinunter. Noch ein andalusischer Hund ging über die Steine, blieb vor einem Café stehen und lauschte dem Flamencolied, das durchdringend aus einem Radio tönte. Der Hund pinkelte gegen die Steinmauer.

Das Meer floss mit dem Himmel zusammen, wie die Berge im Norden. Hier am Strand war der Eindruck von Nachsaison noch stärker. Winter war hinuntergegangen, hatte sich die Schuhe ausgezogen und ging nun näher am Wasser entlang. Ein Strandaufseher schleppte Sonnenschirme, ein Strandrestaurant hatte geöffnet, und die Decken flatterten im Wind. Winter spürte ihn jetzt, fast auch einen Hauch von Kühle. Sand wirbelte auf. Plötzlich war das Lied aus dem Café hier unten zu hören. Er dachte an das Kind und an den Winter, der überall kam. Er dachte an Angela und hatte plötzlich Sehnsucht, sie anzurufen, aber er wusste, dass er sie im Augenblick nicht erreichen würde.

Plötzlich kam die Sonne wieder hervor, und Winter fühlte ihre unerhörte Kraft nach der Kühle eben noch deutlicher. Das jähe Licht stimmte ihn plötzlich eigenartig gelöst, als hoffte er, dass die Nachsaison vorbei war und die Sonne für immer bleiben würde. Er versuchte auch darin kein Symbol zu sehen. Die Sonne ist Leben, aber auch Tod.

Während er dort stand, kamen immer mehr Menschen, ließen sich auf Liegestühlen nieder und rückten ihre Sombreros im richtigen Winkel zum Sonneneinfall zurecht. Ein Junge begann wieder, an einem Sandgebilde zu bauen, das schon drei Meter hoch war und eine Sphinx und eine Pyramide darstellte. Es ist der gleiche Sand wie dort drüben in Afrika, dachte Winter, hergeweht über das Mittelmeer.

Einen Meter von ihm entfernt saß ein Straßenmusikant auf einem Stuhl, zog seine Sandalen an und begann mit dem ersten Flamencolied des Tages, *Adiós Graaaanaaaada, Graanaada Miiia*. Winter warf ein paar Peseten in das Gitarrenfutteral und machte sich auf den Weg ins Krankenhaus.

Als er das Zimmer 1108 betrat, war es leer. Er spürte einen Stich im Magen.

Warum zum Teufel hatte sie nicht angerufen?

Er ging hinaus in den Korridor und nannte einer Frau, die nicht dort gestanden hatte, als er gekommen war, den Namen seines Vaters. Sie zeigte zum Ausgang und sagte mit bekümmertem Gesichtsausdruck: »*Cuidados Intensivos*«. Ganz ruhig, dachte Winter. Das hast du schon erwartet, als du gestern angekommen bist.

Er traf seine Mutter in der Halle vor der Station.

»Ich hatte keine Zeit, dich anzurufen«, sagte sie.

»Wie ist die Lage?«

»Stabil, sagen sie. Jetzt ist sie stabil.«

»Was ist passiert?«

»Er hat Atemprobleme bekommen. Und der Puls.«

»Was sagen die Ärzte?«

»Doktor Alcorta hält den Befund noch etwas zurück.«

»Dieser verdammte Alcorta. Wo ist er? Ich will mit ihm sprechen.«

»Er operiert im Augenblick.«

»Papa?«

»Nein, einen anderen Patienten.«

»Wo ist Papa?«

»Er schläft. Komm mit.«

Sie betraten die Intensivstation. Alles war weiß und sauber. Hier gab es ein Fenster zu einem Schotterhof und staubigen Palmen im Wind. Aber es gab auch ein Fenster zu dem Zimmer, wo Winter seinen Vater, umgeben von Schläuchen und Maschinen, in einem Bett sah. Es sah aus, als wäre er Teil eines medizinischen Forschungsprojekts.

»Wir sollten jetzt nicht reingehen«, sagte seine Mutter.

In dem nackten Licht wirkte sie genau so krank wie der Vater, vielleicht noch kränker, da ihr schmales Gesicht nichts verbergen konnte.

»Wie lange muss er so liegen?«

»Ich weiß es nicht, Erik.«

»Wie lange bist du jetzt hier? Drei Tage? Vier? Fahr doch nach Hause, dann bleibe ich über Nacht hier.«

»Nicht jetzt, Erik.«

»Ich glaub, du musst dich eine Weile ausruhen. Nur ein paar Stunden, wenn du willst. Nimm meinen Mietwagen.«

»Ich kann jetzt bestimmt nicht fahren.«

»Dann nimm ein Taxi, zum Teu...«

Sie sah ihn an. Ihre Augen waren mehr rot als weiß.

»Vielleicht sollte ich das tun. Nur eine Weile.«

»Ich bleibe hier«, sagte Winter. »Fahr jetzt.«

Bartram und Morelius waren mit einer doppelten Portion frittiertem Hähnchen in süßsaurer Soße von Ming an der Ecke zur Wache zurückgekehrt. Sie saßen in der Kantine und verfolgten zerstreut einen Krimi im Fernehen.

»Das hätten wir sein können.« Bartram nickte zum Fernseher.

»Die Beamten?«

»Das könnten wir sein. Problemlöser. Und die Damen kriegen wir noch obendrauf.«

»Wir lösen genügend Probleme. Auch für Damen.«

»Du weißt, was ich meine.«

»Ja, leider.«

»Wie meinst du das?«

»Ich kann's nicht mehr hören.«

Bartram war still und goss Chilisoße und Soja über den Reis. Der Krimi war zu Ende, und es folgte Werbung für Windeln. Ein kleines Kind rollte auf einem Teppich herum und wurde von einer lächelnden Frau aufgehoben.

»Eine liebe Mama«, sagte Bartram.

»Jedenfalls solange das Fernsehen dabei ist.«

»Eine liebe Mama«, wiederholte Bartram. Er kaute, schluckte und kippte mehr Sojasoße über den Reis.

»Jetzt ist der Reis schwarz«, sagte Morelius. »*Black rice*.«

»Eine nette Dame«, sagte Bartram. »Eine nette Dame, eine nette Mama.«

Morelius versuchte es zu überhören, konzentrierte sich auf etwas anderes. Die Wand. Neue Werbung. Wieder die Wand. Der letzte fette Klumpen Huhn. Bartram leierte weiter.

»Nette ... Dame«, sagte er.

»Halt endlich die Klappe.«

»Was ist los?«

»Halt einfach die Klappe.«

»Mensch … was hab ich denn gesagt?«

»HALT EINFACH DIE KLAPPE!«, brüllte Morelius, stand auf, ging zur Spüle und warf die Kartons in den Abfalleimer. Am liebsten hätte er Bartram mit reingestopft.

Morelius verließ rasch den Raum. Er ging zur Toilette und setzte sich auf den Deckel. Bilder flammten in seinem Kopf auf. Gesprächsfetzen mischten sich hinein, Bewegungen tauchten auf, verschwanden, tauchten wieder auf. Das Gespräch, das er mit Hanne gehabt hatte … wann war das gewesen? Vor Wochen? Zwei Wochen? Er hätte nicht zu ihr gehen sollen. Nur die Jüngeren gingen zur Pastorin und auch nur dann, wenn … wenn …

»Ich werde es nicht los«, hatte er gesagt.

»Es wird lange dauern«, hatte Hanne Östergaard geantwortet.

»Man muss also Geduld haben?«

»Das Wort möchte ich nicht benutzen.«

»Ich versuche, nicht daran zu denken, aber manchmal überkommt es mich einfach.«

»Hast du niemanden, mit dem du … über deine Erlebnisse reden kannst?«

»Nein. Du meinst, ob ich mit jemandem zusammenlebe? Nein.«

»Wie ist es mit den Kollegen?«

Morelius hatte an Bartram und Vejehag gedacht. Keiner von den beiden war dabei gewesen. Sie würden es nicht verstehen. Die anderen? Die, die später dazugekommen waren? Nein. Sie waren zu spät gekommen.

»Nein«, hatte er wiederholt. »Ich bin mit einem neuen, ganz jungen Kollegen dorthin gekommen, und der war nach einer Minute total unbrauchbar. Lag vornübergebeugt beim Auto und kotz… spuckte.« Er hatte sie angeschaut. »Ich weiß nicht, warum ich mich nicht übergeben musste.«

»Wir reagieren verschieden«, hatte sie gesagt.

»Ich hatte meinen Job zu erledigen«, hatte er gesagt.

Es war wirklich ein Scheißjob gewesen.

Sie waren nur wenige Minuten nach dem Knall zur Auto-bahnabfahrt gekommen. Es war ein anderer Unfall gewesen, nicht der Unfall im Tunnel.

In einem Umkreis von hundert Metern lagen Glassplitter und Blech verteilt. Schneeregen, früh für die Jahreszeit. Glatte Fahr-bahn. Der Kollege war über einen Fuß gestolpert, als er aus dem Auto stieg. Nur ein Fuß, in einem Schuh. Kollege unbrauchbar. Er hatte Hilfe über Funk angefordert und die Krankenwagen und Feuerwehr schon in der Ferne gehört, bevor er fertig war.

Vielleicht schrie jemand aus der zermalmten Blechhölle, die ineinander verkeilt über die Autobahn verstreut lag. Schrie lau-ter und lauter. Lauter als die Sirenen der Krankenwagen, die immer noch nicht da waren. Wo zum Teufel blieben sie? Das war ihr Job. Er konnte nichts tun, war aber trotzdem in die Richtung gestürzt, aus der die Schreie kamen, um etwas zu tun, doch die Schreie waren verstummt.

Das nächststehende Auto war von vorn getroffen und der Fahrer hinausgeschleudert worden, vielleicht über die Fahr-bahn und hinter das Schutzgeländer. Morelius sah keinen Kör-per in dem Autowrack.

Daneben stand ein kleineres Auto eingekeilt zwischen den zwei anderen. Es war in der Mitte gespalten, das Dach war weg. Auf dem Vordersitz saßen zwei Menschen.

Das war das Bild. Er wurde es nicht los. Nachts wachte er auf mit einem Traum von dem abrasierten Auto im Körper, und ein Güterzug donnerte durch sein Gehirn.

All das erzählte er Hanne. Versuchte es zu erzählen.

Zuerst hatte er nicht begriffen, was er sah. Er war näher he-rangegangen, schräg von hinten, um festzustellen, warum sie … warum sie sich so merkwürdig neigten. Es waren ein Mann und eine Frau. Das war von hinten zu erkennen, weil die eine Person einen Anzug und die andere ein Kleid mit kurzen Ärmeln trug. Sie hatten ohne Mantel im Auto gesessen.

Er stand an der Seite und erkannte, dass sie keine Köpfe hat-ten. Er konnte es nicht lassen, ihren Körpern mit dem Blick zu folgen, und da sah er … die Köpfe. Der Kopf des Mannes war im Schoß der Frau gelandet.

Morelius hatte die Krankenwagen gehört, die Stimmen von Ärzten und Pflegern und all den anderen tausend Rettungskräften, die an der Unfallstelle herumwimmelten. Er war stehen geblieben, wie an den Karosserien festgeschweißt, festgefroren am Asphalt.

Wieder schloss er die Augen und hörte das Klopfen an der Tür.

»Was ist, Simon?« Bartram stand vor der Toilettenkabine.

»Wir müssen los.«

Er spülte.

»Ja … ich komme.«

»Ich warte im Auto.«

# 9

Die Nacht war so ruhig gewesen, wie sie nur sein konnte. Winter hatte nach Doktor Alcorta gesucht, jedoch aufgegeben. Sein Vater lag angeschlossen an die Schläuche, Flaschen und Maschinen, die sein Leben maßen. Winter hatte lange neben ihm gesessen und in sein Gesicht geschaut, ohne an etwas Besonderes zu denken. In den Korridoren hinter ihm waren Wagen hin und her geschoben worden. Leute kamen und gingen. Eine Krankenschwester hatte etwas zu ihm gesagt, und er hatte genickt, ohne sie verstanden zu haben, und sie war gegangen und nicht wieder gekommen. Das war wie ein Teil des Geheimnisses, der Unwirklichkeit.

Aber so war es nicht. Dies war die Wirklichkeit, die nackte Wirklichkeit. Das kleine Leben, das ihm am nächsten war. Alles andere ist bedeutungslos, dachte er in den frühen Morgenstunden, bevor er ging und sich auf ein Bett in einer kleinen Kammer vor dem Schwesternzimmer legte.

Er hatte etwas geträumt, vergaß es aber, als seine Mutter ihn leicht an der Schulter berührte. Abrupt richtete er sich auf.

»Ist etwas passiert?«

»Nein, nein, ich bin grad gekommen.«

»Ich muss wohl eingeschlafen sein«, sagte er und sah auf die Armbanduhr. Sie zeigte acht. »Du kommst früh.«

»Ich hatte keine Ruhe.« Sie setzte sich auf die Bettkante. »Aber ich bin ein wenig durcheinander, ich hab meine Toilettenutensilien zu Hause vergessen ... die ganze Übernachtungstasche. Plötzlich war das Taxi da, und ... alles ging so schnell.«

»Bist du bei Papa gewesen?«

»Ja. Die Lage ist unverändert stabil.«

Winter reckte den Körper nach dem unruhigen Schlaf. Er war verschwitzt und fühlte sich wie gerädert.

»Ich fahr deine Sachen holen.«

»Würdest du das tun?«

»Das ist doch selbstverständlich.«

»Dann siehst du das Haus.« Sie machte eine Pause. »Aber es wäre schön gewesen, wenn ... wenn wir auch dabei gewesen wären.«

Winter fuhr durch Marbella und kam auf der anderen Seite beim Hotel *Guadalpin* heraus. Der Morgenverkehr war dicht. An der Straße, die nach Westen führte, drängten sich die unbebauten Grundstücke mit Maklerschildern, die Großmärkte, Autofirmen, Antiquitätenpaläste, Hotels, Ferienappartement-Anlagen, die deutschen Kliniken; eine Welt für hochbetagte Nordeuropäer mit Geld.

An der Kreuzung beim Hotel *Coral Beach* verfuhr er sich. Plötzlich war er auf dem Weg nach Norden statt nach Westen in Richtung Puerto Banús. Drei reitende Polizisten querten die Autostraße, er musste weiter nach Norden fahren und geriet in ein Neubaugebiet. Der Berg war näher als vorher. Die dreistöckigen weißen Gebäude mit Ferienwohnungen standen mitten in der Wüste, als warteten sie darauf, dass das Meer sie irgendwann erreichen würde. Winter lächelte über die *urbanzación*, die er sah: Es war wie eine Transplantation in den steintrockenen Berghang. Früher oder später würde der Berg das Fremde abstoßen.

Dort wirkte auch die Sonne fremd, fast falsch.

Er fuhr noch ein Stück und kam zu einem neu angelegten kleinen Golfplatz, der Abschlagplatz war gegenüber einer Bushaltestelle. Ein Mann schlug mit seinem Schläger ins Gras, und Grasbüschel flogen in die Luft.

Er wendete das Auto und fuhr zurück, durch Puerto Banús, vorbei am Kaufhaus *Corte Inglés*, das zweihundert Meter lang war, die Hügel hinauf und zwischen Villen hindurch und kam zu der Kreuzung, die seine Mutter ihm beschrieben hatte. Sie war das Herz von Nueva Andalucía. Dem Wohnsitz seiner Eltern. Er parkte das Auto auf dem offenen Platz vor dem *Supermercado Diego* und sah auf die kleine Skizze, die seine Mutter ihm mit zittriger Hand angefertigt hatte, stellte die Musik ab und stieg aus. Die Oktobersonne brannte kräftig und heiß. Es war noch keine zehn, aber eine Digitalanzeige unten in Puerto Banús hatte die Zahl 29 geblinkt, eine Sekunde lang vielleicht auch 30.

Winter ging bis zur Kreuzung. Gegenüber der kleinen Bushaltestelle führte die Calle Rosalía nach Norden. Links von der Stelle, wo er stand, lag fünf Meter entfernt auf einem Hügel das Restaurant Johnny, neben der *Clínica Dental*. Hinter ihm, gegenüber dem staubigen Parkplatz vom Supermarkt, gab es weitere Restaurants und ein Fitnesscenter.

Das war also die kleine Welt seiner Eltern. Hierher gingen sie, um ihren Gin zu kaufen, die Tonicflaschen, Eier, Brot. Saßen sie abends vor Johnnys Lokal und sahen hinunter auf das Zentrum?

Er überquerte die Kreuzung in nördlicher Richtung. Hundert Meter weiter hinauf gab es einen kleinen *Supermercado* mit aufgereihten Ansichtskarten auf einem Gestell vor dem Laden. Die Karten waren verblasst und von der Sonne gewellt, als ob sie schon seit Ewigkeiten dort hingen. Er ging geradeaus weiter vorbei an einem Gebäude mit der Aufschrift *Torre de Andalucía*. Die Straße endete beim *Bistro de la Torre*. Winter sah das Tal unter sich, einige kleine Steingebäude in der bäuerlichen Landschaft. Sie schienen dort unter der prallen Sonne zu liegen, als sollten sie die da oben an etwas anderes, ein anderes Leben erinnern, ein härteres, gröberes Leben ohne Schatten.

Er ging nach rechts und erreichte nach hundert Metern die Calle Luís De Góngora. Er folgte ihr ein kleines Stück nach Süden. Hier war es also. Pasaje José Cadalso. Er bog in die Gasse ab, rechts und links lagen ein- und zweistöckige Villen. Die Sonne brannte ihm auf den Kopf, er bereute, dass er sich nicht irgendwo eine Mütze gekauft hatte. Alles war weiß und grün, grüner, als er sich vorgestellt hatte. Büsche hingen über die weißen Mauern. Bougainvilleen. Sorgfältig gewässerte Rasenflächen waren zwischen den Gittern zu sehen. Er ging die wenigen Meter weiter bis zum Haus seiner Eltern. Es war das zweite und gleichzeitig das vorletzte auf der linken Seite. Ein Namensschild aus Porzellan: WINTER. Ein Briefkasten für CARTAS und ein Schild auf der anderen Seite der schwarzen Eisenpforte, das vor PERRO warnte. Winter lächelte. Seine Mutter hatte sich einem Hund noch nie auf mehr als zehn Meter genähert. Vielleicht sollte das Schild andalusische Einbrecher abschrecken, die lesen konnten.

Auf der anderen Seite der Gasse konnte Winter auf einem Schild den Namen BERGLUND entziffern. Gerade war er am Nachbarn WESTERLUND vorbeigegangen. Selten hatte seine Mutter bei ihren kurzen Anrufen irgendwelche Nachbarn erwähnt. Er sah jetzt auch keine, hörte nichts.

Die Pforte glitt ohne Widerstand auf, nachdem er aufgeschlossen hatte. Er stieg eine kleine Treppe hinauf und ging zur Rückseite des Hauses. Die Terrasse grenzte an eine rechteckige Rasenfläche, die von drei großen Palmen beschattet wurde. Sie besitzen also Palmen, dachte er und hörte drinnen das Telefon klingeln. Er fummelte mit den Schlüsseln herum, und endlich bekam er die Tür auf, aber das Telefon war verstummt. Nach zehn Sekunden klingelte es wieder. Winter betrat das kühle dämmrige Zimmer und hob den Telefonhörer ab.

»Hallo?«

»Du bist also angekommen, Erik! Sehr gut.«

»Gerade eben.«

»Wie gefällt es dir?«

Er sah sich im Zimmer um. Es roch nach Einsamkeit und Stille, Sonne und Blumen und vielleicht nach Tabak. Draußen glitzerten die Palmenwedel in der Sonne. Auf der Terrasse standen ein weißer Tisch und drei weiße Stühle mit gelben Sitzkissen.

»Ich bin erst vor einer Minute angekommen. Aber es sieht sehr schön aus.«

»Meine Tasche steht oben im Schlafzimmer.«

»Das hast du schon gesagt.«

»Fahr vorsichtig.«

»Ihr habt Palmen«, sagte Winter. »Das hab ich gar nicht gewusst.«

»Sind sie nicht schön?«

»Ja.«

»Drei Stück.«

»Auf den Karten, die ich bekommen habe, sah alles irgendwie anders aus.«

»Was hast du denn gedacht?«

»Ich dachte, es liegt näher am Meer.«

»Es ist nur ein Kilometer, knapp.«

»Man kann es von hier nicht sehen.«

»So bleiben wir vom Wind verschont«, sagte seine Mutter. »Manchmal kann es ganz schön windig sein.«

»Wie geht es Papa?«

»Unverändert.«

»Was hat Doktor Alcorta jetzt gesagt?«

»Er wartet auf die letzten Untersuchungsergebnisse.«

»Wenn er auftaucht, binde ihn fest, bis ich komme.«

»Ich werd's versuchen.«

»Brauchst du sonst noch was? Fällt dir grad was ein?«

»Nein.«

Winter sagte tschüs und legte auf. Er ging die Treppe hinauf und nahm die Tasche, die neben dem Doppelbett in dem kleinen Schlafzimmer stand. Er guckte aus dem Fenster, konnte das Meer aber immer noch nicht sehen, jetzt sah er jedoch mehr Himmel. Er war endlos blau, keine Wolken. Der Blick reichte über die anderen Häuser und Grundstücke an der Straße hinweg. Auf den Rasen, auf den Terrassen keine Menschenseele. Kein Hund und kein Einbrecher. Nichts.

Ich will hier weg, dachte er. Er sah das Foto von seinem Vater auf dem Nachttisch und sehnte sich genauso sehr fort von hier, wie sich sein Vater hierher sehnte, das wusste er.

Er ging die Treppe hinunter.

Wenn sie wieder hier sind, besuche ich sie. Wir können da draußen bei ihren ewigen Gin Tonics sitzen und die Palmen anschauen.

Winter verließ das Haus und schloss hinter sich ab. Er versperrte das Eisentor und ging die abschüssige Gasse hinunter, zurück zu der Kreuzung unter Johnnys Restaurant. Er hatte wahnsinnigen Durst. Oben bei Johnny werkelte ein Mann herum. Winter stieg die Treppe hinauf und sah, dass der Mann dabei war, das Lokal für den Tag zu öffnen. Winter fragte, ob er ein Glas Bier haben könnte, und der Mann nickte. Winter setzte sich. Der Mann brachte ein frisch gezapftes Cruz Campo, Winter trank und gab dem Ober ein Zeichen, dass er noch eins wollte, *otra caña, por favor*. Er sah auf die Kreuzung hinunter. Der Bus kam, und zwei Frauen stiegen aus. Der Bus fuhr weiter nach Puerto Banús hinunter. Ein junger Mann knatterte auf einem Moped vorbei. Das Geräusch war das lauteste, was er heute gehört hatte. Ein Jogger schleppte sich vorbei, und Winter konnte ihn bis dort, wo er saß, japsen hören. Er trank von dem Bier. Würde er jemals hier in der Dämmerung sitzen und mit seinen Eltern Mittag essen? Pflegten sie hier zu sitzen? Plötzlich wollte er es wissen.

Winter zahlte und ging hinaus in die Sonne und die Treppe hinunter. Der Alkohol hatte ihn etwas beruhigt, und er kehrte zum Auto zurück, vorbei an einem Büro für »Trabajo Temporal«, das wie ein Witz in diesem Milieu wirkte.

Das Meer lag wie eine Platte aus Silber vor ihm, als er zurückfuhr. In Puerto Banús hielten sich all die Menschen auf, die er oben in Nueva Andalucía nicht gesehen hatte. Die andere Seite der Corte Inglés war ein einziger Krater in der Erwartung von neuen Bauten. Nah am Wasser stand auf einem Sockel ein Engel, der dem Meer die Arme entgegenstreckte. Winter fuhr zurück nach Marbella, kam an einem Minarett vorbei, das ihm vorher nicht aufgefallen war, daneben Oriental Carpets, Real Estate Ivar Dahl. Die ganze Zeit sah er den Berg. Der Berg war wie ein Magnet für den Blick.

Als er auf der Intensivstation ankam, war das Bett seines Vaters leer. Die Mutter war auch nicht da.

»*What the hell has happened?*«, fragte er einen Krankenpfleger, der auf ihn zukam.

»*Your father is operating*«, sagte der Krankenpfleger.

Was für eine rasche Genesung, dachte Winter. Kaum ist Vater wieder auf den Beinen und schon ist er aktiver Chirurg.

»Wo ist der Arzt?«, fragte er. »A... *dónde está?* Doktor Alcorta?«

»Er operiert.«

»Meinen Vater? Operiert er meinen Vater?«

Der Mann nickte. Jemand kam zur Tür herein. Winter drehte sich um.

»Ich hab versucht dich anzurufen, bin aber nicht durchgekommen«, sagte seine Mutter.

»Ich hab eine ganze Weile einen Kran vor mir gehabt, da konnte ich nichts hören.«

»Plötzlich hat sich sein Zustand wieder verschlechtert.«

»Himmel. Was ist es jetzt? Was ist passiert?«

»Ich weiß nicht. Oh, Erik«, sagte sie und fing an zu weinen, und er ging auf sie zu und nahm sie in die Arme.

»Hier sind deine Sachen.« Er wusste nicht, was er sagen sollte. »In der Tasche da.«

»Doktor Alcorta kommt, wenn er fertig ist.«

»Wann?«

»Ich weiß doch auch nicht mehr als du, Erik.«

»Weiß er denn mehr? Alcorta?« Sie sah ihn an. »Entschuldige, es macht mich wütend, wenn ich keine Auskunft kriege.«

»An Warten musst du doch gewöhnt sein, Erik, Geduld zu haben. Aber … das hier ist ja etwas ganz anderes.«

Er dachte darüber nach, was sie gesagt hatte. Konnte er warten, war er geduldig in seinem Beruf als Kriminalbeamter? Darauf lief die Frage wohl hinaus, aber er hatte nie die richtige Ruhe, die vielleicht nötig war, ein Ergebnis abzuwarten. Seine Rastlosigkeit gewann immer die Oberhand. Manchmal war das nicht gut, aber häufig zeigte es sich, dass seine Ungeduld Ermittlungen vorangetrieben hatte. Immer kam ihm eine Erleuchtung, aber jetzt war er nicht sicher, diesmal nicht. Er konnte nichts tun, nicht einmal ein Gespräch mit Alcorta erreichen.

Das hier ist ja etwas anderes, hatte seine Mutter gesagt.

»Wollen wir einen Kaffee trinken gehen?«, fragte er jetzt. »Es ist ja nur eine Treppe runter.«

»Das würde uns vielleicht gut tun.« Sie sagte etwas auf Spanisch zu dem Krankenpfleger, der an einem Schrank stand. Er antwortete mit wenigen Worten, und sie nickte. »Sie holen uns sofort, falls etwas passiert. Aber wir bleiben ja bloß zehn Minuten weg.«

# 10

Angela schloss die Wohnungstür hinter sich und versuchte den Regenmantel auszuziehen, ohne dass allzu viel Wasser auf das Parkett tropfte. Ihr Gesicht war nass, auch ihre Haare waren nass geworden auf dem kurzen Weg von der Straßenbahn zur Haustür.

Was für ein Tag. Patienten auf Tragbahren in den Korridoren. Für nichts Zeit. Ein Angehöriger hatte sie ein Phantom genannt, weil er zwei Tage lang vergeblich versucht hatte, sie zu erreichen. Oder waren es drei Tage gewesen? Ich bin hier gewesen und hab gearbeitet, hatte sie geantwortet, aber er hatte sie zweifelnd angesehen. Sie war wütend geworden, hatte es aber nicht gezeigt. Natürlich nicht. Sie war müde gewesen und hatte wieder Übelkeit gespürt.

Sie streifte die Stiefel ab und ging in die Küche. Der Regen an den Fensterscheiben. Das kaum hörbare Zischen der Straßenbahnen auf dem Vasaplatsen. Ihr neues Zuhause. Das große Haus am Vasaplatsen.

Ganz selbstverständlich war das alles nicht. Noch hatte sie die Wohnung in Kungshöjd nicht gekündigt. Sie lächelte. Erik würde nach Hause kommen, und sie würde aus Spaß zu ihm sagen, dass sie die Wohnung behalten wollte. Vielleicht würde er es glauben. Manchmal hatte sie den Eindruck, man könnte ihm alles Mögliche weismachen. Und manchmal schien ihm nichts zu entgehen, nicht das kleinste Detail.

Nein. Hier hatten sie es besser, jedenfalls für die erste Zeit, wenn das Kind ... Sie unterbrach sich für einen Augenblick in ihren Gedanken, wollte nicht zu sehr daran denken, bevor ... bevor etwas mehr Zeit vergangen war. Bevor wir eingezogen sind, dachte sie. Zusammengezogen sind. Ich wohne hier ja noch gar nicht richtig. Ich geh nach der Arbeit nur hierher, weil es ein gutes Gefühl ist. Um mich einzuleben.

Sie machte sich eine Tasse Tee, saß am Küchentisch und lauschte auf den Regen. Dann stand sie auf und ging ins Wohnzimmer und kehrte zurück, nachdem Springsteen schon eine halbe Minute lang von dem Preis gesungen hatte, den man für seine Taten zahlen muss. Angela strich sich langsam über den Bauch. *You make up your mind, you choose the chance you take.* Springsteen trug die Verletzlichkeit der Menschen auf seinen Schultern. Neuerdings hörte Erik Springsteen. Natürlich nur die schwermütigen Songs. Aber immerhin. Nicht nur ihretwegen. Wer akzeptierte, weiter zu wachsen, mit dem geschieht ständig etwas. Coltrane war immer noch da, hatte aber ein wenig Platz machen müssen. Erik kannte jetzt zwei Namen der modernen Musikgeschichte. The Clash und Bruce Springsteen. Das würde lange reichen. Wir haben noch etwas dazubekommen, was uns verbindet, dachte sie und strich sich wieder über den Bauch.

Habe ich Angst? Nein. Hat er Angst? Vielleicht. Wird er es aussprechen? Er redet mehr und mehr. In einigen Monaten wird er vierzig, und er lernt langsam zu reden. Das ist früh für einen Mann.

Der Kühlschrank surrte leise. Sie stand im Licht vor der geöffneten Tür. Die Dämmerung in der Küche hatte sich rasch zu Dunkelheit verdichtet. Sie hatte geglaubt, es sei noch Käse da, aber nicht mal die Margarine reichte bis morgen. Plötzlich hatte sie Appetit auf Sardellen. Das war ein Beispiel von Gelüsten, davon hatte sie gelesen oder gehört, aber nie selbst derartige Anwandlungen gehabt. Klar. Sardellen passten nicht zu dem Mistwetter, aber sie konnten zur Schwangerschaft passen. Genau wie mit Schokolade überzogene Kalbssülze und andere Mythen über die Schwangerschaft. Spagetti mit Karamellsoße.

Sardellen. Käse. Margarine. Vielleicht die neue *Femina*. Sie hatte das Abonnement vor dem Umzug gekündigt, vermisste die Zeitschrift jetzt aber in der Post, hier und zu ... nein, nicht zu Hause, ein paar Wochen nur blieben die Möbel dort noch stehen, das war alles.

*Clean break.*

Was für Umstände! Jetzt fing sie auch noch an, sich genauso sehr nach der *Femina* zu sehnen wie nach einer Büchse Sardellen, die lieblich von Zuckerkristallen überzogen waren! Sie sah aus dem Fenster, die Scheiben waren gestreift vom Regen. Die Straßenbeleuchtung war angegangen, schaffte es aber kaum, die Dunkelheit zu durchdringen. Sie seufzte, hörte es selbst. Schloss die Kühlschranktür, ging in den Flur und zog Stiefel und Regenmantel wieder an. Der Schirm, den sie am Morgen schon vermisst hatte, war immer noch verschwunden.

Der Fahrstuhl war gerade unten, und sie nahm die Treppe. Ihre Schritte hallten wider im Treppenhaus, ein tieferer Ton als der, den sie täglich von zu Hau... in Kungshöjd gewohnt war.

Sie ging die Vasagatan entlang zu Bogös Livs. Es hatte fast aufgehört zu regnen, jetzt tropfte es nur noch von den Dachrinnen. Sie drückte sich eng an die Häuserwände und hörte einen Automotor hinter sich. Nach einer Minute war das Geräusch immer noch hinter ihr, und sie drehte sich um und sah einen Streifenwagen, der langsam hinter ihr herfuhr. Sie wandte sich wieder nach vorn und ging weiter, doch das Auto folgte ihr weiter, unverändert langsam. Sie drehte sich wieder um und versuchte den Fahrer zu erkennen, sah aber nur eine Silhouette hinterm Lenkrad.

Fahndeten sie hier nach etwas? Warum fuhr das Auto so langsam – hinter ihr her? Plötzlich blendete der Fahrer die Scheinwerfer auf und bog an der Kreuzung nach links ab und fuhr zurück zum Vasaplatsen. Sie schaute sich um, ob sie einen anderen Sreifenwagen in der Nähe entdecken konnte, sah aber keinen.

Sie ging in den kleinen Supermarkt, und als sie auf dem Rückweg eine *Femina* am Tabaktresen kaufte, schnappte sie sich noch eine Tüte Karamellschnüre.

Spagetti mit Karamellgeschmack. Der Mythos wurde Wirklichkeit.

Es hatte wieder angefangen zu regnen, und jetzt spielte es

keine Rolle mehr, wo sie ging. Als sie an der Haustür den Code eintippte, sah sie aus dem linken Augenwinkel wieder einen Streifenwagen. Er kam jetzt von der Aschebergsgatan, passierte die Kreuzung und wurde langsamer, als er sich näherte. Das Auto fuhr langsam vorbei, aber sie konnte das Gesicht des Fahrers wieder nicht sehen, da die Sonnenblende heruntergeklappt war. Sie folgte dem Auto mit Blicken, als es vorbeigefahren war, die Rücklichter blinkten noch einmal auf, wie zwei rote Augen. Dann bog es um die nächste Ecke und war verschwunden.

Offenbar waren heute Abend viele Streifenwagen unterwegs. Sie nahm den Fahrstuhl nach oben. Oder vielleicht war es auch dasselbe Auto? Razzia in den zwielichtigen Vierteln von Vasastan. Die zwielichtigste Gegend der Stadt. Nur Ausgestoßene der Gesellschaft. Die Verzweifelten. Kriminalbeamte. Ärzte. Verrückte Witwen, die sich ihr Vermögen auf verdächtige Weise beschafft hatten. Eine wohnt im gleichen Stockwerk wie Erik, dachte sie. Sehr alt, aber mich legt sie nicht rein, hatte Erik einmal im Fahrstuhl gesagt, als sie sich im Flur gegrüßt hatten. Manchmal höre ich Geräusche aus ihrer Wohnung wie von einer Art Messe. Hast du ihre Fingernägel gesehen? Nicht? Kein Wunder, sie hat nämlich gar keine! Aber sie bekommt manchmal seltsamen Besuch.

Angela hatte wirklich geschaudert. Daran dachte sie jetzt, während sie aus dem Fahrstuhl stieg und Frau Malmers dunkle Tür sah.

*Rosemary's Baby.* Der Gedanke tauchte aus dem Nichts auf. Sie war Rosemary und neu eingezogen, richtig eingezogen, Erik begann, Frau Malmer spät aufzusuchen, und sie würde ein rhythmisches Murmeln durch die Wand hören. Eines Morgens würde Erik ein Pflaster auf der Schulter haben. Auf seiner Arbeitsstelle würde jemand eines tragischen Todes sterben. Der Chef der Abteilung. Erik würde seinen Job bekommen. Sie würde Frau Malmers exzentrischem, aber sehr gentlemanmäßigen alten Freund vorgestellt werden, der sie seinerseits einem neuen Gynäkologen vorstellen würde, der ...

Sie hatte die Wohnungstür geöffnet und hörte, dass es drinnen klingelte. Sie ließ die Einkaufstüte los, schüttelte sich die

Stiefel von den Füßen und ging die wenigen Schritte zu der Kommode im Flur, wo die Telefone standen.

»Ja«, meldete sie sich und hörte ihren eigenen Atem.

»Bist du die Treppe raufgelaufen oder machst du Hausfrauengymnastik?«

»Hallo Erik! Nein, ich hab den Fahrstuhl genommen.«

»Ganz schön anstrengend.«

»Er ist unheimlich.«

»Ja.«

»Man fantasiert allerhand Schreckliches zusammen, was in diesem Haus passieren kann.«

»Die alte Frau Malmer.«

»Wie kommst du auf die?«, fragte sie und bemerkte einen Anflug von Misstrauen in ihrer eigenen Stimme. Himmel.

»War blöd von mir. Ich wollte dich nicht erschrecken.«

»Jetzt hör auf und erzähl von deinem Vater. Es klingt, als hättest du dich ein bisschen entspannen können.«

»Vielleicht. Eine Weile war es kritisch, aber sie haben was Neues mit den Adern gemacht, haben irgendwas gerichtet. Jetzt ist er wieder auf der Station.«

»Hast du endlich mit dem Arzt gesprochen?«

»Bist du verrückt? Jemand wie du müsste doch wissen, dass das unmöglich ist. Überall auf der Welt.«

Sie dachte an die Anklagen, die sie heute selber zu hören bekommen hatte. Dass sie nie da war.

»Verurteile uns nicht zu hart«, sagte sie.

»Papa klagt nicht, und das ist das Wichtigste«, sagte er. »Und wie geht's dir?«

»Ich hab klassische Gelüste auf Sardellen gekriegt und mich in den Regen gestürzt und bin von einem deiner Kollegen beschattet worden.«

»Beschattet? Von einem Kriminalbeamten? Nicht gerade diskret!«

»Steckst du vielleicht dahinter?«

»Was? Ich weiß nicht, wovon du redest.«

»Die Beschattung, durch die Kriminalpolizei?«

»Fühlst du dich wirklich beschattet?«

»Das hab ich doch nie gesagt.«

»Gerade eben hast du es gesagt.«

»Ich hab gesagt, dass ich von deinen Kollegen beschattet werde. Ich meine von der Polizei.«

Sie hörte seinen Seufzer in der Leitung, den ganzen Weg von der Costa del Sol bis hierher.

»Fangen wir noch mal von vorn an«, sagte er. »Erzähl noch mal von Anfang an. Ich höre zu und bin still.«

»Ich bin einkaufen gegangen, und da hat mich ein Polizeiauto verfolgt. Langsam. Die ganze Zeit. Als ich stehen blieb, um zu sehen, ob ich mich nicht täuschte, hat es die Scheinwerfer aufgeblendet und ist abgebogen.«

Winter sagte nichts.

»Als ich zurückkam und die Haustür öffnen wollte, kam wieder ein Polizeiwagen und fuhr langsam vorbei, genau wie vorher. Und als es an mir vorbeigefahren ist, bog es wieder ab.«

»Das war alles?«

»Ja. Ach, da lief wohl irgend so eine Fahndung oder wie das heißt. Muss ein Zufall gewesen sein. Ich hab das mit der Beschattung auch mehr aus Spaß gesagt.«

»Haha.«

»Ja, war das denn nicht witzig?«

»Du hast dir nicht das Autokennzeichen gemerkt? Oder die Kennzeichen, falls es zwei Wagen waren?«

»Natürlich. Ich hab mir sofort alles auf der Innenseite der Augenlider notiert.« Sie lachte. »Leider, Erik. Ich bin nicht auf die Polizeischule gegangen.«

»Ja … ich weiß nicht, was ich sagen soll.«

»Denk nicht mehr dran. Zufälle, nichts weiter. Falls du nicht doch … eine diskrete Bewachung angeordnet hast, damit ich in deiner Abwesenheit sicher bin.«

»Scheint aber nicht sehr diskret zu sein.«

»Es ist also nicht so?«

»Machst du Witze?«

»Ja. Fast.«

»Ich hab keine solchen Befugnisse. Jedenfalls noch nicht.«

»Aber vielleicht bald?«

»Was?«

»Wenn deinem Chef was passiert? Wie heißt er?«

»Birgersson. Wovon redest du eigentlich, Angela?«

»Nichts.« Sie lachte wieder. »Ich rede nur im Schlaf, könnte man sagen. Oder im Tagtraum.« In der Leitung zur Costa del Sol war es still. »Hallo? Erik?«

»Das ist ein komisches Gespräch.«

»Meine Schuld. Entschuldige. Ich fühl mich wohl immer noch etwas fremd in diesem Haus … obwohl ich hier schon so oft gewesen bin in all den Jahren. Aber jetzt ist es anders. Und eigentlich ist es bloß so, dass ich dich so schnell wie möglich wieder zu Hause haben möchte. Sobald es deinem Vater wieder besser geht.«

»Da können wir nur hoffen.«

»Es wird seine Zeit dauern.«

»Wenn noch Zeit ist.«

»Es klingt doch so.«

»Jetzt musst du dich um diese Sardellen kümmern.«

»Davon hast du bestimmt auch reichlich da unten.«

»Ich hab sie noch nicht ausprobiert.«

»Keine Tapas?«

»Keine Zeit. Heute Nacht bin ich im Krankenhaus geblieben.«

»Wie war das?«

»Besser als irgendwo anders zu sein. Aber jetzt sieh zu, dass du ein bisschen Salz zu dir nimmst, damit du keine Gespenster mehr siehst.«

»Frau Malmer.«

»Polizeiautos.«

»Ich hab mir auch Karamellschnüre gekauft.«

»Iss sie mit zerdrückten Sardellen oder mit Parmesan.«

»Ich werd's mir merken«, sagte Angela.

Das Auto drehte seine Runden im Zentrum, kehrte zum Vasaplatsen zurück. Der Fahrer lauschte auf die Funksprüche. Ein Verkehrsstau im Tingstadstunnel. Ein Einbruch in Kortedala. Unfallflucht in Majorna nach einem Zusammenstoß mit einer Straßenbahn.

Er parkte vor dem Zeitungskiosk, stieg aus und kaufte eine Zeitung, irgendeine. Vielleicht würde er sie lesen, vielleicht würde er sie auf einem der Sitze liegen lassen. Vielleicht würde er sie auch gleich in den Papierkorb werfen.

Die Fenster in den meisten Stockwerken waren erhellt. Er wusste, welches Haus, aber nicht, welcher Stock es war. Es wäre leicht, hinzugehen und die Namensschilder an der Gegensprechanlage zu studieren, aber was hatte das für einen Sinn? Genau das fragte er sich, als er sich wieder ins Auto setzte und anschnallte. Was-hat-das-für-einen-Sinn? Er hatte eine Frage, aber keine Antwort. Wenn er wüsste, warum er zu der Haustür gehen und die Adresse und das Stockwerk überprüfen sollte, wüsste er auch so manches andere. Was passiert war. Was passieren würde. Passieren-würde.

Hatte er die Scheinwerfer aufgeblendet? Wenn er es getan hatte, dann hatte es einen Sinn. Es war wie ein Beginn. Er sah auf die Zeitung, die auf seinen Knien lag. Er wusste nicht, welche es war, *Göteborg Tidningen* oder *Expressen* oder *Aftonbladet*, nur, dass Sachen darin und in den anderen stehen würden, die er ihnen selbst hätte erzählen können. Aber sie hatten ihn nicht gefragt, und so war es immer, niemand fragte ihn etwas, etwas, das SINN hatte. Aber damit hatte es jetzt ein Ende, es musste ein Ende haben, JETZT. Er krallte die Hände um die Zeitung und zerrte daran, und hinterher, eine Minute später oder ein Jahr später, während er immer noch im Auto vor dem Kiosk saß, schaute er wieder auf die Zeitung und sah, dass er sie in zwei Teile gerissen hatte.

# 11

Winter stand vor acht auf. Heute war das Stück Himmel blau, das er durchs Badfenster im *La Luna* sehen konnte. Draußen roch es schon nach Sonne und nach Schmierseife, die Salvador, der Besitzer, beim morgendlichen Reinemachen der Platten des Patios benutzt hatte. Winter hörte Hammerschläge und eine Frauenstimme.

Er spürte die Wärme, die durch das Fenstergitter in sein Zimmer gedrungen war. Vielleicht würde es der heißeste Tag werden, seit er gekommen war. Salvador machte ein Zeichen zum Himmel und verdrehte die Augen, als Winter vorbeiging. Der Sommer biss sich fest.

Er trank seinen Kaffee bei Gaspar und rauchte einen Zigarillo. Die Bedienung und der Lungenpatient, der an seinem üblichen Tisch saß und den Morgen auf der Plaza Puente de Málaga zerhustete und nur für einen Moment verstummte, wenn der Kellner mit dem Ginglas kam, kannten ihn schon. Der Mann nickte Winter freundlich zu und hob sein Glas.

Winter fühlte sich wie zerschlagen. Gleich würde er wieder ins Krankenhaus fahren, beschloss aber, vorher einen Spaziergang zu unternehmen, um seine Muskeln aufzulockern. Er trank seinen Kaffee, drückte den Zigarillo aus und zahlte. Bevor er aufstand, rief er kurz seine Mutter im Krankenhaus an. Nichts Neues, in keiner Hinsicht.

Er warf einen Blick auf seinen kleinen Stadtplan von Marbella. Er könnte zur Busstation hinaufgehen, die auf einer Anhöhe über der Stadt lag, und dann zurück. Vielleicht eine Stunde. Vernünftige Bewegung.

Die Calle de las Peñuelas führte von der Plaza nach Norden, er folgte der Straße ein Stück und bog dann nach links in die Calle San Antonio ein, die sich der Karte nach zu urteilen den Berg hinaufschlängelte.

Schon nach hundert Metern gelangte er in ein anderes Marbella, anders als die relativ normalen Wohngebiete, in denen er sich bisher bewegt hatte. Hier gab es Bars und Läden für die Spanier; alte Frauen saßen aufgereiht vor den Häusern, Männer in den Cafés, Kinder waren auf dem Weg zur Schule oder von dort nach Hause. Eisdielen, Bäcker, Schlachter, der Geruch nach frischem Fleisch vor den Metzgereien. Ein junges Mädchen mit einem Laib Brot unterm Arm. Die Sonne und die Schatten, wie ein Spiel schon in der frühen Morgenstunde. Er ging an dem *Colegio Público García Lorca* vorbei, von dem ihm Stimmen von Schülern entgegenhallten, die Pause hatten.

Weiter nördlich gelangte er zu einer größeren Schnellstraße, Avenida Arias de Velasco, und bog nach einem Blick auf den Plan nach links ab.

Er war einige hundert Meter gegangen, da entdeckte er auf der linken Seite das Polizeirevier, *Comisaría de Policía Nacional*. Es war klein, aus grauem Marmor erbaut, mit einigen Glaswänden, zum Eingang führte eine geteilte Treppe hinauf. Dort gab es zwei Schilder: *Oficina de Denuncias* und *Pasaportes Extranjeros*. Er empfand Sympathie mit den Kollegen. In Marbella gab es sicher viel zu tun, besonders in der Herbstsaison. Taschendiebe. Verlorene Pässe. Winter hatte Mitleid mit Taschendieben, fast genauso großes Mitleid mit den armen Kerlen, die es nicht schafften, sich gegen sie zu schützen.

Und dann war da noch die Mafia. Es ging das Gerücht, Marbella sei der neue Lieblingsort für das organisierte Verbrechen. Das hatte er in irgendeinem Bericht gelesen. Marbella als Paradies der Steuerflüchtlinge und der Mafia.

Zwei Kollegen in Uniform kamen die Treppe des Polizeireviers herunter, und Winter hätte ihnen fast zugenickt, als sie vor ihm die Straße überquerten und die *Bar el de Enfrente* gegenüber betraten. Ein stärkendes Glas Gin am späten Morgen.

Winter hatte Durst und dachte an ein Bier, stieg aber weiter die Treppe hinauf. Einer der Polizisten kam aus der Bar und ging in einen Motorradladen.

Als er das Plateau erreicht hatte, überquerte er die Autobahn über die Brücke und ging nach links zur Busstation. Von hier aus sah er die Stadt unter sich, das Meer und den Horizont. Nirgendwo Wolken. Das war den Spaziergang wert gewesen. Er konnte weit sehen, bis Nueva Andalucía, und noch weiter im Osten machte er einen Klotz aus, der das *Hospital Costa del Sol* sein könnte.

Jetzt war er den Bergen näher. Er sah sie durch die Glastüren der Busstation und ging hinein. Eine große Menschenmenge strömte ihm entgegen und drängte sich um ihn. Er nahm den Geruch von Schweiß und Sonnencreme wahr, ein Ellenbogen stieß ihn in die Seite, und er versuchte ihn abzuwehren.

Eine halbe Minute später war die Menschenmenge verschwunden, und Winter war drinnen im Gebäude. Er sah sich um, stieg rechts eine halbe Treppe zu einer großen Cafeteria hinauf und bestellte einen Kaffee und eine kleine Flasche Mineralwasser. Er steckte die Hand in die Innentasche seiner Leinenjacke und … und … was zum … Er fuhr mit der Hand in die andere Tasche. Auch leer. Er steckte die Hand wieder in die linke Tasche und spürte das Loch, die Hand glitt hindurch. Was zum TEUFEL. Der Junge hinterm Tresen wartete darauf, dass er zahlte, und schien die Panik in seinen Augen zu sehen. Jetzt zeigte er auf Winter, auf die Jacke. Winter hob den linken Arm und musterte die Innenseite der Jacke. Ein glatter Schnitt durch alle Stoffschichten bis zur Innentasche, wo seine Brieftasche gesteckt hatte. Adressen. Führerschein. Kreditkarten … Scheiße, die Kreditkarten, VISA, Mastercard. Er riss das Handy aus der Tasche, wählte eine Nummer und wartete ungeduldig.

»Angela.«

»Hier Erik. Ich wusste nicht, ob du schon weg bist. Ich bin beklaut worden und hab die Nummer für die Sperrung der Kreditkarten nicht. First Card von der Nordbanken.«

»Du bist beraubt worden? Bist du verletzt?«

»Nein, nein. Es war ein Taschendieb. Über die Einzelheiten können wir später reden. Rufst du bitte sofort dort an? Ich glaub, an der Pinnwand im Flur hängen ein paar Telefonnummern. Ja, über der Kommode. Zwei Kärtchen. Nein, nur anrufen. Die haben alle Angaben. Wie bitte? Es ist gerade passiert, erst vor fünf Minuten. Vielleicht sieben. Ich bin ein Stück oberhalb der Stadt, der Kerl muss erst runter ins Zentrum zu einem Bankautomaten, das schafft er nicht, wenn sofort gesperrt wird.«

»Ich kümmere mich darum.«

»Ruf mich gleich wieder an.«

Er drückte auf Aus und sah den Jungen hinterm Tresen an, der das Gespräch verfolgt hatte. Winter hatte noch nicht von seinem Kaffee oder dem Wasser getrunken.

»*Un ladrón, eh?*«

Winter verstand nicht, was der Junge sagte, antwortete jedoch mit einem Nicken.

»*Ha robado la cartera, eh?*« Der Junge zeigte auf Winters Achselhöhle. »*La cartera. Hijo de la puta.*« Er schüttelte den Kopf über alles Gesindel dieser Welt. »*Hijo de la puta.*«

»*Yes*«, sagte Winter. »*The sonofabitch stole my wallet.*« Er sah auf die Kaffeetasse. Der Kaffee dampfte noch. Er hätte ihn gern getrunken, aber er konnte ihn nicht bezahlen.

»*Sírvase*«, sagte der Junge mit einer mitleidigen Gebärde zum Tresen und zur Tasse. »*Please. It's on the house.*«

Sie lachte ihn aus. Es war das erste Mal … als alles angefangen hatte. Sie, die andere, und er … beide hatten gelacht.

Sie hatte gesagt, er sei kein richtiger Mann. Guck dich doch an, hatte sie gesagt.

Jetzt tat er alles, was er wollte, in diesem Zimmer, das ganz weiß vor seinen Augen geworden war, er sah sie kaum, als er zum Kassettendeck ging und die Musik wieder anstellte, die der andere mit einem Fluch abgestellt hatte, nur eine Sekunde später, nachdem er sie angestellt hatte.

»Mach-die-Musik-nicht-aus«, sagte er.

»Du bist ja nicht ganz dicht.«

»Nicht-ausmachen.«

»Du verschwindest hier jetzt!«

»Hau ab«, sagte sie. »Wir wollen dich nicht hier haben.«

»Ich-bleibe-hier«, sagte er, stellte die Musik lauter und begann, sich zu den Bässen, zu den Gitarren zu bewegen. Das
Zimmer war weiß. Er presste die Augen zusammen. Er sah
nichts mehr. Es gab keine Dunkelheit. Er spürte etwas an seinem Magen, wie einen Schlag oder einen Tritt, aber er hielt die
Augen geschlossen. Das Weiße war da draußen. Er wollte es
nicht sehen. Überall war die Musik, WOAHWAOHWHÄÄÄ-
WHO, AWHÄÄÄWHO, er spürte noch einen Schlag, jemand riss
ihn an den Haaren, und er öffnete die Augen. Der andere schlug
noch einmal zu, sodass er taumelte. Der andere wollte an die
Musik heran, aber jetzt bestimmte *er* hier. *Er* bestimmte. Wenn
er still liegen bliebe und ihn die Musik abstellen ließ, wäre es
vorüber, und er wünschte, es wäre vorüber, aber er konnte nicht
still liegen bleiben. *Er* bestimmte jetzt. Der richtige Mann. Er
erhob sich und öffnete die Augen, sah durch das Weiße hindurch zu ihnen, und er wusste nicht mehr, ob es jetzt still im
Zimmer war. Er hörte nichts, als er nach ihr griff, spürte nichts,
auch nicht, als er nach ihm griff, nach seinem Körper. Der weiße Schimmer war da, aber entfernt jetzt, als ob er wartete. Er
griff wieder nach ihr, wieder nach ihm.

Lange Zeit.

Er zitterte wie ein Hund. Die Musik lief immer noch, als
es vorbei war. Er hatte alles getan, und zum Ende hin hatte
er all die Hilfe bekommen, die er vorher vermisst hatte. Er
war immer noch in dem weißen Schimmer. Er hörte die Worte,
eins nach dem anderen, wo niemand anders Worte im Musik-
gedröhn unterscheiden konnte, *the-blood-is-sacrified-in-my-
face.*

Angela rief fünf Minuten später an.

»Erledigt.«

»Gut.«

»Und was machst du jetzt?«

»Leih mir heute etwas von meiner Mutter. Aber du kannst
bei der Bank anrufen und sie bitten, mir bis morgen Geld run-
terzuschicken.«

»Wohin?«

»An irgendeine Bank in der Stadt. Ich geh in die nächstbeste und frage, ob sie Transaktionen annehmen, und dann ruf ich dich wieder an, damit du es meiner Bank mitteilen kannst. Ach nein, übrigens kann ich selbst anrufen, wenn du mir gleich die Nummer durchgibst.«

»Okay. Das war … Pech.«

»Es war selten dämlich. So was darf nicht passieren.«

»Vielleicht war es gut so. Du kriegst Verständnis … für die Opfer.«

»Mhm.«

»Du musst eine Anzeige erstatten.«

»Ach, hör auf.«

»Das ist doch klar, Erik. Du kannst den Diebstahl nicht bei der Versicherung melden, wenn du nicht vor Ort eine Anzeige erstattet hast. Muss ausgerechnet ich dir das sagen?«

»Nein.«

»Vielleicht behält der Dieb nur die Karten und schickt alles andere zur Polizei.«

»Ja, und vielleicht wohnt der Weihnachtsmann am Nordpol.«

»Ich meine es ernst, Erik.«

»Okay, OKAY, ich werde Anzeige erstatten. Ich weiß, wo das Polizeirevier ist.«

»Gut. Und … Erik …«

»Ja?«

»Es gibt Schlimmeres.«

»Ich weiß, Angela, ich weiß.«

Er ging einmal um das Gebäude herum und schaute in die Papierkörbe und die staubigen Büsche, aber der Dieb hatte seine Brieftasche nicht weggeworfen, nachdem er das Geld und die Karten herausgenommen hatte.

Winter war immer noch wütend, aber Angela hatte Recht. Es gab Menschen, die waren schlimmer dran als er.

Der graue Marmor des Polizeireviers war weiß geworden im Sonnenlicht. Er ging die linke Treppe zur *Oficina de Denuncias* hinauf und versuchte einem uniformierten Beamten hinter einem Tresen sein Anliegen vorzutragen. Der Mann hob eine Hand und zeigte mit der anderen zu der Tür an der einen Tresenseite. Sie war geschlossen. *Interpreter's Office* stand weiß und blau darauf.

Winter setzte sich. Nach einigen Minuten wurde die Tür geöffnet, und ein Paar, das schwedisch aussah, kam heraus. Der Polizist winkte Winter.

Drinnen saß eine Frau hinter einem Schreibtisch. Sie füllte ein Formular aus, sah dann auf und bot ihm Platz auf dem Stuhl gegenüber an. Sie mochte fünfundzwanzig, vielleicht auch dreißig sein. Ihre Haare waren dunkel und kurz geschnitten, aber als sie ihn anschaute, sah Winter, dass ihre Augen blau waren. Sie schien kein Make-up zu benutzen, war eine schöne Frau in einem locker sitzenden Kleid, und ihre Haut war hell. Ungewöhnlich hell, dachte er.

Er berichtete kurz. Sie hörte zu, nicht gelangweilt, was ihn wunderte.

»Bitte füllen Sie dieses Formular aus, ich komme gleich wieder«, sagte sie und stand auf. Sie war groß, größer als er gedacht hatte.

Das Formular hatte den Aufdruck *Diligencia*. Winter begann seine Personalien einzutragen und den Hergang zu beschreiben. Bei *Profesíon* zögerte er, beschloss dann aber, die Frage wahrheitsgemäß zu beantworten.

Sie kam zurück und überflog rasch die Angaben.

»Haben Sie Ihren Pass noch?«

»Scheint so. Sonst hätte ich ja die Passnummer nicht eintragen können, oder?« Seine Stimme hatte übellaunig geklungen. Jetzt tat es ihm Leid. Sie hatte keine Miene verzogen.

»Sie sind also Polizeikommissar?« Er meinte ein Lächeln in einem ihrer Mundwinkel bemerkt zu haben, war aber nicht sicher.

»Kriminalkommissar«, antwortete er.

»Sie sind jung ... für den Beruf.«

»Ach? Ich bin aber schon über fünfzig.«

»Dann ist Ihr Alter auf dem Formular gelogen.«

»Ich hab nur Spaß gemacht.« Winter spürte etwas in seinem Kopf, etwas wie einen schwachen Schmerz. Sie sah ihn wieder an. »Sie wirken auch ziemlich jung, um ... Übersetzerin zu sein«, sagte er. Scheiße. Was mache ich da, ich flirte doch nicht?

Jetzt lächelte sie und stand auf.

»Ich bitte um Entschuldigung für unsere Verbrecher hier an der Südküste.« Sie zeigte zur Tür. »Warten Sie bitte draußen, ich werde das Formular einem Beamten übergeben, der die Anzeige weiter ausfüllt. Sie können bald zu ihm hinein.«

»War das alles?«, fragte Winter.

»Ich denke schon.«

Er erhob sich. An der Wand neben der Tür hing ein Schild mit drei Namen unter einer Überschrift, die vermutlich »Übersetzer bei der Polizei« bedeutete. Zwei Männernamen und ein Frauenname: Alicia. Sie sah, dass er das Schild las.

»Ja, ich heiße Alicia.«

»Erik.«

»Ich weiß«, sagte sie und lächelte wieder und deutete auf das Formular in ihrer Hand.

Er wartete draußen. Ein Polizist kam heraus und brachte ihn in einen Raum, der zur großen Straße hin lag. Es war derselbe Polizist, den Winter morgens erst in die Bar und dann in den Motorradladen hatte gehen sehen.

»Ich muss mich für alle Unannehmlichkeiten entschuldigen, Kommissar.«

»Ich bin selber schuld.«

»Sie werden immer frecher.«

»Sie sagen es.«

»Aber wir dürfen nicht aufgeben, oder?«

»Nein.«

»Was soll aus der Welt werden, wenn die Polizei aufgibt?«, sinnierte der Polizist, und Winter überlegte, ob er sagen sollte, dass er im Augenblick keine Zeit für philosophische Überlegungen hatte. Der Mann sprach ausgezeichnet Englisch. Sie könnten sich noch lange unterhalten. »Wenn die Polizei aufgibt, geht die Welt unter.«

»Brauchen Sie noch mehr Angaben?«

»Wie bitte? Nein. Ich muss das nur fertig ausfüllen.«

Der Mann schrieb schweigend, er schrieb entschieden langsamer als er sprach. Es war eine Frage der Konzentration. Winter wollte ihn nicht stören. Vielleicht wurde er dann sauer.

»So. Das ist erledigt. Würden Sie bitte hier unterschreiben? Bitte beide Kopien.«

Winter unterschrieb und stand auf, die eine Kopie in der Tasche.

»Jetzt passen Sie besser auf, Kommissar«, sagte der Polizist, und Winter versuchte Ironie herauszuhören, aber das Gesicht des Mannes war ganz ausdruckslos, vielleicht etwas bekümmert. »Da draußen, das ist eine harte Welt.«

Als er am Tresen vorbeiging, öffnete Alicia ihre Tür und kam mit einem neuen Formular heraus. Winter sah, wie sich ein Tourist von seinem Stuhl vorm Schreibtisch erhob.

»*Goodbye, inspector Erik*«, sagte sie und lächelte ihr schönes Lächeln.

Er dachte noch an sie, während er den Hügel hinunterging. Erst als er schon hinter dem Lenkrad des Autos saß, fiel ihm ein, dass er zur Bank musste.

# 12

Maria und Patrik bummelten im Zentrum herum. Es war kälter geworden, und der Wind kam von Norden. Maria steckte die Hände in die Taschen.

»Hast du keine Handschuhe dabei?«

»Ich hatte es so eilig. Und außerdem hab ich auch gedacht, sie stecken in der Jackentasche.«

»Es ist kalt.«

»Besser jedenfalls, als wenn es regnet.«

»Hast du Zigaretten?« Sie blieb vorm McDonald's stehen. Die Geschäfte im Einkaufszentrum hatten geschlossen, aber die Türen zur Wärme waren noch geöffnet.

»Ich wollte aufhören mit Rauchen.«

»Aufhören? Du hast doch kaum angefangen.«

»Ich mag es nicht.«

»Wer mag das schon?«, sagte sie und ging in das Einkaufszentrum. Sie spürten den warmen Luftzug von der Klimaanlage. Hinter ihnen kam eine Gruppe Erwachsener herein und überholte sie. Alle schienen zu lachen. Maria nahm den Geruch nach Alkohol, Parfum und Rasierwasser wahr. Die Erwachsenen blieben vor dem Lokal *King Creole* stehen und betraten es im selben Moment, als Maria und Patrik an ihnen vorbeigingen.

»Tanzabend«, sagte er und lachte.

»Die können wenigstens irgendwo hingehen.«

»Dann bin ich schon lieber draußen.«

»Trotzdem.«

Drinnen auf dem Femmans Torg standen Leute in Gruppen beisammen. Zwei Polizisten überquerten den offenen Platz und blieben vor einem Gitarristen stehen, der aber nicht aufhörte zu spielen, nur weil zwei Polizisten vor ihm standen. Er begann zu singen. Einem der Polizisten, dem Älteren, schien der Rhythmus zu gefallen. Der Sänger sang lauter.

»Der scheint Schmerzen zu haben«, sagte Patrik.

»Das muss so klingen«, sagte Maria. »Das ist irgendwas aus Spanien. So was wie Flamengo.«

»Flamenco. Es heißt Flamenco.«

»Ich dachte, du weißt nicht, was das ist.«

»Aber es klingt, als würde ihm was wehtun.«

»Stell dir vor, man könnte einfach verreisen.«

»*Last-Minute* zu den Kanarischen Inseln.«

»Bist du da noch nie gewesen?«

»Wir waren da, die ganze … Familie, bevor meine Mutter ausgezogen ist.«

»Wie war es?«

»Als meine Mutter ausgezogen ist? Das ist jetzt doch scheißegal.«

»Ich meine auf den Kanarischen Inseln.«

Patrik stand still da und sah den Typ mit der Gitarre an, der ein neues Stück angefangen hatte. Es klang genau wie das vorherige.

Er könnte sagen, dass er sich an einen Pool erinnerte, dass er von einer kleinen Steinbank hineingetaucht war, neben der eine Palme stand, und dass sie nur die Treppe von dem Balkon ihres Apartments runterzugehen brauchten, um zum Pool zu gelangen. Seine kleine Schwester hatte Schwimmflügel angehabt, und seine Mutter war von der Seite in das blaue Wasser gestiegen und hatte gelacht. Er war den ganzen Tag getaucht, und nachmittags hatten sie Bingo gespielt. Er war auch im Dunkeln getaucht und hatte seinen Eltern, die mit der Schwester an einem Tisch saßen, ein Kunststück vorgeführt. Guckt mal her, hatte er gerufen, und sie hatten applaudiert. Abends war es fast genauso warm wie am Tag, und zu Hause lag Schnee. Er hatte seinen Papa mehrere Male an der Hand gehalten.

Aber es gab keine kleine Schwester, keine Mama, keine Reise zu den Kanarischen Inseln, keinen Pool, keine Palme, kein Bingo. Hatte es nie gegeben. Er träumte manchmal, träumte laut. Maria wusste davon nichts. Sie konnte zu jeder Insel reisen, die es gab.

»War schon was Besonderes, auf den Kanarischen Inseln«, sagte er.

Morelius stand vor *Harley's* und wartete auf Bartram, der drinnen mit dem Besitzer redete. Morelius stampfte mit den Füßen. Es war kälter geworden, innerhalb weniger Stunden hatte die Kälte die Feuchtigkeit verdrängt.

»Morgen«, sagte Bartram, als er rauskam. »Sie wollen es nicht verschieben.«

»Ach.«

»Macht vielleicht nichts.«

»Spielt es eine Rolle, wann der Harley-Davidson-Club eine Fete feiert?«

»Nein, wahrscheinlich nicht.«

»Ist doch Wurscht.«

»Aber die Girls sind gut«, sagte Bartram, »sie haben immer hübsche Girls dabei.«

»Zählst du die nicht zu den Mitgliedern?«

»Die sind nur ein Anhängsel«, sagte Bartram. »Hübsche Anhängsel.« Er stampfte mit den Füßen. »Jetzt müsste man so ein HD-Girl zum Aufwärmen haben.«

»Meinst du das ernst?«

»In all das Leder reinkommen.« Bartram strich sich über die eigene Lederjacke. »Zum Wesentlichen kommen. Kapierst du, Simon? Das Wesentliche.«

»Hör auf!«

»Was ist denn jetzt schon wieder?«

»Ich hab dein Gelaber satt.«

»Mensch, stell dich nicht so an. Das ist ein …« Aber Bartram verstummte, als er zwei Jugendliche die Avenyn heraufkommen sah. Sie waren jetzt zwei Meter von ihnen entfernt. »Da kommen Bekannte. Guten Abend, guten Abend.«

»Guten Abend«, antwortete Patrik.

»Ihr macht also wieder einen Spaziergang«, sagte Morelius.

»Wir leben in einem freien Land«, sagte Maria.

»Ja, so ist es«, sagte Bartram. »Friert ihr nicht?«

»Nein«, sagte Maria, und Morelius sah ihre rote Nase und die nackten weißen Handgelenke, die aus den Jackentaschen ragten. Auch die Stirn war weiß und die Ohrläppchen.

»Sollen wir euch mit nach Hause nehmen?«, fragte Morelius.

»Nach Hause zu wem?«, antwortete Patrik.

»Das kannst du selbst entscheiden«, sagte Morelius. »Wir gehen jetzt sowieso und holen ein Auto.«

»Der Abend ist doch noch ein Kind«, sagte Patrik. Das hatte er irgendwo gehört, da war Kraft drin, deswegen benutzte er es. Morelius sah Bartram an, sagte aber nichts.

»Das ist er wirklich«, sagte Bartram. »Habt ihr irgendwas vor?«

»Wir wollten in einen Pub«, sagte Maria.

»Dafür seid ihr wohl noch etwas zu jung.«

»Genau, das ist der Haken.«

»Was?«

»Dass wir nirgends reinkommen.«

»Ihr sollt ja auch nicht in Pubs rumsitzen.«

»Ich rede nicht von Pubs. Ich rede von irgendeinem Ort. Irgendeinen, wo Jugendliche abhängen können.«

»Abhängen?«

»Abhängen. Mit Leuten.«

»Okay«, sagte Morelius.

»Und damit ist es zum Kotzen«, sagte Patrik. »Es gibt nichts.«

»Da sind wir uns ganz einig«, sagte Morelius.

»Was macht ihr Silvester?«, fragte Bartram.

»Was?«

»Silvester des Jahrhunderts, des Jahrtausends. Sehen wir uns beim Skansen Lejonet?«

»Äh.«

»Seid ihr nicht da? Wir sind da.«

»Arbeiten Sie Silvester?«

»Ja. Wir haben beide Dienst und werden vor Ort sein beim Skansen Lejonet, wenn die große Stunde naht.«

»Ätzend, Silvester arbeiten müssen.«

»Was macht das für einen Unterschied? Die halbe Stadt ist doch sowieso auf dem Berg. Jedenfalls die jüngere Hälfte. Und wir werden dafür bezahlt.« Er drehte sich zu Morelius um. »Haben wir ein Glück, was, Simon?«

»Und ob.«

Patrik sah Maria an und schüttelte den Kopf.

»Wir müssen gehen«, sagte er.

»Geht nach Hause und wärmt euch auf«, sagte Morelius.

»Dies ist ein freies Land«, sagte Patrik. Auch das gefiel ihm, weil Kraft drin war. *It sucks.*

Bergenhems Abendschicht war beendet, er war aber nicht direkt nach Hause gefahren. Er fuhr südwärts und hörte sich die vierte CD von Springsteen an. *Tracks, happy with you in my arms, happy with you in my heart.* Heute Nacht hatte Martina etwas geflüstert und ihm über den Arm gestreichelt, aber er hatte so getan, als würde er schlafen. Sie hatte sich umgedreht, und er war schließlich wieder eingeschlafen. Er hatte versucht, nicht zu denken. Rechts schimmerte die Meeresbucht, als er durch Askim fuhr. Der Verkehr wurde dünner, als die Großstadt flacher wurde und sich lichtete. Reicher. Die Villen blinkten wie Oasen hinter dem Asphalt, über den er mit singenden Reifen fuhr. Die letzten Busse hielten an Haltestellen, die in der Dunkelheit entvölkert wirkten, *happy darling come the dark, happy when I taste your kiss, I'm happy in love like this,* und Bergenhem hörte zu, während er weiterfuhr. Es war, als ob er einer Sprache lauschte, die er nicht kannte, und von der er dennoch jedes Wort verstand.

Er dachte an sein Kind. Er dachte an seine Frau. Bei der Abfahrt Billdalsmotet fuhr er runter und weiter auf schmalen Straßen zum Wasser hinunter. Dort stieg er aus. Die Laternen eines Fischerbootes blinkten in Höhe der Inseln in den südlichen Schären. Um ihn herum zeichneten sich die Silhouetten von an Land gezogenen Segelbooten ab. Wieder blinkte es draußen auf dem Meer, und weiter entfernt schimmerte ein helleres Licht, vielleicht von der Mitternachtsfähre nach Fredrikshavn.

Bald würde sie als Silvesterkreuzer fahren. Ein neues Millenium auf internationalem Gewässer, dachte Bergenhem. Gewässer. Er kauerte sich hin und tauchte die Hand ins Wasser. Es fühlte sich wie ein Handschuh aus Eis an. Ich bin in tiefem Wasser, dachte er. Ich muss damit fertig werden. Er stieg wieder in den Wagen.

Draußen auf der Schnellstraße sah er einen Streifenwagen, der bei der Haltestelle neben dem Wartehäuschen parkte. Der Fahrer stand neben dem Auto, den Blick irgendwo über Häuser und Bäume gerichtet. Vielleicht hielt er eine Zigarette in der Hand. Wir brauchen alle eine Pause, dachte Bergenhem. Er sah niemanden sonst, weder auf dem Beifahrer-, noch auf dem Rücksitz. Zuerst meinte er den Kollegen zu erkennen, aber jetzt war er nicht mehr sicher. Jedenfalls war es niemand vom Frölundarevier.

Plötzlich schlug etwas hart gegen die Scheiben. Es war Hagel, der in derselben Minute in Schnee überging, der erste dieses Jahres. Fast November. Springsteen sang weiter: *and honey I just wanna be back in your arms, back in your arms again.* Bergenhem fuhr nach Hause und kroch ins kalte Bettzeug. Martina schlief, und er tat so, als würde er auch schlafen.


Winters Kopf kippte wieder gegen seine eigene Schulter, und er erwachte mit einem Ruck aus einem Sekundenschlaf.

»Leg dich eine Weile aufs Gästebett«, sagte seine Mutter.

»Es geht schon so.«

»Er ruht jetzt.«

Winter betrachtete das Gesicht seines Vaters, das den letzten Rest Farbe verloren hatte, die es noch gehabt hatte, als Winter ihn das erste Mal im Krankenhausbett gesehen hatte. Das ist erst drei oder vier Tage her, dachte er.

Ein Wunder, dass er immer noch atmen konnte. Winter stand auf und ging zum Bett. Sein Vater lag mit geschlossenen Augen da, den Kopf dem Fenster zugewandt. Die Silhouette des Berggipfels zeichnete sich gegen den Himmel ab. Ein Flugzeug auf dem Weg nach Málaga. Winter dachte an Schweden, und da klingelte sein Handy. Rasch ging er hinaus auf den Korridor und meldete sich.

»Wie steht es jetzt?«

»Ich glaube, schlecht. Schlimmer.«

»Ich versuche, morgen zu kommen.« Seine Schwester hustete, keuchte. Immer wieder nahm sie einen Anlauf, etwas zu sagen. »Heute Morgen hatte ich nur 38,9.«

»Damit gehörst du ja fast ins Krankenhaus. So hohes Fieber
für … Erwachsene, das ist ernst, Frau Doktor.«

»So eine Schei… Schei…«

»Was? Ich versteh dich nicht, Lotta.«

»So eine Scheiße aber auch, die Grippe des Jahrhunderts …
oder vielmehr die Grippe des Jahrtausends zu kriegen, während
es Papa so schlecht geht.«

Winter wusste nicht, was er sagen sollte. Das Licht im Korridor war blau und schwach und trotzdem stärker als im Zimmer
seines Vaters. Es erinnerte ihn an einen Tunnel aus Eis.

»Ich glaub, ich nehm jetzt ein paar Tabletten, die auf der
schwarzen Liste stehen«, sagte sie. »Friss oder stirb.«

»Du musst es wissen.«

»Eben nicht, zum Teufel. Aber im Augenblick geht es nicht
um mich.« Sie fing wieder an zu husten, trocken, als schnappte
sie nach Luft, wollte etwas sagen, hustete. »Vielleicht kann ich
ein paar Worte mit Mama sprechen.«

»Ich geh zu ihr«, sagte Winter und kehrte in das Zimmer zurück, gab seiner Mutter das Telefon, die damit hinausging.

Sein Vater murmelte etwas und drehte den Kopf. Winter sah,
dass er wach war.

# NOVEMBER

# 13

Schließlich war das Geld bei der Bank, der Banca Unicaja, eingegangen, zwei Minuten, bevor sie schloss, nachdem Winter dreimal mit seiner Bank in Schweden konferiert hatte: Referenznummer, OSN-Nummer, Swift code: cecaesmm039.

Ihm fehlte das Gefühl von Plastik in der Hand. Die Scheine waren neu und steif in der Innentasche von Sakko Nummer zwei. Er sah sich um, als er die Bank verließ, entschlossen, Menschenansammlungen zu meiden.

Obwohl mittlerweile November, war die Wärme unverändert. Salvador im *La Luna* hatte heute Morgen die Arme ausgebreitet und etwas über *el cielo azul* gesagt. Den blauen Himmel, den ewigen, über einem Volk, das auf Kühle wartete.

Winter stand auf der Hauptstraße Avenida Ricardo Soriano vor der Bank. Er hatte plötzlich Hunger, mehr als er jemals gehabt hatte, seit er angekommen war. Er ging nach rechts und sah Alicia, die aus der anderen Richtung kam. Sie war allein. Vielleicht war sie es, die stehen blieb und ihn ansprach:

»Hat sich die Sache mit dem Geld geregelt, Kommissar?«

»Ich habe grad neues dort drinnen abgeholt«, sagte er und zeigte auf die Fenster der Bank.

»Dann ist es ja gut.«

»Das macht alles leichter.«

»*Sí.*«

»Jetzt kann ich es mir leisten, etwas zu essen.«

Sie blieb stehen, schaute jedoch auf ihre Armbanduhr.

»Ich will Sie nicht aufhalten«, sagte Winter.

»Ich hab jetzt Feierabend«, sagte sie.

»Aha.« Winter scharrte ein wenig mit den Füßen. »Ich werde jetzt wohl etwas essen, bevor ich ins Krankenhaus fahre.«

»Sind Sie etwa auch verletzt worden, Kommissar?«

»Nennen Sie mich Erik. Nein, mein Vater ist schwer krank. Darum bin ich hier.«

»Das tut mir Leid.« Sie sah aus, als würde sie es auch so meinen. Heute trug sie einen schwarzen Rock und eine braune dünne Bluse, die trotz der Farbe die Wärme abzuhalten schien. Winter hatte bemerkt, dass spanische Frauen die Wärme auf eine andere Art zu erleben schienen als die Männer, die sich prustend durch den Tag schleppten. Die Frauen schienen besser damit fertig zu werden.

»Hoffentlich wird alles wieder gut.« In diesem Moment schien ihr etwas einzufallen, und sie drehte sich in die Richtung um, aus der sie gekommen war, sah ihn wieder an.

»Haben Sie eine bestimmte Idee, wo Sie essen wollen?«

»Nein ... ich wollte in Richtung Altstadt gehen. Ich hab noch nicht viel von Marbella gesehen, von der Stadt selber.«

Alicia sah wieder auf die Uhr.

»Ja ... dann, also«, sagte Winter und wollte gehen.

»Ich kenne ein gutes kleines Restaurant nur hundert Meter entfernt von hier. Wenn Sie wollen, zeige ich es Ihnen.«

»Haben Sie denn selbst schon was gegessen?«

»Nein, noch nicht. Ich esse tagsüber nur einen Sandwich.«

»Leisten Sie mir doch Gesellschaft, wenn Sie mir schon das Lokal zeigen«, sagte Winter.

Es lag in der Calle Tetuán und hieß *Sol y Sombra* und war auf Fisch und Schalentiere spezialisiert. Draußen unter den Sonnenschirmen standen ein paar Tische, und drinnen war ein großer Raum, der kühl wirkte, mit weiß gedeckten Tischen, die großen Fenster zu der kleinen Fußgängerzone waren geöffnet.

»Wie gefällt es Ihnen?«, fragte Alicia.

Winter sah einen Glastresen mit Fisch, Meereskrebsen und Langusten auf Eis. Dahinter stand ein Mann mit schwarzen zurückgekämmten glänzenden Haaren und weißer Jacke, er wirkte stolz. An einem der Tische im Lokal lagerte eine spanische

Gesellschaft. Ein Paar saß draußen. Ihm war gerade eine Flasche Wein gebracht worden, die schnell beschlug. Auch unter dem Sonnenschutz sah es warm aus.

»Es ist nett hier. Ich könnte mir vorstellen, drinnen zu sitzen. Was meinen Sie? Essen Sie mit mir?«

»Okay.«

Sie setzten sich, und der Mann hinter dem Tresen kam mit der Speisekarte heran und einem Krug voll Eiswasser.

»Bestellen Sie doch bitte etwas für uns.«

»Haben Sie großen Hunger?«

»Ziemlichen.«

»Vorspeise und Hauptspeise?«

»Ja ... oder lauter verschiedene Vorspeisen.«

»Wein?«

»Ein Glas vielleicht.«

Alicia bestellte, und sie bekamen sofort eine kleine Karaffe Wein, einen Korb mit grobem Brot und große grüne Oliven. Winter schenkte ein. Der Wein schmeckte nach Erde und Sonne.

»Arbeiten Sie ganztags als Übersetzerin?«

»Nur vorübergehend. Eigentlich bin ich Lehrerin am Gymnasium, tja, aber letztes Jahr hatte ich den Job satt, und da hab ich diese Stelle angenommen.«

»Wohnen Sie hier?«

»In Marbella? Nein, leider. Aber Sie werden mein Bedauern kaum verstehen, wo Sie doch gerade bestohlen worden sind.«

»Abgesehen davon scheint es ja eine ... nette Stadt zu sein. Nicht so viele Touristen. Aber jetzt ist ja auch keine Hochsaison.«

»In der Hochsaison ist es auch ganz nett hier. Im Unterschied zu meinem Heimatort. Torremolinos.«

»Aha, Sie sind aus Torremolinos.«

»Kennen Sie Torre?«

»Es gibt keinen Menschen auf der Welt, der noch nichts von Torremolinos gehört hat. Aber ich bin noch nie da gewesen. Ich hab die Stadt nur aus der Ferne gesehen.«

»Das ist die beste Art, sie zu erleben«, sagte Alicia. »Leider finden das nicht alle Leute.«

»Ist sie so schlimm?«

»Sie ist schlimmer. Vielleicht nicht gerade da, wo ich wohne, aber sonst … Die Engländer nennen es Terrible Torrie, und das ist ein guter Name, aber sie sind selber schuld an all dem Schrecklichen.«

»Ach ja, das ist ja ein Lieblingsplatz der Engländer.«

»Vom kahlköpfigen und tätowierten Teil der Bevölkerung, ja. Sie werden vom Flugplatz Guardia Civil abgeholt und unter schwerer Bewachung in Panzerwagen direkt zu ihren Hotels gebracht.«

Winter lachte und verschluckte sich am Wein. Alicia lächelte.

»Und das ist erst der Anfang vom Urlaub«, sagte sie.

»Und mittendrin leben Sie?«

»Wie gesagt, wo ich wohne, ist es ein bisschen besser, oberhalb von einem alten Fischerdorf, La Carihuela, etwas außerhalb der Stadt. Von dort kann man über die Strandpromenade bis Torre gehen. Wenn man sich traut.«

»Aber Sie arbeiten hier.«

»Das Polizeirevier hier ist angenehmer«, sagte sie und nahm einen Schluck Wein. »Und … die Klienten«, fügte sie hinzu und sah Winter wieder lächelnd an.

»Ich bin aber auch fast kahl rasiert«, sagte er.

»Vor Ihnen steht aber kein Dreiliterglas Bier und eine Portion *fish and chips*«, sagte Alicia.

»Und was ist das?«, fragte Winter und nickte zu den beiden gefüllten Schüsseln, die der Kellner auf den Tisch zwischen sie gestellt hatte.

»*Fish and chips*«, sagte Alicia lachend. »Aber es kommt noch mehr.«


Morelius stierte auf seine frittierten Krabben, die schienen an der Folienform festgewachsen zu sein, und er stand auf und warf sie in den Abfalleimer. Im Fernsehen laberten sie über den Milleniumwechsel. Vor einem Jahr hatte noch kein Mensch das Wort gehört. Es heißt Jahrtausend, dachte Morelius.

Wenn man sich bei seinem Job so viel zu Herzen nimmt, dass man mit einem Pastor reden muss, dann ist man nicht der Richtige für den Job. Man muss eine Mentalität haben, die das aushält. Ein Chirurg in einer Krebsklinik kann ja auch keine Gesprächstherapie für sich verlangen, wenn er jemanden operiert und vielleicht mit dem Patienten gesprochen hat.

Und dann kommt der Burnout, dachte Morelius.

»Woran denkst du?«, fragte Bartram.

»Was meinst du?«

»Du hast so verflixt konzentriert ausgesehen.«

»Ich hab an den Harley's-Club in der Altstadt gedacht, der bald sein Weihnachtsfest feiert«, antwortete Morelius.

»Ja, es lohnt sich, daran zu denken.«

»Mir bleibt es in diesem Jahr erspart.«

»Woher weißt du das Datum?«

»Ich hab nachgesehen.«

»Darum kümmert sich die Schutzpolizei. Die schließen eine Bewachungskette mit fünf Einsatzkommandos um alles.«

Einige werden mit dem Außendienst fertig, andere nicht, dachte Morelius. Ich werd damit fertig. Werd ich doch, oder? Ich bin nachts da draußen gewesen.

»Das Mädchen, das beim Rockkonzert im Park-Hotel war, ist gestern gestorben. Wusstest du das?«

»Wie? Nein. Ich wusste nur, dass es ihr schlecht ging.«

»Ihr Freund ist auch bald dran.«

»Ja.«

»Glaubst du, sie hat es von sich aus genommen?«

»Das GHB? Ich glaub gar nichts.«

»Sie war nicht der Typ.«

»Keiner von ihnen ist das.«

»Sie war hübsch.«


»Möchten Sie noch einen Nachtisch?« Sie sah ihn mit ihren schönen Augen an.

»Ja, vielleicht.« Er guckte auf die Armbanduhr. Sie saßen noch keine Stunde hier, aber er hatte das Gefühl, als sei es schon viel länger. »Irgendeine Kleinigkeit und eine schnelle Tasse Kaffee.«

»Ein Stückchen *tocino al cielo*?«

»Was ist das?«

»Eine Art Crème brulée.«

»Toc…?«

»*Tocino al cielo.*«

»Klingt hübsch. Okay, dann nehm ich das.«

»Übersetzt klingt es vielleicht nicht so hübsch. Es heißt Speck des Himmels.«

»Interessant.«

»Ja, nicht?«

Draußen auf der Calle Tetuán verabschiedeten sie sich.

»Vielleicht sehen wir uns mal wieder«, sagte Alicia. »Sie wissen ja, wo ich bin … Falls Sie wieder Hunger bekommen und Tipps brauchen.« Sie sah ihn an. »Oder falls Ihnen wieder was passiert.« Sie holte eine Visitenkarte hervor und reichte sie ihm.

Winter nahm die Karte und schob sie in seine Brusttasche.

»Soll ich Sie ein Stück Richtung Osten mitnehmen? Das Auto steht unten bei der Bank.«

»Nein, ich hab noch einiges zu erledigen und nehm dann den Bus. Hoffentlich wird Ihr Vater wieder gesund.«

Winter nickte, und sie trennten sich. Er ging zurück zur Avenida. Das Auto war von der Sonne aufgeheizt – von außen und drinnen, und er spürte schon den Schweiß an seinem Rücken, bevor er sich überhaupt gesetzt hatte. Das Handy klingelte.

»Ich schaffe es heute einfach nicht«, sagte seine Schwester. Er hörte sie wieder husten. »Morgen ganz bestimmt.«

»Ich bin wieder auf dem Weg ins Krankenhaus.«

»Ist er noch wach? Ich meine, ist er bei Bewusstsein?«

»Gestern Abend haben wir uns unterhalten.«

»Das ist gut«, röchelte sie mit belegter Stimme.

»Ich weiß nicht. Er hat versucht, so eine Art Testament zu machen, aber ich hab's nicht zugelassen.«

Die Wand war rau, wie Baumrinde. Hatte er den Pinsel in der Wohnung gefunden? Oder hatte er ihn mitgebracht? Jetzt war er so ruhig, dass er die Fragen stellen konnte, aber er konnte sie nicht beantworten.

So. Er war fertig.

Sie verfolgten jede seiner Bewegungen. Sie und er. Er ging nicht nahe heran. Sie konnten dort sitzen, und er hatte die Jalousien hochgezogen, damit es nicht so dunkel war dort drinnen. Still war es auch nicht. Jetzt-war-es-auch-nicht-still. Die Musik auf Autoreverse. Die Straßenbeleuchtung fiel auf den Kopf des anderen, der alles vom Sofa beobachtete. Es war ganz still. Er war zufrieden, dass es so still war. Mit ihr war es schlimmer gewesen, aber jetzt war sie auch still und betrachtete ihn. Niemand lachte mehr. Wer hatte hier jetzt die Macht? Wer bestimmte?

Er hatte es ihnen gezeigt.

*Ihm* würde er es jetzt zeigen, damit er es begriff.

Er stellte die Musik ab, doch das war nicht gut. Er stellte sie an, drehte die Lautstärke hoch und sah sich um. Jetzt konnte er gehen.

# 14

Angela wurde kurz vor Mitternacht mit einer Vorahnung wach, dass etwas passieren würde. Etwas, woran sie nicht denken wollte.

Im Grenzland zwischen Wachen und Schlafen hatte sie die Bilder gesehen, eins nach dem anderen, wie von einem starken Projektor an die große nackte Wand im Schlafzimmer geworfen.

Sie fühlte ihr Herz in der Brust laut pochen, stand auf und zog ihren Morgenrock an. In der Küche knipste sie die Neonleuchte über dem Herd an und setzte sich mit einem Glas Milch an den Küchentisch. Draußen war es still. Irgendwo im Haus rauschte die Toilettenspülung, weit entfernt. Sie überlegte, ob sie das Radio anstellen sollte, ließ es dann aber. Bloß nicht zu munter werden. Sie saß da, die Hand auf dem Bauch. Nicht zu viel planen.

Das Rauschen in den Leitungsrohren hörte auf. Immer noch keine Straßenbahn draußen, keine Stimmen in der Nacht, die nach Schnee roch. Sie spürte es, als sie aufstand, das Fenster öffnete und die Luft einatmete. Eine Vorahnung vom Winter. Sie schloss das Fenster, stellte das Glas auf die Spüle und ging zurück durch den Flur. Draußen im Treppenhaus rasselte der Fahrstuhl vorbei. Sie hörte, wie er geöffnet und wieder geschlossen wurde, und das Geräusch von Schotter, der auf dem Steinfußboden kratzte. Sie blieb im Flur stehen. Warum stehe ich hier? Ich will diese Schritte durch eine Tür gehen hören. Frau Malmers Tür.

Himmel.

Wieder schabten Schritte. Es klang, als wären sie vor der Tür, genau vor der Tür. Plötzlich konnte Angela sich nicht mehr rühren. Konnte nur noch auf diese Schritte lauschen.

Ich sollte nicht hier schlafen, wenn Erik verreist ist.

Das ist ja verrückt.

Jetzt schabte es wieder, knirschte. Wieder Schritte, Schritte, die sich entfernten. Sie hörte, wie der hundertjährige Fahrstuhl nach oben glitt, und das leise Knacken, als er endlich zur Ruhe kam. Vor ihrer Tür. Das schnelle Rasseln des Stahlgitters, vor und zurück, und wieder das Knacken, als der Fahrstuhl die Etage verließ.

Angela stand hinter der Tür. Sie spähte durch den Spion und sah das Treppenhaus in der verzerrten Weitwinkelperspektive, aber da war kein Mensch. Das Licht brannte immer noch. Sie öffnete die Tür, davor waren ein wenig schwarzer Schotter und Wasser, das sich zu einer kleinen Pfütze gesammelt hatte und im Licht blinkte.

Die könnte von mir sein, dachte sie. Es dauert, ehe hier drinnen Wasser trocknet, wenn von unten immer wieder kalter Wind heraufkommt. Wenn ich richtig pingelig bin, geh ich jetzt rum und schau nach, ob es woanders auch noch Schotter und Wasserpfützen gibt. Sie kicherte fast und schloss die Tür.

Der Wecker auf dem Nachttisch neben dem Telefon zeigte viertel nach zwölf. In sechs Stunden musste sie wieder aufstehen, bereit sein für die Korridore. Die Untersuchungszimmer mit den Löchern in den grünen Wänden. Musste es immer grün sein? Türen mit abblätternder Farbe. Die Patienten mussten ja alle Hoffnung verlieren, während sie warteten und sahen, wie das Krankenhaus langsam verfiel. Wenn man es nicht schaffte, eine Wand neu zu verputzen, wie zum Teufel sollte man es dann schaffen, einen Körper zu heilen, der …

Das Telefon klingelte. Angela zuckte zusammen. Das Telefon klingelte wieder, schien sich auf dem Nachttisch zu bewegen. Das ist Erik, dachte sie noch, bevor sie den Hörer abhob.

Jetzt ist es geschehen.

»Ja? Angela.«

Sie hörte nichts als das statische Brausen.

»Hallo? Erik?«

Wieder ein Brausen. Ein anderes Geräusch, von dem sie nicht wusste, was es war. War da eine Stimme im Hintergrund? Vielleicht, schwach. Heute Nacht hatten es die Gespräche schwer, durch Europa zu reisen.

»Ich versteh nichts. Vielleicht versuchst du's noch mal? Kannst du mich hören? Ich hör dich nicht.«

Jetzt vernahm sie das Echo von Stimmen, aber das war normal, Fragmente von Gesprächen irgendwo auf der Welt konnten auf andere Leitungen übertragen und zu einer Art Esperanto vermischt werden. Es konnte jede Sprache sein, ein Gespräch auf einem Berggipfel, Millionen Meilen entfernt, und doch wahrnehmbar.

Jetzt hörte sie Atmen. Das kam nicht von einem Berggipfel. Sie hörte es ganz nah.

»Hallo! Ist da jemand?«

Wieder das Atmen, deutlich, bewusst. Es hatte das ferne Gebrabbel verdrängt.

Plötzlich hatte sie furchtbare Angst. Sie wünschte, das Gebrabbel wäre wieder da. Es war eine Sicherheit gewesen. Sie dachte an die Bilder, die sie im Kopf gehabt hatte, an die Schritte, wieder die Bilder, die Wasserpfütze ...

Wieder ein Atmen.

»Antworten Sie! Ich hör doch, dass da jemand ist.« Sie versuchte ihre Stimme möglichst drohend klingen zu lassen, aber sie klang nur klein und ängstlich. »Wer ist da?« Und da meinte sie noch etwas anderes zu hören, mehr ... und sie ließ den Hörer fallen, der gegen die Nachttischkante prallte, auf den Boden fiel und dort mit nach oben gekehrter Hörmuschel liegen blieb. Sie starrte das Telefon an und hob es zehn Sekunden später wieder auf.

In der Leitung war es still. Die Stille wurde von einem Knacken unterbrochen, und dann ertönte das bekannte Freizeichen.

Himmel, Angela, ganz ruhig. Es gibt Idioten, die sich verwählen und es dann nicht über sich bringen, es zu sagen. Es gibt Verrückte, die wählen auf gut Glück, vielleicht beißt einer an.

Aber sie wollte mit Erik reden, seine Stimme hören, ruhig werden.

Sein Handy war abgeschaltet. Zufällig nicht erreichbar. Sie hinterließ eine Nachricht. Ich scheiß drauf. Warum war es abgeschaltet? Er hatte gesagt, er würde es während der Reise nie abschalten.

Sie sah auf den Telefonhörer in ihrer Hand. Sollte sie ihn für den Rest der Nacht danebenlegen? Das war blöd. Vielleicht würde Erik sie mitten in der Nacht anrufen müssen. Wahrscheinlich war es nur ein zufälliger technischer Fehler am Handy. Sie wählte die Nummer noch einmal.

»Hier ist Erik.«

»Warum zum Teufel gehst du nicht dran?!«

»Was? Was ist los?«

»Du hast dich nicht gemeldet. Das Telefon war abgeschaltet.«

Er betrachtete es, als ob er einen Fehler entdecken könnte.

»Wann war das?«

»Eben. Vor ein paar Minuten.«

»Ach, aber jetzt funktioniert es.«

»Das hör ich auch, Mensch.«

»Was ist denn, Angela?« Er sah auf seine Armbanduhr. Bald eins. »Du scheinst ...«

»Jemand hat mich angerufen.«

»Was sagst du da?«

Sie erzählte.

»Das ist mir auch schon passiert«, sagte er. »Das passiert wahrscheinlich jedem mal.«

»Dann bin ich ja beruhigt.«

»Aber schön ist das nicht. War es das erste Mal?«

»Mir ist so was noch nie passiert. Nicht in *meiner* Wohnung.«

»Dann hängt es also mit meiner Wohnung zusammen?«

»Nein, Erik. Himmel, ich weiß nicht, was ich rede. Wahrscheinlich war es nur ein Feigling, der sich verwählt hat.«

»Mhm.«

»Ich fantasiere. Eigentlich wollte ich nur deine Stimme hören. Jetzt hör ich draußen die Straßenbahn. Jetzt bin ich wieder ruhig.«

»Du kannst mich immer anrufen, wann du willst.«

»Wie geht es deinem Vater?«

»So lala. Ich bin im Krankenhaus, aber in ein paar Stunden fahr ich in die Stadt.«

»Hast du mit dem Arzt von deinem Vater gesprochen? Al… wie hieß er noch?«

»Alcorta. Natürlich nicht. Er ist ein Gespenst. Typischer weißer Kittel.«

In den wenigen frühen Morgenstunden schlief er unruhig. Der Kühlschrank in dem einfachen Zimmer rauschte lauter als vorher. Nein, nein. Es war wie immer. Alle Geräusche waren die gleichen. Die Frau in einem der Nachbarhäuser brüllte kurz vor sechs ihren Mann an, und eine Viertelstunde später waren Hammerschläge zu hören. Aha. Das war also der Tischler.

Er hatte seine Jackentaschen auf dem schweren Tisch bei der Garderobe geleert.

Ihre Visitenkarte schimmerte im Morgenlicht, das vom Patio hereinsickerte.

Winter schüttelte den Kopf und ging unter die Dusche.

Der Nebentisch bei Gaspar war leer. Winter vermisste seinen röchelnden Frühstücksnachbarn. Der Kellner brachte Kaffee und Tostadas, ohne dass er bestellt hatte. Er sah Winters Blick zum Nachbartisch und machte ein Kreuzzeichen. Nach dem Frühstück zündete Winter sich einen Zigarillo an und verfolgte den Rauch auf dem Weg in den Himmel. Und wieder kroch die Sonne über die Sierra.

Winters Schwester Lotta kam im selben Augenblick im Taxi an, als er auf dem Krankenhausparkplatz aus dem Mietwagen stieg. Sie war blass, ihre Haut hatte dieselbe Farbe wie der Himmel vor einer halben Stunde. In ihren Bronchien rasselte es, aber es war nichts gegen das Rasseln seines Tischnachbarn.

»Hattest du eine gute Reise?«

»Nein. Hinter mir hat ein Säufer gesessen.«

»So ist das bei Charterflügen.«

»Wie ich sehe, hast du bis jetzt keine Sonne abgekriegt.«

»Wollen wir hineingehen?«, fragte er.

»Wenn wir uns trauen.«

»Er ist wach. Mama hat eben angerufen.«

»Mich hat sie auch angerufen, im Taxi.«

»Er liegt wieder auf der Inneren«, sagte er.

»Das wievielte Mal ist es?«

»Spielt das eine Rolle?«

»Ich glaub, ich mach das Kreuzzeichen«, sagte sie, als sie die Treppen hinaufgingen und die kühle Dunkelheit betraten.

Ihre Mutter stand im Korridor. Ein klein gewachsener Mann näherte sich und streckte die Hand aus. Lotta begrüßte ihn und sah ihren Bruder an.

»*Yo soy Pablo Alcorta. Médico.*«

»*Yo soy Lotta Winter. Médico tambien, pero ahora hija de Bengt Winter.*«

»Ah.«

Sie ist gerade drei Sekunden da, und schon trifft sie Alcorta, dachte Winter und streckte auch seine Hand aus. Vielleicht bin ich hier das Gespenst.


Bergenhem ging mit Ada um den Häuserblock. Sie trippelte fasziniert neben ihm her, und als er sie wieder in den Kinderwagen setzen wollte, schrie sie wie am Spieß.

Gestern war es unmöglich gewesen, sie in den Kindersitz im Auto zu setzen, und er war mit ihr auf dem Schoß hinterm Steuer vom Supermarkt nach Hause gefahren. Wie in Südeuropa. Sie waren nicht von Kollegen gestoppt worden.

Morgens war Martina schweigsam gewesen, fast genauso schweigsam wie er. Jetzt war sie zur Arbeit gefahren, und er empfand es wie eine Befreiung, als sie in das leere Reihenhaus zurückkehrten. Ada lachte über etwas in ihrer Welt. Er sah sie an und schämte sich seiner Gedanken. Draußen fiel ein wenig Schnee.

Er bereitete ihr ein Schälchen Aprikosencreme und filterte sich Kaffee. Die Zeitung lag mit den Schlagzeilen nach oben da. Er begann sie flüchtig zu lesen, während Ada zu essen versuchte. Er richtete ihr Lätzchen und ließ sie den Tisch mit Milch und Creme bespritzen.

Er legte die Zeitung beiseite, ohne sich zu erinnern, was er gelesen hatte. Sein Körper war steif nach einer ereignislosen Nacht vor einem Haus in Hisingen. Er hatte bloß im Streifenwagen gewartet und war dann unverrichteter Dinge nach Hause gefahren. Martina hatte Ada schon in den Kindergarten gebracht. Das leere Haus, das befreiende Gefühl. Ein beschissener Ausdruck. Befreit von was?

Er fuhr sein eigenes Auto. Das war noch keine zwölf Jahre alt. Er hatte versucht auszuschlafen, aber das war lange her. Er hielt an, um etwas zu kaufen, wusste noch nicht, was, als er den Laden betrat. Der Inhaber nickte ihm zu, als ob er Stammgast wäre.

Auf dem Tresen lag etwas. Hatte er das gekauft? Wollte er das kaufen? Er drehte sich um und ging wieder hinaus. Er hielt es in der Hand. Niemand schrie ihm nach. Er drehte sich wieder um, und der Besitzer nickte wieder. Na klar. Jetzt wusste er, wo er war.

Klar. Hier war er.

Als er wieder nach draußen kam, sah er sich um. Niemand da.

Er drehte um, ging zurück und wartete mit abgewandtem Kopf vor dem Laden.

# 15

Es wurde Abend, und die Familie versammelte sich wieder auf der Intensivstation. Vor einer Stunde hatte Doktor Alcorta beschlossen, den schwedischen Patienten erneut zu verlegen. Der hundertsiebte Umzug, dachte Winter.

Diesmal war es ein anderes Zimmer mit einem Westfenster. Winter fiel es schwer, den Blick vom Berg zu wenden. Er dachte an das weiße Haus in Nueva Andalucía. Sein Vater schaute auch hinaus, vielleicht auf den weißen Berg. Der Berg war eine Bühne und der Himmel der Hintergrund. Das viele Blau gab dem Hintergrund Tiefe, machte ihn schwarz.

»Wonach riecht es da draußen?«, fragte der Vater, drehte den Kopf und sah seine Familie an, die im Halbkreis um sein Bett saß. »Mir fällt gerade auf, dass ich hier drinnen nichts rieche.« Der Schlauch, der in seine Nase führte, drückte auf sein Kinn. Lotta stand auf und richtete den Schlauch. »Nicht deswegen«, sagte er, als sie sich wieder gesetzt hatte. »Nicht wegen des Schlauchs.«

»Es riecht nach Sonne und Tannennadeln«, sagte Lotta. »Tannenwald. Pinien.«

»Tannennadeln? Findest du?«

»Ja.«

»Das ist ja wie zu Hause«, sagte er und drehte den Kopf wieder zum Fenster und zu dem Berg. Eine Weile sagte niemand etwas. Plötzlich hustete der Vater, und es klang, als würde er sich räuspern. In seinem linken Arm zuckte es. Es sah aus, als wollte er sich aufrichten. Eine Krankenschwester trat rasch ans Bett und rief etwas auf Spanisch. Winter warf einen Blick auf die Maschine, die die Herzschläge aufzeichnete. Die weiße gezackte Linie lief mit einem metallischen Geräusch aus, einfach gerade weiter. Winter sah, wie seine Mutter und Schwester aufstanden und ihn ansahen. Leute in Weiß kamen hereingestürzt und bewegten sich um das Bett herum.

Als Winter endlich sein Gespräch mit Alcorta bekam, war es zu spät, und es gab nichts mehr hinzuzufügen. Er stand immer noch unter Schock. Seine Mutter war gefasster, als er erwartet hatte. Sie war darauf vorbereitet gewesen, jedenfalls teilweise. Seine Schwester schien wie in sich selbst erfroren, wie sie da auf einem der grünen Stühle im Besucherzimmer saß.

»Ich hätte zu Hause bleiben sollen«, hatte sie eben gesagt, aber sie war sich dessen nicht bewusst.

»Es war nichts mehr zu machen beim letzten Mal«, hatte Alcorta gesagt.

»No. I understand.«

»I am sorry.«

»Yes. Thank you.«

»Was passiert jetzt?«

Sie saßen in der Cafeteria. Es roch nach Öl und Fisch. Eine Gruppe Ärzte und Krankenschwestern aßen am Südfenster Mittag. Winter trank seinen Kaffee, der stark war. Die Mutter und seine Schwester ließen ihre Tassen unberührt stehen.

»Was machen wir jetzt?«, wiederholte Lotta.

»Das Krankenhaus hat ein Abkommen mit einem Beerdigungsunternehmen in der Stadt«, sagte die Mutter. »In Marbella.«

»Daran hab ich überhaupt noch nicht gedacht«, sagte Lotta, »meinst du also, Papa soll hier begraben werden?«

»Das wollte er so. Er hat den Wunsch schon vor langer Zeit geäußert.«

»Und wie denkst du darüber?«

Die Mutter zuckte mit den Schultern.

»Es ist sein Wille. Und … meiner auch.«

Sie sah ihre Kinder an.

»Hier sind wir doch zu Hause.«

»Willst du hier bleiben?«

»Ich weiß nicht, Lotta. Ich hab ja meine … Freunde hier, einige. Ich weiß nicht.«

»Kümmert sich das Beerdigungsinstitut um alles?«, fragte Winter.

»Ja. Wenn Doktor Alcorta die … die Todesursache festgestellt hat und so. Das Büro kümmert sich um alle Formalitäten beim Familienstandsregister und was sonst noch nötig ist. Das Gericht. In Spanien werden formelle Entscheidungen vom Gericht getroffen.«

Ihre Kinder nickten.

»Lasst uns wieder zu Vater hinaufgehen«, sagte sie.


Winter ging die Ricardo Soriano entlang. Es war ein neuer Abend. Er ging in die *Cervezería Monte Carlo* und bestellte sich an der Theke ein Bier vom Fass. Das Lokal war voll besetzt mit Männern, die sich auf dem großen Bildschirm ein Fußballspiel ansahen. Real Madrid gegen Valladolid. Er trank das Bier und fühlte sich geborgen in dem Gebrüll. Hier drinnen waren keine Frauen. Sie saßen draußen an Tischen auf dem Gehweg und warteten darauf, dass das Spiel zu Ende war und der Abend begann.

Er überquerte die Hauptstraße und bog in eine der Gassen der Altstadt ein. Die Plaza de la Iglesia war voller Menschen, Männer, Frauen und Kinder. Alle riefen und applaudierten, und Winter sah ein Brautpaar aus der Nuestra Señora de la Encarnación treten. Die Kirche türmte sich über allem auf und verdeckte den Himmel. Das Brautpaar schritt langsam über das Pflaster an ihm vorbei, zwei Kinder klatschten aufgeregt in die Hände. Die Braut war schön, sie glitzerte, sie leuchtete. Drei jüngere Männer im Frack pfiffen, und der Bräutigam machte den Freunden aus einer vergangenen Zeit ein Zeichen. Das hättet ihr nicht von mir gedacht, was?

Zwei nebeneinander stehenden Statuen fehlten die Köpfe. Das Brautpaar ging daran vorbei und schaute einander an, dann war es verschwunden, untergetaucht in der Menge.

Am Apfelsinenmarkt hatten sich schon viele an den Tischen unter den Orangenbäumen niedergelassen und ihre Karaffen Sangría bestellt. Winter hörte Leute Norwegisch, Schwedisch, Deutsch sprechen. Ein schwarzer Mann in weißem Anzug mit Perlen im Haar spielte »Lili Marlen« auf einem Akkordeon. Winter ging rasch an den Lokalen vorbei und nach Westen zur Plaza Victoria. Dort setzte er sich auf eine Bank gegenüber einer Tapasbar.

Sein Vater lag im Kühlraum eines Friedhofs, dem Cementerio Virgen del Carmen. Einer der drei Friedhöfe von Marbella.

»Der alte hat keinen Kühlraum«, hatte seine Mutter gestern in einem Tonfall gesagt, als diskutierten sie über eine Ferienwohnung. Natürlich war ihre Sachlichkeit nur ein Schutzschild. Er war froh, dass sie sich so verhielt. »San Bernabé ist malerisch gelegen, aber Virgen del Carmen liegt genauso schön. In einem Pinienhain nördlich von der Stadt.«

Winter hatte genickt. Die Mutter hatte sich eine Tränen weggewischt, doch ihre Stimme hatte immer noch gefaßt, energisch geklungen.

»Wir haben noch keinen Platz ausgesucht, aber wir sind dort gewesen, Vater und ich.«

»Ja.«

»Es gibt auch eine kleine Kapelle.«

»Mhm.«

»Dort findet die Beisetzung statt. Natürlich mit einem schwedischen Pfarrer. Früher durfte die Trauerfeier für die Protestanten in der alten Kirche von Marbella stattfinden, aber ich glaub, das hat den katholischen Priestern nicht gepasst.«

»Die findet dann also auf dem Friedhof statt.«

»Übermorgen. Ich hab vor einer halben Stunde Bescheid bekommen.«

»Das ging aber … schnell.«

»Ich weiß nicht.«


Er erhob sich von der Bank und ging zurück zum Hotel. An einem kleinen kopfsteingepflasterten Platz lag die Bar *Altamirano*. Alle Tische rund um den Platz waren besetzt von Gästen, die fritierten Fisch und Schalentiere aßen. Im Vorbeigehen meinte Winter Alicia mit halb zum Gruß erhobener Hand in einer Gruppe an einem der Tische gesehen zu haben.

Rasch bog er in die Gasse an der anderen Seite ein, ohne sich umzuschauen.

In seinem Zimmer sah er ihre Visitenkarte auf dem Tisch.

Er duschte kalt und trank ein Glas Whisky. Lotta rief aus dem Haus in Nueva Andalucía an.

»Mama hat heute Abend keine Kraft zum Rausfahren.«

»Ja, das kann ich verstehen. Wie geht es dir?«

»Ich bin total fertig, wenn ich ehrlich sein soll.«

»Ich komme morgen früh zu euch raus.«

»Ja, das ist vielleicht besser.«

Er saß in seinen Boxershorts im Dunkeln, trank seinen Whisky und lauschte auf etwas in seinem Kopf. Dann zog er sich wieder an und ging zurück zur Plaza Altamirano.

Der Friedhof lag im Schatten des Weißen Berges, weit genug entfernt von dem neuen kommerziellen Komplex La Canada.

In der Urne war die Asche. Das ist alles, was übrig ist, dachte Winter. Wir müssen uns ein andermal aussprechen.

Die Sonne stand genau über ihnen, und der Berggipfel schien so nah, dass man meinte, ihn berühren zu können. Die Horizontlinie tief unterhalb schlug einen Halbkreis um das unbewegte Meer.

Vor der Kapelle duftete es nach Sonne und Tannennadeln, und der Duft begleitete sie mit hinein. Winter kannte nur wenige dort drinnen. Ein älteres Ehepaar war im selben Flugzeug gekommen wie Angela. Alte Freunde. Angela hatte gefasst gewirkt, als er sie am Flugplatz außerhalb von Málaga abgeholt hatte.

Angela nahm seine Hand. Ein Mann, den er noch nie gesehen hatte, sang ein Lied auf Schwedisch und eins auf Spanisch.

Hinterher tranken sie Kaffee in einem Café in Puerto Banús nah am Strand.

»Das war Vaters Lieblingsplatz«, sagte Mutter.

»Was ist das für eine Statue?«, fragte Winter und nickte zu dem Engel, der auf einem hohen Sockel dem Wasser zugewandt stand.

»*Un Canto de la Libertad.*«

»Wie bitte?«

»Er soll ein Lied für die Freiheit symbolisieren.« Mutter nickte zu einer anderen Statue, die hundert Meter entfernt von ihnen stand. »Das war Vaters Lieblingsstatue.« Winter meinte, seine Mutter schwach lächeln zu sehen.

Er spürte, wie ihm innerlich leichter wurde. Bestimmte Gedanken hatte er bewusst zurückgehalten, und jetzt fiel es ihm leichter, sie noch für eine Weile auf Abstand zu halten. Vielleicht half ihm das Lächeln seiner Mutter. Vielleicht würde er sich später wieder gewisse Gedanken erlauben.

Er wollte selbst etwas demonstrieren, etwas unternehmen. Angela sah ihn an. Lotta schaute übers Meer, auf dem sich Segelboote entfernten.

»Wir fahren nach Hause und nehmen einen Drink«, schlug er vor, »Tanqueray and Tonic. Das war doch Vaters Lieblingsdrink.«

# 16

Das Handy in Winters Brusttasche klingelte. Er hatte geglaubt, es abgeschaltet zu haben. Es war Bertil Ringmar. Die Stimme des Kommissars klang gedämpfter als gewöhnlich.

»Wir wollten dir nur einen Gruß senden – an diesem Tag.«

»Danke, Bertil.«

»Wir denken an dich.«

»Danke.«

»Tja ... jetzt weiß ich nicht, was ich noch sagen soll.«

»Wie geht's denn so bei euch?«

»Ruhiger denn je.«

»Meine Abwesenheit hat also eine beruhigende Wirkung auf das Verbrechertum.«

»Gleichzeitig ist es aber auch ein wenig langweiliger.«

»Vielleicht sollte ich mich ein bisschen raushalten.«

»Meinst du das ernst?«

»Nein.«

»Wann fliegst du nach Hause?«

»Morgen Vormittag. Wir sehen uns also übermorgen.«

»Wir halten die Stellung, wie man so sagt. Bereiten uns mit Spannung auf das neue Jahrtausend vor.«

»Mit anderen Worten, ihr klotzt ran.«

»Lars macht ein paar Tage krank.«

»Warum?«

»Dem Jungen geht's nicht gut. Ich weiß nicht, was er hat.

Kopfschmerzen, die einfach nicht nachlassen. Und irgendeine Grübelei.«

»Hat er was gesagt?«

»Nein … aber irgendwas nagt an ihm. Ich bin zwar kein Psychologe, aber irgendwas ist da.«

»Hat er mit jemandem geredet … der ihm helfen kann?«

»Ich weiß nicht, Erik. Aber ich nehm's doch an, wo er sich jetzt hat krankschreiben lassen.«

»Ja.«

»Vielleicht ist es auch die Aufregung vor dem Jahrtausendwechsel. Es heißt, das hat verschiedene Auswirkungen auf die Leute. Auch ernste.«

»Ach?«

»Ich kann nicht behaupten, dass ich besonders drüber nachdenke.«

»Nein.«

»Und du?«

»Ich hab auch nicht darüber nachgedacht.«


Winter ging zum Patio hinunter. Die Palme im nördlichen Teil des Gartens war eine schwarze Silhouette, ein unwirkliches exotisches Bild, wie aus Pappe ausgeschnitten und mit elektrischem Licht angestrahlt.

Die Frauen hatten Kerzen angezündet, und Schatten zuckten über den Garten und ihre Gesichter. Die Mutter sah auf, als er kam. Sie hatte zwei oder drei T & T getrunken, und das brauchte sie.

Er setzte sich und nahm sein Glas.

»Jetzt ist er zu warm geworden«, sagte die Mutter.

Er probierte und gab ihr Recht.

»Ich kann dir einen neuen machen.«

»Das ist nicht nötig.«

»Aber mir macht es nichts aus, im Gegenteil. Ich muss mich ein wenig bewegen.«

»Gut, dann vielen Dank.«

Sie stand auf und ging mit Winters Glas ins Haus. Lotta trank ihres aus. Angela nippte an ihrem Mineralwasser und schien in Gedanken versunken zu sein. Die Mutter kam zurück.

»So, ziemlich trocken geraten, glaube ich.«

»Danke.«

Er zündete sich einen Zigarillo an, die Mutter eine Zigarette. Winter betrachtete sie mit einer Zärtlichkeit, die ihm angenehm war, ein Gefühl, das er lange nicht gehabt hatte. Seine Mama. Nicht gerade ein Hausfrauentyp. Shaker und Aschenbecher anstelle von Küchengeräten und Backblech. Garderobe ohne geblümte Baumwolle. Millionen hochhackiger Schuhe auf dem Fußboden. Migräne. Ausbrüche. Aber sie war immer nett gewesen.

»Zu Weihnachten musst du aber nach Hause kommen«, sagte Lotta, als setzten sie ein abgebrochenes Gespräch fort.

»Mal sehen.«

»Doch, du musst.«

»Oder ihr kommt her.« Die Mutter breitete die Arme aus, und eine Kerzenflamme verlöschte im Windzug. »Ihr seid hier immer alle willkommen.«


»Bleibst du nicht zu Hause? Du schreibst doch morgen eine Arbeit?«

»Ich hab schon dafür gepaukt.«

»Und wann?«

»In der Schule.«

»Möchtest du nicht, dass ich dich abfrage?«

»Das ist nicht nötig.«

»Maria, bitte. Kannst du nicht bleiben?«

»Ich muss jetzt gehen. Die andern warten.«

»Wer? Wer wartet?«

»Patrik und die andern.«

»Sag ihm doch, er soll hierher kommen.« Hanne fühlte sich wie ein Idiot. Wollte sie etwa mit Kuchen und Saft bereitstehen?

»Er ist doch hier gewesen.«

»Wir haben doch das Videogerät in dein Zimmer gebracht«, sagte Hanne und fühlte sich wieder idiotisch.

»Tschüs, Mama.« Maria machte die Tür hinter sich zu.

Hanne hörte die Schritte ihrer Tochter draußen auf der Treppe und dem Gartenweg. Der Schnee lag schon hoch und war so festgetreten, dass es klang, als würde jemand über ein hartes

Trampolin gehen. Winter im November, und er war gekommen, um zu bleiben, aber genau wusste man das nicht. Zu Weihnachten konnte es zwölf Grad warm sein.

Hanne Östergaard ging zurück zum Küchentisch, zur Zeitung und ihrer Lesebrille. Sie versuchte das Zeitunglesen auszudehnen, sich erst an die Sonntagspredigt zu setzen, wenn es nicht mehr hinauszuschieben war.

Komm, Weihnachtsfrieden, dachte sie. Sie müssten dringend verreisen, so weit weg, wie es ging … zwei Wochen auf die Kanarischen Inseln.

Eigentlich sollte man gar nicht zurückkommen, dachte sie, sich ein Haus im Süden suchen, wo so viele Auslandsschweden lebten. Da gab es viel Arbeit für einen Pastor. Mehrere schwedische Pastoren arbeiteten an der … Costa del Sol. Sie dachte an Erik Winter. Gestern, als sie im Polizeirevier gewesen war, hatte jemand erzählt, sein Vater sei gestorben.

Sie hörte eine Straßenbahn vom Sankt Sigfrids Plan heranrattern. Es klang, als müsse sie sich vorwärts pflügen. Maria konnte in der Bahn sitzen. Hanne dachte wieder an Winter, an seinen Vater. Seinen *Vater*. Marias Vater war abwesend, seit sie ein Baby war. War das jetzt die Quittung?

Es war nur ein einziges Mal passiert. Man könnte es für einen Ausrutscher halten. Es brauchte nicht noch einmal zu passieren. Das Mädchen war nun mal jung. Mit dem Recht der Jugend betrachtete sie ihr Zuhause als ein Gefängnis.

Das gehörte dazu.

Ich werde diese Predigt jetzt schreiben.

Málaga sah aus wie beim letzten Mal. Nichts war mit der Stadt oder dem Meer geschehen, seit er sie bei seiner Ankunft gesehen hatte.

Das Flugzeug drehte in der Luft, und er sah nur noch Himmel. Dahinter verschwand die Küste. Die Stewardessen fingen an, ihre Wagen durch den Mittelgang zu rollen, und die Passagiere bestellten ihre Drinks. Angela war schlecht. Das gehört dazu, hatte sie gesagt. Aber doch bitte möglichst nicht im Flugzeug.

Er versuchte zu lesen, aber es ging nicht. Er entschied sich gegen Alkohol und trank Mineralwasser wie Angela. Ihre Sandwichs blieben unberührt.

Im Norden gerieten sie in Turbulenzen, und das Flugzeug schüttelte sich einige Male.

»Das hat geholfen«, sagte Angela. »Jetzt geht's mir wieder besser.«

»Man sieht's dir an.«

»Ich sehe die Küste.«

»Welche Küste?«

»Dänemark, glaub ich.«

Eine halbe Stunde später legten sie die Sicherheitsgurte an, und das Flugzeug sank. Winter sah die Stadt zwischen den Wolken, ehe das Flugzeug eintauchte. Die Häuser waren grau, aber die Erde war weiß.

Der Schnee entlang der Landebahnen von Landvetter lag zehn Zentimeter hoch oder noch höher.

Es roch wie in einem anderen Land, als sie das Flughafengebäude verließen und zum Langzeitparkplatz gingen. Er spürte die Kälte durch den dünnen Mantel.

Sie redeten nicht viel im Auto. Im Fahrstuhl wollte Angela etwas sagen, kam aber nicht dazu.

»Holen wir Samstag deine letzten Sachen?«, fragte Winter.

# 17

Patrik wartete, während der Schneepflug etwas Schnee beiseite schob. Lohnte es sich für das bisschen Schnee denn überhaupt? Wahrscheinlich war die Kommune wieder beschimpft worden. Wenn in Göteborg Schnee fiel, wurde die Kommune immer beschimpft, weil sie nicht dafür sorgte, dass die Schneeräumer rechtzeitig unterwegs waren. Jetzt waren sie unterwegs und wirbelten, sobald nur ein paar Flocken gefallen waren. Patrik sah auf die Armbanduhr, zog den Ärmel über die kalte Hand. Seine Handschuhe lagen zu Hause und waren sehr nützlich im Regal, haha.

Er stellte den Ziehwagen mit den Zeitungen ab, pulte die Beck-Kassette aus dem Walkman, legte *The Boy With The Arab Strap* ein und trottete über die Aschebergsgatan, während die Musik die Geräusche der Stadt fortschwemmte. Das war schön. Er schleppte manchmal mehr Kassetten mit sich herum als Zeitungen. So konnte er oft wechseln, und die Zeit verging schneller. Die Geräusche der Stadt verwandelten sich. Nicht, dass es besonders viele wären. Die ersten Straßenbahnen. Einige Taxis, die manchmal wie verrückt fuhren. Besoffene, die nach Taxis grölten, besonders freitags und samstags abends.

Und Geräusche wie jetzt, der Schneepflug, der mit einem schrecklichen Laut über den Asphalt schrappte, es schienen Vibrationen zu entstehen, die aus dem Asphalt zu ihm aufstiegen, die Beine hinauf und weiter aufwärts drückten.

Er nahm *The Boy* heraus und legte Gomez ein. Musik war

sein Leben. Er war allen anderen ein Millenium voraus. Er war vorne. *People* hörten Petter. Auch einige, die er kannte. Oder gekannt hatte. Ehemalige bekannte *people*. Er merkte, dass er eine Grimasse zog, als er an Petter dachte. Er fühlte sich provoziert von Petter. Im Fernsehen hatte er ein von jeder Intelligenz befreites Interview mit ihm gesehen, Maria hatte auch geguckt, und er hatte gemerkt, dass es ihr gefiel. Er war aufgestanden, in sein Zimmer gegangen und hatte *Walking into Clarksdale* auf Dröhnlautstärke gestellt. Das war krass. *Das* war dem Millenium voraus. Page and Plant, bald sechzig und immer noch allen anderen voraus, die nichts kapierten und lachten, wenn er die spielte. Mit Morrissey war es fast ähnlich, aber nicht ganz so übel.

Der Türcode funktionierte nicht wie üblich. Er musste den Code zweimal eintippen. Im Treppenhaus roch es muffig, und er wurde langsam müde, weil er noch so viele Treppen steigen musste, ehe er alle Zeitungen verteilt hatte. Genau an dieser Stelle dachte er das immer, hier im dritten Stock. Und genau hier war er in den letzten Tagen immer einen Augenblick stehen geblieben und hatte innegehalten. Er schaltete die Musik ab und zog die Stöpsel aus den Ohren.

Es war vor ein paar Tagen gewesen, als er die Zeitung einwerfen wollte. Jetzt dachte er wieder daran. Einige Zeitungen hatten sich offenbar hochkant gestellt und blockierten den Einwurfschlitz. Er hatte ein wenig nachdrücken müssen, und er hatte die Musik von dort drinnen gehört. Es war fünf Uhr gewesen, wie jetzt. In der Wohnung war es dunkel gewesen, aber er hatte die Musik gehört. Sich um fünf Uhr in der Früh Trash anzuhören! Dead Metal, was? Oder Black. Jemand saß da und hörte sich Metal an, aber seine Zeitungen las er nicht und die Post öffnete er auch nicht.

Auf dem Türschild stand Valker. Nicht mehr. Valker. Jetzt kriegte er die Zeitung nicht mal mehr durch den Schlitz. Er kauerte sich hin, spähte in die dunkle Wohnung und hörte wie üblich die Musik. Da war noch etwas anderes … Ein Geruch, der war schlimmer als … er wusste es nicht, schlimmer als … Ihm fiel nichts ein, aber er roch ihn, und er hatte ihn jetzt mehrere Tage gerochen, und zwar nicht nur morgens. Er war mehrere

Male hingegangen und hatte geprüft, ob er noch da war. Teufel, er musste es zugeben: Er war neugierig. Maria war gestern mitgekommen.

»Riechst du das?«
»Ja, widerlich.«
»Was ist das?«
»Ich weiß nicht.«
»Weißt du, was ich glaube, was das ist?«
»Meinst du, da drinnen liegt … jemand.«
»Richtig.«
»Der gestorben ist.«
»Das könnte sein.«
»Und trotzdem hört der sich das da weiter an.«
»Tja … vielleicht gehört das dazu. Hör mal. Das nennt man doch nicht ohne Grund Death Metal.«
»Haha.«
»Scheint auf Repeat zu stehen. Oder Autoreverse. Das läuft dauernd.«
»Dass die Nachbarn nicht verrückt werden.«
»Dieses Haus hat dicke Mauern. Was sollen wir machen?«
»Ich weiß nicht. Ist das wirklich Musik?«
»Ja.«
»Kann man das Musik nennen? Das ist ja … widerlich.«
»Du hast keine Ahnung, wie viele Leute in der Stadt sich solchen Scheiß anhören.«
»Wie die in der Wohnung hier. Was ist das denn genau? Du kennst doch jede Musik. Selbst die, die du hasst.«
»Ich bin nicht sicher. Vieles klingt ähnlich. Könnte …«
Ein Mann ging vorbei, und sie hatten sich von der Tür abgewandt. Er wusste nichts. Er hatte ihnen über die Schulter einen Blick zugeworfen, Patrik war die Treppe wieder hinuntergegangen, und Maria war ihm gefolgt.
»Du bist wahrscheinlich schon mehrmals hier gewesen?«, hatte sie gefragt. »Ich meine, du hast es gemerkt. Das musst du doch melden. Ich finde, das solltest du tun.«

Er stand vor der Tür und dachte an das, was sie gesagt hatte. Er musste die Zeitung auf den Boden vor der Tür legen, genau wie gestern. So konnte es doch nicht weitergehen. Jetzt schien der Geruch noch stärker geworden zu sein. Als ob er überall wäre zusammen mit der Musik, die durch die dicken Wände dröhnte. Dass die Nachbarn nicht schon längst aus ihren Wohnungen gestürzt waren und laut geschrien hatten!

Er legte die Zeitung ab und teilte die restlichen im Haus aus. Dann schaute er nach, ob auf der Tafel unten an der Haustür ein Hausmeister aufgeführt war.

Er ging auf die Straße. Es war noch genauso dunkel, aber in den Straßenbahnen waren jetzt schon mehr Fahrgäste. Er war spät dran, aber das war ja kein Wunder. Auf Musik hatte er keine Lust mehr, er ging weiter zum Vasaplatsen und in das Haus, in das er und Maria von der Straßenbahn aus die Freundin von dem Kripomann hatten reingehen sehen. Also musste der hier auch wohnen.

Das Gespräch wurde zur Einsatzzentrale vom Lorensbergrevier durchgestellt und weiter an den Polizeiassistenten, der Anzeigen entgegennahm, dann weiter zum Bezirkskommando. Er hörte zu, stellte ein paar Fragen und machte sich Notizen.

Es war Freitagabend. In einer halben Stunde war es acht, und das Revier würde für den Personenverkehr schließen.

Der diensthabende Inspektor sah auf seine Liste und ging zu dem Polizeiassistenten hinaus, der mit einer Frau sprach, die von der Straße hereingekommen war. Der Chef wartete. Die Frau verließ den Raum mit einem Formular in der Hand. Er hatte sie schon mal hier gesehen. Draußen wartete ein Hund auf sie, wer weiß wo angebunden. Der Hund bellte zur Begrüßung, als sie die Tür öffnete. Der Chef wandte sich an den jüngeren Kollegen.

»Sag Bescheid, wenn Morelius vom Sport wiederkommt. Und Bartram auch. Schick sie gleich zu mir.«

Eine Viertelstunde später saßen die beiden im Auto auf dem Weg nach Westen zur Aschebergsgatan. Der Hausmeister wartete an der Tür. Er war schon älter, grau. Sein letztes Jahr, und jetzt das.

»Es ist im dritten Stock«, sagte er. »Der Fahrstuhl ist leider kaputt. Ich hab schon x-mal beim Rep…«

»Haben Sie die Anzeige erstattet?«, unterbrach Morelius ihn.

»Nja. Doch. Schon.«

»Was soll das bedeuten?«

»Ich hab schon früher dran gedacht… fand es sehr merkwürdig… und da hab ich also angerufen und eine Anzeige gemacht.« Er atmete angestrengt. »Hier ist es jedenfalls.«

»Aha.« Morelius sah die Zeitungen auf dem Boden vor der Tür, eine ragte aus dem Briefeinwurfschlitz. »Haben Sie geklingelt?«

»Ja… mehrere Male in den letzten Tagen.« Der Hausmeister wedelte in Richtung Tür. »Aber da macht keiner auf.«

»Wer wohnt hier?« Morelius nahm das Namensschild in Augenschein. »Valker. Allein? Lebt der allein?«

»Es ist ein Paar… glaub ich jedenfalls. Man weiß ja nie… Aber ich hab zwei gesehen. Einen Mann und eine Frau.«

Morelius klingelte, und sie hörten eine Art Echo in der Wohnung. Er klingelte noch einmal, doch niemand öffnete. Er sah Bartram an, aber Bartram sagte nichts. Er bückte sich und hob die Klappe vom Briefeinwurf.

»Oh, pfui Teufel.«

»Das hab ich auch schon gerochen«, sagte der Hausmeister.

»Was ist das?«, fragte Bartram.

»Riech selbst«, sagte Morelius und ging einen Schritt beiseite.

»Sag mir lieber, was es ist«, sagte Bartram.

»Das kann man nicht beschreiben«, sagte Morelius und sah wieder den Hausmeister an.

»Ich weiß nicht«, sagte der.

»Von drinnen kommen Geräusche. Was ist das?«

»Weiß ich auch nicht. Aber die sind schon lange zu hören.«

»Lange?«

»Offenbar ja, jedenfalls sagt das der Zeitungsjunge. Ich hab's auch schon gehört, wenn ich hier vorbeigegangen bin und… hab mich gewundert. Aber man will sich ja nicht einmischen.«

»Öffnen Sie die Tür«, sagte Morelius.

»Sollen wir nicht warten?«, sagte Bartram.

»Worauf?« Morelius sah den Hausmeister an. »Nun öffnen Sie schon.«

Morelius schaute auf die Tür. Im Augenblick fühlte er gar nichts. Es könnte jede beliebige Tür sein. Beliebige Menschen. Es war sehr hell im Treppenhaus. Es beunruhigte ihn nicht.

Der Mann fummelte an seinem Schlüsselbund herum und suchte einen Schlüssel heraus, steckte ihn ins Schloss und drehte ihn um.


Winter hatte die Sardellen zerdrückt und sie mit Olivenöl und Knoblauch gemischt, als das Telefon mitten in Charlie Hadens Bass klingelte.

»Ich geh ran«, sagte Angela auf dem Weg vom Flur ins Bad. Gleich darauf kam sie in die Küche. »Es ist für dich. Ich leg hier draußen auf.«

Er hob den Hörer von dem Telefon ab, das auf der Küchenanrichte stand.


Zwei Polizeiwagen hielten vor dem Haus. Winter sah sie sofort, als er aus seiner Haustür kam. Hundert Meter entfernt.

Zu Fuß zur Arbeit gehen können, zu Fuß zum Verbrechen gehen können. Ein zweifelhafter Luxus. Er rieb sich sein Kinn und roch Knoblauch und Sardellen. Das Verbrechen schien in sein Wohnviertel, in sein Zuhause eingedrungen zu sein.

An der Treppe stand ein junger Polizist, den er nicht kannte. Als er das Haus betrat, hielten hinter ihm Autos, und er wusste, dass es bald viele sein würden da draußen.

Willkommen zu Hause, Herr Kommissar.

Er stieg die Treppe hinauf.

»Hallo, Winter.«

»Ah, du bist das, Bartram! Lange nicht gesehen.«

»Die Meldung ist bei uns eingegangen.«

»Wer ist das?«, fragte Winter und nickte zu einem älteren Mann hin, der an einer Wand lehnte.

»Der Hausmeister.«

»Er sieht schlecht aus. Sorg dafür, dass er zum Revier kommt, dann rede ich später mit ihm.«

»Okay.«

»Wer ist da drinnen?«

»Simon. Simon Morelius. Wir sind ... die Ersten. Und jetzt du.«

Winter ging hinein. Er musste über einen Haufen Post und Zeitungen hinwegsteigen. Der Flur war dunkel, schmal, ähnlich wie seiner. Nirgendwo brannte Licht. Er wusste, dass diese beiden Polizisten erfahren genug waren, nicht an Wänden und Lichtschaltern rumzupatschen.

Der Gestank war bestialisch, aber Winter hatte sich darauf vorbereitet, und das half. Er atmete ihn nur wenige Sekunden ein, zog dann ein Taschentuch aus der Tasche und drückte es sich gegen Nase und Mund.

Durch die Räume dröhnte Musik. Er wusste nicht, woher sie kam. Sie war nicht allzu laut, aber dennoch durchdringend.

Es war etwas aus einer anderen Welt. Etwas Ähnliches hatte er noch nie gehört. Ich habe ein beschütztes Leben geführt, dachte er.

Die Gitarren hackten wie in einer Steinmühle, der Bass, das Schlagzeug ... Winter fiel ein Betonmischer ein. Plötzlich: eine Stimme, kaum menschlich, ein zischender lauter Diskant. Keine verständlichen Worte. Der Schlagzeuger schien einen epileptischen Anfall zu haben.

Als er stehen blieb und lauschte, schien die Musik aus dem Zimmer direkt vor ihm zu kommen. An der hinteren Schmalseite vom Flur war eine offene Tür. Von der Straße fiel Licht durch die großen Fenster. In der offenen Tür zeichnete sich eine Gestalt gegen das hellere Zimmer dahinter ab. Der Mann stand still, regungslos. Er schien nichts von seiner Umgebung mitzubekommen.

Die Musik verstummte, und Winter näherte sich dem Zimmer. Die Kontur bewegte sich und wandte sich wieder dem Zimmer zu, ohne etwas zu sagen. Die Musik fing wieder an, ganz plötzlich, lauter, intensiver. Sie schien lauter zu werden, während sich Winter näherte. Als er die Tür erreichte, bewegte sich die Gestalt, die sich jetzt in einen Polizisten in Uniform verwandelte. Winter nickte. Er roch den Gestank jetzt sogar durch das Taschentuch und machte einen Schritt ins Zimmer.

Der Sänger zischte nicht mehr, er schrie, so laut er konnte. Die Musikanlage stand links und blinkte rot und gelb. Daneben war ein Sofa, und auf dem Sofa saß ein Paar, das nichts anzuhaben schien. Die Körper schimmerten im Licht, gestreift von Schatten und Licht und von etwas anderem, und Winter begriff, was es war.

Die Gesichter waren der Tür zugewandt, den Polizisten zu, die dort standen und sie betrachteten. Winter hatte plötzlich ein Gefühl von Scham, wie eine flüchtige Übelkeit.

Es war jedes Mal dasselbe. Er tat diesen Menschen jetzt … Gewalt an, da sie schutzlos waren.

Er trat einen Schritt näher. Sie hatten einen dunklen Kranz um die Hälse, wie ein dorniges Band, und er trat noch einen Schritt näher, sah in ihre Gesichter. Die Übelkeit war plötzlich mehr als eine schwache Wahrnehmung, und er drehte sich zur Tür.

»An der Wand steht etwas geschrieben«, sagte der Polizist und zeigte nach rechts zum hinteren Teil des Zimmers.

# 18

Winter hatte zehn Minuten allein in seinem Zimmer gesessen und den Schnee draußen vorm Fenster fallen sehen. Jemand hatte Blumen hereingestellt, ohne Karte. Als er sich erhob, um zur Besprechung zu gehen, klopfte es an der Tür, und Ringmar kam herein. Er war zu Hause gewesen und hatte Penicillintabletten gegen seine Mandelentzündung geholt. Er hatte schon schlecht ausgesehen, als er in der Wohnung erschienen war, hatte die Opfer betrachtet und angefangen, heftig zu husten, und war in den Flur zurückgegangen.

»Du gehörst ins Bett«, sagte Winter. »Hast du Fieber?«

»Ja.«

»Fahr nach Hause.«

»Nach der Besprechung.«

»Wir können es nicht riskieren, dass du uns alle ansteckst, Bertil. Ich will dich hier einfach nicht haben.«

»Erik...«

»Wenn du unbedingt arbeiten musst, dann nimm die Fotos und alles andere mit und denk im Bett nach, falls man mit so einer Infektion nachdenken kann.«

»Ja, ja.« Ringmar hatte ein paar Schritte ins Zimmer gemacht. »Was für eine Heimkehr.« Er sah Winter an, der um den Schreibtisch herumgegangen war. »Eine verdammte Geschichte.«

Sie gingen zur Besprechung. Winter leitete sie ein, fasste zusammen, was sie wussten. Die Fotos gingen herum.

Fredrik Halders hörte Winter zu. Er sah auf die Fotos in seiner Hand.

»Wie sollen wir damit rausgehen?«, fragte er und hielt das Foto in seiner Hand hoch. »Wie viel wollen wir ... erzählen?«

»Wieso?«, fragte Sara Helander, die zwei Stühle entfernt von Halders saß.

»Was mit ihnen passiert ist«, sagte Halders. »In welchem Zustand sie waren?«

»Wir haben ein Paar gefunden, das in seiner Wohnung ermordet worden ist, das sagen wir«, antwortete Winter. »Es gibt keinen Grund, jetzt mehr zu sagen.«

»Gibt es den jemals?«, fragte Aneta Djanali, aber die Frage ließ Winter unbeantwortet.

»Christian und Louise Valker«, sagte Winter. »Seit vier Jahren verheiratet. Er war 42 und sie 37. Keine Kinder. Christian Valker arbeitete als Computerverkäufer ... Hardware ... und Louise Valker arbeitete Teilzeit als Friseuse.« Er sah in seine Papiere. »Seit ungefähr zweieinhalb Jahren haben sie in der Wohnung in der Aschebergsgatan gelebt. Zur Miete. Eine hohe Miete.« Vielleicht sind wir uns am Vasaplatsen begegnet, dachte er. Beim Supermarkt, auf der Straße, vielleicht in der Garage. Die Garage erstreckte sich Hunderte von Metern unter den Häusern. Wir müssen prüfen, ob sie einen Parkplatz da unten hatten. »Vorher haben sie in Lunden gewohnt, in einer Zweizimmerwohnung. Davor hat Christian allein in einer Wohnung in Kålltorp gewohnt. Louise kam mit siebzehn Jahren aus Kungsbacka nach Göteborg und arbeitete im Damensalon am Mölndalsvägen. Damals hat sie in Rannebergen gewohnt, allein. Keiner von beiden ist vorher verheiratet gewesen. Und auch nicht vorbestraft. Jedenfalls nicht in diesem Land. Wir überprüfen das noch bei Interpol. Keine bekannten Verwandten in Göteborg. Christian Valker ist in Västerås aufgewachsen, Louise in Kungsbacka.«

»Sie ist in die Stadt gezogen, um ihr Glück zu suchen«, murmelte Halders Aneta Djanali zu, die neben ihm saß.

»Still, Fredrik«, sagte sie.

Winter gab einem Polizeiassistenten, der den Diaprojektor bediente, ein Zeichen. Das Licht im Raum wurde ausgeschaltet.

Draußen war es dunkel genug, so dass man drinnen nicht die Vorhänge zuziehen musste.

»Ihr seht selbst die Verletzungen an den Körpern. Da und da. Die Hiebe wurden mit großer Kraft ausgeführt.«

»Sägemesser«, sagte Halders.

»Das wissen wir nicht mit Sicherheit«, sagte Ringmar mit belegter Stimme.

»Er hat gesägt«, sagte Halders, »mit einer Wahnsinnskraft.«

Sara Helander schloss für einen Moment die Augen. Etwas Vergleichbares hatte sie noch nie gesehen. Hinter sich hörte sie ein würgendes Geräusch, und jemand stand auf und lief hinaus.

Winter bat den Polizeiassistenten, den Projektor abzuschalten, und knipste die Raumbeleuchtung an. Sechs Reihen weiter hinten waren die Stühle beiseite gerückt worden, wo sich der junge Kriminalkommissar übergeben hatte. Hier vorn war der Geruch noch nicht wahrnehmbar.

Ringmar hatte an der Seite gestanden und die Körper auf den Diabildern glänzen gesehen. Er dachte an jemanden, der sich in ein Pornokino schleicht und hinstarren muss, ohne etwas dagegen tun zu können. Wie eine Zwangshandlung. Körper in Bewegung, aber dies hier war schlimmer. Diese Körper hatten keinerlei Schutz. Sie waren allen ausgeliefert. Sie zu betrachten war eine obszöne Handlung.

Der Mörder wusste, dass wir sein Werk betrachten werden, dachte Ringmar, als der Geruch nach dem Erbrochenem seine Ecke erreichte. Alles ist eine Inszenierung. Das ist eine Botschaft.

Winter hatte ein anderes Bild auf dem Diaprojektor stehen lassen. Es war dieselbe Szene, aber aus einem anderen Winkel, näher dran. Auch Winter war näher herangegangen, hatte seine Hand gegen die Körper erhoben, Ringmar schien es, als zögerte er. Ihm geht es wie mir. Auch er fühlt Scham.

Winter sagte etwas, aber Ringmar verstand ihn nicht. Seine Ohren waren wie zugeklebt, als ob sein Zustand sich verschlimmert hätte, seit er hier drinnen war. Jetzt wurde es wieder dunkel, und dann wurde das Deckenlicht eingeschaltet.

»Das haben wir gehört, als wir in das Zimmer kamen«, sagte Winter und stellte ein Tonbandgerät ein. Die Musik dröhnte durch den Raum, lauter, als Winter beabsichtigt hatte, und er stellte sie ein wenig leiser. Als das Lied begann, schien sie sich wie von selbst wieder lauter zu stellen. Was mag das bloß für ein Lied sein?, dachte Winter.

Die Kriminalbeamten hörten zu und sahen einander an. Jemand lächelte flüchtig, ein anderer hielt sich eine Sekunde die Ohren zu. Winter sah nirgends ein Erkennen, keiner der Jüngeren hob die Hand. Er stellte die Musik ab.

»Haben die das gespielt?«, fragte Aneta Djanali.

»Ja. Der Hausmeister sagt, aus der Wohnung war mehrere Tage Musik zu hören.«

»Dieses Stück?«, fragte Möllerström, der Registrator.

»Er ist sicher kein Experte«, sagte Winter trocken, »aber ungefähr so muss es geklungen haben.«

»Was zum Teufel ist das denn?«, fragte Halders.

»Ich weiß nicht«, sagte Winter. »Deswegen hab ich euch diese ... diese Musik ja aufgelegt. Kennt sie jemand?«

Niemand antwortete. Nach einigen Sekunden sah Winter, wie sich ein Arm hob. Einer der Jüngeren. Setter. Johan Setter.

»Johan?«

»Ähh ... das ist irgendein Trash Metal«, sagte Setter. »Nicht gerade mein Ding, aber Metal ist es. Death Metal, würde ich sagen. Oder Black Metal.«

»Death Metal?« Winter sah Setter an, der unsicher wirkte.

»Death Metal? Todesmetall?«

Plötzlich kicherte jemand in der Gruppe.

»Passt verdammt gut, der Name«, sagte Halders.

»Was zum Teufel ist Death Metal?«, fragte Ringmar.

»Hast du doch gerade gehört«, sagte Halders. »Der ging in die Beine, was?«

»Halt's Maul, Fredrik«, murmelte Aneta Djanali.

»So was ist ziemlich populär«, sagte Setter. »Öhhh ... populärer als man vielleicht glauben sollte.«

»Bei wem populär?«, fragte Halders. »Bei Sverigepartiet, Folkpartiet? Bei den Rechten?«

»Beim Ehepaar Valker?«, fragte Möllerström.

»Das wissen wir nicht«, sagte Winter und sah Halders an. »Wir hatten noch keine Zeit, die CDs in der Wohnung durchzusehen.«

»War das da nicht eine Platte?«, fragte Sara Helander.

»Nein, unbeschriftete Kassette ASF.CE II Chrome Extra. 90 Minuten.«

»Fingerabdrücke?«

»Die Technik ist dran. Was ihr da gehört habt, war auf ein anderes Band überspielt.«

»Hatten sie viele Bänder?«, fragte Halders.

»Offenbar sonst gar keine«, antwortete Winter. »Jedenfalls haben wir keine gefunden.«

»Wo ist Bergenhem?«, fragte Halders. »Lasse hört sich doch einen Haufen seltsamen Mist an.«

»Krankgeschrieben«, sagte Ringmar.

»Schickt ihm dies Teufelsband nach Hause, damit er sich's mal anhört.«

»Ja«, sagte Ringmar.

»Es könnte also eine Botschaft sein«, sagte Aneta Djanali. »Eine Botschaft an uns. Oder bin ich jetzt zu voreilig?«

»Könnte es sein«, sagte Winter. »Jedenfalls hat … der Mörder das Band am Laufen gehalten. Es stand auf Autoreverse.«

»Wie lange?«, fragte einer der Jüngeren.

»Wie zum Teufel sollen wir das wissen?«, sagte Halders. »Wüssten wir es, wäre der Fall so gut wie gelöst.«

»Und der Hausmeister hat diese Musik also gehört?«, fragte Sara Helander.

»Wir wissen es nicht«, sagte Winter. »Aber ich verstehe, worauf du hinauswillst. Wenn wir ihn dazu kriegen, sich daran zu erinnern, wann ungefähr er das zum ersten Mal gehört hat, dann haben wir vielleicht einen Anhaltspunkt.«

»Wie lange sind sie tot?«, fragte Aneta Djanali. »Habt ihr schon was von der Obduktion?«

»Es können vierzehn Tage sein«, sagte Winter. »Kann aber auch weniger sein.«

»Oh, Scheiße«, sagte Halders.

»Kann das Band denn so lange laufen?«, fragte Möllerström. »Vierzehn Tage lang auf Autoreverse?«

»Offenbar«, sagte Winter.

»Das nennt man also Autoreverse«, sagte Halders und sah Möllerström an. »Wenn das Band zu Ende ist, springt es zur anderen Seite und fängt wieder von vorn an zu spielen. Es läuft und läuft, bis es keinen Strom mehr hat. Oder das Band reißt.«

»Aber es gibt auch noch eine andere Erklärung«, fügte Halders hinzu.

»Welche?«, fragte Setter.

»Dass der Betreffende eine Woche nach dem Mord oder so wieder hingeschlichen ist und die Musik wieder angestellt hat, um die Stimmung zu heben«, sagte Halders, und wieder kicherte jemand.

»Was machen wir jetzt also damit?«, fragte Sara Helander.

»Es ist vorgeschlagen worden, dass sich Bergenhem die Kassette anhört, und das ist eine gute Idee«, sagte Winter. »Aber wir müssen alle überprüfen, die uns in dieser Sache helfen können. Musikläden. Bands, die in der Stadt aufgetreten sind. Wenn diese Musik so populär ist, muss das hier doch irgendjemand wiedererkennen. Plattenfirmen. Fragt die Rockkritiker bei Zeitungen, Rundfunk und Fernsehen.« Er schaute über den Raum. »Johan, das ist dein Job. Du kriegst Hilfe. Nimm die Kassette mit und fahr nach Hause zu Lars, und dann suchst du weiter.«

Setter nickte.

»Da ist noch was«, sagte Winter und gab dem Polizeiassistenten ein Zeichen. Auf dem Bildschirm erschien ein neues Bild. Es zeigte die Wand im Zimmer, in dem die Toten gesessen hatten. An der Wand stand etwas. Alle konnten es lesen, die Buchstaben waren einen halben Meter hoch und bedeckten einen Großteil der Wand:

Ⓦ ALL

»Das war da, als du hingekommen bist?«, fragte Aneta Djanali.

»Ja«, antwortete Winter. »Wir werden rauskriegen, wie lange es dort gestanden hat.«

»Genauso lange, wie die beiden auf dem Sofa gesessen haben«, sagte Halders.

Winter gab keine Antwort.

»Eine Botschaft«, sagte Aneta Djanali.

»Ist es rote Farbe?«, fragte Halders.

»Nein«, antwortete Winter.

»WALL«, sagte Ringmar. »Wand. Will uns der Mörder sagen, dass er auf eine Wand geschrieben hat?«

»Wenn es der Mörder war«, sagte Winter. »Aber vielleicht ist es gar kein Wort. Ich weiß nicht. Ein Kreis um das W. Was bedeutet das? Oder der Zwischenraum zwischen dem W und ALL.«

»All«, sagte Ringmar. »Alle. Das kann alle bedeuten. Er hat alle genommen.«

»Alle beide?«

»Alle, die nachkommen werden.«

»Hör auf, Bertil. Geh nach Hause und leg dich ins Bett.«

»Sollen alle krankgeschrieben werden? *All?*«

»Lars kommt morgen wieder.«

»Hast du mit ihm gesprochen?«

»Vor einer halben Stunde.«

»Ist Setter mit dem Band bei ihm gewesen?«

»Ja. Nicht sein Ding, hat Lars gesagt.«

»Okay. Wir haben hier eine Botschaft und dann noch die Kassette. Er will uns was sagen.«

»Will er, dass wir ihn hochnehmen?«, sagte Winter.

»Oder mit uns spielen.«

»Es muss eine Weile gedauert haben, das zu schreiben … und es vorzubereiten. Die … Farbe besorgen. Er musste … hin- und hergehen.«

»Er hat wohl einen Pinsel benutzt?«

»Ja.«

»Hatte er einen Pinsel dabei?«

»Er? Du redest die ganze Zeit von ›er‹.«

»Glaubst du, es war eine Sie?«

»Nein.«

»Die Frage ist, ob er einen Pinsel dabeihatte.«

»Eine von vielen Fragen«, sagte Winter. »Eine andere Frage ist die, wo der Pinsel geblieben ist.«

»Ich hasse so was«, sagte Ringmar. »Lauter Rätsel.«

»Beschäftigen wir uns nicht immer mit Rätseln?«

»Rätsel in den Rätseln also. Ich hasse es. Es beleidigt mich. Ich werde wütend. So wütend, dass ich fast wieder gesund werde.«

Winter war allein in der Wohnung in der Aschebergsgatan. Er war wieder da.

Der Geruch, der immer noch in den Zimmern hing. Die Bilder vom Morgen, an die er sich erinnerte, jene, die er zuerst hier drinnen gesehen hatte, dann die Fotos. Ich hab sie live gesehen, dachte er. Ich hab den Tod live gesehen, und ich hab den Soundtrack gehört. Was denk ich denn da? Den Soundtrack?

Das Sofa war jetzt leer, fleckig. Das Gebrüll vom Band schien noch im Raum zu hängen. Der Text an der Wand leuchtete im Licht vom Fenster. Die Wolkendecke war aufgerissen, als Winter die Straße überquert hatte, und jetzt fiel helleres Licht durchs Fenster, und die zittrigen Buchstaben erschienen straffer, stärker. Winter betrachtete den Kreis um das W. Was sollte er bedeuten?

Wie sollte man den Grad der Verrücktheit beurteilen?

Ist das so einfach?

Oder war es die kranke Tat eines gesunden Mannes?

Ich hab nur einmal etwas gesehen, das dieser Sache nahe kam. Ich hatte gehofft, dass ich nie wieder etwas Ähnliches erleben müsste.

Er sah die Jungen vor sich, allein auf ihren Stühlen. War das drei Jahre her?

Aber jetzt ist jetzt. Alles geht weiter.

Irgendwo im Haus rauschte es in der Wasserleitung. Das Geräusch kannte er. Das Haus war genau wie das, in dem er wohnte. Er hätte in seiner eigenen Wohnung stehen können. Plötzlich dachte er an Angela.

Angela und ihren Bauch, der jetzt auch ein Teil von ihm geworden war. So war es doch?

Diese Wohnung war sogar genau wie seine geschnitten. Das war ihm gar nicht aufgefallen, als er sie gestern am frühen Abend betreten hatte. Da hatte er sich auf das andere konzentriert. Aber jetzt sah er es. Wie die Zimmer vom Flur abgingen, die Küche, das große Wohnzimmer, in dem er stand, das Schlafzimmer davor, noch ein Zimmer. Toilette und ein separates Bad.

Die Techniker arbeiteten sich durch alles hindurch, aber in diesem Augenblick wollte er allein sein. Geht eine halbe Stunde essen, Jungs.

Überall lag Kleidung verstreut. Es fing in der Küche an und endete vorm Sofa. Wann hatte die Entkleidung begonnen? Hatte sie in der Küche angefangen? Warum? Waren die Kleider hinterher hingelegt worden? Das müsste man herausbekommen können. War ein Muster darin verborgen? Noch ein Rätsel? Er dachte an Ringmar, der schnell wieder gesund geworden war.

Das Blut war nur im Wohnzimmer. Nicht im Flur und auch nicht in der Küche. In den Körpern konnte fast kein Blut mehr sein. Christian und Louise Valker. Ihre Augen waren jedenfalls geschlossen gewesen.

Sie hatten in der Küche gesessen. Winter wusste es nicht, aber er war sicher, dass die getrockneten Weinspritzer in den Gläsern und der Rest in der Flasche von *dort* stammten. Das Etikett kam ihm vage bekannt vor, von den Regalen im Schnapsladen auf der Avenyn. Eine der billigeren spanischen Marken.

# 19

Angela kam spät nach Hause in eine dunkle Wohnung. Sie machte im Flur Licht an und zog Mantel und Stiefel aus. Aus dem Wohnzimmer hörte sie Musik. Gitarren. Kraftvolles Singen, oder fast wie ein Rufen.

»Hallo!?«

Sie bekam keine Antwort und rief wieder, betrat das große Zimmer und sah Winter in dem Ledersessel nah am Fenster. Das Zimmer lag im Schatten. Er war nur ein Umriss.

»Du sitzt ja im Dunkeln.«

»Es ist schön so.«

Die Gitarren klangen hitziger, der Gesang war ein Schrei.

»Denkst du … an deinen Vater?«

»Ja. Unter anderem.«

»Hilft die Musik?«

»Ich weiß nicht. Vielleicht. Die CD hab ich in einem Laden in Marbella gekauft.«

»Die ist irgendwie … besonders.« Sie hörte dem Sänger zu, der die Gitarren jetzt übertönte. »Da scheint viel Schmerz in dem Flamenco zu sein.«

»Herz und Schmerz. Romero. Er heißt Rafael Romero. Ein alter Mann.«

»Man hört, dass er ein Leben gelebt hat.«

Winter stand auf, ging ihr entgegen und nahm sie in die Arme. Er strich ihr übers Gesicht und küsste sie auf Nasenspitze und Mund.

»Wie war's heute?«

»Die Übelkeit lässt nach. Am schlimmsten war es zu Beginn.«

»Okay.«

»Sonst nur das übliche Gerenne zwischen den Patienten und Zimmern. Ich bitte die Patienten um Entschuldigung, wenn ich zu spät komme, wahrscheinlich bin ich die Einzige, die das tut.« Sie streichelte seinen Arm. »Und du? Die Arbeit?«

»Wir haben unseren Doppelmord«, sagte er und ging zum CD-Player und stellte die Musik leiser. »Aber frag mich nicht nach Details.«

»Ich denk ja nicht dran.«

Das Telefon auf dem kleinen Tisch neben dem Sessel klingelte. Winter sah automatisch auf die Uhr. Viertel nach elf. Er machte zwei Schritte nach links und hob ab.

»Winter.« Er bekam keine Antwort. »Hallo?« Er hörte das Rauschen in der Leitung und gab Angela ein Zeichen, die Musik auszuschalten. »Hallo? Wer ist da?« Er hörte entfernte Stimmen, die durch das Weltall flogen, meinte etwas auf Spanisch zu hören. Es knackte in der Leitung, und dann ertönte plötzlich das Freizeichen. Winter hielt den Hörer in der Hand, sah ihn an und legte wieder auf.

»Wer war das?«

»Niemand, jedenfalls niemand, der etwas sagen wollte.« Er sah Angela an. »Hast du nicht erzählt, dass schon mal jemand angerufen hat und sich nicht melden wollte?«

»War der das wieder?«

Winter machte eine Bewegung mit den Händen.

»Das war er«, sagte sie. »Was zum Teufel soll das?«

»Setz dich«, sagte er und zog den anderen Sessel ans Fenster. Er knipste die Lampe auf dem Schreibtisch an. So war es besser. »Setz dich, Angela.«

»Es ist zum Verrücktwerden«, sagte Angela. »Kann man dem nicht auf die Spur kommen?«

»Es ist nicht so leicht, wie manche glauben. In neun von zehn Fällen sind es Leute, die sich verwählt haben und sich nicht trauen, es zu sagen. Oder sind einfach geschockt, wenn sich jemand anders meldet. Und dann legen sie auf.«

»Du bist also an solche Anrufe gewöhnt?«

»Es kommt hin und wieder vor.«

»Und du willst mir einreden, dass es nicht mit deinem ... Job zu tun hat?«

»Wie meinst du das?«

»Du hast doch mit Gott weiß was für Typen zu tun. Vielleicht wollen die dich erschrecken. Sich rächen.«

»Jetzt gehst du ein bisschen zu weit.«

»Könnte es nicht so sein?«

»Ich weiß nicht, Angela. Einige Male hat jemand angerufen, aber ob es immer derselbe war, weiß man ja nicht, weil der Betreffende nicht seinen Namen sagt.«

Sie sah ihn skeptisch an.

»Wenn ich richtig darüber nachdenke, war es vielleicht doch ein Fehler, hierher zu ziehen«, sagte sie.

»Jetzt übertreib mal nicht. Ich glaube, jeder hat schon mal solche Anrufe gekriegt.«

»Ich nicht. Und ich hab bestimmt nicht Mr Creep mit hierher genommen, falls du das glauben solltest.«

»Mr Creep?«

»Der am Telefon.«

»Nein, nein.«

»In was für einem Gespensterhaus wohnst du bloß, Erik?« Sie dachte an die Nachbarn, sah das Treppenhaus vor sich. Das unheimliche Geräusch, wenn man aus dem Fahrstuhl stieg. Gerade heute Abend hatte sie sekundenlang den Wunsch verspürt, zu Frau Malmers Tür zu schleichen und zu lauschen. Sie musste fast lächeln über den Gedanken. Hatte das mit der Schwangerschaft zu tun? »Anonyme Anrufe. Frau Malmers nächtliche Messen.« Jetzt lächelte sie. Sie sah, dass Erik es sah. Sie fühlte sich albern, überspannt. Jemand hatte sich verwählt. Nichts, worüber man weiter nachdenken musste. Aber trotzdem.

Winter blieb im Sessel sitzen. Der untere Teil seines Gesichts wurde von der Schreibtischlampe beleuchtet. Das Kinn war von den Bartstoppeln verschattet, die ihm am Tag gewachsen waren. Er hatte sich noch nicht umgezogen, seit er nach Hause gekommen war, hatte nur Jacke und Schlips abgelegt. Das

Hemd von Harvey & Hudson war am Hals aufgeknöpft, die diskreten Streifen verschwanden im Halbdunkel.

Sie empfand so etwas wie … Trauer, seinetwegen, wegen seines Schicksals. Sie wusste, dass er mit seinen Erinnerungen kämpfte, der verlorenen Beziehung zu seinem Vater. Er versuchte damit fertig zu werden, indem er nicht darüber redete, aber das war keine Lösung. Er müsste mit jemandem sprechen. Sie sah, dass sein Kinn ein wenig heruntergesunken war, als ob er im Sessel eingeschlafen wäre, nachdem die Musik verstummt war.

Er ist intelligent, er hat es begriffen. Doch der Schritt ist weit, es auch wirklich zu tun. In die eigenen Erinnerungen zurückzukehren. Nichts wird dadurch besser, wenn man schweigt. Oder sich geradewegs in einen neuen … schrecklichen Fall stürzt. Für eine Weile kann das eine sonderbare Form von Trost geben, aber nur für eine Weile.

»Warum schaust du mich so an?«, sagte er und hob das Kinn, sodass fast das ganze Gesicht im Schatten war.

»Ich hab gedacht, du schläfst.«

»Ich ruhe aus. Jetzt hab ich mich erholt und bin fit für weitere achtzehn Stunden Arbeit.«

»Du musst doch was essen.«

»Es ist mitten in der Nacht.«

»Dann eben ein Nachtmahl. Hast du heute Abend überhaupt schon was gegessen?«

»Kaffee. Ein Käsebrötchen.«

»Ich mach dir ein Pariser Butterbrot, mit Schinken statt Hackfleisch.«

»Pariser Butterbrot! Gibt's das denn noch? Gibt's das Wort noch in den Wörterbüchern? Pariser Butterbrot hab ich seit dreißig Jahren nicht mehr gegessen.«

»Dann wird's Zeit. Eine meiner nächtlichen Spezialitäten.«

»Es gibt also immer noch Sachen, die ich nicht von dir weiß, Angela.« Er rappelte sich aus dem Sessel hoch, kroch über den Fußboden zu ihr und legte seinen Kopf in ihren Schoß. Sie streichelte ihm über den Kopf, fand aber keinen Halt in seinen kurz geschnittenen Haaren. »Dunkle, nächtliche Geheimnisse«, fuhr er fort. »Ja. Ja! Ich wage es, dieses Pariser Butterbrot zu probieren.«

Während sie aßen, vermied er es, an seinen Vater und die letzten Stunden in Marbella zu denken. Es gelang ihm fast, aber für eine halbe Sekunde sah er Alicia vor sich, den Tisch am Altamirano, ihre Überraschung, vielleicht auch Freude, als er plötzlich dort gestanden hatte. Ihre Freundin war aufgestanden und hatte einen freien Stuhl herbeigezogen, und er hatte sich gesetzt. Essen wurde gebracht. Sie hatten auf das Essen gewartet. Zu lange, hatte Alicia gesagt und ihn angesehen, als ob sie eine Antwort auf eine Frage erwartete, die er nicht gehört hatte. Er hatte Wein getrunken, und die schwarzen Eisengitter der Balkone auf der anderen Seite des kleinen Platzes waren näher gekommen, wie von den Bougainvilleeen herabgezogen. Er hatte Schweiß auf der Stirn gespürt.

»Was sagst du dazu?«

Angela sah ihn an und nickte zu seinem Teller.

»Fantastisch«, sagte er und schnitt sich noch ein Stück von dem Brot mit Ei und Schinken ab.

»Ja, nicht?«

»Und so schnell gemacht. Es ist erst kurz nach Mitternacht«, sagte er und sah auf seine Armbanduhr. In dem Augenblick klingelte das Telefon.

Patrik und Maria sahen die weiße Straße durch das Caféfenster. In der Innenstadt blieb der Schnee selten liegen, wenn überhaupt welcher fiel. Patrik wartete jetzt nur noch darauf, dass die Idioten den Weihnachtsschmuck über den Straßen und in den Fenstern aufhängten. *Merry Christmas* im November, sozusagen. Warum überhaupt noch warten? Warum nicht Weihnachten am 24. November feiern? *Why not? Santa Claus is coming to town.*

»Dass es hier quasi um die Ecke passiert ist«, sagte Maria und trank ihren Kakao. Ihre Zigarette qualmte im Aschenbecher. Hier drinnen qualmten dreißig Millionen Zigaretten in den Aschenbechern, und wenn er rauskam, war ihm der Rauch bis ins Gehirn gekrochen. Er mochte das nicht. Man musste doch nicht rauchen, nur weil alle anderen rauchten.

»Und du hast es entdeckt.«

»Der Hausmeister hat es auch bemerkt.«

»Warum hat er dann nichts unternommen?« Sie nahm einen Zug von ihrer Zigarette. »Warum hat er es nicht eher gemeldet?«

»Das kann ich doch nicht wissen. Er ist alt. Alte Männer sind feige.«

Sie lachte, legte die Zigarette ab und trank wieder vom Kakao. Was für eine Kombination. Wenn sie Espresso getrunken hätte, hätte er es verstanden, aber Glimmstengel und Kakao? Er trank Espresso, einen doppelten. Der schmeckte abscheulich. Und viel war in der Tasse auch nicht drin.

»Was meinst du, was sie gefunden haben, als sie reinkamen?«, fragte sie.

»Keine Ahnung.«

»Es muss ja was ganz Schreckliches gewesen sein.«

»Ein totes Ehepaar«, sagte er. »Es gibt nur noch eine Sache, die ist noch schlimmer.«

»Was?«

»Ein lebendes Ehepaar.«

Sie grinste ein bisschen, sah aber, dass er nicht mal lächelte. Vielleicht war das gar kein Witz. Sie wusste, was er früher durchgemacht hatte und wie es ihm immer noch ging. Sie tastete nach seiner Hand, dabei stieß sie mit ihrer anderen Hand gegen die Zigarette und verbrannte sich.

»Aua.«

»Das passiert einem, wenn man diesen Scheiß mitmacht.«

Sie strich über den Finger und pustete.

»Verdammt, tut das weh.«

»Zeit, mit dem Rauchen aufzuhören.«

»Ich hab ja kaum damit angefangen.«

»Die sahen wahrscheinlich noch schlimmer aus als in *Scream 3*«, sagte er.

»Wie meinst du?«

»Halloween. Ich glaub, das war eine Art Halloween in der Wohnung oder so.«

»Wie meinst du das?«

»Mensch Maria … Ausnahmsweise hab ich Zeitungen gelesen. Ich hab schließlich ein besonderes Interesse an der Sache und erwarte doch, dass die Polizei ein bisschen erzählt, was sie da gefunden hat. Kannst du mir folgen?«

»Nein.«

»Aber es steht nichts drin. Nicht, was passiert ist oder wie es passiert ist oder so. Das finde ich echt verdächtig.«

»Na und, man erfährt doch nie besonders viel, oder?«

»Liest du regelmäßig Zeitung?«

»Ich les das Fernsehprogramm.«

»Kapierst du überhaupt, wovon ich rede?«

»Du meinst, sie halten … irgendwas zurück, weil es besonders schrecklich da drinnen war?«

»Ja. Das ist meine Vermutung. Je weniger die sagen, um so schrecklicher war's.« Er trank den letzten Tropfen kalten Espresso und zog eine Grimasse. »*The less the more.*«

»Das ist hart.«

»Da ist noch etwas.«

»Ja?«

»Vielleicht weiß ich, welche Metal-Band sie da drinnen gespielt haben.«

# 20

Sie waren drei Autos dahinter, und Morelius sah den Volvo bei Rot über die Ampel fahren. Dreckige Windschutzscheibe, sonst wäre das wohl nicht passiert. Die Leute sollten ihre Autos besser pflegen.

»Wir stellen ihn unter der Brücke«, sagte Bartram.

Sie zogen an den Autos vorbei, die vor der Ampel hielten, und winkten den Volvo auf den Parkplatz der Shell-Tankstelle. Der Fahrer wartete, als sie zu ihm kamen, jeder von einer Seite. Er war allein im Wagen und drehte die verschmutzte Seitenscheibe herunter, als Morelius sich näherte. Es war ein Mann in seinem Alter.

»Darf ich mal Ihren Führerschein sehen?«

Der junge Mann zog seine Brieftasche aus der Innentasche seiner Jacke und nahm den Führerschein zwischen mehreren anderen Plastikkarten hervor. Er trug einen dicken Pullover und eine Windjacke. Brille und dünne zurückgekämmte Haare. Er wirkte nervös, wäre ja auch komisch, wenn es anders gewesen wäre. Morelius nahm keinen Alkoholgeruch wahr.

»Das war ein bisschen zu schnell dahinten.«

»Ich weiß.«

»Bei Rot muss man halten.«

»Ich weiß, ich weiß. Ich hab gedacht, ich würde es noch bei Gelb schaffen.« Er sah Morelius an. »Man schafft es meistens bei Gelb.«

»Kommt drauf an«, sagte Morelius. »Hatten Sie es eilig?«

»Ich bin spät dran, sehr spät sogar. Sie haben sogar schon angerufen vom Kindergarten.« Wieder sah er Morelius an, aber nicht flehend. »Sogar das«, wiederholte er.

Morelius schien es, als ob Bartram schnaubte wie bei einem Lachen.

»Es stimmt«, sagte der Mann. »Der Kindergarten ist in Fräntorp«, fügte er wie eine Art Versicherung hinzu. »Ich kann anrufen«, fuhr er fort und nickte zum Handy, das oberhalb vom Armaturenbrett befestigt war.

»Das ist nicht nötig«, sagte Morelius und gab ihm den Führerschein zurück. »Aber fahren Sie nicht noch mal bei Rot über die Ampel.«

Der Mann nahm den Führerschein entgegen und sah ihn an, als könnte er sich jede Sekunde in einen Haftbefehl verwandeln.

»Ehh ... dann kommt also nichts?«

»Was nichts?«

»Bußgeld oder Anzeige oder so was.«

»Bestehen Sie auf sowas?«

»Ehh ... nein.«

»Fahren Sie in Zukunft vorsichtig«, sagte Morelius und kehrte zum Streifenwagen zurück. Bartram war schon zurückgegangen und saß im Wagen. Morelius hörte den Mann im Volvo starten und wegfahren.

»Er hat Glück, dass er keine Verkehrspolizisten getroffen hat«, sagte Bartram.

»Die müssen ja an ihre Statistik denken.« Sie selbst mussten an alles denken, dachte Morelius. Die Polizisten waren die Hansdampfs in allen Gassen vom Korps: Rauschgift, Verkehr, Diebstahl, Gewaltverbrechen. Sehr vielseitig. Doppelmord.

»Man geht durch die Stadt und plötzlich sieht man den Kerl frei rumlaufen, der nach dem Bankraub einer Frau das Kinn eingeschlagen hat, sodass sie drei Jahre arbeitsunfähig war, und er hat einen Monat dafür gekriegt. Sollen wir da einem jungen Kerl, der auf dem Weg in den Kindergarten ist, zwölfhundert Kronen Bußgeld aufbrummen?«

»Heute jedenfalls nicht«, antwortete Morelius.

»Ich hab mal einen Ladendieb laufen lassen.«

»Wie?«

»Ich hab mir die Freiheit genommen, einen Ladendieb ohne Bericht laufen zu lassen«, sagte Bartram. »Erst kürzlich.«

»Aha.«

»Man kann nicht immer so verdammt groß sein und muss nicht immer seine Macht zeigen.«

Es kratzte im Empfänger. »Elf zehn, bitte Standort?«

»Wir sind im Kreisel nördlich vom Hauptbahnhof«, antwortete Bartram.

»Da hat jemand über Handy vom Kungsportsplatsen angerufen. Sie halten jemanden fest, der einen in der Straßenbahn niedergerstochen hat, jedenfalls versuchen sie ihn festzuhalten. Kommen.«

»Verstanden«, antwortete Bartram, Morelius stellte das Blaulicht an und bog im Kreisel nach Süden ab.

»Sie sind beim Wartehäuschen für den nordwärts gehenden Verkehr. Hast du das mitgekriegt? Kommen.«

»Ja, verstanden«, antwortete Bartram. Sie fuhren an der Abfahrt Brunnsparken vorbei und bogen nach links ab.

Winter schrieb das Wort vor sich hin: WALL. Zog einen Kreis um den ersten Buchstaben. Wie sinnvoll war es, darüber zu brüten? Rätsel wie diese stahlen anderen Rätseln die Zeit. Aber er fühlte sich von der Botschaft angezogen, gab ihr mehr Priorität, als sie vielleicht wert war. Hier gibt es keine Antworten, dachte er, während er über Antworten, Lösungen nachdachte. Ein Wort? Mehrere? Oder wollte der Mörder nur mitteilen, dass es eine Wand gab? War »Wand« ein Symbol? Bildete sie eine Einheit mit der Musik? War »Wand« ein Symbol in satanischer Musik? Setter hatte gesagt, es könnte Musik sein, die von Satanisten gespielt wurde. Er hatte das Genre noch enger eingegrenzt: Es war Black Metal. Nicht Death Metal. Black Metal. Noch schlimmer.

Die Musikgruppe musste nicht unbedingt aus Satanisten bestehen. Aber die, die sie hörten, benutzten sie für solche Zwecke. Manche jedenfalls. Natürlich mit einer gewissen Unterstützung der Gruppe, hatte Johan gesagt.

Das stimmte nicht. Winter wollte nicht in diese Richtung

denken, noch nicht. Das Paar Valker in satanische Rituale verwickelt? Sie würden ja sehen, wenn sie erst einmal den eventuellen Bekanntenkreis verhört hatten.

Er sah wieder auf das Wort, schrieb es wieder hin, zog einen neuen Kreis darum. Alle? Hatte er alle getötet? Sollten alle sterben? Darüber hatte er schon nachgegrübelt. Warum war der Kreis um das W gezogen? Soll ich an das W denken? Was fing mit W an?

Er stand auf und ging zum Spiegel an der Wand überm Waschbecken. Die dünne Schicht Sonnenbräune, die er von der Costa del Sol mitgebracht hatte, war verschwunden und durch die normale bläulich gefärbte Haut des Winters ersetzt worden. Der Winter. Winter. Winter fing mit W an. Er drückte mit der rechten Hand leicht gegen die eine Wange. Winter. Noch ein bisschen zu früh für paranoide Gedanken.

Die Untersuchungen hatten gerade erst begonnen, aber er hatte das Gefühl, als hätten sie schon angefangen, als er sich in das Flugzeug nach Málaga setzte. Da hatte die Geschichte ihren Anfang genommen

W wie zweimal V. Doppelmord.

Das Telefon klingelte, aber er blieb vorm Spiegel stehen und dachte an die mysteriösen Anrufe zu Hause. Gestern Nacht war er drangegangen, als sie noch bei dem Pariser Butterbrot saßen. Aber am anderen Ende war wieder niemand gewesen. Diesmal nicht einmal Atmen, nur der ausdauernde Ton einer freien Leitung. Vielleicht sollte er sich eine Geheimnummer zulegen.

Er ging zum Schreibtisch und hob ab.

»Hallo, hier ist Lotta. Wahrscheinlich störe ich, aber ich wollte dich fragen, ob du und Angela nicht morgen Abend zu mir kommen wollt? Morgen ist Freitag.«

»Ich werde sie fragen.«

»Und wie geht's dir?«

»Tja ... bin da mit diesem Fall ...«

»Ich hab's gelesen. Ein Ehepaar in der Vasastan.«

»Da haben sie gewohnt, ja.«

»Und nur wenige Türen von dir entfernt.«

»Erinnere mich nicht daran. Und vor allen Dingen nicht Angela.«

»Ich pass schon auf. Mama hat übrigens eben angerufen.«

»Wie geht es ihr?«

»Sie scheint stark zu sein. Tatsächlich stärker, als ich gedacht habe.«

»Was macht sie?«

»Offensichtlich öffnet sie sich jetzt mehr nach draußen und trifft häufiger Bekannte da unten.«

»Das ist gut.«

»Zu Weihnachten kommt sie nach Hause.«

»Hat sie das gesagt?«

»Schon so gut wie.«

»Dann muss ich wohl Tanqueray kaufen.«

Er hörte eine Pause und wusste, worüber sie jetzt reden würde. Er hatte sich gefragt, wann er selbst davon sprechen würde.

»Heute Nacht hab ich von Papa geträumt«, sagte sie. »Er kam aus einem Wäldchen, es war Sommer, so ein ganz greller Sonnenschein, weißt du.«

»War er allein?«

»Ich weiß nicht. Dann bin ich aufgewacht, glaub ich. Übrigens ... er war jünger ... so alt wie wir jetzt ungefähr. Ich erinnere mich, dass ich es seinem Gesicht angesehen habe. Ist das nicht komisch?«

»Ich weiß nicht. Es ist doch nicht überraschend, von ihm zu träumen. Ich hab auch schon so was geträumt.«

Der Messerstecher hatte sich beruhigt, als sie ankamen. Er war sogar so ruhig, dass er am Boden lag. Morelius bückte sich.

»Er ist doch nicht tot?«

Er sah zu Bartram auf.

»Koma, glaub ich. Ein GHBler.«

»Da kommt der Krankenwagen.«

»Ich hab gesagt, dass sie auch einen Krankenwagen rufen sollen«, sagte ein jüngerer Mann, der immer noch mit dem Handy dastand.

»Haben Sie das gemeldet? Okay. Was ist passiert?«

»Er hat mit dem Messer um sich gestochen und ist hinter jemandem hergejagt, als wir hier hielten. Ich saß im Wagen und bin rausgesprungen und hab ihm ein Bein gestellt.«

»Und dann?«

»Er wollte sich aufrichten, aber wir waren zu mehreren und haben ihn festgehalten.«

»Wo ist das Messer?«

»Er hat es fallen lassen. Da liegt es«, sagte der junge Mann und zeigte auf den Bürgersteig. Es lag genau zwischen Trottoir und Fahrbahn.

»Ist jemand verletzt worden? Im Straßenbahnwagen oder hier draußen?«

»Nein. Höchstens er selber.«

»Wen hat er denn gejagt?«

Sie waren zur Seite gegangen, als die Leute aus dem Krankenwagen mit der Tragbahre kamen und den Mann rasch untersuchten, der immer noch leblos dalag.

»Wahrscheinlich GHB«, sagte Morelius.

Der Mann wurde auf die Trage gehoben und zum Krankenwagen gebracht. Morelius wandte sich wieder an den Helden und wiederholte seine Frage.

»Er hat also jemanden gejagt?«

»Ich kann's nicht sagen. Es schien so, aber wenn er … na ja, bedröhnt ist …«

»Es war also keine bestimmte Person?«

»Ich weiß es wirklich nicht.«

Winter hatte sich eine Tasse Kaffee geholt und kam zurück. Es schneite wieder. Der Dezember war noch nicht da, aber es war Winter. Zehn Zentimeter Schnee, und er wusste, dass er liegen bleiben würde über die Festtage. Die neue Zeit. Er atmete aus, atmete kräftig ein, atmete wieder aus.

So war es noch nie gewesen. Er verlor die Konzentration, fing sie wieder ein, verlor sie wieder. Er dachte an den Vater, an Angela, an ihr Kind, an die Mutter, die Schwester, wieder an den Fall, an das Telefon, das klingelte, wieder an Angela. An Alicia.

Möllerström kam mit den neuen Fotos. Winter hatte alle sehen wollen. Sie waren aus jedem erdenklichen Blickwinkel aufgenommen.

Von vorn war nicht mehr als die dornige Halskette zu sehen. Von der Seite das gleiche.

Von hinten konnte man es sehen, wenn man es wusste. Da passte etwas nicht zusammen, da war eine andere Balance. Um das auszuführen, hat es Kraft bedurft, hatte Pia gesagt. Sie war Gerichtsmedizinerin und wusste, wovon sie sprach. Sogar sie war blass gewesen.

Und dann das mit der Balance.

Es gab keine anderen Fingerabdrücke außer ihren eigenen. Wir haben es rund um die Augen besonders sorgfältig überprüft, hatte Beier gesagt. Der Kollege von der Technik hatte genervt ausgesehen. Und erstaunt. Als ob selbst das Gefühl hatte, hier mit etwas Unwirklichem konfrontiert zu werden.

Die Frage war dennoch immer die gleiche: Warum? Warum hatte er es getan?

Winter versuchte noch einmal, alle Fotos durchzusehen. Das Schlimmste war das schräg von der Seite mit ihrem Gesicht im Profil. Ihr Körper gegen ein großes, dickes Kissen gelehnt.

Sie hielten einander bei den Händen in einem fest zusammengeschweißten Todesgriff. Hinterher, hatte Pia gesagt. Die Finger sind erst hinterher ineinander verflochten worden.

Er schaltete das Band ein, während er die Bilder betrachtete. Die Gitarren so laut wie möglich. Ein unerhörtes Tempo. Vor allen Dingen war es das Schlagzeug, bei jedem Taktschlag wurden sie stärker vorangetrieben. Die Bässe, pang-pang-pangpang. Die Stimme zischte, wie ein Wesen aus einer anderen Welt. Eine Hexe? Waren das Wörter?

»Selbst wenn man Übung hat, ein Satanist also, versteht man nicht immer alles.«

Johan Setter hatte Winter gegenübergesessen. Seine Lederjacke war gleichmäßig verschlissen. Bondelid, dachte Winter. Setter hatte feine Runzeln auf der Stirn.

»Ich hab das Band mit zu Madhouse in der Drottninggatan genommen, aber denen ist nichts dazu eingefallen. Sie haben es sich angehört, konnten aber nichts Genaues sagen.«

»Was Genaues? Was soll das heißen?«

»Das heißt, dass sie eigentlich keine Ahnung hatten. Schließlich ist es einer der besten Läden für Metalmusik in der Stadt. Doch, das Mädchen hat gesagt, es wäre mehr Black Metal.

Mehr als Death Metal. Aber es gäbe keinen großen Unterschied. Das macht es so schwer, hat sie gesagt.«

»Was ist denn der Unterschied?«

»Bei Black Metal ist die Musik temporeicher, der Gesang schriller. Bei Death Metal klingt er tiefer. Mehr aus dem Hals.«

»Und die Texte?«

»Tja, die Texte bei Black Metal sind entschieden, eh ... mythologischer. Ein bisschen Wikingerromantik und so 'n Scheiß. Ein bisschen Satanismus.«

»Satanismus?«

»Die Fans lassen sich jedenfalls inspirieren ... mehr als die, die sich Death Metal anhören.«

»Von den Texten inspirieren?«

»Offenbar.«

»Wie zum Teufel kann man sich inspirieren lassen, wenn man den Gesang nicht mal versteht?«

»Dazu braucht man die Songtexte«, sagte Setter. »Die kriegt man immer dazugeliefert.«

»Das Ganze scheint also intellektueller zu sein, als es einem zunächst vorkommt«, sagte Winter. Setter suchte nach einem Lächeln in seinem Gesicht, fand aber keins.

»Dann brauchen wir also das Textheft dazu.« Winter nickte zu der Kassettenkopie, die Setter vor sich hingelegt hatte. »Und dann wissen wir, wer da spielt. Und singt. Und faucht.«

»Ich hab mir das alles so einfach vorgestellt«, sagte Setter. »Und die bei Madhouse waren auch ganz erstaunt, dass sie das Zeug nicht identifizieren konnten. Aber sie haben gesagt, dass die Bänder alle gleich klingen.«

»Konnten sie nicht sagen, ob es eine schwedische oder eine ausländische Produktion ist?«

»Nicht mal das. Das ist nicht leicht zu untersuchen.«

»Wer hat gesagt, dass es leicht sein soll?« Winter fand seine Stimme selbst nörgelig. »Aber du hast stillschweigend ausgeschlossen. Es ist nicht Death Metal.«

»Ich hab die Zeitungen gekauft und das Fanzine, das es da gab«, sagte Setter, bückte sich und holte einen kleinen Stapel aus seiner Schultertasche und legte ihn auf den Tisch. »Ich hatte noch keine Zeit, reinzugucken.«

Winter hielt einige der einfacheren Hefte hoch. *Nekrologium – the 9<sup>th</sup> book of blasphemy*. Die acht vorangegangenen waren schon ausverkauft gewesen. *Combichrist. Fear. Reinforced.* Beim nächsten Titel zögerte er: *Amputation Magazine*.

# 21

Das Bild lag auf dem Küchentisch, er nahm es in die Hand und betrachtete es. Wer hatte das getan? Wer konnte so etwas tun? Wer das gemacht hat, hebe die Hand und melde sich. Melde dich einfach!

Er hob seine rechte Hand und hielt das Polaroidbild in der linken, da er Linkshänder war. So macht man es doch, oder? Warum sollte er das Gegenteil tun? Das Bild in der rechten Hand halten? Er schüttelte den Kopf und überlegte, was er mit dem Foto machen sollte. Er konnte sich nicht entscheiden. So war es immer.

Aber er hatte sich doch schon entschieden, oder?

Er nahm die Rechte herunter und befestigte das Foto mit einer Stecknadel, die einen schwarzen Kopf hatte, an der Wand. Er stand nah davor und guckte, sie guckten zurück, ihn an, aber irgendwas war nicht so, wie es sein sollte. Oder? Der da auf dem Sofa war wohl kurz vorm Einnicken, hatte sich offenbar im letzten Moment jedoch beherrscht, bevor sein Kopf nach vorn fiel. Das war gut gemacht. Mit ihr war es dasselbe. G-u-t-g-e-m-a-c-h-t.

Jetzt weinte er. Im übrigen war es überall still. Still. Der Schnee erstickte jeden Laut. Er weinte und hörte sein eigenes Schluchzen. Er wusste, dass es jemanden gab, der zuhörte, aber dieser … Satan hatte sich noch nicht gezeigt.

Er wollte nicht, dass es still war, und ging zum Plattenspieler, suchte eine LP heraus, legte sie auf und summte zur Musik, *the*

*old home town looks the same, as I step down from the train.*
Er sang mit, *das* war Musik, die würde *ihr* gefallen, das Gefühl
hatte er gehabt, als er Tom Jones zum ersten Mal für sie aufgelegt hatte, aber sie hatte ihn ausgelacht. Nicht wie später, als sie
ihm das … Schreckliche angetan hatte. Stell das ab, hatte sie lachend gesagt. Das erinnert mich an zu Hause. Himmel, hahaha,
hör auf, bevor ich sterbe.

Sie hatte seine Plattensammlung durchwühlt und noch mehr
gelacht.

»So was hörst du dir an? Nee, ich glaub, ich sterbe.«

Haha. Ha-ha-ha.

Fast wie in dem Moment, als es passierte. Er hätte es begreifen müssen.

»Was ist los?«, hatte der Vater einmal gefragt. »Irgendwas ist
mit dir.« Als er das nächste Mal nach Hause gefahren war, hatte er gar nichts mehr gesagt, weil er nichts mehr sagen konnte –
oder? Nie mehr.

Das ganze Zimmer wurde von der Sonne erhellt, die hervor-
gekommen war. Die Fotografie verschwand im Licht, verbrannte. Jetzt kann ich es vergessen, dachte er.


Fredrik Halders und Aneta Djanali statteten dem Trendfriseur
»Hair« einen Besuch ab.

»Unisex«, sagte Halders. Junge Männer und Frauen schnit-
ten jungen Männern und Frauen die Haare. Solche Läden hatte
Halders hinter sich gelassen. Er sah seine kurz geschnittenen
Haare in den vielen Spiegeln. Da gibt's für einen Haarkünstler
nichts zu tun, aber jedenfalls habe ich meinen Kopf behalten,
dachte er.

»Gehst du in solche Läden?«, fragte er.

»Wie?«

»Ob du dir deinen Afrolook in solchen Läden richten lässt?«

»*Shut up*«, sagte Aneta Djanali zu Halders im Spiegel.

Sie waren ein merkwürdiges Gespann. Das dachte sie nicht
zum ersten Mal.

»Kann ich Ihnen helfen?«, fragte eine etwa dreißigjährige
Frau, die links aus einem Zimmer gekommen war und sich hinter dem Tresen mit der Kasse aufgebaut hatte, wo sie warteten.

Sie war groß, vielleicht einsachtzig, und trug eine schwarze Bluse und einen schwarzen Rock. Ihre Haare waren seitlich gescheitelt, eine scheinbar einfache Frisur. Halders sog all die guten Düfte in sich ein und lauschte auf die Musik vom kommerziellen Kanal. Hier drinnen fühlte er sich plump, und so fanden ihn alle anderen vermutlich auch. Hier sind doch alle schwu… nee, jetzt reiß dich mal zusammen. Du bist mit Aneta hier. Du musst zeigen, dass du es kannst. Scheiß auf die Schwulen.

»Wir wollten Ihnen ein paar Fragen über Louise Valker stellen«, sagte Aneta Djanali und zeigte ihren Ausweis. »Wir kommen von der Kriminalpolizei.« Die Frau nickte ernst. »Ist das Ihr Unternehmen?«

»Ja. Ich heiße Irma Fletcher.« Sie schaute zu der Tür, durch die sie gerade gekommen war. »Wir können in mein Büro gehen.«

Sie saßen um einen ovalen Glastisch, auf dem Hochglanz-Illustrierte lagen. Auf den Covern sah Halders nur Frauenköpfe, für einen Moment schloss er die Augen und richtete den Blick dann auf die Wand, an der schwarzweiße Modeplakate mit Frauen hingen, die zerrissene Kleider trugen. Es sah aus, als hätte man sie mit Blut eingeschmiert. Eine Frau lag mit auffallend starrenden Augen am Boden. Im Hintergrund war undeutlich ein männliches Wesen im Profil mit Hut und Mantel und einem Maschinengewehr zu erkennen. Halders sah die Silhouette und vermutete, dass es eine Uzi-Attrappe war.

»Was zum Teufel ist das da?« Er nickte zur Wand.

»Was?« Die Ladenbesitzerin drehte den Kopf.

»Was ist das? Haben Sie die Bilder bei der Kriminaltechnik geklaut? Von einem Mordtatort?«

Sie schaute auf die Wand, und sie sahen beide, dass sie rot wurde. Ihr ist alles Blut ins Gesicht gestiegen, dachte Aneta Djanali. Gleich löst sich die Schminke in der Körperwärme auf. »Oh, ich hab gedacht, wir hätten sie abgenommen. Das hat wohl jemand vergessen. Sie haben eine Weile da gehangen, und dann… dann übersieht man sie glatt.« Sie war immer noch flammend rot. »Wie entsetzlich unpassend.«

»Was ist das denn?«, beharrte Halders.

»Ehhh … das sind neue … Modeaufnahmen.« Sie sah auf die Wand. »Die sind in diesem Herbst in.«

»Soll das die Mode im Jahr Zweitausend sein?«, fragte Aneta Djanali.

»Blutverschmierte Models«, sagte Halders. »Du schöne neue Welt.«

Irma Fletcher sah aus, als würde sie vor Scham im Boden versinken. Plötzlich stand sie auf, riss drei Plakate von den Wänden, warf sie zusammengeknüllt in einen großen durchsichtigen Papierkorb an der Tür und setzte sich wieder.

»Soweit wir wissen, hat Louise Valker die letzten beiden Monate hier gearbeitet?« Aneta Djanali hatte in ihre Notizen geschaut.

»Nein. Sie hat eher … saisonbedingt oder noch besser … sie ist eingesprungen, wenn wir Hilfe brauchten. Eigentlich ziemlich unregelmäßig.«

»Das klingt vage.«

»Das hab ich mit unregelmäßig gemeint. Aber sie wollte es so.«

»Sie wollte es so?«

»Ich hab ihr vor einem Jahr eine feste Teilzeitstelle angeboten, aber sie hat abgelehnt.«

»Abgelehnt? Das ist aber sehr ungewöhnlich, nicht?«

Irma Fletcher zuckte ein wenig mit den Schultern.

»Sie hat es nicht erklärt, und ich hab sie nicht nach den Gründen gefragt.«

»War sie eine gute Friseuse?«

»Ja … sie war gut. Vielleicht nicht gerade wild drauf, Neues zu lernen, aber, na ja, das mag daran liegen, dass sie kein junges Mädchen mehr war. Ich weiß nicht. Ich will nicht spekulieren.«

»Hatte sie privaten Umgang mit jemandem von Ihren Angestellten?«

»Soweit ich weiß, nicht. Da müssen Sie die anderen schon selber fragen, aber ich glaube nicht.«

»Hat sie sich abgekapselt?«, fragte Halders.

»Wir müssen hart arbeiten hier, da bleibt nicht viel Zeit für Privates«, antwortete Irma Fletcher. »Manche haben eigene

Stühle, sind selbst Unternehmer. Und dann … nach der Arbeit geht man nach Hause.«

»Haben Sie sie etwas näher kennen gelernt?«

»Nein, eigentlich nicht. Wir haben einmal eine Tasse Kaffee im Café *Wand an Wand* zusammen getrunken, als ich ihr den Job angeboten hatte. Das war das einzige Mal.«

»Können Sie etwas über sie sagen? Wie sie war?«

»Sie mochte Männer.«

»Wie bitte?«

»Ich hatte den Eindruck, dass sie sich für Männer interessierte. Flirtete gern. So was merkt man ja eigentlich sofort.«

»Christian war ein guter Verkäufer … was für eine Tragödie.«

Es war Nachmittag. Sie saßen in einem Büro mit Aussicht über die Stadt, alle, bis auf Halders, der es vorzog zu stehen.

Das Großraumbüro der Firma Comec war im zwölften Stock. Menschen standen über Monitore gebeugt und unterhielten sich über Computer. Sie reden über die Köpfe der Computer hinweg, dachte Halders. Verdammt, ich muss jetzt endlich mit den Assoziationen aufhören.

Comecs Personal- und Verkaufschef in einer Person saß ihnen gegenüber und sah einen Moment ernst aus, im nächsten fröhlich. Er vergisst sich, dachte Aneta Djanali.

Es war früher Freitagnachmittag, und alle Männer trugen lockere karierte Hemden, T-Shirts unter bequemem Tweed, Polohemden. Die wenigen Frauen, die Halders entdecken konnte, trugen wie gewöhnlich Blazer. Vielleicht eine war in Jeans. Der Verkaufschef trug ein schwarzes T-Shirt unter einem schwarzen einreihigen Sakko, Boots, schwarze Jeans.

*Casual wear*, dachte Aneta Djanali. Ich muss das Fredrik nachher erklären. Freitags gibt man sich locker im Büro. Sonst herrscht Schlipszwang.

»Wie gut?«, fragte Halders.

»Er wusste, was er tat. Zielbewusst. Brachte Resultate.«

»Wieso haben Sie ihn dann nicht vermisst?«

»Wie bitte?«

»Er war doch zehn Tage verschwunden. Warum haben Sie ihn nicht vermisst?«

»Erstens läuft das nicht so«, antwortete der Mann und schlug die Beine übereinander. »Wir kontrollieren unsere Mitarbeiter nicht täglich. Hier arbeiten Menschen mit besonderer Kompetenz, die sind sich selbst verantwortlich.«

Besondere Kompetenz, du lieber Himmel, dachte Halders.

»Und zweitens hatte Christian zu der Zeit eine Woche Urlaub genommen.«

»Aber nur eine Woche.«

»Wie ich schon sagte, die Leute hier sind sich selbst verantwortlich. Vielleicht hat er ein paar Tage vorm Urlaub oder danach etwas eingetragen, ich hab's nicht kontrolliert. Noch nicht.« Er sah Halders an, vielleicht mit einer gewissen Arroganz. Halders war sich nicht sicher.

»Haben Sie Christian gekannt?«, fragte er.

»Wie bitte?«

»Haben Sie ihn außerhalb der Arbeit gekannt? Haben Sie privat miteinander verkehrt?«

»Nein. War vielleicht mal auf ein Bier mit den Jungs«, sagte er und sah Aneta an. »Mit ... dem Team, meine ich.«

»Okay. Gibt es noch was?«, sagte Halders.

»Wie meinen Sie das?«

»Können Sie etwas über seine Persönlichkeit sagen? Hat er ... etwas von Freunden erzählt? Oder über seine Frau? Seine Freizeit? Irgendwas außerhalb Comec?«

»Nur das Übliche.«

»Was ist das Übliche?«, fragte Aneta Djanali.

»Tussis.«


Sie nahmen die Linie vier nach Hagen. Angela war erstaunt, als er das vorschlug.

»Du fährst doch sonst nie Straßenbahn?«

»Heute Abend fahr ich Straßenbahn.«

»Warum das denn?«

Was sollte er antworten? Dass er die Stadt sehen wollte, wie die meisten Leute sie sahen? Nee. Er wollte nur kein Taxi nehmen oder sich selber hinters Lenkrad klemmen.

»Ich brauch ein bisschen Bewegung. Wir gehen zur Avenyn und steigen da in die Straßenbahn. Bist du fertig?«

»Du siehst doch, dass ich noch nicht fertig bin«, antwortete sie aus dem Badezimmer.

»Okay. Ich warte.«

Sie strich sich übers Haar und legte ein bisschen Glanz auf die Lippen. Sie riss die Augen im Spiegel auf. Das Licht im Bad schmeichelte nicht gerade. Hier drinnen hatte sie Tränensäcke unter den Augen. Als sie im Krankenhaus in den Spiegel geschaut hatte, waren da keine Tränensäcke gewesen. Sie zog ihrem Spiegelbild eine Grimasse.

Winter war ins große Zimmer gegangen und stand am Fenster. Coltrane spielte mit Red Garland. *Soft Lights and Sweet Music*.

Alles war wie in Gaze gehüllt. Weiches Licht ragte aus dem Gewebe. Die hohen Punkte der Stadt blinkten. In den letzten Jahren hatte sich die Topographie der Stadt verändert, sie reckte sich dem Himmel entgegen, in dem die Flugzeuge auf dem Weg nach unten kreuzten.

Er senkte den Blick. Dort unten. Irgendwo. Wie viele Male hab ich hier gestanden und gedacht: Da unten gibt es die Antwort, die Lösung. Da läuft der herum, den ich suche, vielleicht geht er in diesem Augenblick da unten vorbei. Er, der den Park durchquert. Jetzt geht er am Obelisk vorbei. Wenn ich ihn gefunden habe, ist es erledigt. Immer habe ich ihm gefunden.

»Fertig«, sagte Angela aus dem Flur. Die Musik endete im selben Moment, es war der letzte Song. Er drückte auf Aus und verließ den Raum.

Während sie auf den Fahrstuhl warteten, kam ein älterer Mann aus Frau Malmers Wohnung und schloss vorsichtig die Tür hinter sich. Er zögerte, als er sie sah, stellte sich dann aber mit einem Nicken neben sie und wartete. Er war groß, grau meliert, Leberflecken im Gesicht.

»Wer war das?«, fragte sie draußen. Sie gingen nach Westen, der Fremde ging hinunter zur Allee.

»Noch nie gesehen.«

»Hm.«

»Was ist?«

»Nichts.«

An den Haltestellen am Vasaplatsen warteten viele Menschen. Aus ihren Mündern stiegen Dunstwölkchen auf. Die Kälte drang durch den Mantel, und Angela ärgerte sich, dass sie keine Mütze aufgesetzt hatte. Sie spürte die Kälte schon an den Ohren.

»Da ist ein Kollege von dir«, sagte sie.

»Wie?«

»Das Polizeiauto auf der anderen Seite.«

»Ja, ich sehe.«

»Es steht so da.«

»Tja ...«

»Kannst du sehen, woher es kommt?«

»Der Bezirk? Müsste Lorensberg sein. Wieso?«

Der Streifenwagen startete, wendete auf der Kreuzung und fuhr an ihnen vorbei. Winter hob die Hand.

»Simon«, sagte er.

»Der Fahrer? Kennst du ihn?«

»Ja, ich weiß, wer es ist.«


Die Straßenbahn war voll, als sie einstiegen. Sie blieben im Gang stehen und hielten sich an den Halteschlaufen fest. Angela stellte sich breitbeinig hin, um die Balance zu halten, und es wirkte, als wollte sie ihren Bauch schützen. Keine gute Idee mit der Straßenbahn, Erik, dachte Winter.

Am Kungsportsplatsen stiegen viele Fahrgäste aus, und Angela konnte sich setzen. In ihrem Teil des Wagens war es still, aber hinten in der Bahn schrie jemand, drohte, brummte. Alle sahen in eine andere Richtung. Am Brunnsparken stiegen mehrere Betrunkene ein. Winter musste beiseite rücken.

Zwei Haltestellen später wurde der Platz neben Angela frei. Im Wagen roch es nach Rauch und Alkohol und nach Schweiß von dem Dicken vor ihm. Ein paar junge Mädchen sahen Winter an. Ein Farbiger hörte Walkman, was Winter veranlasste, den Kopf zu drehen. Am Järntorget stieg eine Clique von Jungen in schwarzen Lederjacken voller Namen und Symbole zu. Ein Teufel, zwei Hexen. Eine Axt, von der Blut troff. Bierdosen klirrten, als sie ihre Tüten auf dem Boden abstellten, der schmutzig von schwarzem Schneematsch war. Ein junges Paar drei Reihen vor ihnen drehte sich einige Male nach ihnen um.

Das Mädchen kam ihm bekannt vor. Er sah auf die Straße. Ein Polizeiwagen fuhr vorbei, bevor sie zum Stigberget hinauffuhren. Wieder der Arm des Gesetzes, dachte er.

Lotta Winter empfing sie mit einem Duft von Knoblauch und Kräutern.

»Wo sind die Mädchen?«, fragte Winter.

»Es ist Freitagabend, acht Uhr, die bleiben nicht mal deinetwegen länger zu Hause, Erik. Lasst euch drücken!« Sie umarmte die beiden. »Hu, seid ihr KALT!«

»Aber sie kommen doch vor elf nach Hause? Die Mädchen?«

»*Grow up.*«

»Seine Zeit kommt auch noch«, sagte Angela.

»Für mich bitte Wein und für Angela Wasser«, sagte Winter.

»Hast du mit Mama gesprochen?«

»Ja.«

»Wie geht's ihr?«

»Sie kommt Weihnachten«, sagte Winter.

»Und was für einen Eindruck hast du sonst?«

»Wie du schon gesagt hast ... sie scheint ... stark zu sein. Hoffentlich hält es an.«

Hoffentlich, unseretwegen, dachte Lotta und schenkte Wein und Wasser ein.

# 22

Hanne Östergaard schippte Schnee. Die Schaufel kratzte über die Steinplatten. Der Schnee lag in Wehen angehäuft, und der Garten war ganz weiß. Die Bäume ragen wie Skelette heraus, dachte sie und spürte ein wenig Schweiß unter der Mütze.

Einige Nachbarn waren an diesem Samstagvormittag auch mit Schneeschiebern draußen oder mit verschiedenen Schaufeln, die nicht viel weiterhalfen. Sie waren hier nicht in Norrland. Niemand hatte damit gerechnet, dass der Schnee liegen bleiben würde.

Drei Häuser entfernt wechselte ein Mann seine Autoreifen. Sie sah zu ihrer Garage, die Seitentür wurde geöffnet, und Maria kam in einer Strickjacke und mit einem zwei Meter langen Schal heraus, aber ohne Mütze und Handschuhe. Sie hatte einen Besen in der Hand, stellte sich rittlings über den Stiel und hüpfte drei Schritte.

»Ich wollte ein Stückchen fliegen«, sagte sie.

»Das ist die falsche Zeit, Schatz.«

»Stimmt, Walpurgisnacht. Du glaubst also an Hexen?«

Ich glaube an alles Böse, dachte Hanne Östergaard, aber es war nur ein flüchtiger Gedanke.

»Ich glaub an das, was ich vor mir habe«, antwortete sie stattdessen. »Manchmal jedenfalls.«

Plötzlich sah Maria traurig aus, nur für ein paar Sekunden. »Ich wollte dir helfen.« Sie machte eine Bewegung mit dem Besen über den Boden. »Den Rest wegfegen.«

»Prima.«

Maria fegte konzentriert. Ihr Gesicht war plötzlich das eines Kindes. Hanne Östergaard sah das Kind, sah eine Andeutung von Zuneigung, als Maria aufschaute und lächelte. Ihre Art, um Entschuldigung zu bitten. Hanne wollte es schlucken, ganz. Sie ist ja noch ein Kind. Was weiß sie denn?

Patrik kam über die sauberen Steinplatten angestiefelt mit einer riesigen dicken Zipfelmütze auf dem Kopf, die auch noch für Maria gereicht hätte.

»Hallo, Patrik.« Sie streckte ihm die Hand hin. »Lange nicht gesehen.«

»Hallo. Ich wollte mal vorbeigucken. Hatte Sehnsucht nach ein bisschen Landluft.« Er sah sich um. »Hier ist es ja sauweiß.«

»Wenn du das so nennen willst.«

»Sauweiß. In der Stadt ist das meiste schon wieder weg.«

»Möchtet ihr heiße Schokolade?«

»Was meinst du?« Maria sah Patrik an.

»Das wäre super. Mir ist kalt. Die Heizung in der Straßenbahn hat nicht funktioniert.«


Sie machte Butterbrote mit Käse und zwei Becher Schokolade.

»Weißt du schon was?«, fragte Maria mit vollem Mund.

»Hab gestern ein bisschen gehört, aber ich wurde plötzlich verd… ich war zu müde«, sagte er. Sah Hanne, die Pastorin, an.

»Okay.«

»Hast du dir die CD eigentlich mal angehört, die ich dir geliehen habe?«, fragte er.

»Lass mich bloß mit der in Ruhe. Du hast sie mir in die Tasche geschmuggelt.« Maria biss von ihrem Butterbrot ab. »Die ist ja schrecklich.«

»Was findest du schrecklich?«, fragte Hanne. »Ich werde langsam neugierig.«

»Hardrock.«

»Death Metal«, sagte Patrik. »Black Metal.«

»Ach?«

»Nix für Maria. Zu *heavy*.«

»Was ist das denn? So was wie Punk?«

Patrik lachte.

»Nee, nicht wirklich, man nennt das Oi-Punk, das ist das Zeug, was die rechten Glatzen gern hören«, sagte er. Hanne sah, wie er den letzten Tropfen Kakao trank. Sie stand auf und ging zum Herd, um mehr Milch warm zu machen.

»Patrik weiß alles über Musik«, sagte Maria. »Und auch über das, was man nicht mehr Musik nennen kann.«

»Dieses ... Metal zählt also nicht dazu?«

»Nicht für mich, Mama.«

»Man kann da nicht einfach so ... drüber weggehen«, sagte Patrik.

»Aber wie klingt das denn?«, fragte Hanne, als sie mit der heißen Milch zum Tisch zurückkam. »Jetzt will ich es langsam wirklich gerne wissen.«

»Okay. Warte mal.«

Maria verließ die Küche. Eine Minute später tönte so was Ähnliches wie Musik durchs Haus, und Hanne sah Patrik an, als jemand wie ein Verrückter anfing zu fauchen zu einem Geräusch, das wie ein Flugzeugabsturz klang.

»Black Metal«, sagte Patrik.

Maria kam zurück.

»Das soll so klingen, als würde da eine Hexe singen«, erklärte Patrik.

»Ich kann den Besen holen«, sagte Maria.

Es war Patriks vierter Becher. Sie hatten Hanne alles erzählt, von seinem Verdacht vor der Wohnung und seinem Anruf beim Hausmeister.

»Hat die Polizei auch schon mit dir geredet?«, fragte Hanne.

»Nein.«

»Das ist ja merkwürdig.«

Patrik stellte den Becher zum letzten Mal ab. Er zuckte mit den Schultern.

»Ist mir ganz recht und spielt doch keine Rolle. Sie wissen ja schon alles. Ich weiß auch nicht mehr als der Alte.«

»So was pflegt die Polizei zu entscheiden.«

»Och, Mama, du warst zu oft bei der Polizei.«

»Der Alte will eben die ganze Ehre für sich haben«, sagte Pat-

rik. »Vielleicht hat er geglaubt, er kriegt eine Belohnung.« Er
sah Hanne Östergaard an. »Vielleicht gibt's eine.« Dann sah er
Maria an. »Ich hab einen *big mistake* gemacht.«

»Du solltest dich wirklich bei denen melden, die diesen Fall
untersuchen«, sagte Hanne Östergaard. »Beim Fahndungsdezernat.«

»Da arbeitet doch der, den du kennst«, sagte Maria.

»Erik? Erik Winter? Ich weiß nicht, ob er gerade mit diesem
Fall befasst ist. Aber könnte gut sein.«

»Das war er«, sagte Maria und sah Patrik an.

»Du hast es gesagt«, antwortete er.

»Ich bin sicher.«

»Was?« Hanne Östergaard sah ihre Tochter an. »Was meinst
du damit?«

»Wir haben ihn gestern Abend in der Straßenbahn gesehen«,
antwortete Maria. »Er saß zusammen mit seiner Freundin oder
Frau, oder was das nun war.«

»Angela.«

»Sie saßen im selben Wagen. Wir sind zum Stigbergstorget
gefahren.«

»Was hattet ihr dort zu suchen?« Hanne hörte ihre eigene
Stimme, wie sie plötzlich scharf, misstrauisch klang.

»Mama, es war kaum später als acht, und *Bengans* hatte lange geöffnet.«

»Freitagabend?«

»Ja«, sagte Patrik, »das war so 'n Release. Ultramario hat
was von seiner neuen Scheibe gespielt.«

»Das erklärt alles.« Hanne versuchte zu lächeln. Maria wich
ihrem Blick aus, guckte aus dem Fenster auf den Garten hinter
dem Haus, die Sonne war gewandert und ließ den Schnee fun-
keln.

Patrik und Maria schwiegen.

»Und ihr habt Erik Winter gesehen? Ich hätte nie geglaubt,
dass der mit der Straßenbahn fährt.«

»Er war es aber«, sagte Maria. »Und wir haben sie schon mal
in das Haus reingehen sehen, wo sie wohnen.«

Ihr kennt euch aus in der Stadt, dachte Hanne, sagte aber
nichts.

Patrik war Marias Blick in den Garten gefolgt. Die Sonne schien jetzt grell, sie war wie ein Scheinwerfer. Er dachte an das blaugelbe Treppenhaus, die Zeitungen, die verdammte Musik, die dort drinnen im Flur tobte, als er die Klappe vom Briefeinwurfschlitz hob.

Aber da war noch etwas.

Da war noch etwas.

Der Gedanke war irgendwo hinten in seinem Kopf gewesen, vielleicht sollte man es Erinnerung nennen. Etwas, das er vor ein paar Wochen gesehen hatte, oder wann das nun gewesen sein mochte.

Es war gleichsam gewachsen. Die Erinnerung, oder was es war. Gewachsen. Es hing mit der Musik zusammen, als er darüber nachgedacht hatte, was für Musik, welche Band es sein könnte. Er konnte nur raten, vermutlich nicht mal das. Aber ... das andere. Er sah es wieder, als er hinaus in die Sonne auf den Schnee starrte, auf dem Sterne glitzerten wie an einem weißen Himmel. Es war noch da, als er sich für den Kakao bedankte und in Marias Zimmer ging. Sie war ihm schon vorausgegangen und hatte die Musik ausgemacht, und dafür war er dankbar, danke *mucho*.

Er setzte sich aufs Bett und schaute wieder in den Garten. Im Schatten stand ein Gewächshaus. Er betrachtete es. Es half ihm irgendwie, in seinem Kopf zu suchen. Gewächs. Gewächshaus. Das Licht, das nicht bis dorthin reichte. Da war etwas, verflixt, etwas war in der Erinnerung verborgen.

»Was ist mit dir?«, fragte Maria. »Warum schaust du so gebannt auf das Gewächshaus?«

Er antwortete nicht.

»Sag doch was, Patrik. Ich mag nicht, wenn du so bist. Es ist so schon alles unheimlich genug.« Sie schaute aus dem Fenster und sah ihn wieder an.

»Da ... war jemand«, sagte Patrik.

»Was sagst du? Im Gewächshaus?«

»Nein, nein.« Er riss den Blick los und sah sie an. »Die Treppen, das Haus. Wenn ich morgens mit den Zeitungen kam. Zu der Zeit sind natürlich auch manchmal Leute im Treppenhaus, aber nicht so viele. Morgens hab ich nie viele gesehen.«

»Welches Treppenhaus? Ich kapier gar nichts mehr.«

»Hör zu, Maria. Als ich die Treppen raufging, ist oben jemand in den Fahrstuhl gestiegen und nach unten gefahren. Vielleicht vor einer Woche, vor zehn Tagen.«

»Ach, von *dem* Treppenhaus redest du. Von *dem* Haus.«

»Natürlich. Meistens scheiß ich drauf, den Fahrstuhl zu nehmen, aber an dem Tag hatte ich Fieber oder so was, und da wollte ich mit den Zeitungen rauffahren. Aber der Fahrstuhl war nicht da, also nahm ich die Treppe, und da hörte ich ihn zwei Stockwerke höher oder so rasseln. Das ist mir jetzt eingefallen, wahrscheinlich war es *das* Stockwerk. Vielleicht.«

»Warum glaubst du das?«

»Tja, man lernt ja so manches, wenn man Treppen rauf und runtergeht. Hört manches. Wenn man mit Fahrstühlen fährt.«

»Erzähl schon.« Sie hatte an ihrem Daumennagelbett gekaut und merkte erst jetzt, dass es brannte. »Du hast gesagt, jemand ist mit dem Fahrstuhl nach unten gefahren.«

»Ich hab ein Stück höher auf der Treppe gestanden und gewartet, dass er runterkommt und ich damit nach oben könnte.«

»Und?«

»Er kam. Jemand ist unten ausgestiegen und zur Haustür rausgegangen. Ein Mann.«

»Hat er dich gesehen?«

»Nee. Ich hab ja ein paar Meter weiter oben auf der Treppe gestanden, und er hat sich nicht umgedreht.«

»Wie hat er ausgesehen?«

»Ich hab doch gesagt, er hat sich nicht umgedreht.«

»Aber war er alt oder was?«

»Ich weiß nicht. So alt wirkte er noch nicht. Als er in Richtung Haustür verschwand, mein ich ein bisschen von seinem Gesicht gesehen zu haben, das Profil.«

»Das ist ja echt gruselig.«

»Das war doch nicht das erste Mal, dass ich jemanden früh am Morgen gesehen habe.«

»Wieso ist dir das ausgerechnet jetzt eingefallen?«

»Ich weiß nicht, vielleicht lag es an der Musik gerade. Jedenfalls kam da irgendwas durch die Tür.«

»Was denn?«

»Etwas, das vorher nicht zu hören gewesen war. Das hab ich erst gehört, als ich den Mann aus dem Fahrstuhl steigen sah.«

»Wirklich saugruselig. Vielleicht hast du ...«

»Das muss man ganz locker nehmen.«

»Jetzt hat Mama ja noch mehr Recht, Patrik, du musst zur Polizei gehen.«

»Ach, hör auf, Maria.«

Sie warf das Kissen aufs Bett.

»Da gibt's doch massenhaft wichtige Sachen, die du denen erzählen kannst.«

»Was zum Beispiel?«

»Bist du blöd? Zum Beispiel, wie er gekleidet war.« Sie hatte sich das Kissen wieder geschnappt, hielt es umschlungen, dachte nach. »Erinnerst du dich daran, wie er gekleidet war?«

»Er trug einen Mantel.«

»Lang? Kurz? Schwarz? Braun? Beige?«

»Dunkel ... soll das jetzt ein Verhör sein?« Aber Maria lächelte nicht. »Da war noch etwas anderes. Ich hab schon darüber nachgedacht ... oder es war einfach in meinem Hinterkopf. Irgendwas, das er anhatte ... unter dem Mantel, was ich gesehen habe. Mir fällt bloß nicht ein, was es war.«

»Meinst du etwas, das dir bekannt vorkam?«

»Ich weiß nicht. Ja, vielleicht. Irgendwas ... Ich komm einfach nicht drauf.«

# 23

Der Brief war der dritte in dem kleinen Stapel. Der Umschlag trug das Siegel der Direción General de la Policía, aber Winter wusste, wer der Absender war. Der spanische Polizeistempel war wie ein Symbol für die Grenzlinie zwischen Privatleben und Arbeit; gefährlich, fließend. Er legte den weißen Umschlag beiseite. Der Brief brannte sich auf dieselbe Weise in den Tisch ein, wie Alicias Visitenkarte ein Loch in den dunklen Tisch in dem Zimmer im *La Luna* gebrannt hatte.

Sie hatten noch ein Glas Wein getrunken, oder hatte nur er getrunken? Seine Verzweiflung war noch größer geworden, als plötzlich jemand auf der Plaza Altamirano vorbeiging, der Schwedisch sprach. Die Stimme des älteren Mannes hatte ihn an die Stimme seines Vaters erinnert. Alicia hatte es begriffen. In dem Augenblick hatte er gespürt, dass sie es verstand.

Stunden später hatte er das Meer von einem Fenster in einem Haus über dem Meer gesehen. Er kannte nicht den Namen der Straße oder des Weges dorthin. Unten hatte einige Male ein Hund gebellt und war dann verstummt. Es war niemand anders in der Nähe gewesen.

Einige Stunden später war er in seinem Zimmer im *La Luna* erwacht und konnte sich nur noch dunkel erinnern. Es war Vormittag, und er hatte geduscht, sich angezogen und war zum Flughafen gefahren.

Bergenhem klopfte an die Tür und trat ein. Winter hielt das Kuvert in der Hand.

Bergenhem sah abgemagert aus. Sein Blick ging an Winter vorbei. Er blieb stehen.

»Du wolltest was von mir?«

»Setz dich doch, Lars.«

Bergenhem setzte sich und strich sich über die Stirn. Sein Haar war feucht.

»Ist ein bisschen spät geworden. Auf der Brücke ist jemand ins Schleudern geraten.«

»Die Leute sind nie auf den Winter vorbereitet.«

»Wir haben ja fast nie Winter.«

»Wie geht's dir sonst, Lars?« Winter sprach leise.

»Gut. Ich hab Ada in die Kinderkrippe gebracht, und das hat was gedauert.«

»Konntest du dich ein bisschen … ausruhen?«

»Ja, und ob. Ich hab ein paar Tage Ruhe gebraucht.«

»Eine Woche. Ist da was, über das wir reden müssen?«

»Wie meinst du das?«

»Gibt's was, das dich besonders bedrückt, bei der Arbeit?«

»Nein, nein.«

Winter atmete tief ein und dachte nach. Er beugte sich vor.

»Hör mal, Lars, ich weiß, dass manches, was wir tun müssen … sehr schwer zu ertragen ist. Da bleiben Erinnerungen, die sind schwer wieder loszuwerden. Und dich hat es schlimmer getroffen als viele andere. Nein, nicht getroffen. Das ist nicht das richtige Wort. Aber … aushalten, du hast mehr aushalten müssen.«

»Trotzdem war ich selber schuld«, sagte Bergenhem.

»Hör doch auf.«

»Aber so war es.«

»HÖR AUF, hab ich gesagt.« Winter senkte die Stimme. »Ich versuche zu sagen, dass wir wie eine Mannschaft funktionieren und geben müssen, was wir können. Was wir können. Hast du das Gefühl, dass du …«

»Zum Teufel, Erik, ich bin ein paar Tage zu Hause geblieben, um mich ein bisschen auszuruhen, und du scheinst mich in ein Pflegeheim abschieben zu wollen. Psychopflege.«

»Hab ich das gesagt?«

»Nein, aber …«

Bergenhem schien einen Punkt oberhalb von Winters Kopf zu fixieren.

»Sieh mich an, Lars.« Er sah Winter an. »Ich wollte dir klarmachen, dass es ganz normal ist. Es ist menschlich. Aber wenn du das Gefühl hast, dass es zu viel ist für dich, dann musst du was machen.«

»Was weißt du denn schon?«

»Wie bitte?«

Bergenhem hatte sich erhoben.

»Du weißt verdammt noch mal nicht alles«, sagte er laut. Winter bemerkte, dass seine Unterlippe anfing zu zittern, schwach. Bergenhem machte einen Versuch, sich wieder zu setzen, blieb jedoch stehen. »Stell dir vor, wenn du …« Er setzte sich. Winter wartete auf die Fortsetzung. Bergenhem schaute auf. »Himmel, Erik, entschuldige. Ich weiß ja, dass dein Vater …«

»Vielleicht hab ich zu viel gesagt.« Winter streckte die Hand aus und legte sie auf Bergenhems Arm. »Du sollst nur wissen, dass du mit mir reden kannst. Ich werde versuchen zuzuhören. Ohne irgendwelche Psychologen reinzuziehen.«

Bergenhem atmete aus. Es war, als hätte er die letzte halbe Stunde die Luft angehalten.

»Ich hab bloß Zoff zu Hause.«

»Mhm.«

»Damit muss man allein fertig werden.«

Arbeit und Privatleben, dachte Winter und sah auf das Kuvert, das zwischen ihnen lag. Damit muss man allein fertig werden. Jetzt geht es um Arbeit. Heute Abend, das ist Privatleben. Heute Nacht. Er hatte Bergenhem etwas anderes fragen wollen, nach Kindern. Wie das war.

Ein andermal.

»Johan war mit der Kassette bei dir«, sagte er stattdessen.

»Setter? Ja, stimmt.«

»Das Zeug hat dir nichts gesagt?«

»Death Metal? Nee danke.«

»Oder Black Metal. Das ist offenbar ein Unterschied.«

»Ich bin nicht sicher, ob ich das überhaupt wissen will.« Bergenhem lächelte zum ersten Mal.

»In diesem Fall ist es nötig«, sagte Winter. »Setter hat heute Morgen gesagt, in der Stadt gibt es einen Vertrieb, der sich mit dem Genre befasst, oder mit den Genres. Der hat auch eine Produktionsfirma. Wenn die nicht wissen, was das ist, dann weiß es keiner, hat Setter gesagt.«

»Ist er da gewesen?«

»Nein, ich dachte, wir beide statten dem mal einen Besuch ab.«

Die Räume lagen in der Kyrkogatan, der Kirchenstraße. Passt ja prima mit Kirche zusammen, dachte Winter, als sie die Treppen hinaufgingen. An den Wänden hingen Plakate mit Teufel- und Satanistenmotiven.

Das Plakat links an der Tür zu Desdemona Productions zeigte eine nackte Frau beim Beten: *Fuck Me Jesus*. Etwas Neues von der Gruppe Marduk. Da war noch mehr: *The Rocking Dildos. Driller Killer. The Unkinds. Ritual Carnage. Necromatia. Dellamorte. Order from Chaos. Angelcorpse.*

Winter verharrte vor dem Namen. *Angelcorpse*. Sie präsentierten stolz eine neue CD: *Exterminate*.

Nach dem dritten Klingeln öffnete ein Mann mit schwarzen langen Haaren und bedrucktem T-Shirt. Auf dem schwarzen Shirt war ein feuergelber Sonnenuntergang über den Bergen, und darüber schwebte ein brennendes Kreuz. Die Botschaft war in den Weltraum geätzt: Eternal Death.

Hier fühlt man sich ja wie zu Hause, dachte Bergenhem. Oder wie bei der Arbeit.

»Ja?«

»Rickard Nordberg?«

»Ja? Sind Sie Wester? Der von der Kripo?« Er sah Bergenhem an. »Zwei Mordfahnder von der Kripo?«

»Winter ist mein Name, und das ist Bergenhem. Dürfen wir reinkommen?« Winter hörte Musik von drinnen, Gitarren, Schlagzeug. Der Sänger schrie etwas von namenlosem Entsetzen. Todespatrouillen richteten am laufenden Band hin.

Rickard Nordberg führte sie hinein.

Die Firma war auf einem Speicher untergebracht. Computer, Papiere, Musikanlagen, in einer Ecke ein paar Gitarren. Überall CD-Stapel, Plakate. Der Speicher war hell und sauber, Dachfenster gaben den Blick auf den blauen Himmel darüber frei, Tageslicht fiel herein. Rickard Nordberg setzte sich hinter einen der Schreibtische. Winter sah, dass er kaum jünger war als er selber. Nordbergs Haare waren taillenlang, ergraut, über dem Scheitel gelichtet. Er trug enge schwarze Jeans und Boots mit Ketten. Er zündete sich eine Zigarette an, schien mit seinem Leben zufrieden zu sein. Hinter ihm hing ein Plakat, das für seine Firma warb. Im Namen der Firma wurden jemandem die Eingeweide herausgeschnitten. Als er sich vorbeugte, um die Asche abzustreifen, sah Winter neben dem Aschenbecher eine Fotografie von zwei kleinen Mädchen. Daneben stand eine gerahmte Karte: *Für den besten Papa der Welt*. Rechts von dem Rahmen lag ein Stapel CDs. Den Text auf der obersten konnte Winter lesen: *Tortura Insomnae*.

»Ziemlich viel Tod hier«, stellte Bergenhem fest.

»Tja, das ist mein Job.« Winter sah etwas in Nordbergs Augen aufblitzen. »Und das Thema ist den Herren vermutlich auch nicht fremd?«

Er sprach in gepflegtem Göteborger Tonfall, der Winter an die Oberschicht von Örgryte denken ließ. Nordberg schien sich rechtzeitig dort abgesetzt zu haben.

»Haben Sie das Band dabei?«, fragte er und wedelte mit der Hand. Ein Mann, der etwa wie er gekleidet und ungefähr im selben Alter war, kam heran, ohne sich vorzustellen. Winter reichte Nordberg das Band, der es in das Kassettendeck steckte. Die Musik begann, und Winter war wieder in dem Zimmer in der Aschebergsgatan.

Nordberg und sein Kollege lauschten aufmerksam.

»Billigproduktion«, sagte Nordberg nach zehn Sekunden.

Der Kollege schüttelte nach einer Minute den Kopf.

»Das hab ich noch nie gehört. Vielleicht aus den USA. Vermutlich. Norwegisch klingt das jedenfalls nicht.«

»Norwegisch?«, fragte Bergenhem.

»Die sind die Größten in Black Metal«, sagte Nordberg.

»Dann ist das also Black Metal?«, fragte Winter.

»Definitiv.«

»Wie kann man das hören?«

»Der Drive, das Tempo. Hören Sie, bei jedem Taktschlag ein Trommelwirbel, mindestens.«

»Und der Gesang«, sagte der Kollege. »Sehr hoch.« Sie lauschten den Schreien, die längst die Grenze zum Falsett überschritten hatten. »Die ist GUT«, sagte der Kollege.

»Finde ich nicht«, sagte Nordberg.

»Wieso ist die gut?« Bergenhem sah den Kollegen an.

»Sie ist sauber und gerade. Grad drauflos. Beeinflusst von den frühen Achtzigern.«

»Das sind die frühen achtziger Jahre?«, fragte Winter.

»Nein. Klingt wie von vor ein paar Jahren. Miese Produktion. Ein bisschen Bathory über dem Ganzen, aber die sind das nicht.«

»Warum ist sie nicht gut?«, fragte Winter und sah diesmal Nordberg an.

»Alles gleich dick, keine Ecken und Kanten. Ich will was mit mehr Melodie.« Er stellte das Band aus und eine CD an. E-Gitarren auf Hochtouren, überall Schlagzeug. Gesang aus der Krypta. »Hören Sie? Das meine ich.«

Bergenhem sah Winter an.

»Ich hör die Melodie«, sagte Winter. »Ein bisschen Clash über dem Ganzen.«

Nordberg schaute ihn mit einem eigentümlichen Blick an.

»Witzig, dass Sie das sagen«, sagte er. »Die Band findet selber, dass sie Clash einiges zu verdanken hat.«

»*London Calling*«, sagte Winter.

»Genau der Song«, sagte Nordberg und reichte ein Zigarettenpäckchen über den Tisch, aber Winter schüttelte den Kopf. Nordberg drehte sich um und stellte das Band wieder an.

»Definitiv nicht Europa«, sagte der Kollege. »Einen Augenblick hab ich gedacht, Schweden, aber ... nee.«

»Schweden ist ganz groß in Black Metal«, sagte Nordberg.

»Wie groß?«, fragte Bergenhem.

»Kommt natürlich darauf an, womit man es vergleicht. Aber das ist ja ein Genre mit beachtlichen Nischen. Sagen wir mal, dass eine große schwedische Band fünfzehntausend CDs verkauft. Dann gibt's ein paar Ausnahmen, bei Firmen wie Music for Nations. Dimu Borgir aus Norwegen und Cradle of Filth aus England. Da schmeißen wir hundertfünfzigtausend auf den Markt.«

»Black Metal?«

»Black Metal.«

»Wer hört die?«

»Na ja, in erster Linie wohl Jungs. Fast nur Jungs. Männer. Normale Leute.«

Normale Leute, dachte Winter. Der nette Nachbar von nebenan.

»Und wie ist es mit … Satanismus?«, fragte er.

»Das ist der Grundstein von Black Metal«, sagte Nordbergs Kollege. »Hat aber mehr mit Teufelsanbetung zu tun.«

»Worin besteht der Unterschied?«

»Die Teufelsanbeter mögen den Teufel, entscheiden sich aber gegen die übrigen Requisiten«, sagte Nordberg in seinem gepflegten Tonfall. »Aber ich bin kein Experte und übe auch keinen Satanismus aus.«

»Das ist also Musik für Teufelsanbeter«, sagte Winter und nickte zur Musikanlage. Ein neues Stück hatte begonnen, genauso intensiv wie das erste.

»Nicht unbedingt«, sagte Nordbergs Kollege. »Nur wenige, die sich so was anhören, sind wirklich Anbeter oder Satanisten. Denen kommt es mehr auf die Verpackung an.«

»Die Verpackung?«

»Den Stil, genauso sehr wie auf die Musik. Die Leute wollen aussehen wie Kiss, nur noch viel krasser.«

»Sverker weiß alles über Kiss.« Nordberg lächelte. »Ich hab Sie noch gar nicht vorgestellt. Die Kripo, Sverker. Sverker, die Kripo.« Er hörte auf, mit der Hand zu wedeln. »Sverker hat eine eigene Plattenfirma. Depression. Meist Oi-Punk. Er weiß alles über Punk. Genau wie Sie«, sagte Nordberg und nickte Winter zu. »Grad heute hat er einen guten Fang gemacht.«

»Slaktmask und Skitsystem«, sagte Sverker schüchtern. »Und Arsedestroyer.«

»Aber die Musik auf dem Band erkennen Sie beide nicht?«, fragte Winter.

»Wir könnten es so machen«, sagte Nordberg, »wir setzen ein Soundfile ins Internet mit einem dieser Stücke. Ich kann behaupten, dass ich irgendwo auf ein unbeschriftetes Band gestoßen bin und neugierig bin, was das eigentlich ist.«

»Was ja auch nicht gelogen ist«, sagte Sverker und strich sich die langen Haarsträhnen aus der Stirn.

»Eine hervorragende Idee«, sagte Winter.

»Er hat Zugang zu mehreren tausend Adressen auf der Welt«, sagte Sverker. »Rundfunk, Plattenfirmen, Privatkunden.«

»Das ist ausgezeichnet. Wann können Sie das hinkriegen?«

»Sobald wir hier fertig sind. Ob wir etwas herausbekommen, ist eine andere Frage.«

Winter kehrte ein letztes Mal in die Wohnung zurück. Alles war unverändert. Die Flecken waren weder größer noch kleiner geworden. Die Musik hing noch in den Zimmern, das schwarze Metall. Und er hatte sie noch in frischer Erinnerung von dem hellen Speicher bei Desdemona Productions.

Die Kollegen von der Spurensicherung waren fertig. Was zu analysieren war, befand sich schon in den Laboratorien, in gekennzeichneten Tüten. Die Wohnung sollte renoviert werden. Neue Leute würden einziehen. Ich bekomme neue Nachbarn, dachte er.

Er wartete auf den Fahrstuhl, der nicht kam. Vielleicht hatte jemand in einem Stockwerk die Tür halb offen stehen lassen. Er ging zu Fuß, und irgendwo ratterte der Fahrstuhl, auf dem Weg nach unten. Wer darin gestanden hatte, war schon gegangen, als er im Erdgeschoss ankam. Die Haustür war schwer und glitt nur langsam zu.

Es war windig, aber der Abend war klar. Winter sah den Rücken eines Mannes, der sich die Straße hinunter entfernte. Vielleicht war es der Mann, der im Fahrstuhl gewesen war. Winter ging nach links. Der Himmel über der Nordstadt war stumpf blau. Winter steckte den Schal in seinen Mantel und schlug den Kragen hoch.

In der Bäckerei gab es noch vier Hörnchen. Er hoffte, dass Angela schon zu Hause war. Er wollte ... ihnen etwas sagen. Er könnte vor ihrem Bauch liegen und ihnen etwas Nettes erzählen.

Eine Frau mit einem Kinderwagen ging vorbei, als er aus der Bäckerei kam. Er machte einen Schritt zur Seite und hatte plötzlich den Wunsch, das Kind anzusehen. Rasch holte er die Frau ein.

Wer lenkte seine Schritte? Er selber.

Er entschuldigte sich, und sie blieb stehen.

»Darf ich mir mal Ihr Kind anschauen?«, fragte er.

»Wie bitte?«

Sie schien eher verwundert, als erschrocken.

»Ich möchte nur eine Sekunde das Kind anschauen.« Er fühlte sich wie ein Idiot, aber er wollte im Augenblick nichts anderes. »Ich bekomme auch ein Kind. Es ist das erste Mal.« Der Kinderwagen war farblos, vom Neonlicht beleuchtet. »Ich werde Papa«, sagte er, als ob er das noch verdeutlichen müsste.

# 24

Sie verfolgten Christian und Louise Valkers Leben zurück.
Von den Kollegen hatten sie in Västerås und Kungsbacka alle verfügbaren Angaben angefordert, aber da fand sich nichts, was auf ein Verbrechen hindeutete. Kirche, Staat und Kommune trugen Informationen bei, doch bis jetzt war noch nichts aufgetaucht, das eine Hilfe sein könnte.

»Vielleicht war es ein Bekannter?«, sagte Ringmar. Sie saßen nach der Morgenbesprechung in seinem Zimmer. Aneta Djanali und Halders waren auch da.

»Er ist nicht in die Wohnung eingebrochen«, sagte Winter. »Vielleicht hat er einen Schlüssel gestohlen oder sich einen nachmachen lassen. Aber es war kein überraschender Besuch.«

»Nein«, sagte Ringmar, »sie hatten ja zusammen gegessen. Und getrunken.«

»Zwei Flaschen Wein«, sagte Winter.

»Und Drinks. Beier sagt, in den Gläsern waren Gin und Tonic.«

»Die von der Spurensicherung sind gut«, sagte Halders, »aber konnte Beier auch die Marke nennen?«

Winter dachte an Tanqueray. Am besten, er kaufte die Weihnachtsflasche noch vor der Ankunft seiner Mutter.

Ringmar sah Halders an.

»Tja, würde uns das helfen?«

»Wenn der Mörder den Alkohol mitgebracht hätte. Wenn er zum Beispiel immer Gordon's trinkt und jemand im Schnapsladen zum Beispiel an der Avenyn erinnert sich an jemanden, der immer Gordon's kauft.«

»Dann müsste er ihn aber schon kistenweise gekauft haben. Und ständig.« Aneta Djanali sah Halders an. »Ehrlich gesagt, kommt mir das ziemlich weit hergeholt vor.«

»Müssen wir nicht so vorgehen?«, sagte Halders.

»Ich werde mal Beier fragen«, sagte Winter. »Alle Details sind wichtig, das wissen wir doch.«

»Was wissen wir noch?« Aneta Djanali sprach niemand direkt an. »Was wissen wir inzwischen von diesen Menschen?«

»Sie hatten nicht gerade einen großen Freundeskreis«, sagte Halders. »Es gab nicht viele, die sich darum kümmerten, ob sie lebten oder starben.«

»Es sind aber Leute auf dem Anrufbeantworter«, sagte Ringmar.

»Eine Versicherung«, sagte Halders, »irgendein Gerangel um eine Altersversicherung. Das ist der einzige Kontakt, den heutzutage viele noch zur Umwelt haben. Versicherungsgesellschaften, die versuchen, den Leuten fürs gebrechliche Alter irgendeinen Vertrag aufzudrängen.«

»Und zwei weitere Anrufe«, sagte Ringmar, der geduldig abgewartet hatte, bis Halders fertig war.

»Wir haben mit denen gesprochen«, sagte Halders. »Den anderen, gestern Abend.«

»Irgendwas stimmt bei denen nicht«, sagte Aneta Djanali.

»Wie meinst du das?«, fragte Winter.

»Aneta hat Recht«, sagte Halders, »irgendwas war ... komisch.«

»Wir haben nicht richtig rausbekommen, warum sie das Ehepaar Valker angerufen haben.«

»Wartet mal«, sagte Winter. »Eins nach dem anderen. Wer hat wen angerufen und in welcher Reihenfolge, bitte.«

»Okay. Ein Paar ungefähr im gleichen Alter wie die Valkers, Per und Erika Elfvegren ... sie wohnen in Järnbrott. Haben in manchen Punkten gewisse Ähnlichkeit mit den Valkers. Keine Kinder, im gleichen Alter, irgendwie auch im Aussehen ähnlich ...« Hastig sah sie die anderen an, als wollte sie sagen: ihrem Aussehen *bevor* ... »Wir haben sie gestern nach fünf besucht. Die Frau hatte nur angerufen, um die Lage zu peilen, wie sie sich ausdrückte.«

»Wie waren sie miteinander bekannt?«, fragte Ringmar.

»Das war es ja … sie haben sich sehr vage ausgedrückt. Sie hätten sich in einem Tanzlokal getroffen, sagten sie, konnten sich aber nicht genau daran erinnern, in welchem. Einmal haben sie bei Valkers zu Mittag gegessen, und Valkers sind einmal bei ihnen gewesen.« Aneta Djanali sah Halders an. »Uns kam das wie eine sehr oberflächliche Bekanntschaft vor.«

»Die wussten rein gar nichts über Valkers«, ergänzte Halders.

»Konnten sie sich erinnern, wo sie waren, als der Mord passierte?«, fragte Winter. Von Pia Erikson hatten sie eine ungefähre Zeit bekommen, ein mögliches Datum.

»Zu Hause«, sagte Halders, »beide waren in ihrem Haus, und der einzige, der das bestätigen kann, ist ihr Fernseher.«

»Mhm.«

»Was stimmt also nicht?«, fragte Ringmar. Er nickte Aneta Djanali zu. »Du hast vorhin gesagt, irgendwas stimmt nicht.«

»Ja … ihr Verhalten, irgendwie. Teils so … desinteressiert, weil sie so wenig über Valkers wussten. Und gleichzeitig hatten sie offenbar Angst.«

»Ist das verwunderlich?«, sagte Ringmar. »Ihre Bekannten sind schließlich ermordet worden.«

»Ja, schon, aber sie verbergen ganz offensichtlich etwas. Etwas, das sie nicht sagen wollen.« Sie sah auf. »Ihr wisst doch, wie das ist. Man merkt, wenn die betreffende Person etwas zurückhält, was man wissen möchte, das er oder sie aber nicht sagen will.«

»Und so war es bei denen.« Halders nickte Aneta Djanali zu. »Ich hätte es nicht besser ausdrücken können.«

»Und bei den anderen war es genauso«, sagte Aneta Djanali. »Wirklich, genauso.«

»Den anderen?«, fragte Winter. »Von denen die andere Nachricht auf dem Anrufbeantworter ist?«

»Ja, diese …« Aneta Djanali sah in ihr Notizbuch. »Martells. Bengt und Siv Martell.«

Bengt und Siv, dachte Winter, wie meine Eltern.

»Nicht mit dem Cognac verwandt«, sagte Halders.

»Ich wusste, dass du das sagen würdest«, sagte Aneta Djanali.

»Und was war mit denen los?«, fragte Ringmar etwas irritiert. »Sie wohnen ... ah ja, in Mölndal.«

»Ja. Man könnte fast ein Pauspapier darüber legen«, sagte Halders. »Es gibt nur ein paar Unterschiede. Erstens, diese Elfvegrens sind kinderlos, aber Siv Martell ist geschieden und hat zwei Kinder im jugendlichen Alter. Sie wohnen beim Vater in Malmö.« Halders sah Aneta Djanali an. »Sogar ich hab gemerkt, dass es ihr schwer fiel, über die Kinder zu sprechen. Es war ... schmerzhaft.«

»Kein geteiltes Sorgerecht?«, fragte Winter.

»Sie hat die Kinder offenbar mehrere Jahre nicht gesehen.«

»Aber ich hatte nicht den Eindruck, dass sie unter Alkoholeinfluss stand«, sagte Aneta Djanali. »Oder gestanden hat.«

Nicht mal Cognac, dachte Halders, sagte es aber nicht.

»Und der andere Unterschied?«, fragte Ringmar.

»Im Gegensatz zu Elfvegrens, die nur ein bisschen Angst hatten, haben die beiden sich fast in die Hosen gemacht«, sagte Halders.

»Es war noch offensichtlicher, dass sie etwas zu verbergen haben«, sagte Aneta Djanali. »Ich weiß ja nicht, ob das mit dem Mord zu tun hat.«

»Alibi?«, fragte Winter.

»Vielleicht«, antwortete Halders. »Zwei Restaurantbesuche und zwei andere ... Treffen, wie sie das ausdrückten. Wir müssen dem nachgehen. Das haben wir bisher noch nicht geschafft.«

»Sie verbergen etwas«, wiederholte Aneta Djanali.

»Ich werde mit ihnen reden«, sagte Winter. »Mit den Martells fange ich an.«

»Besuch sie zu Hause, wenn ich das vorschlagen darf«, sagte Halders. »Sie wirkten so ... unbehaglich in ihrem eigenen Heim.«

»Um auf die Valkers zurückzukommen ... du hast auf der Konferenz gesagt, dass es auf ihren Arbeitsstellen Gerüchte gebe.« Ringmar hatte sich an Aneta Djanali gewandt.

»Gerüchte hab ich wohl nicht gesagt, eher Andeutungen. Niemand wollte richtig etwas sagen.«

»Aber beide waren offenbar an Flirts interessiert?«, bohrte Ringmar nach.

»Ja, so ungefähr. Dem Mann ging da eher das Gerücht nach, er ... träfe andere. Sie flirtete wohl allgemein ganz gern.«

»Da sind also vielleicht andere im Spiel«, sagte Winter. »Wir fangen bei Elfvegrens und Martells an. Oder nehmen sie uns noch mal vor, besser gesagt.«

Winter las seine Notizen. Die anderen waren gegangen. Er spielte die Black-Metal-Kassette mit gedämpfter Lautstärke ab, die Schreie des Sängers waren noch genauso intensiv. Das Telefon klingelte.

»Winter.«

»Sacrament.«

»Wie bitte?«

»Hier ist Rickard Nordberg. Wir glauben, dass wir die Band gefunden haben. Sie heißen Sacrament. Aus Kanada. Sverker hat gar nicht so falsch gelegen.«

»Sind Sie sicher?«

»Schon, ziemlich. Wir haben mehrere voneinander unabhängige Antworten bekommen, wie das so heißt. Zwanzig, glaub ich. Alle behaupten, es sei Sacrament. Hab noch nie von denen gehört. Sverker auch nicht.«

Sacrament, dachte Winter. Taufe, dachte er, oder Abendmahl.

»Einige haben auch Songs oder CD-Titel beigetragen«, sagte Nordberg. »Ich hab die erste Spur auf dem NP3-file gefahren, und die heißt wohl *Evil God*, die CD heißt *Daughter of ...* warten Sie mal ... *Daughter of Habakuk*, ich weiß nicht, wie man das ausspricht.«

»Habakuk? Was ist das?«

»Keine Ahnung. Wenn ich raten soll, würde ich auf eine Bezeichnung des Teufels tippen.«

»Habakuks Tochter«, sagte Winter.

»Vielleicht ist sie nett«, sagte Nordberg und brach in Gelächter aus, das selbstironisch wirkte. »Aber ich glaub es nicht.

Okay. Wir haben dann im Internet gesucht und haben 98 Treffer auf Sacrament bekommen. Von dort sind wir weiter in die Dunkelheit vorgedrungen, und es zeigt sich, dass Sacrament aus Edmonton kommt und schon mal eine CD gemacht hat. Haba... na ja, wie der nun hieß. Und ein Promo.«

»Das ist ausgezeichnet«, sagte Winter.

»4721 Leute finden das jedenfalls«, sagte Nordberg. »Sacrament hat bisher 4721 Besucher auf seiner Homepage gehabt. Das stimmt mit dem überein, was wir gesagt haben, als Sie hier waren. Statistisch hat eine Band ungefähr fünftausend Fans.«

»Die Namen haben Sie nicht vorliegen?«

»Wie bitte? Soll wohl 'n Scherz sein.«

»Was können wir jetzt machen?«, fragte Winter. Ausnahmsweise brauch ich einen Experten, dachte er.

»Tja ... wir könnten versuchen, uns *Daughter* direkt aus Kanada zu bestellen. Oder bei anderen Vertrieben anfragen, jetzt, wo wir den Namen haben. Welche Geschäfte die CD bekommen haben. Oder ob sie in verschiedenen Fanzines inseriert haben. Die laufen außerhalb der Geschäfte. Ich tippe hier mehr auf Fanzines. Das wird 'ne Sisyphusarbeit. Das Problem besteht darin, dass die CD von 1996 ist, aber danach ist soviel herausgekommen, dass es ebenso gut 1896 sein könnte.« Nordberg schnaubte. »Übrigens spricht die Qualität dafür.«

»Können Sie mir dabei helfen?«, fragte Winter.

»Okay. Ich bin ja auch neugierig. Warten Sie mal eben ... Sverker sagt mir grad was.«

Winter wartete, hörte gedämpfte Stimmen im Telefon. Nordberg war wieder am Apparat.

»Ja, genau, wir kriegen ja mehrere Promo-CDs im Jahr herein, und vieles verscherbeln wir an Freunde oder Geschäfte, aber einiges laden wir auch ins Speicherarchiv runter. Das ist mittlerweile riesig. Könnte ja sein, dass da noch was lagert. Es gibt tatsächlich eine gewisse Chance, dass wir diese CD hiergehabt haben. Wir sind ziemlich groß, auch international.«

»Haben Sie Zeit, Ihr Archiv zu überprüfen?«

»Nein.«

»Ich schicke einen Kollegen.«

Es war Abend geworden. Winter ging über Heden nach Hause. Es war immer noch kalt, klar. Auf einem der Schotterplätze spielten zehn alte Männer unter Rufen mit einem weich und dumpf aufschlagendem Ball Fußball. Fußball im November. Warum nicht? In England hatte die Saison ja kaum begonnen. Winter dachte an Steve und hörte jemanden rufen. Er drehte sich um und sah, dass der Ball auf ihn zugerollt kam, nahm ihn von vorn an und schoss ihn zurück. Er hatte noch viel Kraft, zu geben.

Steve war, was Musik anging, starrsinnig. Winter hatte ihm Jazz geschickt, jedoch eingesehen, dass es sinnlos war. Ich bin leichter beeinflussbar als er. Wer sich klassischen Rock anhört, ist konservativ.

Sie hatten schon seit Monaten nicht mehr miteinander gesprochen. Winter hatte erwogen, vor Weihnachten eine Reise nach London zu machen, aber jetzt wusste er nicht mehr so recht. Gern, hatte Angela gesagt, wenn es geht.

Warum sollte es nicht gehen? Das Kind sollte Anfang April kommen. Am ersten, behauptete Angela, und das war kein Scherz. London lockte. *London calling.* Es war schon so lange her.

Winter hörte die dumpfen Geräusche hinter sich, den Jubel, wenn jemand mit dem Ball ins Ziel gestolpert war.

Bei ihrem letzten Telefongespräch hatte Kommissar Steve Macdonald nach dem obligatorischen Sonntagsmatch mit der Pub-Mannschaft in Kent mit Gips dagesessen. Komm ein paar Tage zu uns runter, falls du nach England fährst, hatte er gesagt. Es geht mir ja nicht so sehr um dich, aber ich möchte Angela gern wieder sehen.

Vor drei Jahren hatten sie Steve kurz in Göteborg getroffen, aber seine Frau hatten sie nicht kennen gelernt. Oder seine Zwillinge. Vielleicht sollten sie warten, bis sie zu dritt waren. Anfang April. Zu dritt.


»Was hältst du von Elias?«, fragte Angela mit Tränen in den Augen, als er in die Küche kam.

»Soll ich weitermachen?«, fragte er.

»Ja, bitte.« Sie reichte ihm das Messer und Winter stellte sich vor das Zwiebelschneidebrett.

»Was sagst du? Elias? Oder Isak? Emanuel?«

»Warum nicht Esau?«

»Jetzt bleib mal ernst.«

»Na ja … ein bisschen biblisch … das ist bestimmt nicht verkehrt.«

»Du glaubst ja an einen Gott.«

»Manchmal jedenfalls.«

»Und du hast immer gesagt, dass wir von irgendwoher unsere Kraft holen müssen.«

»Ja.«

»Dann gibt es noch Isabella.«

»Das klingt hübsch.«

»Olivia.«

»Auch schön.«

»Leo.«

Winter blinzelte die Tränen weg. Die Zwiebel war fertig gehackt.

»Tja … ja, vielleicht. Dir scheint nicht mehr übel zu werden.«

»Klar, normalerweise soll es nach der zwölften Woche vorbei sein, und die haben wir reichlich überschritten. Jetzt kommt eine ruhige Periode. Jedenfalls für die Mutter.«

»Wie geht's mit dem Bauch? Mit Elias?«

»Fühl mal«, sagte sie und stand vom Stuhl auf, auf den sie sich gerade gesetzt hatte. »Komm mit.«

Sie ging ins Schlafzimmer, und Winter legte das Messer weg, das er immer noch in der Hand hielt, und folgte ihr. Angela streckte sich auf dem Bett aus und entblößte ihren Bauch, der ein wenig dicker geworden war. Winter setzte sich zu ihr. Es könnte das erste Mal werden. Bisher hatte er noch nichts gefühlt. Alles war so schwer zu begreifen. War es wirklich? Sie fühlte die Bewegungen des Fötus schon seit vier, fünf Wochen. Die Tritte. Winter dachte wieder an die Fußballmannschaft, sah die Jungs von Heden vor sich.

»Leg mal deine Hand dahin.«

Er legte seine Hand auf die Stelle. Er spürte, dass sich etwas bewegte. Es war wirklich.

# 25

Morelius und Bartram hielten bei Rot. Morelius sah aus dem rechten Augenwinkel, dass sich etwas in dem Auto neben ihnen bewegte. Er drehte den Kopf und beobachtete, wie ein älterer Mann hektisch den Sicherheitsgurt anlegte. Bartram sah es auch. Morelius nickte dem Mann freundlich zu. Man muss angeschnallt fahren.

Bartram grinste. »Wenn er still gesessen hätte, hätten wir nichts bemerkt.«

»Nein.«

Bartram sah in die Innenstadt. Auf den Straßen und an den Eingängen zu den Arkaden war die Weihnachtsdekoration aufgetaucht.

»Jetzt fängt das wieder an«, sagte Bartram.

»Was?«

»Dieser ganze Weihnachtszirkus.«

Morelius hielt vor einem Fußgängerüberweg. Eine junge Frau zerrte zwei kleine Kinder über die Straße. Sie nickte ihnen zum Dank zu, und Morelius hob die Hand.

»Stell dir vor, du müsstest solche Zwerge beim Weihnachtseinkauf mitschleppen«, sagte Bartram.

»Denk lieber an dich selbst, wie du dich beim Weihnachtseinkauf rumschleppst«, sagte Morelius.

Bartram antwortete nicht.

»Du scheinst heute nicht zu hören, was ich sage, Greger.«

»Ich höre.«

»Aber du antwortest nicht.«

»Ich mache keine Weihnachtseinkäufe. Ich geh nie ins Zentrum, wenn ich frei habe. Vor allen Dingen nicht bei dieser Hysterie.«

»Aha.«

»Ärgerst du dich nicht über all die großen Fische und anderen Gauner, von denen es hier wimmelt? Da geht einer, nach dem wird bestimmt gefahndet ... da geht der Kerl, und wo ist die Polizei?«

Morelius nickte. Es hing nicht davon ab, ob er im Dienst war. Wenn er die Avenyn entlangging, sah er immer alle Personaleingänge, wo man die Ladendiebe abführte. Er sah die Fassade vor diesem Pub oder der Post, wo alle im Dunkeln pinkelten. Dort wurde dem Jungen die Schulter gebrochen. Dort lief die Frau Amok. Dort wurde er angeschossen. Dort prügelten sie sich ...

»Ich mag Weihnachten nicht«, sagte Bartram.

»Was magst du eigentlich, Greger?«

Bartram antwortete nicht. Er sah geradeaus. Morelius wendete beim Götaplatsen. Die Sonne da oben war kräftig, der Himmel blau. Das Hochdruckwetter hielt sich, das war nicht normal. In den Ecken bei den Treppen lagen noch kleine Schneehaufen. Vor der Stadtbibliothek standen Jugendliche in Pulks herum. Leute, die zu Mittag essen wollten, betraten das Park-Hotel. Zwanzig Taxis warteten in einer Reihe vor dem Hotel. Einige Idioten ließen Ewigkeiten den Motor laufen. Die Abgase standen in einer Wolke um die Autos. Morelius hatte Lust, anzuhalten und sie zur Ordnung zu rufen.

»Wie war's da drinnen?«, fragte Bartram.

»Wie?« Morelius bog hinter dem Hotel rechts ab und hängte sich hinter einen Bus in der Engelbrektsgatan. »Was hast du gesagt?«

»Wie war es in der Wohnung? In der Aschebergsgatan. Der Doppelmord.«

»Das fragst du jetzt?« Sie hatten kaum darüber gesprochen, seit es passiert war. Manchmal ergab es sich so. Er hatte nichts gesagt. Greger hatte draußen im Treppenhaus gestanden. »Was willst du wissen?«

»Wie sah es aus?«

»Wie sah was aus?« Simon schaute nach rechts, Greger an, aber der drehte sich ihm nicht zu. Sie waren unten am Scandinavium. Es kamen keine Funksprüche. Eine Gruppe Hockeyfans zog mit Banderolen für das Match am Abend vorbei. »Meinst du, wie *sie* aussahen?«

Bartram nickte, ohne ihn anzusehen. Morelius sagte nichts mehr. Sie bogen in den Korsvägen ein. Hier bin ich schon achtzehnmillionen Male gefahren, dachte er. Dahinten bin ich einmal mit einem anderen Wagen gefahren. Hier hab ich betrunkene Jugendliche vom Vergnügungspark weggeschleppt, und dann haben ihre Kumpel sie wieder zurückgeschleppt. Im Zeitungskiosk hab ich Zeitungen und Snickers gekauft. Jetzt fahren wir die Eklandagatan hinauf. Ich halte das Steuer. Das Auto läuft geradeaus wie auf Schienen.

»Was ist, Simon?« Bartram hatte sich umgedreht und sah wieder geradeaus. »Mensch, pass doch auf!« Sie rasten geradewegs auf ein Taxi zu, das vor dem *Panorama* hielt. Morelius trat auf die Bremse, und sie kamen einige Millimeter hinter dem Taxi zum Stehen. Der Taxichauffeur starrte sie an. Seine Fahrgäste, die gerade ausstiegen, machten dasselbe. »Schläfst du denn?«

Morelius fuhr rückwärts und ordnete sich wieder in den Verkehr ein. Alles war wie vorher. Die Straße war noch da. Das Auto fuhr geradeaus. Bartram sah ihn an. Morelius bog nach Mossen hinunter ab. Sie hörten einen Funkruf, aber der galt nicht ihnen.

»Die Köpfe waren vertauscht«, sagte Morelius.

»Was?«

»Ihre Köpfe waren vertauscht. Wusstest du das nicht? Das ist zwar nicht offiziell, aber das weiß doch jeder Bulle in der Stadt.«

»Ich nicht. Zu mir hat keiner was gesagt.«

»Er hatte ihren Kopf, und sie hatte seinen.«

»Herr im Himmel.«

»Sie hielten einander bei der Hand.«

Morelius musste sich wieder im Kreisverkehr einordnen. Er kontrollierte genau, ob kein anderes Fahrzeug Vorfahrt hatte. So musste man das machen. Warum fiel das manchen Leuten so schwer? Das verstand er nicht.

Patrik hatte begriffen, dass er etwas unternehmen musste. Er hatte angerufen und war mit jemandem verbunden worden, der Möller oder so ähnlich hieß. Er hatte seinen eigenen Namen nennen müssen.

»Es geht also um diesen … Mord«, hatte er gesagt.

»Wir haben gedacht, wir hätten alle Zeitungsboten verhört«, hatte Möller gesagt, nachdem er sich vorgestellt hatte.

Jetzt saß Patrik vor einem großen Polizisten mit kurz geschnittenen Haaren, der noch ziemlich jung war, und einem etwas älteren. Er fühlte sich wie ein Star. *Important.* Aber so richtig *cool* war das hier nicht. Als er hereingekommen war, hatte ihn der Jüngere angesehen, als ob er aus Glas wäre, geradewegs durch ihn hindurch.

Von dem hatte Maria gesprochen. Er hatte ihn ja in der Straßenbahn gesehen. Die Tussi war hübsch gewesen. Der hier wirkte hart. Teures Hemd. Er sah aus, als spielte er in einem Gangsterfilm mit. Sie hatten »L.A. Confidential« ausgeliehen, weil Maria das Bild auf der Hülle gefallen hatte, und der da hätte in dem Film mitspielen können. Sein Styling.

»Du hast also jemanden aus dem Fahrstuhl steigen sehen?«, fragte Winter.

»Ja.«

»Einen Mann?«

»Ganz sicher.«

»Wie kannst du so sicher sein?«

»Ich hab ihn doch ein bisschen von der Seite gesehen, als er rausging, das Profil.«

»Wie viel vom Profil?«

»Äh … schräg von hinten. Aber genug, um zu erkennen, dass es ein … alter Kerl war.«

»Ein alter Kerl?«, fragte Ringmar. »Wie alt würdest du ihn denn schätzen?«

»Tja … so wie Sie«, sagte Patrik und nickte zu Winter. »Ein etwas … jüngerer alter Kerl.«

»Okay. Was ist passiert? Erzähl von dem Moment an, als du ins Haus kamst.«

Patrik erzählte, genau, wie er es Maria erzählt hatte. Er glaubte nicht, dass er irgendwas hinzugefügt oder weggelassen hatte.

Sie fragten nach Daten, Tagen, Uhrzeiten.

»Und jetzt die Kleidung«, sagte Winter. »Der Mantel. Lang, kurz?«

»Eher länger als kurz, äh …«

»Bis über die Knie?«

»Ich glaube.«

»Und weiter?«

»Wie?«

»Was hast du außer dem Mantel gesehen?«

»Das ist es ja, da war noch was … an das kann ich mich nicht erinnern. Ich hab wirklich viel darüber nachgedacht. Irgendwas anderes.«

»Wie anders?«

»Das hatte mit dem Mantel zu tun.«

»Die Haare?«

»Über die Haare kann ich nichts Näheres sagen. Ehe ich die Haare sehen konnte, war er schon auf dem Weg durch die Haustür. Ich weiß nichts über die Haare. Nicht die Farbe oder so.«

»Wäre dir aufgefallen, wenn sie lang gewesen wären?«, fragte Winter.

»Tja … vielleicht.« Er kratzte sich an der Wange. »Ich glaube, ja.«

»War er groß?«

»Normal.«

»Normal?«

»Es war kein Zwerg oder so. Auch kein Zweimeter-Mann. Aber ich hab ein Stück die Treppe rauf gestanden … und das Licht war schlecht.« Er schaute zur Decke. Es war eine andere Decke gewesen. Er sah die Lampe vor sich. Sie war …

»Genau! Das Licht war schwächer als normal. Daran hab ich in dem Augenblick gedacht, und jetzt fällt es mir ein. Eine von den Glühlampen muss kaputt gewesen sein. Am nächsten Tag war das Licht wieder in Ordnung.«

»Das Licht war wieder heller?«

»Ja. Der Hausmeister muss die Glühlampe ausgetauscht haben.«

»Wann hat er das gemacht?«, fragte Ringmar. »Wann hätte er das tun sollen?«

»An dem Tag, am selben Tag. Ich bin ziemlich sicher, dass das Licht nur an einem Morgen schwächer war.«

»Du bist ziemlich sicher?«

»Ja … ziemlich … eh … sicher.«

»Okay.«

»Sie müssen mit dem Hausmeister reden«, sagte Patrik.

»Das werden wir«, sagte Winter. Vielleicht bemerkte er ein kleines Lächeln bei Ringmar. »Danke. Aber zurück zu der Kleidung. Wenn es nicht der Mantel war … was war mit der Hose? War an der Hose etwas, das dir auffällig vorkam?«

»Mir fällt im Augenblick nichts ein. Aber da war etwas, das ich … na ja, registriert hab. Ich weiß nicht, wie ich das ausdrücken soll.«

»Lass dir Zeit, Patrik.«

»Ich glaub, das fällt mir jetzt nicht ein.«

»Du darfst auch gern zu Hause darüber nachdenken.«

»Klar.«

»Wo wohnst du, Patrik?«, fragte Winter.

»Wie?«

»Da du um den Vasaplatsen herum Zeitungen austrägst, wohnst du vielleicht in der Nähe?«

»Kastellgatan. Ich wohne mit meinem Vater in der Kastellgatan. Das ist auf der anderen Seite von Haga.«

»Okay. Glaubst du, du würdest ihn wieder erkennen, wenn du ihn siehst?«

Patrik zuckte mit den Schultern.

»Da war's ja so schummrig … und dann von hinten. Ich weiß nicht.«

»Und es war niemand, den du schon mal gesehen hattest?«

»Wie meinen Sie das? Den ich schon mal … im Treppenhaus gesehen habe?«

»Da können wir anfangen. Den du schon mal im Treppenhaus gesehen hast, als du Zeitungen ausgetragen hast.«

»Soweit ich mich erinnere, nicht. Es ist nämlich so, dass ich in dem Haus fast nie jemanden sehe.«

»Mhm. Vielleicht werden wir dich bitten, uns zu helfen, die Leute zu überprüfen, die dort wohnen. Damit wir herausbekommen, ob es jemand von ihnen war.«

»Aha ...«

»Dann ist da noch die Frage, ob du ihn vielleicht schon mal irgendwo anderes gesehen hast. An irgendeinem anderen Ort, bei einer anderen Gelegenheit.«

»Ja, ich verstehe.«

»Denk drüber nach.«

Patrik dachte bereits nach. Er dachte und dachte. Er sah den Beamten an, der die Fragen stellte. Der Ältere sah aus, als würde er schlafen, aber plötzlich drehte er den Kopf und guckte aus dem Fenster, vor dem nackte Zweige im Wind schaukelten. Der Kerl hatte das Profil ... Schei... es war wie das Prof...

»Es könnte das Profil gewesen sein«, sagte Patrik.

»Was sagst du?«

»Das Profil«, sagte Patrik, »das mir irgendwie bekannt vorkam. Es könnte das Profil sein, das ich ... vielleicht erkannte. Das ich schon mal gesehen hatte. Den Kopf.«

»Du kommst ständig weiter, Patrik.« Der Jüngere lächelte. »Während wir hier sitzen, sind dir schon mehrere Sachen eingefallen.«

»Aber jetzt ist irgendwo Stopp.«

»Vielleicht«, sagte Winter. »Aber denk zu Hause weiter nach, wie ich schon gesagt habe.«

»Mach ich.«

»Noch was«, sagte Ringmar. »Hast du nicht die Musik aus der Wohnung gehört, wenn du die Zeitung eingeworfen hast?«

»Klar, das hab ich dem Hausmeister doch gesagt.«

»Was sagst du da?!«, fragte Winter.

»Ich hab ihm das gesagt, mit diesem Metal.«

Winter sah Ringmar an, der eine vage ergebene Geste machte. Sie hatten noch keinen Bericht bekommen. Waren nicht alle Zeitungsboten verhört worden?

»Hast du sie über einen längeren Zeitraum gehört?«, fragte Winter. »Wenn du die Zeitungen eingeworfen hast?«

»Einige Tage. Ich weiß nicht genau, wie viele.« Patrik sah Winter an. »Da muss ich erst mal nachdenken.«

»Hast du sie erkannt?«, fuhr Winter fort. »Die Musik?«

»Nicht direkt. Der Sound verändert sich ja durch den Flur und den Briefschlitz und all den Scheiß, sozusagen.«

»Du sagst ›nicht direkt‹. Was meinst du damit?«

»Das ist wahrscheinlich Death Metal, oder Black. Aber das ist nicht mein Ding.«

»Wir glauben, es könnte eine Gruppe aus Kanada sein. Sie heißt Sacrament«, sagte Winter. »Kennst du die?«

»Sacrament? *Never heard of.*«

»*Daughter of Habakuk.* So heißt die CD. Kommt dir das bekannt vor?«

»Nein, aber ich hab ein paar Kumpels, das sind Metaller, irgendwie. Oder sie sind es gewesen, in der Oberstufe. Im letzten Jahr. Die gehen jetzt auf eine andere Schule und, tja ...«

»Ist das ihr ... Ding?«

»Könnte sein. Ich weiß nicht, ob gerade Black Metal, aber auf jeden Fall beschäftigen sie sich mit Metal. Einer spielt übrigens in einer Band Schlagzeug.« Patrik trank zum ersten Mal ein wenig von dem Wasser, das in einem Glas vor ihm stand. Plötzlich war er furchtbar durstig. Er redete zu viel. Er wusste auch nicht, warum. Es war wie ein Zwang. »Soll ich sie mal fragen? Wie hieß die Band noch? Sacrament, nicht?«

# 26

»Warum hat der Hausmeister das zurückgehalten?«, fragte Winter.

»Ob es denn stimmt?«, sagte Ringmar.

»Dass der Junge die Musik als Erster gehört hat? Ich glaube, ja.«

»Manche wollen sich eben wichtig machen. Der Alte hat vielleicht mit einer Belohnung gerechnet.«

»Ich frage mich, ob er uns noch mehr vorenthalten hat.«

»Guter Gedanke.«

»Wir müssen ihn noch mal verhören«, sagte Winter.

»Der Junge wirkt aufgeweckt«, sagte Ringmar.

»Der weiß etwas, was uns weiterhelfen kann.«

»Glaubst du?«

»Ich bin sicher. Wenn es in seinem Gehirn auftaucht, wird es uns helfen.« Winter zündete sich einen Zigarillo an und blinzelte durch den Rauch. Er nahm noch einen Zug, blies den Rauch aus und blinzelte wieder. »Ich hab an die Schrift an der Wand gedacht. Du kennst vielleicht den Ausdruck ›Die Schrift an der Wand‹ ... *the writing on the wall.*«

»*I know.*«

»Und das bedeutet wohl ungefähr, dass man das Offensichtliche nicht übersehen kann. Es ist für den da, der verstehen will. Die Schrift an der Wand. Ist es eine Art doppelte Botschaft, die wir da bekommen haben? Oder eher ein Subtext. Will die Schrift uns sagen, dass wir die Antwort vielleicht ... direkt vor der Nase haben? Einen Teil der Antwort. Ich weiß nicht. Aber vielleicht bedeutet das Wort ›Wall‹ nichts weiter, sagt uns nur, dass die Schrift an der Wand steht. Das Wort an sich ist nicht das Wesentliche, es ist vielleicht ... mehr wie ein Pfeil, der in eine andere Richtung zeigt. Kannst du mir folgen, Bertil?«

»Ich weiß nicht. Red weiter.«

»Also brauchen wir nicht weiter über die Mitteilung an sich nachzugrübeln, sondern mehr über die Tatsache, dass sie an die Wand geschrieben wurde. Dass sie da ist.«

»Die Lösung ist näher, als wir glauben?«

»Ja. In unserer Nähe befindet sich etwas, das wir nicht sehen können.«

Ringmar strich sich über Augen und Stirn. Er sah die Wand in der Wohnung vor sich, roter Text auf weißem Grund. Wie eine Überschrift.

»Ich hab es mir auch schon als eine Art Überschrift gedacht«, sagte er und nahm die Hand vom Gesicht. »Überschrift im Sinn von Ankündigung von etwas, das passieren wird. Das Wichtigste ist, was passieren wird.«

»Mhm.«

»Weißt du, dass das schwedische Wort für Überschrift, Rubrik, lateinischen Ursprungs ist? Es kommt von ›Rubrica‹, und das heißt ›rote Farbe‹.«

»Nein. Stimmt das?«

»Das hat Jonas mir am Wochenende erzählt. Er hat mich gefragt, ob ich wüsste, was ›Rubrik‹ eigentlich bedeutet, und dann hat er es mir erklärt.«

»Studiert er Publizistik?«

»Das erste Semester an der Fachhochschule für Publizistik«, sagte Ringmar, und seine Stimme klang stolz.

»Der Apfel fällt wahrhaftig nicht weit vom Stamm«, sagte Winter. »Gibt's da noch was über den Ursprung des Wortes?«

»Rubrica, also. Im Römischen Reich wurden die Beschlüsse des Senats durch Gipstafeln verkündet, die an öffentlichen Plätzen aufgehängt wurden«, dozierte Ringmar, als ob er am Katheder stände. »Die Tafeln hießen Acta Senatus und hatten rote Überschriften.«

»Hast du überlegt, ob da ein Zusammenhang besteht?«

Ringmar breitete die Arme aus. »War nur so ein Gedanke.«

»Der Mörder soll sich mit den Besonderheiten von lateinischen Überschriften auskennen? Sollen wir an der Fachhochschule für Publizistik suchen? Oder ist es ein Journalist? Ich hab nichts dagegen.«

»Es war wirklich nur ein Gedanke.«

»Interessant«, sagte Winter. Er nahm einen weiteren Zug von seinem Zigarillo, studierte wieder den Rauch. Vielleicht war es eines der letzten Male. Es gab wahrhaftig Grund zum Aufhören, vor dem ersten April. Die guten, aber starken Gerüche mussten ausgelüftet werden, aus der Wohnung und der Kleidung. »Aber hiermit kommen wir nicht weiter. Noch nicht. Vielleicht bedeutet es auch überhaupt nichts.«

»Wie meinst du das?«

»Vielleicht hat er nur irgendwas hingeschrieben. Vielleicht die Eingebung eines Augenblicks. Vielleicht nur, um uns in die Irre zu führen.«

»Bewusste Desinformation? Ja, das wäre das Schlimmste. Dann gibt es gar nichts mehr, wo wir suchen können.«

»Nein.«

»Das wäre wirklich das übelste Szenario«, sagte Ringmar. »Es könnte bedeuten, dass es überhaupt keine Botschaft, kein Hilferuf ist, sondern dass wir es mit jemandem zu tun haben, der seine Tat genießt.«

»Ja. Wenn die Botschaft kein Hilferuf ist, sind wir verloren.«

»Wir werden mit dem hier kaum allein fertig«, sagte Ringmar, sah Winter jedoch nicht an.

»Du hast Recht. Hier handelt es sich nicht um einen Serienmörder. Vielleicht ist es ein Psychopath, aber ich bin nicht sicher. Vermutlich kein Psychopath. Irgendwie anders verrückt. Und kein Serienmörder.«

»Es ist also etwas … Persönliches.«

»Ich weiß ja nicht. Aber ich glaube, die Antwort finden wir in der Vergangenheit der Ermordeten. In beider, oder in ihrer, oder in seiner. Ja. In diesem Sinn persönlich.«

Ringmar seufzte hörbar.

»Wir können doch nicht jedes Blatt Papier und jede Erinnerung in Västerås und Kungsbacka umdrehen.«

»Wir sind ja nicht ganz allein. Es gibt Kollegen.«

»Es dauert ewig, wenn man den Weg von Menschen um Jahre zurückverfolgen will. Alle Beziehungen, die sie seit ihrer Geburt gehabt haben. Jede könnte ja entscheidend sein. Jede beliebige Person, die ihnen begegnet ist, könnte die sein, die wir suchen. Jede.«

»Wir müssen natürlich auswählen. Eliminieren.«

»Die Ermittlung ist schon eingeleitet worden«, sagte Ringmar ohne Lächeln.

»Vielleicht ist es auch in der Weise persönlich, dass die Ermordeten ... Stellvertreter für andere sind«, sagte Winter. »Symbole. Vielleicht Statisten. Sie stehen für irgendwas. Der Lebensstil. Oder irgendetwas Banales wie ihr Aussehen.«

»Denkst du an die Köpfe?«

»Nein, nicht in diesem Zusammenhang. Aber auch das ist natürlich eine unerhörte ... Botschaft. Vielleicht. Ein Symbol für etwas. Darüber wage ich nicht weiter zu spekulieren. Wie gesagt, wir brauchen Hilfe.«

Patrik saß in seinem Zimmer mit den Kopfhörern im Ohr und hörte nicht, wie sein Vater hereinkam und ihm die Hörer abriss. Die Musik zischte wie eine Schlange aus den Ohrstöpseln, ringelte sich auf dem Fußboden zwischen den Leitungen.

»Ich schrei schon seit Stunden nach dir!«

»Ich hab's nicht gehört.«

»Klar, wenn du dir diesen Scheiß anhörst.«

Patrik nahm den Geruch nach Alkohol wahr und registierte, wie der Vater mit einem unsicheren Schritt vom Bett zurücktrat. Dann überlegte er es sich anders und ließ sich schwer aufs Bett fallen.

»Was willst du?« Patrik streckte sich nach den Ohrstöpseln. Sie lagen zu weit entfernt, er stand auf, um sie aufzuheben, doch der Vater packte ihn am Arm.

»Die lässt du jetzt da liegen. Ich muss mit dir reden.«

»Über was?«

»Warte, ich muss nur noch etwas ... erledigen.«

Der Vater stand auf und verließ das Zimmer. Patrik hörte deutlich, wie ein Flaschenverschluss aufgeschraubt wurde. Der

Vater kam zurück. Der Geruch nach Schnaps war stark, stärker als vorher. Er setzte sich wieder aufs Bett.

»Sie zieht hier ein«, sagte er.

»Was?«

Der Vater sah ihn an. In seinem einen Auge waren zwei Äderchen geplatzt, es war deutlich zu sehen, wenn er zur Seite schaute.

»Ulla, du weißt doch. Mit der ich schon eine Weile … zusammen bin.«

Patrik wusste, wer Ulla war. Er hatte sie zweimal gesehen, und das waren zweimal zu viel gewesen. Das eine Mal hatte sein Vater sie über die Schwelle geschleift, und das zweite Mal war es umgekehrt gewesen, es war allerdings jedes Mal schwer zu erkennen gewesen, wer wen schleifte. Ulla. Sie war zu ihm gekommen und hatte sich über ihn geneigt, als sie das zweite Mal da gewesen war, als der Vater auf dem Sofa gelegen und wie ein Wildschwein geschnarcht hatte, wo sie ihn abgelegt hatte, und er hatte gedacht, er müsse kotzen, als sie sich über ihn beugte. Sie hatte etwas genuschelt, aber er war unter ihr hervorgekrochen, und sie war in seinem Bett eingepennt.

Jetzt sollte sie hier einziehen. *Fucking great.* Er hatte schon seinen Vater am Hals, und jetzt würde es doppelt gemütlich werden.

»Die soll hier einziehen? Das geht doch nicht.«

»Geht nicht? Hab ich richtig gehört?« Der Vater richtete sich schwankend auf. »Warum sollte meine Verlobte hier nicht einziehen dürfen?«

»Wir haben doch nur zwei Zimmer. Ich wohn … doch auch hier.«

»Man kann größere Wohnungen kriegen.«

Bestimmt. Wer wollte sie schon als Mieter haben?

»Aber wir haben nur ein Sofa.«

Der Vater schlief auf der Bettcouch im Wohnzimmer.

»Das kannst du haben«, sagte er.

»Was?«

»Wir brauchen dein Zimmer. Verdammt noch mal, das gehört dir nicht. Wir brauchen dieses Zimmer. Du bist ja sowieso selten zu Hause, da reicht das Sofa.«

Patrik fühlte, wie ihm der Schweiß ausbrach. Er sah auf seine Plattensammlung, die Zeitungen, die Plakate.

»Ich soll … aus diesem Zimmer raus?«

»Sie zieht morgen ein.« Der Vater wandte sich zur Tür. »Es bleibt also dabei.« Er verließ das Zimmer, und Patrik hörte, wie er den Flaschenverschluss wieder abschraubte.

Früher konnte er die Tür hinter sich zumachen, wenn es losging. Wohin sollte er sich jetzt zurückziehen, wenn er zu Hause sein musste?

Er brauchte ja nicht zu Hause zu sein. Er wusste natürlich nicht, wo er hin sollte, aber er brauchte nicht nach Hause zu gehen. Er sah wieder auf seine Platten. Könnte Maria sie nehmen? Könnte er sich dort einmieten, mal vorübergehend? Er lachte, um nicht zu weinen.

Angela schüttelte sich die Stiefel von den Füßen und setzte Teewasser auf. Die Sonne wurde von den Fenstern des gegenüberliegenden Hauses reflektiert und schien in die Wohnung. Das Licht da draußen war stark, stärker als in irgendeinem Winter, an den sie sich erinnern konnte. Es war Winter.

Sie spürte eine Bewegung im Bauch und noch eine. Sie saß in der Küche, sah sich um. Alles, was sich in diesen Räumen befand, war ihrs geworden. Das war ein gutes Gefühl. Sie hatte einiges von ihren Sachen mitgenommen, und Winters Junggesellenwohnung hatte sich langsam verändert. Aber so konnte man die Wohnung nicht mehr nennen. Sie war jetzt ein Teil ihres Lebens.

Wir müssen neu tapezieren und da drinnen einiges verändern, dachte sie, oder wir ziehen in das Haus am Meer. Feste im Garten, unter den Sonnenschirmen. Kinderstimmen, im Gras ein Durcheinander von Kinderspielzeug. Erik mit der Kochmütze hinterm Grill, mit der Sonne um die Wette lächelnd.

Das Telefon klingelte. Sie erhob sich schwerfällig und ging zur Anrichte.

»Hallo?« Keine Antwort. Sie sah auf die Küchenuhr über der Tür, Viertel nach fünf. »Hallo?« Die Leitung war jetzt frei. Falsch gewählt, dachte sie.

# DEZEMBER

# 27

Es war wie in seiner Kindheit. Sonne in den Augen. Und Gerüche in der Nase, die sich bis lange in den Abend hielten. Man nahm sie noch in den Kleidern wahr, wenn man im Haus saß. Es hatte ein wenig nach Rauch gerochen und nach viel Schnee. Wie roch Schnee?

Er bückte sich und nahm eine Hand voll Schnee, der überall lag. Die Sonne traf auf den Schnee und verwandelte ihn in leuchtendes Pulver, und er roch daran. Er überlegte, wie er roch. Er roch wie eine Erinnerung, die er nicht wieder fand. Genauso war es. Eine Erinnerung an etwas Schönes.

Er schob die Erinnerung beiseite, und sie löste sich in Luft auf. Er ging in den Schatten der Häuser, und die Sonne war verschwunden.

Der Schnee war eine Mauer, die sich fast den ganzen Weg bis zur Straßenkreuzung hinzog. Das Geschäft lag an der Ecke. Mini Livs, so hieß es. Der Laden hatte seinen Namen geändert, aber er wusste ja, wie er früher geheißen hatte. Hatte er das vielleicht beschrieben? Jedenfalls hatte er gesagt, wie das Geschäft früher geheißen hatte. Nicht direkt, aber schließlich konnte er nicht alles erzählen, oder? Nicht jetzt.

Dort drinnen kannte man ihn. Das glaubte er jedenfalls. Dort hatte er seine Pflicht getan. Seine P-f-l-i-c-h-t. Er war ihr Freund, und er hatte gemerkt, dass sie ihn auf besondere Weise angeschaut hatte, aber er glaubte nicht, auf *diese bestimmte* Art. Er war ja nur ein Freund.

Einmal war er drauf und dran gewesen, es zu sagen. Ich bin nur ein Freund.

Ich bin nur jemand, der da ist. Nur jemand, der da war. Zur rechten Zeit am rechten Ort. Aber so war es ja gar nicht. Er war zur falschen Zeit dort gewesen. Oder galt das eher *dem anderen*, um ganz korrekt zu sein. Korrekt sein. G-a-n-z-k-o-r-r-e-k-t.

Kinder spielten auf dem Spielplatz zwischen den Häusern und der Straße, wo er wohnte. Viele Kinder. Jetzt konnten sie mit Schnee spielen. Der Schnee war nicht fest, er sah nirgends Schneemänner oder Schneelaternen. Er hob wieder eine Hand voll auf und versuchte, ihn zu einem Ball zu formen, aber es ging nicht. Die Kinder wussten, wann man ihn benutzen konnte, für Schneebälle oder für etwas anderes.

Die Eisbahn hatten sie auch schon geflutet. Fast wünschte er, er hätte noch seine Schlittschuhe. Aber was hätte das genützt? Seine Füße waren jetzt doppelt so groß wie damals, oder?

Der Weg war freigeschaufelt, aber das hätte besser gemacht werden können. Die Häuser sahen schäbig aus. Das ganze wirkte wie ein entvölkertes Dorf mitten in der Stadt. Entvölkerung mitten in der Stadt! Im Lebensmittelladen lichteten sich die Regale täglich. Sie brüsteten sich damit, dass sie persönliche Bedienung an der Fleischtheke hatten, aber er hatte noch nie jemanden dahinter gesehen. Noch nie. Oft war er nicht dort gewesen, aber trotzdem.

Ein Auto fuhr vorbei, und er musste sich auf den Schneewall stellen. Hier war der Schnee schmutzig. Er mochte ihn nicht berühren. Er stieg vom Wall herunter, und bald war es Zeit, nach Hause zu gehen, etwas zu essen und dann zur Arbeit. Es würde ein langer Abend werden, und er würde nach Hause kommen und sich nicht ins Bett legen können, er würde vorm Fernseher sitzen und Videos anschauen.

Plötzlich stand er vor dem Laden, ohne dass er gemerkt hatte, wie er dorthin gelangt war. Er hatte die Videos unterm Arm. Zwei Plakate vor dem Laden warben für Filme, aber er blieb nicht stehen, da er wusste, welchen Film er haben wollte.

Es war jemand anders hinterm Tresen gewesen, den hatte er noch nie gesehen. Er sagte nichts, als er für die Filme bezahlte.

Jetzt überquerte er die Straße. Er schaute zu den Hochhäusern, die wie Bauklötze in einer Reihe lagen.

Heute Abend würde er an den Hochhäusern unten in der Stadt vorbeifahren.

An einem Morgen hatte er draußen gewartet und gesehen, wie sie in die Straßenbahn stieg. Er war ihr gefolgt, obwohl er wusste, wohin sie fuhr. Trotzdem wollte er sehen, wie sie aus der Straßenbahn stieg und dann unter den Tausenden von Leuten verschwand, die durch die Türen des Krankenhauses gingen, hinaus und hinein.

# 28

Winter bog ab. Er fuhr an den vier siebenstöckigen Häusern rechts vorbei, wendete auf der Kreuzung und stellte sein Auto auf dem Parkplatz gegenüber den Betonklötzen ab, die mit den Initialen HSB geschmückt waren. Bauklötze, dachte er.

Die Häuser schienen in gutem Zustand zu sein. Der Eingang hatte einen Überbau, und der Boden war mit Steinplatten gefliest. Ein Patio.

Bengt Martell meldete sich an der Gegensprechanlage, und Winter ging hinein. Der Aufgang war hübsch, in milden Pastellfarben gestrichen, die noch nicht mit Graffiti verschmiert waren. Vielleicht gab es hier keine Jugendlichen. Draußen hatte Winter nicht einen einzigen Menschen gesehen.

Der Mann öffnete. Im Flur roch es nach Kaffee. Die Sonne schien in die Wohnung, die wahrscheinlich Fenster in verschiedene Himmelsrichtungen hatte. Der Mann war ein wenig kleiner als Winter, ungefähr im selben Alter, trug eine graue Hose und einen Cardigan, der grün sein mochte. Er streckte die Hand aus.

»Martell.«

»Winter.«

»Meine Frau ist gerade unten und kauft etwas zum Kaffee.«

Er führte Winter in die Wohnung. Winter sah den Himmel durch das Fenster und die Straßen da unten. Während der Minuten, seit er das Haus betreten hatte und mit dem Fahrstuhl nach oben gefahren war, waren mehr Wolken aufgezogen.

»Setzen Sie sich doch bitte.« Martell putzte sich die Nase. Schon zum zweiten Mal. Es klang nicht so, als ob es nötig wäre. Vielleicht brauchte er eine Beschäftigung für seine Hände. In der Wohnung roch es nicht nach Rauch. Er sollte etwas anderes mit seinen Händen tun, dachte Winter.

Die Wohnungstür wurde geöffnet, und Winter schaute zum Flur.

»Das ist meine Frau«, sagte Martell, als ob er seinen Gast beruhigen müsste.

Eine Frau kam ins Zimmer. Sie war groß, vielleicht genauso groß wie ihr Mann. Ihre Haare waren kurz geschnitten, und sie sah sonnengebräunt aus. Sie trug einen langen braunen Rock und ein weites Polohemd. In der rechten Hand trug sie eine Papiertüte, die sie in die linke wechselte, als sie Winter begrüßte. Dann ging sie in die Küche, die Winter durch die halb geöffnete Tür sah.

»Ja«, sagte der Mann, der aufgestanden war, als seine Frau hereinkam, und sich jetzt wieder gesetzt hatte, »eine schreckliche Sache.«

Winter nickte und setzte sich ebenfalls wieder. Die Frau brachte ein Tablett mit Kaffeetassen, Kaffeekanne und Kopenhagenern. Sie verteilte die Tassen und fragte Winter, ob er Milch oder Sahne im Kaffee haben wollte. Er wollte keins von beidem und wartete, bis sie eingeschenkt hatte. Der Mann putzte sich wieder die Nase. Die Frau hob ihre Tasse, ihre Hand zitterte. Sie nahm sie mit beiden Händen und stellte sie wieder ab, ohne getrunken zu haben.

»Wann haben Sie die Valkers zuletzt getroffen?«, fragte Winter.

Das Ehepaar Martell sah sich an.

»Haben wir das nicht den Polizisten schon gesagt, die hier waren?«, fragte Bengt Martell.

Winter warf einen Blick in sein Notizbuch, das er aus der Innentasche seines Sakkos genommen hatte.

»Es war ein bisschen unklar. Es wäre schön, wenn Sie Ihre Angaben noch mal wiederholen könnten.«

»Es ist schon einige Monate her«, antwortete Siv Martell. »Sie waren ... auf eine Tasse Kaffee hier.« Sie schaute auf den gedeckten Tisch, als wäre das die Bestätigung, dass sie die Wahrheit sagte.

»Vor zwei Monaten«, las Winter aus seinem Noitzbuch ab. »Stimmt das?«

»Wenn wir es gesagt haben, wird es wohl stimmen.« Bengt Martell sah Winter an. »An so was kann man sich nicht genau erinnern.« Er putzte sich wieder die Nase und schaute sich dann um, als suche er nach einem Platz, wo er das Taschentuch ablegen konnte.

Unbehaglich, dachte Winter. Sie scheinen sich in ihrem eigenen Heim unbehaglich zu fühlen, hatte Halders gesagt. Machen sich vor Angst in die Hosen, das hatte er auch gesagt. Aber so wirkten sie jetzt nicht. Vielleicht war es unter der Oberfläche so.

»Wir haben es nicht im Kalender notiert«, sagte Siv Martell. Jetzt hatte sie von ihrem Kaffee getrunken, einen schnellen Schluck. »Das tun wir selten.«

»Und Sie waren also nie bei Valkers zu Hause?«, fragte Winter.

»Nie«, antwortete Bengt Martell.

»Warum nicht?«

Martell sah seine Frau an, und sie schaute aus einem der Fenster.

»Wie bitte? Warum wir uns nicht bei ihnen zu Hause getroffen haben?« Er sah Winter wieder an. »Spielt das eine Rolle?«

»Alle Fakten sind wichtig für uns«, sagte Winter. »Details. Alles, was irgendjemand bemerkt hat.« Er beugte sich vor, nahm die Tasse und trank von dem Kaffee, der ein bisschen lau geworden war. »Wir hatten bis jetzt noch keine Möglichkeit, mit jemandem zu reden, der … bei Valkers zu Hause war.«

Elfvegrens erwähnte er nicht. Per und Erika Elfvegren.

»Wir waren jedenfalls nicht dort.«

»Hat das nie zur Diskussion gestanden?«

»Tja … Sie müssen wissen, so gut kannten wir einander nicht.« Bengt Martell beugte sich vor. »Wir haben uns ein paar Mal getroffen, und das war alles.«

»Aber Sie haben bei Valkers angerufen.« Winter schaute auf. »Sie haben auf den Anrufbeantworter gesprochen.«

»Ja …«, antwortete Bengt Martell. »Daher kam die Polizei doch auf uns zu.«

»Wir wollten einen Restaurantbesuch vorschlagen«, sagte Siv Martell.

»Sie haben sich offenbar in einem Restaurant kennen gelernt?«

»Ja. Einem … Tanzlokal. Ich weiß nicht, ob wir das schon erzählt haben, als die Polizisten hier waren. *King Creole* unten in der Nordstan, oder ist das schon Femman?«

»Gehen Sie oft dorthin?«

»Fast nie«, antwortete Bengt Martell.

Ihr habt euch an einem Ort kennen gelernt, wo ihr eigentlich nie hingeht, und ihr habt euch nie getroffen, dachte Winter. Und trotzdem wolltet ihr eure Bekanntschaft am Leben erhalten.

»Haben Sie sich zusammen mit anderen getroffen?«

»Wie meinen Sie das?«

»Auf irgendeiner Veranstaltung mit anderen?«

»Mit welchen anderen? Mehr als wir vier?«

»Ja.«

»Nie«, sagte Bengt Martell.

»Sie kannten keine Bekannten vom Ehepaar Valker?«

»Gar keine.«

»Sie haben auch keine in diesem Tanzlokal kennen gelernt?«

»Nein.«

»Mehr Kaffee?« Siv Martell hob die Kaffeekanne hoch.

»Nein, danke.« Winter sah wieder in seinen Notizblock. Mit diesen Leuten kam er nicht weiter. Die Frage war, ob er noch sitzen bleiben sollte. Vielleicht waren Martells einsam und hatten flüchtig Bekanntschaft mit Valkers geschlossen, vielleicht hätte es mehr werden können.

Vielleicht … hatten sie Angst … aber gleichzeitig waren sie desinteressiert. Sie schienen alles zu tun, um nicht an die Valkers denken zu müssen. Sie waren höflich, aber unwillig. Es könnte eine Art verzögerter Schock sein. Aber auch etwas anderes, etwas, das im Hintergrund lag. Ein gemeinsames Erlebnis. Ein Ereignis. Irgendetwas.

»Was ist eigentlich passiert?«, fragte Bengt Martell plötzlich. Seine Frau erhob sich und ging in die Küche.

»Wie bitte?«

»Was ist eigentlich mit den beiden passiert?«, wiederholte Martell. »Mit Christian und Louise. Es hat ja einiges in den Zeitungen gestanden, aber nicht ... wie. Woran sie gestorben sind.« Er schien nach seiner Frau zu horchen, die draußen etwas unter laufendem Wasser abspülte. »Was ist passiert?«

»Mit Rücksicht auf die Ermittlungen kann ich nicht alles sagen«, antwortete Winter. »Aber ich wollte jetzt dazu kommen.« Er blätterte zwei Seiten weiter in seinem Notizbuch und stellte noch ein paar Fragen nach der Musik.

Der Himmel hatte sich zugezogen, als er wieder herauskam. Von Westen hatte der Wind aufgefrischt. Winter schauderte, es kratzte im Hals, als er schluckte. Er hatte schon seit zwei Tagen leichte Kopfschmerzen, und das konnte darauf hindeuten, dass eine Infektion im Anzug war. Er musste sich auf sein Immunsystem verlassen. Die Kopfschmerzen waren ein Zeichen, dass die Abwehrkräfte mobilisiert wurden. In deinem Körper findet jetzt ein Kampf statt, hatte Angela gesagt.

Er setzte sich ins Auto, drinnen war es kalt und roch feucht. Er nahm den Brief aus der Innentasche des Mantels und öffnete ihn zum ersten Mal. Das Briefpapier trug, genau wie der Umschlag, das Siegel der spanischen Polizei.

Die englischen Wörter waren mit der Hand geschrieben, in einer geraden, selbstbewussten Handschrift. Nur einige wenige Sätze, die ein Gruß und ein Dankeschön für das letzte Mal sein sollten. Er las sie mehrere Male. Sie waren Teil des Traums. Es gab keinen Grund, auf diesen Brief zu antworten. Nicht mal einen Grund, ihn zu lesen. Er könnte die Augen schließen, und wenn er wieder aufschaute, wäre der Brief weg, genau wie der Traum.

Warum denke ich daran?, überlegte er, und dann dachte er an Angela.

Angela, da ist etwas, das ich dir sagen muss.

Nein. Es gab nichts zu sagen, schließlich war nichts passiert. Angela, ich hab heute Nacht etwas Merkwürdiges geträumt. Ja? Willst du es mir erzählen? Ich hab es vergessen, fast alles. Kam ich in dem Traum auch vor?

Sie war dabei gewesen, und ein paar Stunden später hatte er sie vor dem Terminal in Málaga getroffen. Stunden später hatten sie am Grab im Schatten des Berges gestanden. Sein Vater.

Winter drehte die Scheibe herunter und spürte den Wind in seinem Gesicht. Jetzt war sein Vater in seinen Gedanken.

Er drehte die Scheibe wieder hoch und stieg aus. Dahinten war ein kleiner Lebensmittelladen. Winter beschloss, Pastillen für seinen Hals zu kaufen, und ging hin. Über dem Eingang hing ein Schild, es sah neu aus. Der Laden hieß Krokens Livs.

Die Rahmen mit den Filmplakaten, die vor dem Laden hingen, schwankten im Wind. Winter las: *Die Stadt der Engel*. Daneben: *The Avengers*.

Der Bus fuhr vorbei, zehn Meter entfernt hielt er, um ein paar alte Leute aussteigen zu lassen. Winter betrat den Laden, der die übliche Mischung aus Milchprodukten, Chipstüten, Süßigkeiten, Videofilmen, Spülbürsten und Zeitungen bereit hielt. Er kaufte sich eine Schachtel Läkerol und bezahlte bei einer Frau, die arabisch oder türkisch aussah.

Draußen zerrte der Wind noch heftiger an der *Stadt der Engel*. Winter bekam ein paar Regentropfen ab. Die gelben Hausfassaden auf der anderen Seite der Hagåkersgatan verloren ihre Farbe in der feuchten Luft.

Morelius saß vor den üblichen frittierten Krabben von Ming. Dass denen nie etwas anderes einfiel, was sie bestellen könnten!

Ein Mann von der Stadtverwaltung erzählte im Fernsehen, was in Göteborg zum Jahreswechsel geplant war. Wenn man ihm glauben konnte, sollten die Festlichkeiten in Göteborg die Feiern in London, Sidney und New York noch übertreffen.

Es würde dasselbe Gegröle in der Stadt sein, schwankende Gestalten. Weinen, Geschrei, Lachen, Feuerwerkskörper in Augenhöhe abgefeuert von verrückten Möchtegernpyromanen. Mitten in der Stadt. Dasselbe Gegröle wie immer.

»Ich hab getauscht«, sagte Bartram.

»Was?« Morelius war aufgestanden und warf die Hälfte der Krabben in der glibbrigen Soße weg. Wie immer.

»Ich steh Silvester auf Luddes Liste.« Bartram nickte zum Fernseher. »Dann landet man mitten in der Feierei.«

»Willkommen«, sagte Morelius. »Dann hast du es dir also anders überlegt.«

»Ja. Genau wie du.« Bartram kratzte die Folienform aus. »Du gehst doch auch zu Ludde.«

»Warum soll man nicht eine gute Tat tun«, sagte Morelius. »Andere brauchen die Freizeit mehr als wir.«

»Du solltest nur für dich selber sprechen.«

»Was ist denn dein Grund?«

»Ich hab nichts Besseres vor«, sagte Bartram, stand auf und schaltete den Fernseher aus, der gerade das Wetter über Westschweden zeigte. Es sollte wieder schön und kalt werden. »Und außerdem hat man hinterher ein paar freie Tage gut.«

»Und wann kann man die nehmen?«

»Vielleicht im Sommer. Das kann ich doch wirklich jetzt noch nicht wissen.«

»Und was willst du dann machen?«

»Im Sommer? Das weiß ich zum Teufel noch mal doch jetzt nicht. Bis dahin ist es noch lang.«

»Erst werden wir also die Feste feiern«, sagte Morelius und nickte zum Fernseher. Er ging zu seinem Schrank und öffnete ihn. Der Mantel roch nach der Kälte.

Morgen würde er Hanna treffen, und es würde das letzte Mal sein. Sie konnte ihm nicht mehr helfen, und er brauchte keine Hilfe. Es war passiert, aber jetzt war es mehr wie ein Traum. Mehr konnte er nicht darüber sagen. Vielleicht würde er nicht wissen, was er sagte, während er es sagte. Alle Fragen, die er sich selbst gestellt hatte, wenn es Nacht gewesen war und auf der Mattscheibe die Videofilme flimmerten, deren Titel er vergessen hatte, und nie hatte er begriffen, wovon sie handelten.

Er steckte sich die Ohrstöpsel in die Ohren und stellte den Walkman an. Nur ein paar Minuten. Er sah, wie Greger den Mund bewegte, und schaltete wieder ab.

»Wie bitte?«

»Ich kann es bis hierher hören.«

»Ach so.«

»Klingt schrecklich.«

Patrik wollte mit dem kurzhaarigen jüngeren Polizisten verbunden werden, und Winter nahm das Gespräch an, gleich nachdem er von einer Fahrt von Mölndal in sein Zimmer gekommen war.

»Ja?«

»Ja … hallo … hier ist Patrik Strömblad …«

Winter erkannte seine Stimme nicht gleich. Sie klang belegt.

»Hallo, Patrik.«

»Also … diese CD. Sacrament.«

»Ja?«

»Jimmo hat sie. Mein Kumpel Jimmo …«

Bergenhem hatte vergeblich in Desdemonas Archivspeicher gesucht. Aber schließlich kam von einer anderen Seite doch noch Hilfe.

»Ausgerechnet diese CD hat er? *Daughter of Habak*… na, du weißt schon, wie sie heißt.«

»Das ist sie«, sagte Patrik. »Er hat sie sofort rausgenommen. Sie können sie billig abkaufen, wenn Sie wollen.«

Winter konnte ein kurzes Lachen nicht unterdrücken.

»Okay. Wo ist sie?«

»Ich hab sie hier.« Patrik schien in den Hörer zu schnauben. »Hässliches Cover.« Die Stimme klang undeutlich, als würde er etwas kauen.

»Kannst du nicht damit herkommen?«, fragte Winter. »Jetzt?«

»Nur mit dem Cover?«

»Mach jetzt keine Witze, Patrik.«

»Ich hab keinen Witz gemacht.« Patriks Stimme klang auch nicht so.

»Kannst du in einer halben Stunde hier sein?« Winter sah auf die Uhr. »Bist du noch in der Schule?«

»Nein …«

»Kannst du ins Präsidium kommen? Oder sollen wir uns in der Stadt treffen?«

»Können wir das nicht morgen machen?«

»Warum?«

»Ich bin … ich weiß nicht, ob ich …«

»Was ist los, Patrik?«

»Ähh … ich komme.«

Winter legte auf und warf einen Blick auf die anonyme Kassette, die in einem der Fächer auf dem Schreibtisch lag. Er steckte sie ins Tonbandgerät und spielte den ersten Song laut ab, nahm die Fotos hervor, betrachtete aber nur das oberste. Er griff nach dem Telefon und rief Beier an, doch der Kollege vom Fahndungsdezernat war unterwegs. Winter betrachtete wieder die Fotos, machte sich eine Notiz.

# 29

Ausgerechnet Halders war es. Auf der Konferenz hatte er nichts gesagt. Er fand es hinterher, später am Nachmittag, und kam zu Winter herein, ohne an die Tür zu klopfen. Er hatte ein schwarzes Buch in der Hand.

»Was Habakuk angeht«, sagte Halders, »diesen Vater von der Tochter.«

»Ich höre«, sagte Winter, der von seinen Aufzeichnungen aufschaute.

»Er war Prophet. Er hat ein eigenes Buch in der Bibel.« Halders hielt die Bibel hoch. »Eine kurze Sache.«

Das Alte Testament, dachte Winter. Die kanonischen Bücher. Na klar. Das hätten sie schon eher herauskriegen müssen.

»Gut, Fredrik.«

»Ich hatte so was im Hinterkopf. Eben ist es mir wieder eingefallen, und ich bin runter in die Bibliothek. Und da ist sein Name, der Prophet Habakuk, zwischen Nahum und Zefanja.« Wieder hielt Halders die Bibel hoch. »Ich weiß, was mich darauf gebracht hat. Ich hab zwar noch nicht meine alte Konfirmationsbibel rausgesucht, aber ich glaube sogar, dass mir der Pastor damals irgendwas aus dem Buch Habakuk als Widmung auf das Vorsatzblatt geschrieben hat.«

»Und wie hast du dich daran erinnert?«

»Es war wohl der Name. Ich glaub, deswegen hab ich nachgedacht, weil er so ... besonders klingt.« Halders sah auf das Buch in seiner Hand und dann Winter an. »Ich muss damals den Text aufgeschlagen haben, weil mich der Name neugierig gemacht hat. Jetzt war's wieder so.«

Winter ließ sich die Bibel von Halders geben, eine Übersetzung von 1917, schlug das kurze Buch Habakuk auf und begann zu lesen. Halders Konfirmationspastor muss selbst aus prophetischem Holz geschnitzt gewesen sein. Der Text handelte von der Arbeit des Fahndungsdezernats. Die Überschrift des ersten Kapitels hieß »Die Klage über das Böse des Volkes«:

»Wie lange, Herr, soll ich noch rufen, und du hörst mich nicht? Ich schreie zu dir: Hilfe, Gewalt! Aber du hilfst nicht.

Warum lässt du mich die Macht des Bösen erleben und siehst der Unterdrückung zu? Wohin ich blicke, sehe ich Gewalt und Misshandlung, erhebt sich Zwietracht und Streit.

Darum ist das Gesetz ohne Kraft, und das Recht setzt sich gar nicht mehr durch. Die Bösen umstellen den Gerechten, und so wird das Recht verdreht.«

*Und so wird das Recht verdreht. Wohin ich blicke, sehe ich Gewalt und Misshandlung.* Winter las den Anfang des ersten Kapitels noch einmal von vorn. Er hatte seine Zeit mit dem Bösen gehabt ... Aber er hatte angefangen umzudenken, oder hatte er von Anfang an so gedacht? Das Böse war kein unterirdisches Wesen. Das Böse waren Menschen, Handlungsweisen. Das Böse war eine Ungerechtigkeit.

Darum ist das Gesetz ohne Kraft.

Zum Teufel, nein. Er schlug das heilige Buch mit einem Knall zu und legte es auf den Schreibtisch. Es konnte Zufall sein, aber er glaubte nicht an Zufälle. Wenn der Mörder ausgerechnet die Musik mit dem Titel ausgewählt hatte, so war ein Sinn darin. Bald würden sie die CD, den Liedtext und die Bibel haben, und dann würden sie lesen. Warum? Wollte der Mörder mitteilen, dass die Welt böse war? Sie hatten *the writing on the wall* gesehen. Wollte er mitteilen, dass *seine* Welt böse war? Die Welt des Mörders? Oder Winters Welt? Die Welt der Menschen. Handelte es sich um dieselbe Welt?

Der Text. Er wartete auf Patrik. Er musste den Text lesen. Die schwarz gekleideten Männer bei Desdemona hatten gesagt, ohne die Texte sei Black Metal sinnlos, dass es jedoch Texte waren, die niemand mit den Ohren erfassen konnte.

Halders hatte die Tür offen gelassen, und Winter sah Patrik draußen mit Möllerström kommen. Der Registrator führte Patrik herein und ging wieder. Winter stand auf, und Patrik kam auf den Schreibtisch zu.

»Was ist denn mit dir passiert?«

»Wieso«, sagte Patrik. »Was soll sein?«

»Du hast da einen ziemlichen Bluterguss.«

Patrik befühlte seinen Wangenknochen, unter dem rechten Auge.

»Nichts Besonderes. Bin beim Aussteigen aus dem Bus gestolpert.«

»Aus dem Bus? Red keinen Mist«, sagte Winter. Er kam um den Schreibtisch herum und beugte sich näher zu Patriks Gesicht. »Bist du damit im Krankenhaus gewesen?«

»Nee.«

»Das Jochbein könnte gebrochen sein.« Winter widerstand der Versuchung, die Wange des Jungen zu berühren. »Darf ich mal fühlen?«

»Sind Sie auch Arzt?«

»Lass mich mal fühlen.« Er hatte ihn kaum berührt, da zog Patrik den Kopf vor Schmerz zurück. »Tut es so weh?«

Der Junge ließ den Kopf hängen. »Es war … der Bus«, murmelte er.

»Nein«, sagte Winter. »Jemand hat dich geschlagen.« Patrik sah ihn an. Der blaue Fleck sah aus wie ein ungleichmäßiges Geburtsmal. Das Gesicht wirkte schief. »Es ist erst kürzlich passiert.«

Patrik antwortete nicht. Er schien gehen zu wollen. In der Linken trug er eine flache Tüte.

»Wer war das?«, fragte Winter. »Jemand in der Schule?«

Patrik schüttelte den Kopf. Winter sah, dass seine Schultern zuckten. Ich darf ihn nicht verschrecken. Er hat Tränen in den Augen. Jetzt weint er. Er ist ja noch fast ein Kind.

Patrik guckte zu Boden und weinte leise. Winter entschied sich und legte ihm einen Arm um die Schultern. Patrik stand mit dem Rücken zur offenen Tür, dort tauchte Ringmar auf, und Winter gab ihm ein Zeichen zu gehen.

»Es ist okay, Patrik, okay.«

Er hörte den Jungen die Nase hochziehen, und dann wand er sich aus der Umarmung. Er sah verlassen aus, wie auf der Flucht.

»Setz dich, Patrik.«

Er ließ sich auf den Stuhl sinken, fast fallen. Winter hockte sich einen Meter vom Stuhl entfernt hin.

»Es ist zu Hause passiert, oder?«

Patrik antwortete nicht, nickte nicht, zog die Nase hoch, sah alles andere an, nur nicht Winter.

»Also, jetzt reden wir nicht mehr darüber, aber du musst das untersuchen lassen«, sagte Winter. Er richtete sich auf und ging zu Ringmar. »Kannst du bitte einen Streifenwagen besorgen, der den Jungen ins Sahlgrenska bringt?«

»Wann?«

»So schnell wie möglich.«

Winter kehrte zu Patrik zurück, der nur ein kleiner Kopf über der Stuhllehne war, und setzte sich ihm gegenüber auf seinen Drehstuhl. In Patriks Gesicht zuckte es, und Winter sah, dass ihm das Weinen weh tat. Er stand wieder auf und holte ein Glas Wasser, Patrik trank. Wieder zog er die Nase hoch, stellte das Glas ab und machte eine Bewegung zu der Tüte auf dem Schreibtisch.

»Wollen Sie das nicht haben?«

»Klar«, sagte Winter, zog sie zu sich heran und nahm die CD heraus. »Das ist prima, Patrik.«

»Sacrament«, sagte der Junge. Seine Stimme klang jetzt sicherer. Er strich sich mit der Hand über die Augen. »Das ist sie. Die Daughter-Scheibe.«

»Wie heißt dein Kumpel?«

»Jimmo.«

»Und wie ist er daran gekommen?«

»Secondhand in Haga, glaub ich. Ich weiß nicht, welcher Laden es war. Er ka...«

»Okay, darüber reden wir später. Jetzt wollen ...«

Winters Telefon auf dem Schreibtisch klingelte.

»Unten wartet der Wagen«, sagte Ringmar.

»Okay.« Winter sah Patrik an. »Ich möchte, dass du das jetzt untersuchen lässt. Damit ist nicht zu scherzen. Wir bringen dich ins Sahlgrenska, und hinterher reden wir weiter. Okay?«

»Ich wei…«

»Du brauchst nicht zu sagen, wer dich geschlagen hat. Ich möchte nur, dass du Hilfe bekommst.« Winter stand auf. »Du bist mein Mitarbeiter in diesem Fall, und da musst du in Topform sein. Okay?« Er streckte Patrik die Hand hin, wie um ihn zu stützen. »Okay?«

»Okay.« Patrik stand auch auf.

»Ich pass auf die CD auf«, sagte Winter und steckte sie in die Innentasche seines Sakkos. Sie war breit, italienisch. Die Italiener machten breite Innentaschen.

Sie nahmen den Fahrstuhl nach unten. Es hatte wieder angefangen zu schneien. Sie standen vorm Eingang, und der Streifenwagen, der gewartet hatte, fuhr vor. Winter hob die Hand.

»Hallo, Simon.«

»Hallo, Erik.«

»Lange nicht gesehen.«

»Ja.«

»Wie geht es in Lorensberg?«

»Wie üblich. Wir bewachen dein Viertel.«

»Ich glaub, ich hab dich diese Woche gesehen, in der Vasagatan.«

»Das ist ja auch die üblichste Streifenrunde.«

Winter beugte sich vor. Simons Kollege drehte die Seitenscheibe herunter. »Bartram.« Winter nickte.

»Greger ist noch ziemlich neu in der Stadt«, sagte Simon.

»Wir haben uns schon mal gesehen«, sagte Winter. »Sogar als du dabei warst.« Er sah Morelius an. »Ich möchte, dass ihr den Jungen in die Notaufnahme bringt.«

»Bertil Ringmar hat's uns erzählt«, sagte Morelius. Er schaute Patrik an, der wieder aussah, als sei er auf der Flucht.

»Hallo, Patrik.«

»Kennt ihr euch?«, fragte Winter.

»Wir sind nur flüchtige Bekannte«, sagte Bartram, der bisher geschwiegen hatte. »Aber wir haben ihn noch nie ohne Maria getroffen.« Er drehte sich schwerfällig auf dem Vordersitz um und sah zu Patrik auf. »Wo ist sie denn jetzt?«

»Maria?«, sagte Winter.

»Hannes Tochter. Von der Pastorin«, sagte Morelius.

»Hanne Östergaard?«

»Genau die.«

»Können wir jetzt fahren?«, sagte Patrik.

Winter nickte, ohne mehr zu fragen. Der Junge brauchte einen Arzt.

Patrik setzte sich nach hinten, und das Auto fuhr an. Winter hatte seine Telefonnummer von zu Hause. Er versuchte sich kurz vorzustellen, wie es dort aussehen mochte. Zum ersten Mal seit langem dachte er an Hanne Östergaard, er fühlte die CD an einer Rippe drücken, und er dachte an die Musik.

Patrik schloss die Augen. Es pochte in seiner Wange und dem Auge, mehr als vorher. Die Bullen sagten nichts. Draußen war es dunkler geworden, fast schwarz. Die beiden dort vorn wurden heller und dunkler, je nach Lichteinfall, heller, dunkler. Es sah aus, als würden sie einander schräg gegenübersitzen. Er sah nur ihre Hinterköpfe. Sie trugen keine Mützen. Vorm Schlosswald wurde es wieder heller. Er schloss die Augen, schaute wieder. Noch immer sah er die Profile da vorn, und auch jetzt sagte niemand etwas. Er schloss die Augen, guckte. Er war in dem Treppenhaus am Morgen. Er war hier. Im Treppenhaus. Hier. Seine Wange schmerzte. Er schwitzte, er hatte ein Gefühl, als würde er die Treppen hinauflaufen, Zeitungen schleppen. Blieb stehen, guckte. Jemand ging durch die Haustür, aus dem Licht in den Schatten. Das Profil.

Morelius hielt vor der Notaufnahme und drehte sich um.

»Okay, Patrik.«

Der Junge schwieg. Keine Bewegung. Bartram drehte sich um.

»Patrik?«

»Er ist ohnmächtig geworden«, sagte Bartram.

Winter hörte sich die CD auf seinem tragbaren Panasonic an, der unterm Fenster auf dem Fußboden stand. Das erste Lied, das zweite Lied, er wechselte vom Band zur CD und wieder zurück. Bis jetzt war es dasselbe. Er hörte sich alles an und verglich. Eine Herausforderung.

Das Booklet war mehr ein Faltblatt als ein richtiges Heft. Das

Cover war braun und schwarz, eine unbeholfene Zeichnung, die ein braunes Meer mit schwarzen Klippen und einen Horizont darstellte, der mit der Nacht verschmolz, der Himmel war schwarz, und kleine Sterne leuchteten. Am unteren Rand stand »Sacrament« in einer Art gotischer Schrift, die Winter von den Zeitschriften und Katalogen erkannte, die er durchgeblättert hatte.

In der linken Ecke war ein Symbol, vielleicht eine Fledermaus in Silber oder ein prähistorischer Vogel.

Vier Seiten Faltblatt, wenn man es aufschlug, sah man drei Männer abgebildet, die die Mitglieder der Band sein mochten. Oder irgendwelche Metallisten, die gerade zufällig vorbeigekommen waren, dachte Winter. Die drei Personen könnten Nordberg und Sverker und noch jemand von Desdemona sein: schwarze Shirts und Hosen, feuergelbe Muster, Nieten, die wie Sterne am schwarzen Himmel glänzten, schwarzes taillenlanges Haar, extrem blasse Gesichter. Aber hier kamen noch ein paar Attribute hinzu: nackte Baumstämme, Waffen wie Schwerter und Kriegskeulen.

Er konnte nirgends eine Tochter entdecken, keinen Propheten. Keine Kreuze, falls nicht die Kriegskeule, die einer vor einem Baum in der Hand hielt, mit dem Baum zusammen ein Kreuz bilden sollte.

Auf der letzten Seite war weißer Text auf schwarzem Grund. Viel Text, sehr klein und eng gesetzt. Als ob er so gedruckt worden wäre, damit man ihn nicht lesen kann, dachte Winter.

Aber er würde ihn lesen. Er war mit seiner Lesebrille bereit, ein Zugeständnis des vergangenen Jahres ans Alter.

Die CD war in The Machine Room, Edmonton, aufgenommen worden, im Winter 1995. Alle Songs waren von The Masters of Horrid Nuclear Hate Filled Blackness geschrieben.

Er begann das Stück oben links zu lesen. Der erste Song. Der Erzähler ging durch einen Wald, es könnte der sein, der auf der zweiten Seite des Heftchens abgebildet war.

Winter stellte wieder das erste Lied ein und versuchte dem Text zu folgen. Er hörte dasselbe, was er las. *Blood trickles to the floor. This woman has broken a sacred bond. The black angel. This woman has deserted me and I must take revenge.* Diese Frau hat mich verlassen und ich muss mich rächen. Der schwarze Engel. Diese Frau hat einen heiligen Eid gebrochen.

Oder war es eine Vereinbarung?

Winter stellte die Musik ab und las weiter. Er versank in einem Meer von Blut. Schwarze Milchstraßen voller Hass. Sterne, die in der Unterwelt explodierten und Dämonen schufen, die auf der Jagd nach Opfern durch entmilitarisierte Zonen wanderten. Vielleicht sollte es eine Art Humor sein, aber das war kaum denkbar nach allem, was in jenem Zimmer geschehen war.

# 30

Es dämmerte wieder. Die Fassade auf der anderen Seite des Flusses leuchtete golden und rot in den Strahlen der Wintersonne. Die Sonne versinkt, wenn sie am schönsten scheint, dachte Winter und verließ das Zimmer. Er ging die leeren Treppen hinunter und durch die Korridore zum Fahndungsdezernat.

Beier wartete hinter seinem Tisch. Er trug einen Schlips und ein weißes Hemd. In dieser Woche hatte er sich an den meisten Tagen sehr gepflegt gekleidet. Winter setzte sich.

»Das Sperma ist von Valker«, sagte Beier.

Winter nickte. Sie hatten Spuren von Sperma auf dem Sofa gefunden, auf dem das Paar gesessen hatte.

»Aber nicht nur«, fügte Beier hinzu. »Es gibt Sperma von zwei oder drei weiteren Männern. Zweien, glaube ich.« Er klopfte auf eine Mappe, die vor ihm auf dem Schreibtisch lag. »Hier steht es. Einige Flecken von mehreren Gelegenheiten. Mindestens fünf Monate alt und jünger.« Er hob die dünne Mappe an und reichte sie Winter. »Aber das letzte Sperma ist von Valker.«

»Kann es von diesem letzten Mal ...?«

»Ja.«

»Und von niemand anders? Von diesem Mal?«

»Nein.«

»Es können mehrere Personen in der Wohnung gewesen sein«, sagte Winter. »An dem bewussten Tag.«

»Selbstverständlich«, sagte Beier. »Wir haben mindestens zehn Fingerabdrücke von verschiedenen Menschen, von denen wir nichts im Register finden. Aber Fingerabdrücke in einer Wohnung oder einem Haus sind ja nichts Ungewöhnliches. Die Leute kommen und gehen.«

»Aber nicht jeder hinterlässt Sperma.«

»Genau.« Beier erhob sich, als der Kaffee kam. Er bot Winter immer einen an, wenn er ihn besuchte. Beier nahm der Sekretärin das Tablett ab, stellte es auf den Schreibtisch und reichte Winter eine Tasse.

Winter überlegte kurz, wie Beier das Mädchen wohl dazu brachte, ihnen Kaffee zu servieren. Vielleicht hatten sie eine Abmachung, und beim nächsten Mal war Beier an der Reihe, ihr ein Tablett zu bringen. Beier gab Zucker und Milch in seinen Kaffee und sah auf. »Alle Ausscheidungen, die wir gefunden haben, befanden sich auf diesem Sofa. Oder direkt darum herum.«

»Was bedeutet das?«

»Was das bedeutet? Dass sich auf dem Sofa und direkt darum herum etwas abgespielt hat.«

»Nichts von … Frauen?«

»Doch.«

»Von ihr … und zwei anderen?«

Beier nickte.

»Drei Männer und drei Frauen«, sagte Winter.

»Drei Paare.«

»Wir haben drei Paare«, sagte Winter. »Wir brauchen also nur neues Sperma … und Sekret zum Vergleichen.«

»Viel Glück«, sagte Beier.

»Bin ich gar zu fantasievoll?«

»Ich weiß nicht.«

»Die wissen was«, sagte Winter.

»Wer?«

»Ich hab mit dem Ehepaar Martell gesprochen. Aneta Djanali und Halders haben mit den anderen gesprochen. Elfvegren. Die wussten mehr, als sie sagen wollten. Beide Paare.«

»Das nennt man Subtext«, sagte Beier. »Je größer die Tiefe, umso besser.«

»Oder schlechter, jedenfalls für uns.«

»Aber das eine braucht ja nichts mit dem anderen zu tun zu haben.«

»Nein. Ich weiß nicht, ob die Martells irgendwie mit dem Mord zu tun haben. Ich glaube nicht. Aber wir müssen sie ein bisschen mehr unter Druck setzen. Und die anderen. Elfvegrens. Ich fahr morgen nach Järnbrott raus.« Winter erhob sich mit der Mappe in der Hand. »Da ist übrigens noch etwas. Ich hab die Liste von den Gegenständen in ihrer Wohnung noch nicht gesehen.«

»Ach? Die ist natürlich auch hier in der Mappe.« Beier sah Winter an. »Es kommen vielleicht noch ein paar Ergänzungen hinzu.«

»Gab es Zeitungen oder Zeitschriften?«

»Machst du Witze? Der ganze Flur war voller alter *Göteborg Posten.*«

»Ich meine darüber hinaus.«

»Nicht viel. Denkst du an was Spezielles?«

»Ich weiß nicht«, sagte Winter.

Er saß mit den Texten von Sacrament da. Der Held in Song drei reiste durch den Weltraum, gefangen in seinem eigenen Hass. Viel handelte von Hass, gegen sich selbst, gegen andere.

Das ist der verrückteste Scheiß, den ich je gelesen habe, dachte Winter. Die nehmen uns auf den Arm.

*Here is the dream I live with, this is my plan. To kill mankind and destroy the universe.* Die Menschheit zu töten und das Universum zu zerstören.

Eine große Aufgabe, an der sich andere auch schon versucht haben.

Das meiste wurde in der ersten Person erzählt. Die Person hielt sich selten auf der Erde auf. Nur ein kurzer Besuch in Manhattan. Eine Segeltour *in the Red Sea*. Noch eine Segeltour *in the Black Sea*. Sonst handelte es sich um fremde Welten.

Das könnte ein Dutzend Psychologen für Jahre beschäftigen, dachte Winter. Aber uns nutzt das kaum. Ich kann mal die Jungs von Desdemona fragen, ob sich dies hier von der anderen Poesie des Genres unterscheidet.

Er fand mehrere Verweise auf Wände, mehrere in jedem Song. *Wall of Hate. Wall of Blood. Wall of Corpses. Wall of Horrors.* Nach einer Weile ging einem das Bild auf die Nerven, nutzte sich ab, wie abblätternde Tapeten.

Er nahm die Lesebrille ab und schaute durch die Gläser. Die Oberfläche schien von den Wörtern beschmutzt zu sein, überzogen von einer dünnen Schicht durchsichtigem Ruß.

In der linken Innentasche seines Sakkos klingelte das Handy. Das Display zeigte die Nummer seiner Mutter in Nueva Andalucía an. Winter spürte einen Stich in der Brust.

»Hallo, Mama.«

»Hallo, Erik. Ich kann mich nicht dran gewöhnen, dass der Angerufene die Nummer sehen kann.«

»Tja, die neue Technik …«

»Wie geht es dir?«

»Ich lebe nur von einem Tag auf den anderen, wie man so sagt. Aber es geht … ziemlich gut. Ich fahre fast jeden Tag zum Grab. Das ist ein Ausflug. Von da oben kann man das Meer sehen.«

»Es ist eine schöne Grabstelle.«

»Der Berg und das Meer sind so schön. Ich habe das Gefühl, es ist der richtige Ort für ihn.«

»Ja.«

»Und nun geht es auf Weihnachten zu. Der Weihnachtstrubel hat jetzt wohl richtig angefangen?«

»Kann ich nicht sagen. Für mich jedenfalls nicht.«

»Das verstehe ich. Wieder ein Mord. Das ist ja furchtbar. Und genau in dem Augenblick, als du von hier zurückgekommen bist.« Winter hörte eine Pause und vielleicht das Klirren von Eiswürfeln in einem Cocktailglas mit Tanqueray und Tonic. »Ich hab darüber in der *Göteborg Posten* gelesen. Wie furchtbar. Und nur wenige Türen von dir entfernt.«

»Die Vasastan ist keine verbrechensfreie Zone, Mama.«

»Ich hab sofort an Angela gedacht. Sie muss sich ja fragen, wo sie da hingeraten ist.«

»Das fragt sie sich auch.«

»Nein, das war dumm von mir. Wie geht es ihr?«

»Gut.«

»Hast du auch schon Bewegungen gefühlt?«

»Ja.«

»Wie war es? Erzähle!«

»Es war … fantastisch. Ein besonderes Erlebnis.«

»Ich erinnere mich, wie du … als ich …« Und Winter hörte, wie ihre Stimme brach, und dann das deutliche Klirren von Eiswürfeln im Telefonhörer. »Entschuldige, Erik. Ich musste daran denken, wie du … und Papa …« Wieder brach die Stimme, es klirrte, und die Stimme kehrte zurück. »Es war, wie du sagst. Ein … besonderes Erlebnis. Als wir Lotta spürten, und als wir dein … Strampeln spürten.«

»Du kannst es selbst fühlen, wenn du kommst.«

»Ja …«

»Was ist?«

»Ja, also …«

»Sag jetzt nicht, dass du nicht kommst.«

»Ich werde so unsicher, je näher es rückt …«

»Es gibt überhaupt keinen Grund zum Zögern. Wir freuen uns darauf. Denk an Lotta und an Bim und Kristina. Und Angela. Und an mich. Vielleicht solltest du am meisten an dich selber denken.«

»Vielleicht ist es das Beste, wenn ich hier bleibe. Ihr habt doch euch.«

Das nennt man Rollentausch, dachte Winter. Früher war sie es, die uns bedrängt hat, sie in Spanien zu besuchen, und jetzt ist es umgekehrt.

»Alles ist vorbereitet«, sagte er. Wir haben den Tanqueray schon besorgt, dachte er. »Du musst kommen.«

»Ja … wenn du willst.«

»Wir erwarten dich am dreiundzwanzigsten in Landvetter.«

»Wenn es bloß nicht schneit.«

»Bis dahin ist der Schnee weggeregnet oder getaut.«

»Grüß Angela.«

»Gern.«

»Grüß beide.«

»Mach ich, klar.«

»Habt ihr schon Namen? Für das Kind?«

»Ziemlich viele.«

Am Morgen taute es. Die Luft sah schwer aus, als sei sie gegen Morgen wie ein nasser Vorhang aufgehängt worden. Winter stand in Boxershorts mit der Kaffeetasse in der Hand da. Er spielte Angelas Lieblingslied von Springsteen, während sie auf der Toilette war. *Happy, happy in your arms*.

So spät am Morgen war er selten noch zu Hause. Der Verkehr war jetzt ruhiger als zu der Zeit, wenn er sonst ging.

Die Toilettenspülung rauschte. Angela kam aus dem Bad und ging weiter in den Flur.

»Wir müssen in einer halben Stunde dort sein!«, rief sie.

»Ich bin fast fertig«, rief er, brachte die leere Tasse in die Küche und ging dann ins Bad.

Es regnete nicht mehr, aber die Luft war genauso feucht, wie sie vom Fenster aus ausgesehen hatte.

»Wir gehen zu Fuß«, hatte Angela im Fahrstuhl auf dem Weg nach unten gesagt.

»Es ist nass.«

»Ich brauche einen Spaziergang.«

Für ihn war es das erste Mal. Bin ich nervös? Ja.

Bis zum Sociala huset brauchten sie nur zehn Minuten. Auf dem Kanal trieben dünne Eisbrocken. Ein Auto fuhr vorbei und spritzte Schmutzwasser von der Straße auf Angelas Mantelsaum. Winter prägte sich das Autokennzeichen ein.

»Möchtest du, dass wir den Fahrer festnehmen?«, fragte er.

»Ja«, sagte Angela, die sich gebückt hatte und graue Wasserstreifen von dem dicken Stoff wischte. »Steck ihn ins Gefängnis.«

Sie hängten ihre Mäntel auf und warteten in einem Zimmer, in dem zwei jüngere Frauen, aber keine Männer saßen. Winter blätterte zum ersten Mal in einer *Amelia*, während Angela zum Blutabnehmen ging. Winter las, wieso die Frauen in Stockholm es genossen, Singles zu sein. In Göteborg ist das nicht so, dachte er. Göteborg ist keine Stadt mehr für Singles.

Angela kam zurück.

»Was sind das für Untersuchungen?«, fragte er.

»Blutproben, Hämoglobin, Blutgruppe, Blutzucker.«

»Kannst du das nicht selber machen, zu Hause?«

»Jetzt sei still.«

»Aber ich meine es ernst.«

»Ich auch. Sie haben auf HIV und Rubella getestet, in der zehnten Woche. Bei der Anmeldung.«

»Was ist Rubella?«

»Röteln.«

Er dachte an Ringmar und seinen Sohn an der Hochschule für Publizistik. Rubrica. Rote Überschriften an den Wänden.

»Bist du nervös, Erik?«

»Wieso?«

»Du wirkst so.« Eine Tür wurde geöffnet, und eine Frau winkte ihnen. »Jetzt sind Sie an der Reihe.«

Sie erhoben sich und folgten ihr. Sie führte sie in ein kleineres Zimmer mit einem Schreibtisch und zwei Stühlen davor, die bequem aussahen.

Die Frau trug ihre Alltagskleidung, keinen weißen Kittel. Keine Uniform, dachte Winter. Er schüttelte die Hand, die sich ihm entgegenstreckte.

»Ich heiße Elise Bergdorff und bin hier Hebamme, wie Sie ja wissen. Willkommen. Schön, dass Sie mitgekommen sind.«

Winter nickte und stellte sich vor. Sie setzten sich.

Angela und die Hebamme unterhielten sich über die letzten Wochen. Winter begriff nach wenigen Sekunden, dass zwischen den beiden Vertrauen entstanden war. Angela fühlte sich geborgen. Er entspannte sich, hörte zu, sagte einige Male etwas.

Es war Zeit für die Ultraschalluntersuchung. Angela legte sich auf eine Liege, die Hebamme trug ein türkisblaues Gel auf und hielt eine Art Mikrofon hoch, das an ein Gerät mit Monitor angeschlossen war.

»Was ist das?«, fragte Winter. Spielt das eine Rolle?, dachte er. Ich bin zu sehr daran gewöhnt, Fragen zu stellen.

»Das ist eine Sonde für die Ultraschalluntersuchung.« Sie hielt sie an Angelas bläulichen Bauch, der sich schwach rundete.

Winter hörte die Herztöne im Zimmer. Er hörte das Herz wirklich schlagen. Es schlug schnell, doppelt so schnell wie bei einem Erwachsenen. Es war im ganzen Zimmer, um ihn herum. Angela nahm seine Hand. Er dachte an nichts mehr, lauschte nur.

# 31

Patrik schloss die Kühlschranktür, sie wurde jedoch sofort von einem der Kumpel seines Vaters wieder geöffnet, der aus dem Zimmer kam und einen scharfen Geruch nach Rauch und Schnaps mit sich brachte.

»Ich hatte hier eine Flasche Marinella, die kühlen sollte«, sagte er und sah Patrik an. »Du hast sie doch nicht geklaut?« Er lachte. Seine Augen waren wie aus Porzellan, starr, glänzend. Bald rutschen sie aus seinem Schädel und springen auf den Fußboden, dachte Patrik.

Pelle Plutt knallte die Kühlschranktür zu. »WO IST MEIN NELLA!?«, schrie er ins Zimmer. Dort lief das Fest auf Hochtouren, es war kurz davor, auszuufern. Pelle Plutt sah ihn an. Er war vielleicht erst fünfundzwanzig, konnte aber als Bruder vom Alten durchgehen. Haare hatte er noch, aber das war auch das Einzige.

»Was hast du da gemacht?«, sagte er, blinzelte Patrik zu und zeigte auf seine Wange. »Das ist aber ein ordentliches Veilchen.«

»Nichts.«

»Warst du damit beim Arzt?«

»Ja.«

»Das geht vorbei, aber es bleibt noch 'ne Weile blau«, sagte Pelle Plutt, öffnete den Kühlschrank erneut und wühlte darin herum. Ein Paket Lätta fiel auf den Fußboden. »Hier ist sie ja, verdammt noch mal!« Er hielt die Flasche hoch, die halb mit einer gelbroten Flüssigkeit gefüllt war.

Eines Tages kipp ich da Pisse rein. Zur Hälfte Pisse, und er merkt nichts. Patrik nickte Pelle Plutt zu. Piss-Bruder.

»Das hier sieht aus wie dein *face*«, sagte Pelle und betrachtete das blaue Etikett. Er sah Patrik wieder an. »Ich hab bloß Spaß gemacht.« Wieder sah er die Flasche an und dann Patrik. »Willste was haben?«

»Nein, danke«, sagte Patrik, ging in den Flur, warf sich die Jacke über und zog seine Schuhe an, die innen noch ziemlich nass waren. Man könnte Zeitungspapier hineinstopfen, solange man sie nicht trug, aber es war schon lange her, seit jemand so was mit seinen Schuhen gemacht hatte. Er hatte eine schwache Erinnerung. Vielleicht war es Mama gewesen, früher, als er noch klein gewesen war.

Da drinnen fing ein Weib an zu singen. Sein Vater lachte, Patrik ging ins Treppenhaus und schloss leise die Tür hinter sich.

Maria saß vor einer Tasse Kakao, als er ins *Java* kam.

»Es ist ja noch schlimmer geworden«, sagte sie.

»Das gibt sich wieder«, sagte er.

»Ist nichts … gebrochen?«

»Nee.«

»Du solltest den Scheißkerl anzeigen.«

»Das findet die Polizei auch.« Patrik zog seine Jacke aus und hängte sie über die Stuhllehne. »Der Freund von deiner Mutter, Winter.«

»Er ist nicht gerade ihr Freund.«

»Jedenfalls hat er das gesagt.« Patrik schaute auf ihre Tasse.

»Möchtest du?«, fragte sie.

»Kakao? Nee. Der reicht, den ich bei dir zu Hause getrunken hab.«

»Fünf Tassen.« Sie lächelte. »Mama sagt, du könntest ins Guinness kommen.«

»Ich bestell mir einen Kaffee«, sagte er und stand auf.

»Dir ist nicht mehr eingefallen … was du auf der Treppe gesehen hast?«, fragte sie, als er zurückkam.

»Nee ….«

Er grüßte jemanden, der vorbeiging. Das Café war voller Kids, die rauchten und Kaffee, Tee oder Kakao tranken. Überall lagen Bücher. Patrik hatte auch hier gesessen mit seinen Büchern, als er eigentlich hinter den aufgeschlagenen Büchern in der Schule hätte sitzen sollen.

»Du siehst saumüde aus«, sagte sie. »Das kommt nicht nur von der Schwellung.«

»Danke.«

»Ich hätte keine Kraft, morgens um vier Zeitungen auszutragen.«

»Fünf. Ich steh um vier auf.«

»Saufrüh.«

»Man gewöhnt sich dran.«

»Ich kann dir was leihen, wenn du Geld brauchst.«

»Du? Hat deine Mutter nicht den Hahn abgedreht?«

»Ich hab ein bisschen.«

»Ich auch«, sagte er, »ich brauch keine Hilfe.«


Winter hatte Hanne Östergaard gebeten, bei ihm vorbeizuschauen, wenn sie zum Polizeipräsidium am Ernst Fontells Plats kam. Heute war sie da. Sie klopfte an die Tür und kam herein.

»Hallo, Erik.«

»Hallo, Hanne. Gut, dass du kommst.«

»Ich bin grad im Haus.«

»Setz dich. Möchtest du eine Tasse Kaffee?«

»Nein, danke.« Sie setzte sich auf den Besucherstuhl. Winter trug ein kurzärmeliges Hemd und Hosenträger. Den Schlips hatte er über das Sakko gelegt, das an einem Bügel neben dem Waschbecken hing. Seine Haare waren noch kürzer als früher. Er war dünner und sein Gesicht schmaler, als sie es in Erinnerung hatte, es hatte schärfere Konturen, wurde aber ein wenig weicher durch die leicht gebogene Brille. »Du hast ja eine Brille.«

»Lesebrille. Wir werden alle älter.«

»Hübsch. Das ist doch keine Armani?«

»Eh ... nein, es ...« Er nahm die Brille ab und schaute auf die Innenseite der Bügel. »Air Titanium.« Er sah sie an. »Interessierst du dich besonders dafür?«

»Für Brillenbügel?« Sie lachte kurz. »Nein, solche Hobbys kann ich mir zeitlich nicht leisten.«

Er legte die Brille auf den Schreibtisch, und sie wartete darauf, dass er etwas sagte.

»Wie geht's dir sonst?«

»Sonst? Wie meinst du das? Wenn ich mich nicht in diesem Haus aufhalte?« Sie schlug die Beine übereinander. »Das ist eine gute Frage.«

»Ja …«

»Du willst vermutlich wissen, wie es mit meiner Tochter steht.«

»Wie kommst du darauf?«

»Aber das weißt du doch.«

»Was weiß ich, Hanne?«

»Ach, hör auf, Erik. Hier im Präsidium wird sich doch herumgesprochen haben, dass ein paar Kollegen von dir meine Tochter betrunken aufgegriffen haben. Das Verbrechen heißt wohl Trunkenheit?«

»Jetzt hör aber auf, Hanne. Ja: Ich weiß es. Und nein: Deswegen wollte ich nicht mit dir reden.«

»Das kannst du aber gern.«

»Wie bitte?«

»Du darfst gern fragen, wie es mir geht … danach.«

»Wie geht es dir?«

»Schon besser.« Sie lächelte. »Maria hat sich seitdem gut gehalten.« Es klang, als ob sie seufzte. »Soweit ich weiß, jedenfalls.«

»Das war ihr wahrscheinlich eine Lehre.« Er setzte sich die Brille wieder auf. »Kann ja jedem mal passieren.«

»Ja. Wir sind arme, sündige Menschen. Ich versuche es dem Jugendamt zu erklären«, sagte sie.

»Dem Jugendamt?«

»Wenn so was passiert ist, gibt es immer eine Ermittlung.«

»Das ist doch nur eine Formalität.«

»Man merkt, dass du keine Kinder hast.«

»Noch nicht.«

»Ja, ich hab's gehört. Freut mich. Gratuliere. Und grüß Angela.«

»Danke. Aber du musst es wirklich so sehen … wie eine Formalität.«

»Wenn es nur nicht wieder passiert.«

Winter wusste nicht, was er darauf antworten sollte.

»Es gibt ja wohl keine Garantie dafür, dass es nicht wieder passiert, oder?«, sagte sie.

»Tja …«

»Ich müsste es sein, ich müsste die Garantie sein. Aber offenbar hab ich versagt.«

»Das ist ein Scheißgerede, entschuldige den Ausdruck, Hanne. Ein Scheißgerede.«

»Ich hoffe es.«

»Es gibt Gegenbeispiele.«

»Was meinst du?«

»Maria hat einen … Freund, der heißt Patrik, so viel ich weiß.«

»Ja … woher weißt du das?«

»Ich hab es von den Kollegen erfahren, die Maria getroffen haben. Das ist nichts Besonderes. Sie sind ständig im Zentrum unterwegs. Aber hier geht es um Patrik, mit dem haben wir gesprochen, weil er Zeitungen in dem Haus austrägt, wo der Mord passiert ist. Du hast wahrscheinlich einiges darüber in der Presse gelesen.«

Sie nickte.

»Hat Patrik irgendwas gesehen?«

»Ich weiß es noch nicht.«

»Aber er war dort?«

»Er hat Zeitungen in dem Haus ausgetragen, ja. Aber was ich sagen wollte, ist, dass es ihm auf andere Weise schlecht geht. Er war hier mit einem Veilchen, und ich hab ihn ins Sahlgrenska bringen lassen.«

»Was ist passiert?«

»Ich glaube, er hat zu Hause Prügel bezogen.«

»Das könnte sein«, sagte sie und sah ihn ernst an.

»Ist dir schon mal so was … aufgefallen?«

»Nicht direkt, außer, dass er etwas … zerzaust ausgesehen hat, wenn er bei uns … bei Maria war. Das ist aber nicht oft vorgekommen.«

»Hat er dir nichts erzählt?«

»Nein. Nicht mal indirekt, aber ich hab mir schon Gedanken gemacht.«

»Sein Vater misshandelt ihn. Ich kann es im Augenblick nicht beweisen, aber es ist so.«

»Was willst du unternehmen?«

»Mal sehen. Patrik muss sich entscheiden, was er tun will.«

»Das ist ja furchtbar.«

»Ich muss etwas nachhelfen.«

Winter stand auf und ging zur Musikanlage. »Ich möchte, dass du dir das mal anhörst.« Er stellte Sacrament an. Die Musik war ihm jetzt vertraut. Eine schwindelnde Sekunde lang schien es ihm so, als könnte er eine Melodie hören, wie einen schwebenden Ganzton in einem Zementmischer. Wie Coltranes Meditationen.

Hanne Östergaard lauschte, ohne die Augen aufzureißen. Sie hat Jugendliche zu Hause, dachte er. Für sie ist das nichts Besonderes. Nach einer Minute stellte er ab.

»Vielleicht nicht gerade meine Lieblingsmusik«, sagte sie. »Was ist das?«

Er erzählte und gab ihr das Booklet.

»Patrik hat bei uns zu Hause mal Metal aufgelegt.«

Sie studierte das Cover, die schwarze Küstenlinie, den Himmel, den Silberglanz. Winter hatte den Text abgeschrieben, damit man ihn lesen konnte.

Er bat sie, den Text zum ersten Song zu lesen. Sie schien fast zu lächeln mitten in all dem Ernst.

»Ein großes Maß an Fantasie«, sagte sie.

»Ja, nicht wahr?«

»Große Spannweite. Die ganze Palette von unten nach oben, könnte man sagen.«

»Von der Hölle bis in den Himmel.«

»Und am Rande ist auch noch einer der Propheten dabei.«

»Und jetzt sind wir bei dem eigentlichen Grund, warum ich mit dir reden wollte, Hanne.« Er nickte zu der ersten Seite des Booklets.

»Habakuk? Du möchtest Informationen über Habakuk?«

»Ja.«

»Erik, so ein Theologe bin ich nicht. Er war ein rechtschaffener Berufsprophet, aber das ist wahrscheinlich alles, was ich weiß. Hast du sein Buch in der Bibel gelesen?«

»Ja. Hatte er nicht eine Tochter?«

»Keine Ahnung. Ich glaub nicht, dass man etwas über sein Leben weiß. Da musst du die theologische Literatur wälzen, exegetische Nachschlagwerke.«

»Okay. Ich hab auch schon an die Universität gedacht. Religionswissenschaften.«

»Ja. Es gibt unter anderem ein Deutungshandbuch. Und noch mehr in der Art. Was es über Habakuk gibt, findest du dort.« Sie betrachtete die Hülle. »Dass er in so was reingezogen werden würde. Der arme Habakuk.«

»Die Morde?«

»Oder nur dieses Cover. Das reicht doch schon.« Sie sah Winter an. »Wie sollt ihr das bloß interpretieren?«

»Im Augenblick vermeiden wir Interpretationen und suchen nach Fakten.«

»Himmel und Hölle.«

»Jedenfalls sieht es so aus.«

»Aber vielleicht ist es nur ein Spiel. Meint diese Band, Sacrament … meinen die etwas mit diesem Blödsinn?«

»Das spielt vielleicht gar nicht mal eine Rolle. Aber einer meint jedenfalls etwas damit.«

»Ich hab in der letzten Woche einen Artikel in einer der Sonntagszeitungen gelesen«, sagte Hanne Östergaard. »Er handelte vom … Zeitgeist. Dass es bald nur noch zwei Wochen bis zum neuen Jahrtausend sind und sich alle Begriffe auflösen werden.«

»Fin de Siècle.«

»Ja. Das Ende des Jahrhunderts und noch obendrauf: das Ende des Jahrtausends. Wir können die Richtung nicht mehr vorgeben.«

»Ob sie nach oben oder nach unten führen soll?«

»Ja. Himmel oder Hölle.«

»Und es endet mit einer sonderbaren Mischung aus beidem«, sagte Winter. »Die Welt wird in verschiedene Richtungen gezerrt.«

»Meine Welt nicht.« Hanne lächelte wieder. »In der kämpfen wir von ganzem Herzen gegen die bösen Kräfte.«

»Aber hilft es?« Winter schloss die Augen und sah Hanne

wieder an. »Wie lange, Herr, soll ich noch rufen, und du hörst mich nicht? Ich schreie zu dir: Hilfe, Gewalt! Aber du hilfst nicht?«

»Das hört sich nach dem Alten Testament an. Darf ich auf Habakuk tippen?«

»Richtig geraten.«

»Sind hier Zitate drin? Aus der Bibel?«, fragte sie und hielt die Textabschriften hoch.

»Nicht, soweit ich bis jetzt gesehen habe. Nicht direkt.«

Sie legte die Texte wieder hin.

»Immer mehr Menschen suchen Führung und Trost in ihrem Leben«, sagte sie. »Auf die eine oder andere Weise.«

»Alle möchten eine Schachtel Pralinen und eine langstielige Rose haben«, sagte Winter.

»Ist das nicht angemessen?«

»Schon.«

»Oder eine Schüssel mit Suppe«, sagte sie. »Die Suppenküche unserer Gemeinde wird sehr stark besucht.«

»Davon hab ich gehört.«

»Ist das nicht schrecklich?«

»Eine Suppenküche? Ich weiß nicht. Sonst würden die Menschen wohl draußen im Dunkeln verhungern.«

# 32

Morelius hielt bei Rot vor der Ampel. Das Große Theater war hübsch beleuchtet. Das galt für die ganze Stadt. Noch eine Woche bis Heiligabend, und die Lichter funkelten verheißungsvoll, wenn es draußen dunkel wurde.

Ein Weihnachtsmann ging vorbei und verbeugte sich vor dem Polizeiauto.

»Verbeugen sich Weihnachtsmänner?«, fragte Bartram.

Morelius antwortete nicht. Die Ampel wurde grün.

Die Avenyn war voller Menschen, die Pakete trugen.

»Hast du schon Weihnachtsgeschenke gekauft?«, fragte Bartram.

»Noch nicht.«

»Bleibst du über Weihnachten in der Stadt?«

»Wieso?«

»Ich frag bloß.«

Morelius bog in den Södra Vägen ein. In Heden waren die Arbeiter der Stadtverwaltung damit beschäftigt, die Bühngengerüste für die Silvesterfeiern aufzubauen. Göteborg würde das Jahr 2000 mit Glanz begrüßen. Die ganze Stadt würde auf den Beinen sein, außer denen, die schon vor Glockenschlag zwölf umgefallen waren, dachte Morelius. Und mitten unter ihnen würde er stehen.

»Ich fahr nach Hause zu meiner Mutter.«

»Kungälv?«

»Kungsbacka.«

»Ach ja, du bist ja aus Kungsbacka, Simon. Kanntest du dann nicht vielleicht die Frau, die ermordet worden ist, diese Louise?«

»Nein.«

»Redet man viel darüber in Kungsbacka?«

»Meine Mutter hat angerufen, aber sie hatte nichts Genaues gehört.« Morelius hielt vor dem Fußgängerüberweg, viele genervt aussehende Leute hetzten über die Straße. »Sie kannte diese … Louise auch nicht.« Er fuhr wieder an.

»Und was machst du selber?«, fragte er.

»Weihnachten?«

»Mhm.«

»Arbeiten.«

»Was, hast du die Schicht auch übernommen?«

»Heiligabend und den ersten Weihnachtstag.« Bartram rutschte auf dem Sitz hin und her. »Umso mehr Freizeit hab ich im Sommer.« Er schaute hinaus zu den Menschen, den Paketen, den Lichtern. »Ich mag dieses Brimborium nicht.« Er sah Morelius an. »Weihnachten hab ich noch nie gemocht.«

»Man mag es vermutlich noch weniger, wenn man dann arbeiten muss«, sagte Morelius. »Es macht keinen Spaß, in Familien zu geraten, wenn Mama und Papa etwas zu sehr gefeiert haben.«

Bartram saß in Gedanken versunken da und antwortete nicht.

»Ich verzichte gern«, sagte Morelius. »Ist doch alles sinnlos.«

»Wie lange, Herr, soll ich noch rufen, und du hörst mich nicht?«, sagte Bartram.

»Das klingt wie ein Zitat.«

»Es ist aus der Bibel.«

»Aha.«

»Frag mich nicht, welche Stelle. So was bleibt manchmal hängen, ohne dass man weiß, warum. Wertloses Wissen.«

»Ich wollte dich ja gar nicht fragen.«

Winter traf sich mit dem Hausmeister in dessen kleinem Büro im Keller. Eigentlich hatte er ihn wieder zum Verhör bestellen wollen, entschied sich aber für die weichere Variante. Der

Mann schien von Anfang an nervös gewesen zu sein, und das konnte sich verheerend aufs Erinnerungsvermögen auswirken.

Das Büro roch nach Werkzeug und Tabak. Auf einem Schreibtisch standen verschlissene Ordner, die offensichtlich auch als Hauklotz dienten. Hier unten war nichts von der hundertjährigen Eleganz des übrigen Hauses geblieben.

Der Hausmeister sah auf die Schreibtischplatte, als würde er etwas suchen.

Plötzlich ging es Winter auf, dass der Hausmeister vielleicht auch der Hausmeister für das Haus war, in dem er selber wohnte. Er fragte.

»Welche Adresse?«

Winter nannte sie.

»Dafür bin ich auch zuständig. Ich hab die ganze Zeile von hier bis runter zur Storgatan.«

»Aha.«

Der Hausmeister zündete sich eine Zigarette an und nahm zwei Züge. Er sah Winter an und strich die Asche in einer leeren Pommac-Flasche ab, die schon halb gefüllt war mit Kippen und schwarz gefärbtem Wasser. »Man muss froh sein, wenn man einen Job hat.«

»Es ist wohl viel Arbeit.«

»Zu viel.«

»Ich bin froh, dass Sie entdeckt haben ... dass mit dieser Wohnung was nicht stimmte.«

»Schließlich und endlich.«

»Sie haben nicht mit jemand anders darüber gesprochen?«

»Worüber?«

»Mit jemand anders, der auch fand, dass da irgendwas komisch war.«

»Nein.«

Okay, dachte Winter. Das lassen wir einstweilen. Er kann vorsichtig sein, auf der Hut vor allem.

Der Mann strich wieder die Asche ab, und die Hälfte landete außerhalb des Flaschenhalses. Winter dachte an die Brandgefahr. Der Hausmeister saß ja immerhin manchmal auch in seinem eigenen Keller. Falls es dort ein Büro gab. Wenn man dies hier überhaupt als Büro bezeichnen konnte.

»Haben Sie in meinem Haus auch ein Büro?«

»Klar, von hier aus gibt es insgesamt drei bis runter zur Kreuzung.« Der Hausmeister rauchte und blinzelte durch den Qualm, der ihn einhüllte. »Zur anderen Kreuzung also.«

»Ich verstehe.« Winter spürte ein Kratzen im Hals. Hier würde ein diskretes Husten nichts bewirken. Der Alte zündete sich eine neue Zigarette an. Winter begann zu husten. »Eh … das Ehepaar Valker … was meinen Sie, wie oft Sie es getroffen haben?«

Der Hausmeister behielt die Zigarette zwischen den Lippen und strich sich mit den Händen über die Hosenbeine, als wollte er sich Öl abwischen. Danach musterte er seine Hände, an denen vorher auch nichts dran gewesen war, und sah Winter dann mit einer neuen Falte zwischen den Augen an.

»Nicht viele Male.«

»Haben Sie schon hier gearbeitet, als Valkers eingezogen sind?«

»Ich hab immer hier gearbeitet«, sagte der Mann und hustete ein Lachen, das zu einem unangenehmen Raucherhusten wurde, und Winter dachte an seinen Frühstücksnachbarn bei Gaspar in Marbella.

Der Hausmeister hustete sich den Hals frei und ließ die Kippe in die Flasche fallen, wo sie mit einem Zischen erlosch. Er zündete sich eine neue Zigarette an und wartete auf die nächste Frage.

»Aber getroffen haben Sie Valkers?« Wir nehmen uns später jeden einzeln vor, dachte Winter.

»Getroffen, ich weiß nicht. Klar, irgendwo ist man sich über den Weg gelaufen. Aber in der Wohnung war ich nie.«

»Nie?«

»Er konnte die Dichtungen wohl selber wechseln.« Der Alte rauchte wieder, zielte auf die Flasche. »Das ist wie mit Ihnen. Ich bin auch für das Haus zuständig, in dem Sie wohnen, aber mit Ihnen hab ich noch nie geredet. Ich hab Sie gesehen, aber das ist nicht dasselbe.« Er sah zur Decke hinauf und dann wieder Winter an. »Andererseits bin ich für Ihr Haus erst seit ein paar Monaten zuständig.«

»Haben Sie mal mit Christian Valker gesprochen?«

»Nein.«

»Mit ihr? Louise?«

»Ja, irgendwann mal …« Die Falte erschien wieder zwischen den Augenbrauen des Hausmeisters. »Einmal hat sie mich gefragt, ob … tja, komisch … ich kann mich jetzt nicht mehr erinnern.«

»Da ist nichts, was Sie nachdenklich gemacht hat im Zusammenhang mit Valkers? Oder einem von beiden?«

»Was sollte das sein?«

»Ihre Besucher.« Winter hustete wieder, wandte sich ab. »Zum Beispiel, ob sie Besuch hatten.«

»In diesem Haus kommen und gehen die Leute wie in allen anderen Häusern. Man weiß doch nicht, wer wen besucht. Und ich renn nicht unnötig im Treppenhaus rum, wenn ich es so ausdrücken darf.«

Winter nickte.

»Aber gefeiert haben sie wohl mal«, sagte der Hausmeister.

»Ach?«

»Irgendwann war es da ziemlich laut.«

»Und wie?« Winter nickte aufmunternd.

»Da kamen und gingen ein paar Leute. Irgendwann, als ich abends was an der Beleuchtung im Treppenhaus reparieren musste, hab ich mal was gehört.« Er langte wieder nach der Zigarettenschachtel, aber sie war leer. »Könnte aber auch jemand anders gewesen sein.«

Winter nickte wieder.

»Nee, ich erinnere mich nicht, ob die das waren«, sagte der Mann. »Sind wir bald fertig? Ich muss mal zum Kiosk.« Er wedelte mit der leeren Schachtel. »Die sind alle.«

Winter erkundigte sich nach kaputten Lampen im Treppenhaus und nach dem Datum.


»Himmel, wie du riechst«, sagte Angela, als sie ihm im Flur entgegenkam.

»Ein Zeuge hat wie ein Verrückter gequalmt.«

»Erlaubst du das denn?«

»Ich war bei ihm. Es war übrigens unser Hausmeister.«

»Ist hier denn was passiert?«

»Nicht hier. Aber er ist auch für das andere Gebäude zuständig«, sagte Winter mit einer Kopfbewegung.

»Und hat er dir was Neues sagen können?«

»Nicht mehr als das, was er früher schon ausgesagt hat.«

Ihm macht es vor allem Spaß, wichtig zu sein, dachte Winter.

»Zieh dich aus und geh unter die Dusche«, sagte Angela.

Winter stellte die Schweinsledertasche auf den Fußboden neben die Schuhablage, zog Mantel und Sakko aus und hängte die Sachen auf. Während er ins Bad ging, knöpfte er sich das Hemd auf, dort zog er sich aus und legte alles bis auf die Hose in den großen Wäschekorb, den Angela ihm gebracht hatte.

Er zog die Tür zu, stellte sich unter die Dusche und wollte gerade das Wasser aufdrehen, als Angela aus dem Wohnzimmer rief. Er brüllte, dass er sie nicht verstehen könne, und sie öffnete die Tür.

»Ich such nach der Bescheinigung von der Mütterberatungsstelle«, sagte sie. »Ich glaub, du hast sie in deine Brieftasche gesteckt, als wir dort waren. Es ist ja schon eine Weile her, aber ich möchte gern etwas nachsehen.«

»Dann ist sie wohl in meiner Brieftasche«, sagte er, »draußen im Flur.« Sie ging, und er zog den Duschvorhang wieder vor und stellte das Wasser an. Er merkte, wie der derbe Tabakgeruch schwächer wurde und schließlich verschwand, als er sich Shampoo ins Haar massierte. Er versuchte an nichts zu denken und spülte gerade den Schaum aus seinem Haar, als er einen Ruf aus dem Flur hörte. Er stellte das Wasser ab.

»Was?«

Er bekam keine Antwort und rief wieder. Keine Antwort.

»Angela?«

Er schob den Vorhang zurück, griff das Handtuch vom Haken und rubbelte sich flüchtig Haare, Schultern und Bauch trocken. Er trocknete die Füße ab, wickelte sich das Laken um die Hüften und öffnete die Tür. Er sah seine offene Brieftasche auf dem Fußboden vor dem Badezimmer.

»Angela? Hast du gerufen?«

Keine Antwort. Er ging rasch in die Küche und dann ins Wohnzimmer. Angela saß auf dem Sofa und sah ihn mit einem Blatt Papier in der Hand an. Sie hielt es hoch, es war weiß, und

Winter erkannte den Stempel von der spanischen nationalen Polizei in der linken Ecke.

Verdammt und zur Hölle. Er hatte diesen verflixten Brief mit sich herumgetragen, anstatt ihn wegzuwerfen, wie er beabsichtigt hatte. Den Umschlag hatte er weggeworfen, nicht aber den Brief.

»Ich musste die Papiere in deiner Brieftasche durchsuchen, und dieser Brief lag mit der Vorderseite nach oben«, sagte sie. »Nicht dass du denkst, ich schnüffle in deinen Sachen.« Sie wedelte wieder mit dem Brief. »Aber jetzt möchte ich doch gern eine Erklärung haben, was das zum TEUFEL ist, Erik.«

Winter spürte, wie Wasser aus seinem Haar tropfte. Oder war es kalter Schweiß? Und doch war es nichts. Der Brief bedeutete nichts. Es gab nichts zu erklären.

»Das ist nichts.« Er machte einen Schritt auf sie zu. Der Fußboden wurde nass.

»Leider hab ich ihn gelesen. Es waren nicht viele Zeilen. Aber die haben gereicht.«

»Es ist absolut nichts passiert«, sagte er.

»Sie scheint einen anderen Eindruck von der Wirklichkeit zu haben.« Angela schaute auf den Brief. »Alicia. Das ist genauso gut zu entziffern wie alles andere. Sie schreibt deutlich und in Schönschrift. Hast du auch ein Foto von ihr? Aber das hängt vielleicht bei dir im Büro an der Wand?«

Winter ging zu Angela und versuchte, sie zu berühren. Sie schlug seine Hand beiseite.

»Ich schwöre, Angela, es ist nichts passiert.«

»Halt den Mund!« Sie fuhr mit der Hand durch die Luft. »Hier haben wir eine Zeugin, die tatsächlich einiges miterlebt zu haben scheint.« Sie begann zu weinen, leise, mit einem kleinen ausdauernden Laut, den er noch nie gehört hatte. »Wie konntest du nur, Erik? Wie konntest du!«

Er setzte sich aufs Sofa neben sie und hatte ein Gefühl, als ob sich all sein Blut in seinem Kopf gesammelt hätte. Zur Hölle. Er hätte es ihr sofort erzählen sollen, aber es gab nichts zu erzählen. Warum etwas sagen, das nur schaden kann, wenn es in der Tat nichts zu erzählen gibt? Das ist doch sinnlos. Destruktiv.

Er wollte etwas sagen, aber sie stand auf und ging in den Flur.

»Wohin willst du?«

»Raus.«

»Aber ich muss doch ... wir müssen doch ...«

Sie drehte sich um und schleuderte ihm den Brief zu. Er flog ein paar Meter wie eine Schwalbe durch die Luft und landete auf dem geschliffenen Holzboden. Winter sah, wie er an einer Ecke vom Wasser durchweicht wurde, das von ihm abgetropft war. Sie blieb stehen.

»Ich hab nichts gesagt, weil es nichts zu sagen gab.« Er hielt seine Hände hoch, damit sie sah, wie rein und unschuldig sie waren.

»Du hast ein sauberes Gewissen?« Das klang fast wie ein Lachen. »Glaubst du, ich bin ein Idiot?« Sie sah auf den Brief herunter, der jetzt richtig aufgeweicht war.

»Nein.«

# 33

Bergenhem hatte Kopfschmerzen, als er aufwachte. Schon im Schlaf schien er es gewusst zu haben, hatte sich darauf vorbereitet.

Er hörte ein Rufen vom Fußende und sah, wie Ada sich abmühte, auf das Doppelbett zu klettern. Er hörte Martina in der Küche wirtschaften und den Schrei eines einsamen Seevogels, der vor dem Fenster vorbeiflog.

Martina sah es ihm an, als sie ins Schlafzimmer kam. Sie gab Ada einen kleinen Schubs, und das Kind rollte in einem halben Purzelbaum aufs Bett und quietschte begeistert.

»Ist es wieder dasselbe?«, fragte Martina.

»Ja.«

»Du musst zu einem Arzt.« Sie streckte eine Hand aus, als Ada kurz davor war, aus dem Bett zu kippen. »Du hast versprochen, dass du gehst, wenn es nicht aufhört.« Sie setzte Ada mitten ins Bett, und Bergenhem richtete sich auf, nahm die Hände des Kindes und hob es hoch. Es war, als hebe er ein Kissen an. »Und es hat nicht aufgehört.«

»Ich weiß, ich weiß.«

»Ist es immer noch hinter dem Auge?« Sie streckte eine Hand aus und berührte ihn. »Hinter dem linken Auge?«

»Hör auf«, sagte er und wischte ihre Hand weg, vielleicht ein bisschen zu schroff. Er sah sie an, nahm ihre Hand. »Entschuldige. Aber … dieser verdammte Mist irritiert mich so.«

»Du bist schon lange irritiert.«

»Ich weiß, ich WEISS.«

»Ist da noch was anderes?«

»Was?«

»Ist irgendwas … mit uns«, sagte sie, und er merkte, dass sie vermied, Ada anzusehen.

»Nein, nein.«

»Kannst du nicht zum Amtsarzt gehen? Das schaffst du morgen vor neun.«

»Okay. Ich gehe.«

Er streckte sich wieder nach Ada und hob sie hoch, und sie jubelte. Als er zu ihr hinaufsah, wurde ihm für den Bruchteil von Sekunden schwarz vor Augen, und er setzte sie wieder ab, fast blind.

»Was ist, Lars?«

»Mir ist schwindlig geworden.«

»Himmel, jetzt gehst du aber zum Arzt.«

»Wahrscheinlich ist das nur Migräne.«

»Du hast doch noch nie Migräne gehabt.«

»Was soll der Kommentar? Sag das jemandem, der MS kriegt.«

»Das fand ich nun überhaupt nicht witzig.«

»Dann hör auf zu nörgeln.«

Er stieg aus dem Bett und verließ das Zimmer.

»Der Kaffee ist fertig«, rief sie ihm nach, aber er antwortete nicht.


Angela hatte Mantel und Stiefel angezogen und war gegangen, und er hatte sie nicht mit Gewalt zurückhalten können.

Er hatte diesen verdammten Brief, der sich wie nasses Laub anfühlte, vom Fußboden aufgehoben. Der Briefkopf war verwischt, ein einziges dreckiges Geschmiere. Genau wie dieses Gespräch ein Dreck gewesen war. Der Streit.

Nach sieben Minuten kam sie zurück, aber sie hatte keine Kopenhagener in einer Tüte dabei. Sie schüttelte sich die Stiefel von den Füßen und kam ins Wohnzimmer, wo er immer noch mit dem Brief in der Hand stand. Den Mantel hatte sie anbehalten, als ob es so den ganzen Abend weitergehen sollte, vor und zurück.

»Liest du ihn wieder?«

»Nein …«

»Jetzt wirst du mir zum Teufel eine gute Erklärung liefern.« Sie riss sich den Mantel herunter, und der landete auch auf dem Fußboden. »Eine Erklärung, die stimmt.« Sie kam näher. »Kapierst du das, Erik? Ich will die Wahrheit hören und keine Beschönigungen oder eine verdammte Lüge.«

»Du brauchst nicht so zu fluchen.«

»Ich fluche VERDAMMT NOCH MAL so viel ich will.«

»Okay. OKAY.« Er sah sich im Zimmer um und legte den Brief dann auf den Sofatisch. »Wollen wir stehen bleiben, oder wollen wir uns setzen?«

Sie ging zum Sofa und setzte sich. Er folgte ihr.

»Jetzt hör mir zu«, sagte er zu ihrem Profil. Sie schaute zu dem elektrisch erleuchteten Himmel der Stadt hinaus. Obwohl sie nur so kurz draußen gewesen war, hatte sie Farbe bekommen in der Abendluft. »Diese Frau … war Übersetzerin bei der Polizei. Ich hab sie getroffen, als ich den Diebstahl von meiner Brieftasche angezeigt habe.«

»Das ist ja ausgezeichnet.«

»Was?«

»Gut, sich auf diese Weise kennen zu lernen.«

»Soll ich es nun erklären, Angela?«

»Ja, bitte.« Sie zeigte ihm immer noch ihr Profil.

»Ja … und dann bin ich ihr nochmal begegnet, als ich das Geld abholte. Es war der reinste Zufall. Wir sind uns vor der Bank begegnet.«

»Vielleicht hat sie dich verfolgt? Beschattet?«

»Angela, das ist ja paranoid.«

»Paranoid? Ist das die Diagnose des Herrn Kommissar?« Sie drehte zum ersten Mal den Kopf und sah auf den Brief, der anfing zu trocknen und sich ein wenig aufrollte. Eine Papyrusrolle, dachte Winter. Die Schriftrollen des Toten Meeres. Darin kann man das Vergangene nachlesen. Es kann die Wahrheit sein oder Lüge, je nachdem, wie man es auslegt.

»Und dann seid ihr einander nicht von der Seite gewichen. Bis ich kam«, sagte sie.

»Angela. So war das nicht, und das weißt du.«

»Wie war es dann? Ich warte.« Sie nickte wieder zum Brief.
»Der handelt doch nicht davon, wie man sich zufällig vor einer
Bank getroffen hat.«

Winter schloss die Augen und sah dann aus dem Fenster, jetzt
sah er nur den Abend, die Nacht.

»An jenem Abend ... in der Nacht, als mein Vater gestorben
ist. Ich war so ... verzweifelt. Traurig. Ich bin spät in mein Zimmer gegangen. Es war der Abend, bevor du gekommen bist. Ich
saß auf dem Bett und alles war so ... so hart irgendwie, als ob
ich einen Fehler gemacht hätte, den ich nicht wieder gutmachen
konnte. Oder als ob wir alle einen Fehler gemacht hätten. Oder
beide.« Er sah sie an, und sie hörte zu. »Ich weiß nicht richtig,
was ich eigentlich dachte. Aber ich konnte unmöglich in dem
Zimmer bleiben und die Madonna an der Wand anstarren und
den letzten Whisky aus dem Flugzeug austrinken. Wenn es einen Fernseher gegeben hätte ... ich weiß nicht. Spanischer Fußball oder eine verrückte Talkshow. Ich weiß nicht. Ich konnte
da nicht sitzen bleiben, also ging ich raus in die Altstadt.«

»Und da saß sie und hat auf dich gewartet?«

»So war es nicht. Es war wieder ein Zufall.« Sie drehte den
Kopf, und er fuhr rasch fort: »Es WAR ein Zufall. Sie saß mit
ein paar Bekannten an einem kleinen Platz.« Es war ein Zufall,
dachte er. Als er sie das erste Mal auf dem Platz gesehen hatte,
war es ein Zufall gewesen. Und dann zerrte irgendwas an seinen Beinen, und er ist wieder hingegangen. Die Trauer, die Gedanken. Vielleicht die Scham. »Ich hab sie begrüßt und bin sitzen geblieben und hab ein wenig Wein getrunken.«

»Und das war alles?«

»Im Prinzip war es das.«

»IM PRINZIP?«

»Ja. Ich bin dann mit ihr nach Hause gegangen und hab noch
ein bisschen Wein getrunken und ... das war wirklich alles. Das
meiste war Taxifahrerei und ein früher Sonnenaufgang über
Torremolinos.«

»Torremolinos?«

»Dort wohnt sie.«

»Und du bist mitgefahren, um dir den Sonnenaufgang anzusehen? Du bist wirklich ein sehr ehrgeiziger Tourist, Erik.

Drängst dich in die Wohnung von einer fremden Frau oder was sie nun war, nur um Sonnenaufgänge anzusehen.«

»Angela … ich weiß. Ich hätte nicht mitgehen sollen, und ich … wollte auch nicht. Das war nicht ICH … es war all das andere. Aber ich schwöre dir … es ist nichts passiert.«

»Warum soll ich das glauben?«

»Weil es wahr ist.«

»Ha.« Sie sah wieder aus dem Fenster. »Haha.«

»Ich weiß nicht, wie ich dir … wir können sie fragen, wenn du willst.«

»Sei nicht albern.«

»Ich sage jetzt wirklich die Wahrheit. Wir sind zu ihr gekommen, wir haben ein Glas Wein getrunken, und ich hab eine Weile geschlafen … im Wohnzimmer. Sie hat nicht versucht, mich zu verführen, und ich hab auch nichts getan.«

»Ihr seid ja beide richtige Gentlemen.«

Er stand auf. Sein Rücken war schweißnass geworden. Er wusste nicht, was er jetzt tun oder sagen sollte.

»Es war nur … eine Rastlosigkeit«, sagte er.

»Es war wohl ein bisschen mehr.«

»Was meinst du?«

»Das hier unter anderem«, sagte sie und zeigte auf ihren Bauch.

»Zum Teufel, Angela!«

»Jetzt fluchst du wieder.«

»Das darfst du nicht sagen.«

»Vielleicht ist es die Wahrheit. Hier können wir uns ja Wahrheiten sagen, oder? Vielleicht bist du nicht der Mann, der eine Familie haben sollte.«

»Du täuschst dich, du täuschst dich gewaltig.« Er setzte sich wieder, versuchte ihre Hand zu nehmen, sie ließ es aber nicht zu. »Ich freue mich so auf das Kind. Ich freue mich über alles.« Jetzt nahm er ihre Hand. »Du musst mir glauben, Angela.«

»Alles, was du sagst?«

»Ja.«

»Warum hast du den Brief nicht einfach weggeworfen?«

»Das ist eine gute Frage. Ich wollte es tun. Ich weiß nicht. Vielleicht, weil es mir im Allgemeinen schwer fällt, Papier wegzuwerfen. Für mich wird alles zu Dokumenten. Aussagen. Berichte. Du weißt ja.«

»Hast du denn zurückberichtet?«

»Wie?«

»Hast du auf den Brief geantwortet?«

»Nein, natürlich nicht.«

»Und das soll ich auch glauben?«

»Es ist die reine Wahrheit.«

Er fand sich mit der Rolle ab. Nein, nicht mit der Rolle, mit der Situation. Es war ein Verhör. Er war der Verdächtige, und sie war es, die das Verhör leitete. Und sie war gut. Sie ist besser als ich, dachte er.

So funktionierte das also, die Suche nach der Wahrheit in den Lücken zwischen den Worten des Verdächtigen. In den Lücken befanden sich vielleicht Fragmente der Wahrheit. Es WAR die Wahrheit, zwischen all dem Wichtigen und Wesentlichen war es die Wahrheit, und er musste einen skeptischen Verhörleiter davon überzeugen. Das würde jetzt nicht gelingen. Das Verhör würde weitergehen, noch lange.


Aneta Djanali spürte die Sonne in den Augen. In der Kurve wurden die Fahrer geblendet. Gleich kracht es ordentlich, dachte sie. In der Höhe der Keksfabrik Pååls nahm sie den Duft von frisch Gebackenem wahr. Halders sah stur geradeaus, in den weißen Schein, wie um ihr den richtigen Weg zu weisen.

Bei der Abfahrt Järnbrott bog sie von der Schnellstraße ab, und plötzlich hatte sie ihr Sehvermögen wieder.

»Das Spielchen kann wieder beginnen«, sagte Halders und zeigte auf die meterhohen Schneewälle entlang der Straßenränder. »Schnee«, erklärte er und drehte sich zu Aneta Djanali um. »Das heißt Schnee.«

*Here we go again*, dachte sie.

Halders machte sich einen Spaß daraus, sie mit ihrer afrikanischen Herkunft aufzuziehen. Ich bin im Östra-Krankenhaus geboren, aber das ignoriert Fredrik einfach, dachte sie und bog nach links ab.

»Tannenbaum.« Halders zeigte auf einen geschmückten Baum, der vor einer Garageneinfahrt stand. »Es gibt viele davon«, sagte er und zeigte auf weitere Tannenbäume. »Nordisches Symbol für das Licht und die Festzeit der Freude.«

»Aha.«

Sie fuhren an den kleinen Villen entlang und parkten vor Elfvegrens Hecke. Die Villen waren in den fünfziger Jahren gebaut worden, als die Leute in engen Häusern wohnten, aber große Gärten hatten.

Der kleine Weihnachtsmann war mit Schnee bedeckt, und im Garten gab es keine Abdrücke von Schuhen. Aneta Djanali sah Spuren von Hasen und Katzen.

»Eine Luchsspur«, sagte sie und nickte zu der Spur links im Schnee.

»Löwe«, sagte Halders. »Die sind in diesem Jahr weit nach Norden gewandert.«

»Dieser ist im Zoo von Borås geboren.«

»Woran erkennst du das denn?«

»Die Klauen zeigen nach innen«, sagte sie und klingelte beim Ehepaar Elfvegren.


Das Telefon klingelte. Angela wollte nicht drangehen, obwohl sie dem Telefon am nächsten war.

»Hallo Erik, hier Lotta. Hast du mit Mama gesprochen?«

»Ich hole sie in Landvetter ab.«

»Drei Tage noch bis Weihnachten. Es geht schnell.«

»Mhm.«

»Ich rechne Heiligabend mit Angela und dir.«

»Klar.«

»Hast du schon Weihnachtsgeschenke gekauft?«

»Nur Mamas Gin.«

»Mach jetzt keine Witze.«

Winter betrachtete Angelas Profil. Immer Angelas Profil. Er machte keine Witze.

»Ich schaff es immer erst in letzter Minute«, sagte er.

»Bims und Kristinas Listen hast du bekommen?«

»Per E-Mail. Sie waren ziemlich lang.«

»Genau wie die beiden selber.«

»Da müssen noch einige zehn Zentimeter hinzugekommen sein, seit ich sie zuletzt gesehen habe.«

Ein plötzlicher Wind hatte einige der Löwenspuren vor Elfvegrens Haus ausradiert. Es sah aus, als sei das Tier in seinen eigenen Spuren rückwärts gegangen.

»Wir müssen aufpassen«, sagte Halders, als sie wieder rauskamen.

Erika Elfvegren schloss die Tür hinter ihnen. Aneta Djanali spürte die Kälte wie eine Bewegung innerhalb ihres Lederkragens.

»Die wärmen nicht besonders«, sagte Halders. »Du hättest die Mäntel in früheren Zeiten erleben sollen. Das war noch was im Winterklima in so einem subarktischen Loch am Rand der Welt.«

»Was für eine schöne Beschreibung.«

Sie setzten sich ins Auto und fuhren los.

»Sie hatten zwei *Aktuell Rapport* unterm Sofa«, sagte Halders, als sie in den Kreisverkehr einbogen.

»Aktuell was?«

»*Aktuell Rapport*. Schwedens meistgekauftes Sexmagazin. Oder heißt es meistverkauftes?«

»Ach so.«

»Möchte mal wissen, warum.«

»Du hast die Zeitschriften also erkannt?«

»Ich kenne den Rücken. Oben ist ein ein Zentimeter breiter roter Streifen. Und das Logo war auch ein bisschen zu sehen.«

»Du kennst dich aber gut aus mit Sexmagazinen.«

»Ja. Aber falls du glaubst, ich kauf den Scheiß, dann täuschst du dich.«

»Ich glaub gar nichts.«

»Ist es normal, dass die Leute Pornodreck zu Hause haben?«, sagte Halders, aber mehr zu sich selbst.

»Keine Ahnung.«

»Ich glaub, das wird immer üblicher. Das gehört zu dieser Zeit. Alles ist in Auflösung. Die Leute lesen Schmuddelblättchen und gucken sich Pornos im Fernsehen an.«

»Vielleicht.«

»Jetzt werben sie abends in einem der Programme sogar für Sexspielzeug. Jeden Abend. Jeden verdammten Abend. Und das geht nun schon über ein Jahr so.«

»Woher weißt du das?«

»Was?« Halders sah Aneta Djanali an, als ob er aus einem Traum geweckt worden wäre.

»Wie kannst du dir so sicher sein?«, wiederholte sie lächelnd.

»Natürlich weil ich es prüfe. Die Dinge zu überprüfen, das ist doch immer eine Aufgabe, oder? Ich prüfe es zwei Sekunden, und ich werde wütend, und dann ist mein Tag gelaufen. Ich hätte sie gern gefragt«, fügte er hinzu.

»Was?«

»Das hübsche Paar Elfvegren. Ich hätte gern gefragt, ob das ihre Lieblingslektüre ist.«

»Vielleicht hast du noch Gelegenheit dazu.«

# 34

Lareda Veitz studierte die Fotos und hörte Winter zu. Sie hatte Teile der Berichte gelesen. Es war das zweite Mal, dass sie sich in den vergangenen zwei Wochen trafen. Sie saßen in Winters Zimmer. Die Gerichtspsychologin hatte betont, dass sie kein genaues Profil vorlegen konnte, aber bereit war, mit dem Fahndungsleiter über den Täter zu diskutieren. Es war nicht das erste Mal, dass Winter die Hilfe der Gerichtspsychologie in Anspruch nahm.

»Natürlich ist das eine Botschaft«, sagte sie und sah wieder auf. »Alles sind Botschaften, nur auf verschiedene Weise.«

»Man sollte es also ernst nehmen?«

»In höchstem Grad. Was hast du denn gedacht?«

»Ich weiß es wirklich nicht. Dies hier könnte ja auch eine Art Ablenkung sein.«

»Das glaub ich nicht.«

»Bist du sicher?«

»Natürlich nicht. Das hast du mich früher schon mal gefragt, und ich muss dir diesmal genauso antworten.«

»Okay. Man hat eben nur so viele Fragen.«

Sie schaute auf eins der Bilder zwischen ihnen auf dem Schreibtisch, hielt es dann hoch und strich mit dem Finger über die Hälse der beiden toten Menschen auf dem Sofa.

»Eine der Antworten könnte das hier sein«, sagte sie. »Die Antwort steckt im Tausch der Köpfe. Oder der Körper. Es könnte auch als Tausch von Körpern ausgelegt werden.«

Winter nickte. Lareda Veitz' Ton war neutral, konzentriert. Nur so war es möglich, dem Unaussprechlichen auf den Grund zu gehen. Winter hatte gebeten, keine Telefongespräche zu ihm durchzustellen, das Handy war auf Ringmar in das Zimmer zehn Meter entfernt umgeleitet.

Lareda Veitz legte das Foto auf den Tisch.

»Lass mich offen reden«, sagte sie. »Wir diskutieren darüber, okay? Aus verschiedenen Blickwinkeln. Dann können wir es zergliedern.« Sie nickte zu dem Aufnahmegerät, das neben dem Stapel Bücher und Bilder stand. »Und dann kannst du das Aufgenommene redigieren.«

»Klar.«

Winter kontrollierte, ob das Band lief.

»Er ... wir sagen er ... er könnte das Geschlecht gewechselt haben ... und die Identität seiner Opfer. Eine der Antworten, von denen wir hier sprechen ... liegt in dieser Tat. In dem Tausch.«

»Warum?«

»Ich bin nicht sicher, ob er es selber weiß, Erik. Wir müssen nach unbewussten Motiven suchen, warum er die Tat auf diese Weise ausgeführt hat.«

»Etwas anderes hat ihn gelenkt?«

»Etwas anderes in ihm selbst. Jemand anders als er selber.«

Winter nickte wieder, nahm eins der Fotos in die Hand und sah es an. Er hatte die Aufnahmen so häufig studiert, dass sie einen geradezu erschreckend alltäglichen Charakter bekommen hatten. Wie man mit den Bildern zu Hause an der Wand lebt oder den gerahmten auf dem Nachttisch. Aneta Djanali hatte von der neuen Gewaltwerbung im Studio der Haarkünstler erzählt, wo Louise Valker gearbeitet hatte. Mord als Verkaufsargument. Das fiel ihm jetzt ein. Er sah Louise Valkers Gesicht, das alle menschlichen Züge verloren hatte. Ihm wurde klar, dass er das Plakat selbst nicht gesehen hatte. Wie hatte es ausgesehen?

Wie genau hatte er die Verhöre von allen, die in dem Salon arbeiteten, gelesen?

»Einen Augenblick«, sagte er und griff nach seinem schwarzen Notizbuch. Er schrieb etwas und sah dann zu Lareda auf, die über etwas nachdachte. »Okay, Lareda.«

»Ich spekuliere mal ein bisschen«, sagte sie. »Er hat ein

Brandzeichen hinterlassen … oder mehrere, die können in Beziehung zueinander stehen. Irgendwie stehen Schrift, Musik und … die Tat … in Beziehung.« Sie sah Winter an. »Es sind keine verzweifelten Botschaften.« Sie warf einen Blick auf das Aufnahmegerät. »Und sie sagen aus, dass er gestoppt werden will.«

»Ja.«

»Bist du auch schon darauf gekommen?«

»Ja. Er will, dass wir ihn von dem Elend befreien.«

»Die Tat selbst ist eine Angstreduktion. Wenn die Angst groß genug wird, wird das … Normale deformiert. Schließlich ist er gezwungen zu handeln, und er findet Ruhe. Eine vorübergehende Ruhe, denn die Angst setzt erneut ein, und alles beginnt von vorn.«

»Beginnt von vorn? Wird es also wieder passieren?« Winter sah zum Aufnahmegerät und sprach in seine Richtung. »Wenn wir ihn also nicht stoppen?« Er sah die Psychologin an. »Wenn wir ihm nicht helfen?«

»Ich glaube, wir haben es mit einer Person zu tun, die seit langem dabei war, psychotisch zu werden, das Ich wurde immer stärker fragmentisiert. Erscheinungen, Träume … schließlich muss er sie ausleben.«

»Er lebt seine Erscheinungen aus? Meinst du das?«

»Er kann früher ein Erlebnis gehabt haben, das all diesem zu Grunde liegt. Oder ein wichtiger Teil davon ist. Vielleicht schon vor langer Zeit. Vielleicht gerade erst kürzlich. Aber es ist zu schrecklich gewesen, als dass er es vergessen kann. Und gleichzeitig kann er sich nicht daran erinnern. Verstehst du, was ich meine?«

»Ich glaube.«

»Und dann kommt alles über ihn.« Sie sah auf die Fotos, die im Sonnenschein, der durchs Fenster fiel, glänzten, in zwei Teile geteilt wurden von Sonne und Schatten. »Und am Ende inszeniert er sein Drama. Es entsteht ein Zwang, der ihn dazu treibt, sein Drama zu verwirklichen. Verstehst du? Eine innere Vorstellung wird im Äußeren gestaltet.«

»Was kann denn passiert sein?« Winter stand plötzlich auf und ging zum Fenster, um die Jalousien zu verstellen. Ihm hatte die Sonne in die Augen geschienen und ihn geblendet. Das Gespräch quälte ihn. Laredas nüchterne Stimme verstärkte das Gefühl, dass sie jetzt in einem Abgrund versanken. So war es. Abgründe des Menschen, Erinnerungen und Erlebnisse von Einsamkeit, Ausgeschlossensein und Kontaktlosigkeit.

Er drehte sich am Fenster um. Laredas Brillengläser wirkten schwarz im Schatten des Raumes. »Was mögen das für Erlebnisse gewesen sein? Kannst du das erraten?«

Sie ließ sich Zeit mit der Antwort, nahm die Brille ab und blinzelte in Winters Richtung, der am Fenster stehen geblieben war.

»Bei irgendeiner Gelegenheit ist er entsetzlich gekränkt worden. Vielleicht wiederholte Male, vielleicht nicht.«

»Gekränkt? Entsetzlich gekränkt? Wie denn?«

»Ich glaube, das hat etwas mit der Frau zu tun. Mit Frauen.« Sie hielt wieder eins der Fotos hoch, Winter stellte sich neben sie.

»Die verschiedenen Verletzungen an ihren Körpern können kein Zufall sein. Beide sind gefoltert worden, aber auf unterschiediche Weise.«

»Dessen sind wir uns bewusst.«

»Ich habe die Arztberichte gelesen und daraufhin die Bilder studiert. Der Mann hier ist … ›nur‹ getötet worden, aber mit der Frau war das anders. Sie ist mehr als … getötet worden. Sie ist mehr als … tot.« Lareda Veitz strich mit dem Finger über den nackten Frauenkörper. »Hier … und hier. Hier. Hier. Hier. Alle Verletzungen waren nicht direkt tödlich.« Sie sah Winter an. »Bei dem Mann war das anders.«

»Ich weiß. Aber ich weiß nicht, weshalb.«

»Er ist von Frauen heftig gekränkt worden. Vielleicht von einer, vielleicht von mehreren. Vielleicht von dieser Frau. Vielleicht von einer anderen. Sie könnte eine … Stellvertreterin sein.«

»Stellvertreterin? Sie kann irgendwer sein, Hauptsache, sie ist eine Frau?«

»So könnte es sein. Erwarte nicht von mir, dass ich noch mehr sage.«

»Und wenn ich es erwarte?« Winter war neben ihr stehen geblieben, sie setzte sich die Brille wieder auf und sah zu ihm hoch. »Kannst du dich nicht setzen? Ich krieg Nackenschmerzen, wenn ich immer so zu dir hochsehen muss.«

Winter setzte sich.

»Also gut, ich glaube nicht, dass diese Frau ... Louise ... diejenige aus seinen ... Visionen, Träumen ist. Aber sicher kann man das nicht sagen.«

»Nein, das versteh ich. Aber er ist also nur gekränkt worden. Hat das mit der Sexualität zu tun? Glaubst du, dass es eine sexuelle Kränkung war?«

»Schon möglich«, antwortete Lareda Veitz. »Die Kränkung kann mit einer sexuellen Handlung zusammenhängen, oder mit einer sexuellen Vorstellung. Er könnte in so einem Zusammenhang lächerlich gemacht worden sein. Es könnte in genau so einer Situation passiert sein. Dafür gibt es in der Gerichtspsychologie viele Beispiele.«

»Lächerlich gemacht?« Ich wiederhole alles, was sie sagt, dachte Winter.

»Irgendwie, ja. Eine eher riskante Auslegung wäre, dass er tatsächlich geistig kastriert worden ist. Von einer Frau. Und dass es vor einem anderen geschehen ist. Einem Mann.«

»Kastriert?«

»Er hat sich kastriert gefühlt. Er konnte es nicht formulieren, als es passierte, aber jetzt ist es ihm aufgegangen. Es könnte im Beisein eines anderen Mannes geschehen sein. Aber die Frau ist die Schuldige. Sie hat ihn dem ausgesetzt.«

»Sie hat die Schuld, dass er geworden ist, wie er ist?«

»Ja. Sie trägt die Schuld, dass er gezwungen wurde, diese Tat ... an ihr zu begehen. Und dann ›sie‹ vielleicht in der Bedeutung der Stellvertreterin. Seine Fantasie ist schließlich so stark geworden, dass er es in der Realität ausführen musste. In der anderen Realität, der er immer noch zugehört. Der ... richtigen.«

»Er kann also auch immer noch normal funktionieren?«

»Ich glaube, ja.«

»Er kann irgendeiner von uns sein.«

»Im Prinzip«, sagte sie, und Winter dachte für einen Bruchteil von Sekunden an Angela. »Aber wahrscheinlich nicht mehr lange. Es hängt davon ab, wie er mit der Fantasie umgeht, die er jetzt verwirklicht hat. Einmal.«

Sie verstummte, dachte nach, räusperte sich.

»Könntest du mir bitte ein wenig Wasser holen, Erik? Mir reicht Leitungswasser.«

Er stand auf und ging zu einem Schrank neben dem Waschbecken, in dem einige saubere Gläser gestapelt waren. Er füllte ein Glas und brachte es ihr.

Sie trank und fuhr fort: »Ich sehe hier auch eine Spur von Dominanz ... wie eine Folge von dem, was passiert sein könnte. Es liegt in dem Identitätstausch ... ein Konflikt wird bloßgelegt, in dem es um den Willen zur Dominanz geht. Er will dominieren.«

»Dominieren? Die Frau dominieren?«

»Dominieren ... das Symbol für seine Pein. Die Frau. Und gleichzeitig der Wunsch ... ein anderer zu sein. Er möchte zwei verschiedene Personen sein und verwirklicht es äußerlich. Hinterher. Nach dem Mord selbst.«

»Das Letzte versteh ich wohl nicht richtig.«

»Er möchte als Mann dominieren, aber auch sich selbst verlassen, um ein anderer zu sein. Der Tausch der Köpfe oder Körper gestaltet diesen Wunsch.«

»Wir reden hier also, jedenfalls in gewissen Teilen, von einer Racheaktion? Einer verdrehten Racheaktion? Betrogene Liebe? So einfach?«

»Ich glaube, auf einer Ebene könnte es so gewesen sein.«

»Und die Personen brauchen nicht die tatsächlichen Racheobjekte gewesen zu sein? Hassobjekte?« Die Personen auf den Bildern, dachte Winter.

»Nein.«

»Aber sie können an die richtigen *erinnern*? Also: Auf die eine oder andere Weise erinnern er oder sie oder beide an die wirklichen?«

»So könnte es sein.«

»Könnte der Mörder auch eine Person sein, die sich immer unterlegen gefühlt hat? Sexuell zum Beispiel. Die sich kastriert gefühlt hat, lächerlich gemacht ... ohne dass sie direkt ... tja, einer öffentlichen Demütigung ausgesetzt war?«

»Gute Frage.«

»Und?«

»Es ist möglich.«

»Das wiederum könnte bedeuten, dass wir die Antworten nicht in einem tatsächlichen Ereignis suchen müssen.«

»Ja.«

Winter merkte, wie durstig er geworden war. Er holte ein Glas Wasser, füllte auch Laredas nach, und setzte sich.

Die getötete Frau war Louise. Wer war sie? War sie ein Teil seines Hintergrundes oder nur ein Symbol für jemanden? Wer war die *richtige* Frau? Gab es da draußen jemanden, der ihnen eine Antwort geben konnte? Der Kontakt mit dem Mörder gehabt hatte? Aber wenn es Louise *war*? Hatten sie nicht genügend in ihrer Vergangenheit gesucht? Natürlich nicht. Wie weit waren sie schon gekommen?

Er würde selbst nach Kungsbacka fahren. Ihre Mutter wohnte noch dort. Sie hatte auf Fragen von Kollegen geantwortet, aber er hatte mehr Fragen.

»Weiter«, sagte er.

»Womit?«

»Mit der Macht, der Dominanz. Mach da weiter.«

»Ja … die Macht … das ist ein neues Wort. Aber okay, wenn wir es beherrschen nennen … Das, was ihm einmal widerfahren ist … die Erniedrigung … könnte dazu geführt haben, dass ein ganzes Leben aus der Suche nach dem verlorenen festen Boden unter den Füßen bestanden hat.«

»Eine lebenslange Suche nach der Dominanz?«

»Ja. Aber mehr oder weniger unbewusst. Wir haben ja schon über das Bewusste und das Unbewusste gesprochen.« Sie sah das Aufnahmegerät an, als erwarte sie von dort eine Bestätigung. »Vielleicht eine Suche nach einer Art Position.«

»Position? Im Leben? In welchem Leben?«

»In welchem Leben? Na ja … das Privatleben ist zerstört, glaube ich. Vielleicht ist es das immer gewesen. Hier muss es sich um einen Menschen ohne nennenswerte Kontakte handeln. Wenige Freunde.«

»Lebt allein?«, fragte Winter.

»Ja.« Sie sah das Aufnahmegerät noch einmal wie einen Stenografen an. »Vermutlich.«

»Und das Berufsleben?«

»Schwer zu sagen. Aber es ist nicht undenkbar, dass diese Person eine Art Beruf hat, der ein gewisses Maß an Dominanz mit sich bringt.«

»Aber das könnte sich ja auf viele verschiedene Weise ausdrücken.«

»Es muss sichtbar sein.« Sie sah Winter an, ohne Brille. »Ich glaube, darauf kommt es an.«

»Sichtbar? Es muss also erkennbar sein, dass hier jemand kommt, der ein wenig mehr Macht hat als andere?«

»Wenn man es so ausdrücken will. Man fällt auf in seiner Machtausübung.« Sie verstummte, dachte nach. »Wenn wir die Diskussion über das Sexuelle fortsetzen, kann man von ›Verlängerung des Penis‹ sprechen.«

»Im Gegensatz zur Kastration«, sagte Winter.

»Ja. Aber immer noch … auf einer unbewussten Ebene. Ausgelöst wird der Mord jedoch durch die Fantasie, die zu stark wurde. Da gibt es keine Nebelvorhänge mehr.«

»Aber was führt zu dem Mord selbst?«, fragte Winter. »Was führt zu dem Wunsch, sie zu töten?«

»Das ist die zentrale Frage«, sagte Lareda Veitz.

»Der Mörder ist in die Wohnung gekommen, und er muss eine Absicht gehabt haben, gerade diese Wohnung zu betreten, genau in diesem Moment und gerade Valkers Wohnung.«

Winter stand auf. Er fühlte sich fiebrig im Gehirn, überhitzt von dem Druck seiner Gedanken. Er konzentrierte sich wieder, schloss die Augen, ging vier Schritte Richtung Fenster, schaute durch die Jalousien, sah den blauen Himmel und die weiße Erde. Die Autos fuhren lautlos am anderen Ufer des Flusses entlang. Die Hausfassaden leuchteten, die Bäume waren schwer von Schnee, der an den Zweigen festgefroren war. Es war der Tag vor dem Tag vor dem Tag.

Er drehte sich um.

»Lass uns noch mal über seinen Beruf reden. Du hast gesagt, er will auffallen.«

»Ja, er will bemerkt werden.«

»Er will auffallen, wenn er die Straße entlanggeht?«

»Ja … vielleicht.«

»Ein Hirnchirurg oder Klinikchef, der an einem Wochentag

die Avenyn entlanggeht, hat kein äußeres Zeichen für seinen Beruf, oder? Es ist ihm nicht anzusehen, oder?«

»Nein ... es sei denn, er hätte sein Stethoskop dabei, aber das nimmt man ja nicht mit in die Stadt.«

»Hirnchirurgen benutzen kein Stethoskop.«

»Dann eben Messer«, sagte Lareda Veitz, und Winter brach in ein Gelächter aus, das er nicht unter Kontrolle hatte. Es war, als ob der Deckel von einem Dampfkochtopf aufgesprungen wäre. Er musste sich gegen den Fensterrahmen lehnen, und als er den missbilligenden Blick der Psychologin sah, platzte das Lachen wieder heraus, der Deckel flog weg.

»Bitte ...«, sagte sie, und Winter versuchte, den Deckel wieder zu schließen. Keine Messer, dachte er. Dann könnten sie für Köche gehalten werden, nicht zuletzt auf der Avenyn. Er spürte schon wieder einen Druck gegen den Deckel.

»Denkst du an was Lustiges, Erik?«

»Nei...ein. Entschuldige, Lareda. Es ist nur die Anspannung.« Das stimmt, dachte er. Die Anspannung, die private, die berufliche. Sein Privatleben war nicht zerstört, wie Lareda das Privatleben des Mörders genannt hatte, aber auch nicht gerade auf solidem Boden momentan. Seine Berufsausü... ihm war auch nicht anzusehen, dass er Kommissar war. Er trug keine...

»Nimm dich doch selbst als Beispiel«, sagte sie. »Wenn du die Avenyn runtergehst, siehst du nicht wie ein Kriminalkommissar aus.«

»Nein, aber ... Wie wäre es am einfachsten zu erkennen, wenn man Macht ausübt? Wie sollte man dann gekleidet sein?«

»In Uniform«, sagte Lareda Veitz.

Winter setzte sich wieder, strich sich über die Stirn. Er spürte einen Film von Schweiß in den Haarwurzeln. Im Zimmer war es warm, fast heiß.

»Soll das nun bedeuten, dass wir nach einem Mann in Uniform suchen?« Er sah sie an, als erwartete er von ihr ein bejahendes Nicken. Aber sie antwortete nicht. »Was meinst du?«

»Anfangs haben wir gesagt, wir wollen die Sache aus verschiedenen Blickwinkeln betrachten. Das haben wir getan, und das mit der Uniform könnte einer dieser Blickwinkel sein.« Lareda Veitz holte hörbar Luft. »Aber wenn du das Band abhörst, wirst du sicher feststellen, dass es Hypothesen sind, Überlegungen. Wir haben uns hierhin und dahin bewegt. Ein Mann in Uniform? Ja, unter der Voraussetzung, dass die Annahme stimmt, es handle sich um einen einsamen Mann, der Ordnung und eine Position in seinem äußeren Leben sucht. Aber das wissen wir ja nicht.«

# 35

Winter ging hinaus, um Kaffee zu holen, und rauchte einen Zigarillo am Kantinenfenster. Der Schnee hinter dem Parkplatz war unberührt. Polizisten in Uniformen unterhielten sich da unten, ihr Atem war wie Sprechblasen zwischen ihnen.

Besucher kamen und gingen. Er sah sein Fahrrad vor dem Eingang. Zwanzig Zentimeter Schnee über Lenker, Rahmen und Sattel, wie Puderzucker auf einem Pfefferkuchenfahrrad.

Aus den Sprechblasen tönte ein Lachen zu ihm herauf. Einer der Polizisten hatte sich eine Weihnachtsmannmütze aufgesetzt.

Er nahm den Kaffee mit ins Zimmer, zwei Tassen. Lareda Veitz sah von ihren Notizen auf.

»Könnte es sein, dass er neue … Herausforderungen sucht?«, fragte Winter und reichte ihr eine Tasse. »Pass auf. Der Kaffee ist heiß.«

»Danke. Herausforderungen? Tja … was meinst du?«

»Ich hab da draußen dran gedacht. Dass er vielleicht … wächst. Spürt, dass er wächst. Und damit kann es wieder passieren.«

»Aber der Wunsch, entdeckt zu werden, ist immer da«, sagte sie und nippte an ihrem Kaffee. Sie wollte etwas sagen, verstummte jedoch.

»Was wolltest du sagen?«

»Die Macht … vorhin haben wir über Macht gesprochen und über Dominanz. Ich weiß nicht, wie ich es ausdrücken soll.«

»Bisher ist dir das gut gelungen.« Winter trank vorsichtig einen Schluck von dem dampfenden Kaffee, der etwas abgekühlt war.

»Es ist nicht ungewöhnlich in solchen Fällen, dass der Mörder auch Macht über seinen ... Entlarver sucht.«

»Seinen Entlarver? Es gibt doch noch gar keinen. Hat er den schon definiert?«

»Seinen zukünftigen Entlarver. Er hat Botschaften hinterlassen, nicht wahr? Sie sind an jemanden gerichtet.«

»An wen?«, fragte Winter, aber er kannte die Antwort.

»An dich, Erik.« Sie saß im Schatten, und ihre Brillengläser waren wieder schwarz. »Du bist der Jäger, der Fahnder. Der mögliche Entdecker.«

»Er will mich dominieren? Erik Winter?«

»Du hast die Rolle des Jägers. Kriminalkommissar Erik Winter.«

»Das ist doch nicht persönlich gemeint, oder?«, sagte Winter, aber er lächelte nicht. Lareda Veitz lächelte auch nicht. Er sah sie an. »Könnte es persönlich *werden*?«

»Wie meinst du das?«

»Dass er sich wirklich auf ... mich einstellt? Meine Person, da ich ja der ... Jäger bin?«

»Nein.«

»Bist du sicher?«

»Nein.«

»Er besitzt etwas, das ich in diesem Fall ... nicht besitze. Er hat das Wissen, warum es passiert ist. Und wer es getan hat. Das macht ihn überlegen, oder?«

»In gewisser Weise ja. Weiter.«

»Auf diese Weise hat er bereits Macht über mich.« Er stand wieder auf, dachte nach, machte zwei Schritte. »Gibt es noch mehr, Lareda? Ist das alles, oder gibt es noch mehr?«

Sie stand ebenfalls auf und ging zum Fenster und schaute mit verschränkten Armen hinaus. Dann drehte sie sich um.

»Ich weiß nicht, ob es sinnvoll ist, in dieser Richtung weiter zu überlegen. Aber, okay ... es könnte sein, dass du etwas hast, was er nicht hat. Um dich dominieren zu können, muss er daran seinen Anteil bekommen. Um Macht über dich zu spüren.«

»Und was habe ich?«

»Verglichen mit ihm? Alles. Du hast alles.«

»Zum Beispiel was?«

»Ein richtiges Leben. Sein Leben ist zerstört, vielleicht schon sehr lange. Du hast ein Leben.«

Winter atmete hörbar aus. Es war immer noch sehr warm im Zimmer. Keine leeren Sprechblasen. Er wollte die Richtung, die das Gespräch genommen hatte, nicht weiter verfolgen. Später, aber nicht jetzt.

Er ging zum Panasonic und stellte die Musik an. Lareda hatte sie sich zu Hause angehört, und ihr Mann war unterdessen ins Kino geflüchtet.

»Carreras ist mir lieber«, sagte sie, als der Song begann.

»Mir reicht, wenn die Grenze bei Clash ist«, sagte Winter.

»Kennst du Clash?«

»Da bin ich Experte.« Er machte eine Kopfbewegung zum Fußboden, wo der CD-Player stand. »Aber wie analysiert man das hier? Ist dir was eingefallen?«

»Nur Spekulationen … Okay. Ich will mich nicht zu sehr an der Intensität dieser … Musik aufhängen. Die könnte einen reinlegen, vielleicht in die falsche Richtung lenken.«

»Du meinst, das Tempo ist nicht wichtig?«

»Ja. Das könnte verführerisch sein. Mit diesem Hintergrund wirkt es so viel grausamer. Verstehst du? Wenn du an einen Mordplatz kommst und Carreras hörst, ist der Eindruck doch gleich anders.«

»Nein.«

»Ach?«

»Liebe Lareda, wir wollen doch versuchen, professionell vorzugehen. Carreras, Sacrament, Mysto's Hot Lips, Tom Jones … die sind nicht so wichtig. Mich beeinflusst die Musik nicht, wenn ich dort stehe.«

»Du kannst sagen, was du willst, aber dir entgeht hier etwas Wesentliches. Ich meine, dass das Grausame noch von der Wahl der Musik verstärkt wird, und das muss euch doch beeinflussen, wenn ihr die Antwort sucht.«

»Wie beeinflusst uns das?«

»Lass mich eine Gegenfrage stellen. Siehst du einen besonderen Typ vor dir, wenn du dir jemanden vorstellst, der sich das hier anhört? Also aus freiem Willen zuhört?«

»Ich versuche, es zu vermeiden.«

»Danach hab ich nicht gefragt.«

»Ich verstehe, was du meinst«, sagte Winter.

»In der Musik ist etwas, das wirklich das hervorruft, was geschehen ist. Es ist latent vorhanden. Das ist keine Hintergrundmusik. Es ist keine Entspannungsmusik.«

»Und wer hört sich das an?«

»Es könnte jemand sein, der sich immer diese Art Musik angehört hat, aber das glaube ich nicht.«

»Und warum hat er sich jetzt dafür entschieden?«

»Das ist eine weitere gute Frage.«

»Ich glaube auch nicht, dass der Mörder ein typischer Metaltyp ist, mit langen Haaren und schwarzen Klamotten. Wir sind hier nicht hinter den Black-Metal-Freaks her.«

»Vielleicht hört er überhaupt keine Musik«, sagte Lareda Veitz.

»Daran hab ich auch schon gedacht.«

»Die Botschaft ... wenn es denn eine Botschaft ist ... steckt vielleicht im Text. Wir sollten uns direkt mit den Wörtern auseinander setzen. Als ich die Kassette von dir bekam, hast du gesagt, diese Musik ist unmöglich zu verstehen ohne Text. Ohne die Texthefte. Oder?«

»Ja.«

»Ich hab also über die Texte nachgedacht. Und über das Cover, die Bilder. Die dürfen wir ja auch nicht vergessen. Also alles, was nicht die Musik selbst ist, oder wie man die nun nennen will. Ich hab keine Bezeichnung hierfür.« Sie machte eine Geste zum CD-Player. Der Raum dröhnte immer noch von Sacrament, aber Winter hatte die Lautstärke jetzt ein wenig heruntergedreht. »Also außerhalb der Genrebezeichnung. Black Metal.«

Winter nickte. Er wusste auch keine Bezeichnung. Das hier war mehr Physik als Musik.

»Das Ganze enthält mehrere Symbole, aber das Muster weist doch auf etwas hin«, sagte sie. »Die Wahl der Titel, der Texte, selbst der Bilder ... es geht um eine Art Tauziehen zwischen Böse und Gut ... ausgetragen zwischen Himmel und Hölle.«

»Soweit gebe ich dir Recht.«

»Aber die Kräfteverhältnisse sind nicht klar. Wer siegt? Wo ist die Macht?«

»Die Worte geben darauf keine Antwort, meinst du?«

»Sie drücken mehr einen Wunsch aus, aber vor einer Kulisse von Dunkelheit und Hoffnungslosigkeit. Und das ist die Welt, die ein Teil des Schlüssels zum Ganzen ist. Vielleicht.«

»Die Welt? Welche Welt?«

»Das ist die Welt, die vorherrschend ist.« Sie sah zu ihm auf, und er sah, dass sich ihre Gesichtsfarbe verändert hatte. Eine schwache Erregung. Sie dachte laut, dachte nur. »Das könnte die Kernfrage sein. Und das Paradoxon. Es ist ein unerhörter Unterschied, ob man in einer Welt sündigt, die von Gott gelenkt wird, oder in einer Welt, die vom Teufel gelenkt wird.«

»Es gibt keine Hoffnung in einer Welt, die vom Teufel gelenkt wird? Eine Welt, die nur böse ist, gibt keine Hoffnung? Meinst du das so?«

»Ja. Und so könnte es in seiner Vorstellungswelt sein. Er ist in die böse Welt gegangen. Aber er hat immer noch eine Vorstellung von der anderen Welt.«

»Will er dorthin zurück?«

»Er möchte allem entkommen«, antwortete sie. »Und er will etwas Unzulängliches mit einem Verbrechen reparieren … die Kastration. Unzulängliches und Sehnsucht. Durch das Verbrechen kehrt er zu dem Erlebnis der Demütigung zurück, und er will auch zeigen, *das* ist meine Unzulänglichkeit. Er will es uns zeigen.«

»Er will … entdeckt werden.«

»Er will Hilfe. Und hier ist das große Paradoxon verborgen. Er sehnt sich nach Hilfe und sagt, in diesem Verbrechen zeigt sich meine Unzulänglichkeit, und dies ist ein Hilferuf.« Sie sah Winter an, fast intensiv. »Auf diese Weise zeigt er, dass es noch Hoffnung gibt.«

»Es gibt also Hoffnung, für ihn … und für mich?«

»Und es gibt immer eine Sehnsucht«, sagte sie. »Seine Träume sind seine innere Vorstellungswelt, die er jetzt in der äußeren gestaltet hat.« Sie sah zum Aufnahmegerät. »Und damit sind wir wieder ungefähr da, wo wir angefangen haben, oder?«

Ein Traum, dachte Winter. Draußen fing der Schnee an, blau zu glitzern. Ein Traum in einem Winterland.

In der Wohnung war es still. Patrik hörte seinen Vater im Schlafzimmer schnarchen. Er versuchte zu lesen, aber das wollte ihm nicht recht gelingen, weil er an etwas anderes dachte. Er hatte ein Weihnachtsgeschenk für ihn gekauft, aber für Ulla hatte er noch nichts. Er wollte ihr nichts schenken.

Vielleicht würden die beiden Heiligabend woanders verbringen. Und Maria hatte gesagt, er könnte Heiligabend zu ihnen nach Örgryte kommen. Das wäre fett. Weihnachten im Haus von Reichen feiern. Fett.

Inzwischen war der Vater aufgestanden. Es grunzte im Zimmer. Ulla war unterwegs und kaufte Schnaps, und er wusste, dass es dem Vater jetzt gut ging.

»Patrik!«

Der Vater stand in der Tür und rieb sich die Augen. Es war bis hierher zu riechen. Es war wie immer, aber nicht richtig, denn sonst war Patrik ja in seinem Zimmer, und da hatte er seine Ruhe.

»Hast du mich geweckt?«

»Nee.«

»Irgendwas war.« Der Vater rieb sich wieder die Augen. Er ging durchs Zimmer in die Küche. Es klapperte, und etwas fiel zu Boden und zersprang. Glas. »Schei…«, schrie der Vater und kam ins Wohnzimmer zurück. »Auf dem Fußboden sind Glasscherben. Feg sie auf, ich hab keine Kraft.«

»Ich will raus.«

»Was hast du gesagt, was willst du?«

»Ich bin auf dem Weg nach draußen.«

»Ich hab gesagt, du sollst den Fußboden fegen. Ulla kommt gleich, und sie weiß nicht, dass da Glasscherben liegen.«

»Okay, ich mach ja schon.«

Patrik ging in die Küche, versuchte, erst die großen Scherben aufzuheben, und dachte, er hätte Schuhe anziehen müssen. Aber er schnitt sich nicht. Dann fegte er den Rest auf und warf die Scherben in eine Plastiktüte, die er in den Schrank unter der Spüle legte. Er hörte Ulla draußen im Flur.

»Was machst du da?«, fragte sie, als sie in die Küche kam.
»Nichts.«

Sie stellte eine Tüte auf den Tisch. Der Vater kam herein und nahm neue Gläser aus dem Schrank.

Patrik ging in den Flur und zog Jacke und Schuhe an. Draußen war es jetzt dunkel, aber überall glitzerte Weihnachtsbeleuchtung. Die Leute schleppten Tannenbäume. Die kosteten hundertfünfzig Kronen, aber er wollte sowieso keinen haben.

Der Tannenbaumschmuck von seiner Mama war unauffindbar. Einige bunte Kugeln, sie waren weg, genau wie Mama.

Ein Streifenwagen hielt vor dem Zeitungskiosk, als er daran vorbeiging. Er meinte, die beiden Polizisten wieder zu erkennen. Jetzt fuhren sie. Es blitzte im Lack, und das Schild vom Kiosk spiegelte sich auf der Karosse. Ihm fiel etwas ein, was er im Treppenhaus gesehen hatte. Dieses Blitzen hatte ihn daran erinnert. Hing das nicht zusammen?

# 36

Ich hab die Berichte über die Türklopf-Aktion gelesen, die wir nach dem Mord angeleiert haben, es springt einen ja förmlich an, dass sich niemand um den anderen kümmert«, sagte Winter. »Nichts sehen, nichts hören, nichts reden.«

»Wie ist es in deinem Haus?« Ringmar versuchte eine Büroklammer gerade zu biegen. »Was weißt du von deinen Nachbarn?«

Winter dachte an Frau Malmer. Angela hatte Andeutungen gemacht über die Mitternachtsmessen der Frau. Aber jetzt machte sie keine Andeutungen mehr. Angela kam nicht mehr. Nein, gar so schlimm war es nicht. *Angela doesn't live here anymore*. So schlimm war es nicht. Er hatte die Wahrheit gesagt und nichts anderes als die Wahrheit, die etwas für sie beide und für die Zukunft bedeutete.

»Nichts«, sagte Winter.

Ringmar hielt den Draht hoch, er war einigermaßen gerade.

»Gut gemacht, Bertil. Jetzt kannst du anfangen, Schlösser aufzuknacken.«

»Ist er so reingekommen?«

»Wir haben keine einzige Spur gefunden. Er hatte einen Schlüssel. Nein. Er wurde eingelassen. Er war ein Bekannter.«

»Wir haben alle Bekannten, die wir auftreiben konnten, verhört.«

»Er war ein geheimer Bekannter.«

»Woran denkst du?«

»An Geheimnisse. Geheimnisse von Menschen.«

»Mhm.«

»Er war ein Teil des Geheimnisses. Dort sollte sich etwas abspielen, wovon er ein Teil sein sollte. Aber soweit kam es nicht. Nicht beim letzten Mal.«

»Er hatte andere Absichten.«

»Ja.«

»Hatte er die schon, als er kam?« Ringmar versuchte, die Büroklammer in ihre ursprüngliche Form zu biegen.

»Das ist eine wichtige Frage. Hatte er sich schon entschlossen, als er hinging, oder ... ist dort etwas passiert, das zu dem Mord führte?«

»Oder zu dem, was *nach dem* Mord geschah.«

»Ja. War er ein Fremder, den sie eingeladen hatten, oder war er jemand, der die beiden seit langem kannte?« Seit langem, dachte Winter. Sein Job war zu einer Art Archäologie des Verbrechens geworden. Er grub in vergangenen Zeiten, um eine Antwort zu finden, stieg zu den Schatten der Vergangenheit hinab. Er hatte es satt, die Gegenwart hielt ihn genug in Atem. »Jemand von früher«, wiederholte er.

»Kannte er sie? Ihn? Beide?«

»Mhm. Sie. Ich glaube, es geht um die Frau. Louise. Nach dem Gespräch mit Lareda glaube ich es noch mehr.«

»Lareda kann einen manchmal mitreißen«, sagte Ringmar.

»Ein Glück, dass es so ist«, sagte Winter.

»Wenn wir davon ausgehen, dass sie ihn hereingelassen haben, dann stellt sich die Frage, wie sie sich kennen gelernt haben«, sagte Ringmar. »Ob sie nur oberflächlich bekannt waren, oder ob sie sich gar nicht kannten, aber ein Treffen in Valkers Wohnung vereinbart hatten ... woher haben sie sich gekannt?«

»Per Kontaktanzeige?«

»Glaubst du das?«

»Einsame Herzen.«

»Weißt du, wie viele Kontaktanzeigen täglich in den Zeitungen erscheinen? Oder nimm nur die Wochenenden.«

»Nein, weiß ich nicht. Du?«

»No, Sir. Aber ich sehe immer, dass es viele sind. *Lonely hearts.*«

»Liest du die, Bertil?«

»Das ist eine gute Unterhaltung. Aber wenn man da anfängt zu suchen, ist das wie die Suche nach der Stecknadel im Heuhaufen«, sagte Ringmar und studierte die Büroklammer, die sich jetzt in zwei Nadeln aus Eisen verwandelt hatte.

»Pornokontakte«, sagte Winter. »Die Kontaktseiten der Pornozeitschriften.«

»Noch mehr Nadeln, noch mehr Heuhaufen.«

»Mhm.«

»Denkst du an das Sperma? Überlegst du, ob es eine Bekanntschaft dieser Art war?«

»Ja.«

»Das ist immerhin eine Theorie. Sie haben sich durch eine Anzeige kennen gelernt.«

»Das ist doch nicht ausgeschlossen? So was passiert offenbar häufiger.«

»Das Bedürfnis der Menschen nach Zärtlichkeit und Nähe«, sagte Ringmar. »Ein wachsendes Bedürfnis.«

»Das sich neue Wege sucht.«

»Bei Valkers haben wir keine Pornos gefunden«, sagte Ringmar.

»Filme«, sagte Winter. »Da könnte man anfangen. Wir sollten die Videoverleiher in der Umgebung fragen.«

»Und dann? Selbst wenn sie sich hin und wieder einen Porno ausgeliehen haben und wir das rauskriegen, bezweifle ich, ob uns das weiterbringt. Wahrscheinlich würde man über die Ausleihstatistik von Pornofilmen staunen.«

»Wie meinst du das?«

»Vielleicht leiht sich jeder mal einen aus. Der Vorsitzende vom Gemeinderat. Pastoren. Sture Birgersson.«

Winter lächelte und dachte an den Chef des Fahndungsdezernats. Birgersson war auf seiner jährlichen Reise mit unbekanntem Ziel, und Winter hatte nicht die Absicht, ihn zu dem Thema zu befragen.

»Oder man kauft sie sich im Internet«, sagte Ringmar. »Einfach und diskret.«

»Ja, ja.«

»Hast du selbst auch schon mal dran gedacht?«

»Pornofilme zu leihen? Wirklich nicht. Das wäre nichts für mich.«

»Nicht dein Stil?«

»Überhaupt nicht mein Stil.«

# 37

Als Angela die Wohnungstür schloss und er hörte, wie ein Stiefel nach dem anderen auf den Fußboden fiel, öffnete er den Backofen und holte die kleinen gespickten Waldschnepfen heraus, die noch ein Weilchen ruhen mussten. Es war halb zehn.

»Was ist das?« Angela war direkt in die Küche gekommen, vielleicht von den Düften angezogen. »Friedenstauben?«

»Es ist nur ein kleines Abendessen.«

»Versuch's nicht.«

Winter bereitete die Salatsoße vor, rührte einen Teelöffel französischen Senf ins Olivenöl und drei Tropfen Honigessig.

»Mir schwant was«, sagte Angela. »Da steckt doch was dahinter.«

»Du darfst raten«, sagte er und schichtete verschiedenfarbene Salatblätter auf die Soße in der Schüssel und nickte zu den Waldschnepfen, als ob es sich nur um sie handelte.

Sie ging zur Anrichte und schnupperte. Die Vögel hatten eine schöne Farbe.

»Perlhühner?«

»Nein.«

»Ich geb auf.«

»Schon?«

»Ich bin müde.«

Sie setzte sich auf den Stuhl und massierte die Zehen an ihrem linken Fuß. Ihr Bauch war jetzt eine ordentlich gerundete

Realität. An der Ferse ihrer Strumpfhose war ein kleines Loch. Im Schein der Herdleuchte und der beiden Kerzen auf dem Tisch sah er, dass sie Schatten unter den Augen, ihr Gesicht aber immer noch Farbe vom Winter da draußen hatte. Das Haar wirkte kraftlos, wie ausgetrocknet nach einem Nachmittag und Abend in der Klinik, wo die Luft schlecht war.

Sie schaute auf, die Haare fielen zur Seite, und die Schatten waren weg. Ihr Gesicht war wieder lebendig. Sie bewegte die Hand vorsichtig über der einen Kerzenflamme. »Heute hatten wir einen Skandal in der Klinik, einen richtigen Skandal.« Sie ließ die Hand weiter über der Flamme spielen, ohne ihn anzusehen. »Der Chef hat gekündigt. Mit viel Trara. Ist einfach vom Schreibtisch aufgestanden und gegangen.« Sie lächelte. »Unser lieber Krankenhausdirektor erschien mit den neuesten Einsparvorschlä… nein -beschlüssen bei Olsén. Ich war grad bei einem Patienten und hab nichts gehört, aber die anderen haben erzählt, dass aus Olséns Zimmer ein Brüllen ertönte, und dann kam er ohne Mantel rausgestürmt und Boersma hinterher und sah verlegen aus.«

»Es war wohl an der Zeit.«

»Was?«

»Dass der Direktor verlegen wird.«

»Das perlt von ihm ab wie Wasser an einer Ga…«, sagte sie und sah zu dem kleinen Vogel, der ihr am nächsten lag und immer noch duftete und schwach dampfte. »Das ist doch keine Ente?«

»Weißt du, wie groß eine Ente ist?«

Sie schien ihre Frage vergessen zu haben, nahm die Hand von der Kerzenflamme, massierte den rechten Fuß.

»Olsén ist nicht zurückgekommen. Eine halbe Stunde später hat er angerufen und mitgeteilt, dass er heute nicht mehr zurückkäme. Und morgen auch nicht. Überhaupt nie mehr.«

»Dann seid ihr noch weniger, die die ganze Arbeit schaffen müssen.«

»Ja. Aber vielleicht bringt das auch was Gutes mit sich.«

»Ich hab was Gutes mitgebracht«, sagte Winter und gestikulierte in Richtung der Waldschnepfen, während er gleichzeitig den Backofen öffnete und die Kartoffeln prüfte.

»Ärzte können Respekt verbreiten«, sagte Angela und spann ihren Gedankengang weiter. »Wenn die mal ordentlich brüllen, können sie ein bisschen aufrütteln.«

Das hab ich gemerkt, dachte er, sagte es aber nicht.

»Ich meine die in der Verwaltung.« Sie stand auf und ging wieder zur Anrichte. Er nahm sie in die Arme und roch den Duft nach Winter, der immer noch in ihren Haaren und den Kleidern hing. Er hielt sie in den Armen und spürte ihren Bauch, sie gab ein wenig nach.

»Hast du den Brief verbrannt?«, fragte sie, kaum hörbar gegen seinen Hals oder zu den Vögeln auf der Anrichte.

»Alles ist weg«, sagte er. »Alles, was war, ist weg.«

»Okay«, sagte sie und befreite sich. »Okay, okay.« Sie sah zum Tisch, der noch nicht gedeckt war.

»Soll das heißen, dass ich es schaffe, mich vor dem Abendessen zu duschen?«

»Du hast fünf Minuten«, sagte er. »Höchstens. Ich wickle sie in Folie ein und mache die Soße.«

»Aber was sind es denn nun? Sind das womöglich Waldschnepfen? Dafür ist doch jetzt keine Saison?«

Das französische Wort fiel ihr ein, als sie das warme Wasser in der Dusche angestellt hatte. Bécasse. Sie wusste es, weil sie zwei Spätsommer lang und einen Herbst auf einem französischen Weingut gearbeitet hatte, als sie noch studierte. Der Gutsherr hatte Waldschnepfen gejagt. Eine frisch geschossene Bécasse. So manchen Morgen, wenn sie hinausging zu den Reben, hing eine in der Halle.

Sie hatten in dem Zimmer gesessen, das Hanne im Polizeipräsidium benutzte. Es war ein ruhiges Zimmer mit gutem Licht.

Sie stellte immer frische Blumen auf den kleinen Tisch zwischen den Stühlen, die als Sessel dienten. Die Stühle hatten etwas mit ihr gemeinsam, dachte sie oft: unzureichend, hier etwas anderes als was sie andernorts sein könnten, unter anderen Umständen.

»Ich werde diese Träume nicht los«, hatte Morelius gesagt. »Heute Nacht hab ich wieder geträumt.«

»Möchtest du sie mir erzählen?«

»Es war derselbe wie in der letzten Nacht und in der Nacht davor. Jemand, der lachte, als ich dastand, und ich wusste nicht … wer von ihnen es war.«

»War es bei dem Verkehrsunfall?«

»Der Traum spielt sich immer dort ab«, hatte er gesagt. »Und manchmal habe ich jetzt eine Art Flash, wenn ich im Auto sitze, zum Beispiel. Also bei der Arbeit.«

»Wie ist das?«

»Wie eine … Erinnerung. Sie taucht auf und verschwindet.«

»Was?«, hatte sie gefragt. »Wie sieht die Erinnerung aus?«

»Immer dasselbe Bild, vom Unfall.«

»Ja?«

»Es scheint mich zu verfolgen«, hatte er gesagt, »und das nicht nur, wenn ich arbeite.«

Sie hörte zu. Wartete.

»Ich denk auch dran, wenn die Sachen im Schrank hängen, falls du verstehst, was ich meine.«

»Ja.«

»Und dann der Schlaf.« Er hatte den Kopf gedreht, als wollte er eine Genickstarre aufheben. »Das ist das Schlimmste.« Er hatte den Kopf wieder bewegt in die andere Richtung. »Man braucht seinen Schlaf doch. Sonst schafft man seine Arbeit nicht.« Er hatte noch etwas hinzugefügt, was Hanne nicht richtig verstanden und worüber sie später nachgedacht hatte. Viel später. »Man muss schließlich zeigen, wer man ist«, hatte Morelius gesagt.

Patrik und Maria schlenderten zwischen den Kaufhäusern im Zentrum herum, die auch am Abend geöffnet waren, blätterten in CD-Ständern, wühlten in Bücherstapeln, befühlten Kleider, die in langen Reihen da hingen. Straßensänger trugen Weihnachtsmannmützen und sangen englische und schwedische Weihnachtslieder.

An der südöstlichen Ecke von Femman standen die kleinen Männer der peruanischen Band, Ponchos in Erdfarben, Lieder, die nach Trauer und Wind in großen Höhen klangen. Patrik und Maria blieben unter zwanzig anderen Zuhörern im Halbkreis stehen, bewegten sich ein wenig zu dem Rhythmus. Vor den Musikern stand ein abgewetzter Koffer mit CDs.

»Vielleicht sollte ich eine für Mama kaufen«, sagte Maria. »Ich hab noch kein Weihnachtsgeschenk für sie gefunden.« Sie machte eine Bewegung mit dem Kopf zu dem Koffer. »So eine, und dann kann ich ja noch was anderes dazu kaufen.«

»Ein bisschen Black Metal«, sagte Patrik.

»Nee danke.« Sie sah ihn an. »Hast du denn schon was gefunden?«

»Für meinen Alten? Ja, schon …«

»Und Ulla? Willst du der nichts kaufen?«

»Der? Nee.«

»Ich glaub, ich hab sie vorgestern von der Hagakirche aus in der Straßenbahn gesehen. Oder einen Abend davor.«

»War sie betrunken?«

»Das konnte ich nicht erkennen. Aber sie hatte eine Tüte vom Schnapsladen bei sich.«

»Dann kam sie von Masthugget. Musste die Bahn nehmen, weil die Tüte zu schwer war.«

»Ich möchte nie wieder so betrunken sein«, sagte Maria.

»Wie wer? Wie Ulla?«

»Du weißt, was ich meine, Patrik.«

»Okay.«

»Oder?«

»*Straight edge*«, sagte er. »Das ist das einzige, was jetzt gilt.« Er sah zu den Musikern, die alle Panflöte zu spielen und gleichzeitig die offenen Akkorde auf der Gitarre zu hämmern schienen. Es klang tatsächlich, als kreisten Vögel über Berggipfeln. Hier abhauen. »Willst du Musik aus den Anden kaufen?«

»Ich werd noch ein bisschen nachdenken.«

»Übermorgen ist Heiligabend.«

»Erinnre mich nicht dran.«

»Du hast doch keinen Grund, dir wegen irgendwas Sorgen zu machen.«

»Du kannst zu uns kommen.«

Patrik antwortete nicht. Er wandte den Kopf ab und sah Winter von Brunnsparken heraufkommen, am äußeren Rand der Menschenmasse, die hinunter in die Stadt trabte. Er hatte sie nicht gesehen. Auf Jagd nach Weihnachtsgeschenken. Noch keine Päckchen, aber er schien zu wissen, wohin er wollte, doch vielleicht wurde er auch nur von der Menschenmenge mitgetragen.

Patrik schaute weg, aber es war schon zu spät. Die Stadt war klein.

»Na, wie geht's?«

»Okay, nehme ich an.«

Winter sah zu der Musikgruppe. Das Lied war zu Ende, und einige applaudierten. Sein Blick kehrte zu den Jugendlichen zurück. Patriks Wange hatte fast wieder ihre normale Farbe. Winter wusste nicht, ob die Ermittlungen schon eingeleitet waren, und er wollte nicht fragen, aber der Junge sollte zum letzten Mal Prügel bekommen haben.

»Nichts Neues von der Bank der Erinnerung?«, fragte er und fand sofort, dass es idiotisch klang. *Corny*, wie es in der Welt einer anderen Generation hieß.

»Nee.«

»Du hast jedenfalls noch alle Telefonnummern?«

»Klar.«

»Okay. Ich muss weiter. Weihnachtsgeschenke – wie immer in der letzten Minute.« Er sah sich um. »Den meisten scheint es genauso zu gehen.«

»Uns auch«, sagte Maria.

»Wir seh'n uns«, sagte Winter und setzte sich in Bewegung. Nach ein paar Metern drehte er sich um und lächelte, als ob er sich über das Gedränge amüsierte, und Patrik sah, wie sich Winters heller Mantel etwas öffnete. Darunter trug der Kommissar eine dunkelgraue Hose. Patrick erstarrte. Polizist. Dunkelgraue Hose … Was war mit der Hose , die … die er gesehen hatte, als er auf der Treppe gestanden hatte und der Typ aus dem Fahrstuhl gekommen und rausgegangen war? War es das? Suchte er in der Bank der Erinnerungen nach einer Hose, wie Winter sich ausgedrückt hatte?

Maria sagte etwas, aber er hörte nicht zu.

Er stand jetzt auf der Treppe. Er hatte das halbe Gesicht gesehen oder etwas weniger, der Mantel war hochgerutscht, und mit den Hosen war etwas. Aber es war auch noch etwas anderes, oberhalb. Etwas über der Hose, das geblitzt hatte. Unten an der Hose hatte es auch geblitzt, wie ein Reflex. Es könnte ein

Reflektor sein, der dort angebracht war, oder ein Reflex vom Licht. Oder wie eine Schärpe über der Brust.

Patrik konnte den Kommissar immer noch sehen, jedoch nur den Kopf, der ein wenig über den anderen Köpfen schaukelte.

Der Mann, der das Haus verlassen hatte, hatte eine Uniform oder so etwas Ähnliches unter einem normalen Mantel getragen. Patrik drehte sich zu Maria um, die wieder etwas gesagt hatte.

»Was?«, fragte er.

»Schläfst du im Stehen oder was?«

»Lass uns hier abhauen«, sagte Patrik.


Bartram war auf dem Heimweg. Er trug zwei Videokassetten unter dem Arm. Es fing wieder an zu schneien, aber die Sonne schien immer noch. Vielleicht fiel der Schnee so lokal, dass es nur auf ihn und diesen Abschnitt der Straße schneite. Er hatte sie noch nicht richtig kennen gelernt. Zuerst war sie ihm nur lang erschienen, jetzt war sie eingeteilt in Abschnitte, die man wieder erkannte. Die Werbefirma, deren eigene Werbeschilder so schlecht waren, dass sie kaum Werbung für jemand anders machen konnte.

Der Spielplatz.

Das Geschäft für Damenbekleidung, oder waren es Hüte?

Die Häuser, die von Block zu Block die Farbe wechselten, aber nicht mehr viel Farbe hatten, ausgebleicht von Regen, Wind und Sonne. Hier war es oft windig. Vielleicht kam das vom Berg. Der Wind kam von unten von der Schnellstraße, wurde vom Berg gebremst, drehte ab und bildete einen Windkreisel. Wenn es am schlimmsten war, wurde es ein böser Kreisel. Das war ein guter Ausdruck: ein böser Kreisel. Vielleicht hatte er es schon einmal gehört.

Jetzt hatte es aufgehört zu schneien, als ob er geradewegs unter der Wolke durchgegangen war. Genau wie der Wind am Berg umkehren konnte, war auch der Sonnendunst zurückgekehrt und jetzt stärker geworden.

Er war in der Wohnung. Es duftete schwach nach Hyazinthen. So musste Weihnachten riechen. Er hatte fertige Fleischklößchen gekauft, und die sollten auch nach Weihnachten riechen. Es gab eine Flasche Punsch, eine neue Marke. Eine wichtige Rolle spielte das nicht. Er hatte keinen Weihnachtsschinken, hatte auch kaum daran gedacht.

Er legte die Videobänder auf den Stuhl im Flur. In der Küche stand noch Knäckebrot auf dem Tisch. Er hatte das Paket Lätta aus Versehen draußen gelassen, und die Margarine hatte verschiedene gelbe Nuancen angenommen, die alle an Pisse erinnerten. Pisse. Er nahm die noch mehr als dreiviertel gefüllte Packung, hielt sie auf Armeslänge von sich und warf sie in die Spüle. Beim ersten Versuch perfekt getroffen. Er hob die Hand und nahm den Jubel entgegen. Wer ins Schwarze getroffen hat, hebt die Hand, und er hob die Hand, und soweit er sehen konnte, war er der Einzige, der das tat.

In der Nacht hielt er Angela umschlungen. Sie bewegte sich sacht mit ihm, im Takt mit seinen Bewegungen, ihren Rücken gegen ihn gepresst. Sein Körper war ein Teil von ihr. Nach einigen Minuten vergaß er alle Vorsicht. Er hob sie hoch, und es war, als ob sie schwebte. Sie schrie etwas mit einer anderen Stimme, aber er hörte sie nicht, weil er auf dem Weg zum selben großen Gefühl war wie sie, gleichzeitig. Es war voller Licht.

Hinterher, als sie ihrer CD lauschten, *the boatman calls from the lake, a lone loon dives upon the water*, und still lagen, dachte er an den Namen des Kindes, traute sich aber nicht etwas zu sagen. Auch Angela war vorsichtiger geworden.

Es hing damit zusammen, dass der Termin sich näherte. Januar, Februar, März, April. Vielleicht noch eher. Weniger als drei Monate, vielleicht. Hatte er das begriffen? Zum Teufel, nein. Hatte sie es begriffen? Natürlich nicht. Wer konnte das? Das wäre ja, als lese man sein Tagebuch, bevor man es schrieb.

*There will always be suffering, it flows through life like water*. Es war eine dunkle und selbstverständliche Musik, schön, passte nicht ins grelle Licht des Nachmittags, aber hier, auf dem Weg in die letzten Nachtstunden, schwebte sie, wie sie beide eben noch ineinander geschwebt waren.

Bertil hatte von einem arabischen Sprichwort erzählt. Man wurde kein Mann, ehe man nicht ein Buch geschrieben, einen Baum gepflanzt und ein Kind gezeugt hatte.

Er hatte das Größte getan. War schon fast am Ziel. Angela hatte nicht mehr von Häusern gesprochen, aber er wusste, dass sie daran dachte. Ein Grundstück mit Löchern, die er gegraben hat, für einen Baum, hundert Bäume.

Er könnte ein Buch schreiben, oder es sich nur ausdenken, es in einer Schachtel in einer Schublade vergraben, Seiten, die mit Gedanken gefüllt waren. War sein Leben ... schon vollendet? Auf diese Weise? Nach dreißig Berufsjahren in Pension und dann das stille Leben, das immer darauf folgte. Hatte er seine Füße überhaupt schon ins Leben gesetzt?

Oder hatte er auch noch etwas anderes in sich? Himmel. Ein Buch zu schreiben, das keine Anleitung in Verhörtechnik war oder von der Bedeutung der Intuition bei Verbrechensermittlungen handelte.

Wenn man gut schreiben will, muss man gut denken können, dachte er. Dachte er gut? In dem Punkt hatte er sich immer auf sich verlassen, darauf vertraut, dass der Gedanke ihn früher oder später weiterführte. Jetzt war er nicht mehr so sicher. In diesem Winter, in diesem Herbst war so viel in seinem Leben passiert. Sein Vater ... und das Kind, alles in einer einzigen riesigen Bewegung, die größer war als alles andere, was er erfassen konnte.

Seine nachlassende Konzentration in dem Fall, dem Mord. Ja. Nachlassende Konzentration. Er musste es sich selbst eingestehen. Er war immer noch professionell, aber der Gedanke konnte in die falsche Richtung wandern. Das war ihm früher nicht passiert, nicht auf die Art. Er war in mehrere verschiedene Richtungen gewandert, aber immer in Reichweite. Veränderte sich etwas in ihm? War er es nur ... das Kind und Vaters Tod ... und Angela ... ihre neue ... seriösere Beziehung?

»Ich höre förmlich, dass du denkst«, sagte sie und drehte sich schwerfällig um. »Hoffentlich denkst du ... an uns.«

»Ja.«

»Die Arbeit ist hier jetzt wohl nicht dabei?«

»Nicht besonders.«

»Wie meinst du das?«

»Ich weiß nicht ... mir kommt es so vor, als würde es mir schwerer fallen, mich auf das zu konzentrieren, was ich tue. Dieser Fall, ich weiß nicht ...« Er küsste sie.

Vielleicht wusste er, was es war. Er wagte kaum, den Gedanken zuzulassen. Vielleicht hatte er Angst. Angst vor … ihnen. Da war etwas, das ihm Angst machte.

Sie hatte sich aufgerichtet und wollte aufstehen, um zur Toilette zu gehen. Er hatte Durst, und in dem Augenblick fragte sie ihn, ob er etwas zu trinken haben wolle.

»Ja.«

»Wein für dich.«

»Sehr gut.« Er streckte sich nach ihr, bevor sie ganz aufgestanden war.

»Angela …«

»Ja?«

»Hast du noch mehr … stumme Anrufe gehabt?«

»Falsch verbunden, meinst du? Hast du sie nicht so genannt?«

»Ist das noch öfter vorgekommen?«

Sie sah den Ernst in seinem Gesicht. Warum erinnerte er sie daran? Hatte er etwa plötzlich Angst?

Sie hatte es abgehakt, hatte jetzt keine Furcht mehr. *Sie* hatten keine Angst. Das war damals gewesen, jetzt war alles anders. Alles war hell, und schließlich hatte sie sich optimistisch gefühlt, froh. Diese verdammte Briefhölle *war* ein Missverständnis. Bitte nicht noch mehr Missverständnisse.

»Nein«, log sie.


Das Flugzeug aus Málaga landete im nordischen Dämmerlicht. Winter sah, wie es aufsetzte, als er das Auto auf dem kleinen Parkplatz östlich vom Auslandsterminal parkte.

Seine Mutter war eine der Ersten, die durch den Zoll kamen. Sie umarmte ihn heftig. Sie roch nach Sand und nach einer anderen Sonne. Nicht nach Gin. Der Gepäckwagen war voll und kippte fast um unter der Last.

»Ich wusste gar nicht, dass du beschlossen hast, nach Hause zurückzuziehen.«

»Das sind nur ein paar Weihnachtsgeschenke, Erik.«

Im Auto kroch sie in sich zusammen, richtete sich wieder auf, blies in ihre Hände.

»Es ist kälter, als ich gedacht habe.«

»Wir haben den kältesten Winter des zwanzigsten Jahrhunderts.«

»Und morgen ist Heiligabend.«

»Genau.«

»Wann kommt ihr zu Lotta?«

»Um halb zwei soll es Essen geben.«

»Ich freu mich drauf.« Sie sah hinaus in den dunklen Abend und auf den weißen Schnee, der das Land erhellte.

»Wie geht es Angela?«

»Besser denn je.«

»Sie nimmt zu, wie es sich gehört?«

»Genau nach Plan.«

»Du hast doch hoffentlich Weihnachten frei, Erik?«

»Selbstverständlich.«

# 38

An der Tür standen zwei Sturmlichter. Sie zischten in dem mit Regen gemischten Schnee, verloschen aber nicht. Lottas Haus in Hagen leuchtete am dunklen Nachmittag. Der Sonnenschein war fort, anscheinend aber nur vorübergehend. In diesem Winter spielte der Himmel verrückt. Winter blieb auf den glatten Steinfliesen stehen und schaute zum zweiten Stockwerk hinauf. Als Elfjähriger hatte er von dem Fenster hinausgespäht, zur Kapelle von Hagen und nach Berglärkan auf der anderen Seite des Tales.

Angela rutschte aus und hielt sich an ihm fest. Es raschelte in den Papiertüten mit Päckchen, die sie aus dem Mercedes, der draußen auf der Straße parkte, geholt hatten.

Bim und Kristina öffneten die Haustür, ehe sie die Treppe erreichten. Lottas Töchter waren jetzt unübersehbar auf dem Weg in die Erwachsenenwelt, aber nicht heute. Heute war *der Tag*. Winter versuchte die Jugendlichen mit den Händen voller Weihnachtsgeschenke zu umarmen.

Schon im Vorraum duftete es nach Weihnachten: Rippchen, Gewürze, der dünne Salzgeruch nach Anchovis in »Janssons Verführung«, dem Anchovisgratin. Hyazinthen. Ein besonderer Schimmer von Kerzen und vom Tannenbaum, der im Wohnzimmer stand; der ungewöhnliche Festglanz mitten am Tag, während es draußen dunkel war. Winter nahm den scharfen Geruch nach Tannennadeln wahr, als er seine Päckchen im Vorraum ablud, und er dachte an den Pinienhain, der das Grab des Vaters oberhalb von Nueva Andalucía umgab, und er sah ihn noch deutlicher, als die Mutter mit einem Tablett dampfendem Punsch aus der Küche kam.

»Willkommen, meine Kinder«, sagte sie.

»Mit dem da vor deinem Bauch kann ich dich ja gar nicht umarmen, Siv«, sagte Angela.

»Ich nehm es«, sagte Lotta, die jetzt auch aus der Küche kam, sich die Hände an einem Handtuch abtrocknete und nach dem Tablett griff.

Im Fernsehen wurde der Stier Ferdinand nach Hause zur Korkeiche geschleppt, und über die andalusische Disneylandschaft breitete sich wieder friedvolle Ruhe.

»Hast du schon mal einen Stierkampf gesehen, Großmutter?«, fragte Bim, die halb liegend auf dem Fußboden an einem Sitzsack lehnte.

»Nein, Liebchen.« Sie nahm den Blick von der Mattscheibe und sah das Mädchen an. »In Puerto Banús gibt es eine kleine Arena, und Großvater ist ein paar Mal hingegangen, aber das ist nichts für mich.«

Vom Großvater hatten sie auch schon vorher gesprochen. Nicht viel, aber die Mädchen hatten ein wenig gefragt. Winter hatte nicht viel gesagt, aber er war dabei gewesen. Er war nicht ausgeschlossen.

»Mir kommt es grausam vor«, sagte Kristina. »Und warum müssen sie den Stier töten? Man kann doch einen Stierkampf machen, ohne ihn zu töten?«

»Ja«, sagte Winter. »In Portugal ist das so, glaub ich. Und in Südfrankreich.«

»Wie fand Großvater das?«, fragte Bim. »Als er den Stierkampf gesehen hat?«

»Für ihn war es wohl ein Schauspiel«, antwortete Siv Winter. »In erster Linie war es ein Schauspiel … eine Vorstellung eben. Die Arena ist ja wie ein Theater mit verschiedenen Logen und … außerdem hängt es davon ab, wie viel man wirklich sehen will oder kann.« Sie nahm den Nussknacker und eine Walnuss. »Einen ganzen Nachmittag auf einem Stuhl zu sitzen ist ja ziemlich anstrengend.« Sie knackte die dünne Schale und klaubte die hirnförmige Nuss aus den Schalenhälften. »Aber auf der Galerie gab es Plätze im Schatten.«

Winter war der Weihnachtsmann, und das war in Ordnung, obwohl niemand im Haus mehr an den Weihnachtsmann glaubte. Als er sich umzog, dachte er an die Worte der Mutter über den Tod als Schauspiel in einer Arena, wo die Zuschauer saßen, teils unsichtbar füreinander und teils unsichtbar für die unten im roten Sand, die sterben mussten oder überlebten.

Er trug eine Maske, die war mindestens dreißig Jahre alt. Vielleicht hätte er sie öfter tragen sollen. Auf der Suche nach braven Kindern trottete er ins Wohnzimmer.

Er selber war nicht da, als die Weihnachtsgeschenke ausgeteilt wurden, er sei eine Abendzeitung kaufen gegangen, sagte Bim. Seine Geschenke landeten auf einem kleinen Haufen neben dem Tannenbaum. Er kam zurück, als alle schon ihre Päckchen bekommen hatten.

»Ist der Weihnachtsmann schon da gewesen?«

»Deine Geschenke liegen neben dem Tannenbaum«, sagte Angela. »Wo bist du gewesen?«

»Ich wollte mir nur eine Zeitung kaufen.«

»Und wo ist die?«

Alle lachten, und Winter ging zu seinen Geschenken, und jetzt war er an der Reihe, sein erstes Päckchen zu öffnen, es fühlte sich hart an, war aber weich. Eine Pelzmütze, so eine, wie alle Leute in Russland sie tragen.

»Damit du deinen Kopf warm hältst«, sagte Lotta.

Der Vater war eingeschlafen, als Donald Duck im Fernsehen anfing. Ulla war vor einer Stunde abgerauscht, nachdem sie über irgendwas wütend geworden war. Sie hatte die Tür hinter sich zugeknallt, dass Farbe von der Wand geblättert war.

Minnie Maus schmückte den Tannenbaum. Patrik hörte das Schnarchen aus seinem alten Zimmer. Er stellte den Fernseher lauter. Ferdinand saß unter der Eiche und schnupperte an den Blumen. Patrik nahm den Duft der Hyazinthe wahr, die er gestern einem Verkäufer am Linnéplatsen abgekauft hatte. Der Vater hatte nichts gesagt, als er sie sah, und Ulla war nicht da gewesen.

Seine Mama hatte immer eine Hyazinthe zu Weihnachten gekauft. So muss Weihnachten riechen, dachte Patrik, stand auf und schloss die Tür zu seinem ehemaligen Zimmer, damit er das Knirschen der Karre hören konnte, als Ferdinand von der Stierkampfarena nach Hause geschleppt wurde.

Dann war Donald Duck zu Ende. Er stellte den Fernseher ab, ging zum Kühlschrank und holte Würstchen und Fleischklößchen hervor, die er in Majoren gekauft hatte. Gute Sache. Er mochte keinen Hering, und deshalb machte es nichts, dass keiner da war. Er hätte jetzt auch Lust auf ein Omelett. Mit Pilzen schmeckte das gut, aber es mussten teuere Pilze sein, Sahne und mehr gehörte dazu, und er wusste nicht, wie man es machte.

Er briet sich ein paar Würstchen. Es roch gut. Senf gab es keinen, den hatte er vergessen zu kaufen. Aber es gab Ketchup. Sein Vater hatte ein Glas Rotkohl gekauft. Kein Weihnachten ohne Rotkohl, hatte er gesagt, aber da drinnen in *seinem* Zimmer kam er auch ganz gut ohne Rotkohl aus. Er kommt ganz ohne Weihnachten zurecht, der Alte. Und ich auch.

Weihnachten ist für Amateure, genau wie Silvester.

Patrik hörte jemanden draußen im Treppenhaus lachen, und dann wurde die Wohnungstür geöffnet, Ulla rief etwas und kam in die Küche, ohne Jacke und Schuhe auszuziehen. Sie brachte ein paar Kerle mit, und er floh weg vom Herd und der Bratpfanne und raus in den Flur. Was die Würstchen anging, durften sie jetzt gern zu Kohle werden, damit die Scheißtypen sie nicht essen konnten, aber sie würden sie trotzdem essen, nicht jetzt, irgendwann später in der Nacht.

Er stieg in seine Boots und zog die Jacke im Treppenhaus an. Auf der Straße merkte er, dass der Schnee, den er durchs Küchenfenster hatte fallen sehen, mit Regen gemischt war. Scheinwerfer waren auf die Mauern der Hagakirche gerichtet, was sollte das denn?

Es war fast dunkel. Auf der Allén näherte sich ein Auto und dann noch eins. Das eine war ein Taxi, und das andere fuhr bei Rot. Sein Kopf wurde nass, durch die Mütze. Jetzt war es mehr Regen als Schnee.

Er ging die Allén zur Avenyn hinunter, die leer und still dalag. Da kam ein Taxi, und er sah einen Streifenwagen beim Götaplatsen wenden und zurückkommen. Er überquerte die Avenyn, als der Streifenwagen vorbeigefahren war, und er dachte wieder an *das*. Es hatte geblitzt wie ein Abzeichen oder so was.

In dem Wagen saßen zwei Polizisten. Er fuhr weiter in Richtung Kopparmärra. Die Linie 5 kam, Patrik war rechtzeitig bei der Haltestelle und stieg ein. Er setzte sich in den Wagen, eigentlich hatte er stempeln wollen, aber die Kontrolleurmafia war Heiligabend nicht unterwegs, um Schwarzfahrer zu jagen.

Am Sankt Sigfrids Plan stieg er aus, und dann stand er vor Marias Haus, ohne zu wissen, wie er dorthin gekommen war. Mehrere Fenster waren erleuchtet, er sah Marias Mutter mit etwas in den Händen von einem Zimmer ins andere gehen. Jetzt tauchte eine alte Frau auf, das war Marias Großmutter.

Alle Häuser waren erleuchtet, außer einem. Entweder sind die Leute verreist, oder sie liegen rum und schnarchen, dachte er. Manche lagen eben rum und schnarchten, so war das eben. Er hatte seinem Vater noch nicht das Weihnachtsgeschenk gegeben, aber das konnte er ja auch morgen noch machen.

Jetzt setzten sich seine Beine in Bewegung, ohne dass er etwas dagegen tun konnte. Er stand auf der Treppe zum Haus, und er musste sich zurückhalten, dass er nicht näher ging und klingelte … als ob ein anderer wollte, dass er es tat. Er drehte sich um und ging die Stufen wieder herunter.

Als er schon fast wieder auf der Straße war, hörte er eine Stimme.

»Patrik.«

Er wandte sich um. Hanne Östgaard stand in der Tür.

»Komm doch rein, Patrik.«

»Neee, ich wollte gerade gehen …«

Sie machte einige Schritte auf die Treppe hinaus, die Tür hinter ihr stand offen, und jetzt sah er Maria.

»Willkommen, Patrik.« Sie berührte ihn fast. »Hast du was gegessen?«

»Ehh … na klar.«

»Vielleicht ist noch ein bisschen Platz übrig? Wir wollten gerade mit unserem Weihnachtsessen anfangen.«

»Ehh … aber das ist doch euer …«

»Hör jetzt auf und komm rein, es zieht«, sagte Maria.

Bartram saß ausnahmsweise am Steuer.

»Verdammter Regen«, sagte Ivarsson.

»Der Boden ist trocken«, antwortete Bartram und wendete am Götaplatsen.

»Früher haben wir hier abends abgesperrt«, sagte Ivarsson.

»Abgesperrt?«

»Vor gar nicht langer Zeit kamen die Hüter der öffentlichen Ordnung und haben abends den Götaplatsen mit Ketten abgesperrt und erst am nächsten Morgen wieder geöffnet. Warst du nie dabei?«

»Da habe ich noch nicht hier gearbeitet.«

»Aha.«

»Warum habt ihr abgesperrt?«

»Wegen der Rocker.«

»Rocker?«

»Die Leitung wollte hier abends keine Rockerversammlung haben.«

Sie fuhren nach Norden, in Richtung Kopparmärra.

»Da ist so ein armer verlassener Kerl«, sagte Ivarsson und machte eine Geste zu dem Jungen, der die Avenyn überquerte, die Mütze in die Stirn gedrückt und den Körper gegen die Schneeregenböen vorgebeugt.

»Ja.«

»Oder auf dem Weg von der einen Feier zur nächsten.«

»Vielleicht.«

»Genau wie wir.«

»Noch ist es ja ruhig.«

»Das Fest hat noch nicht richtig angefangen«, sagte Ivarsson.

»Und dann kommen wir und mischen uns ein.«

»Empfindest du das so? Dass wir uns einmischen?«

»Ich mache nur Konversation.«

»Es gehört schon einiges dazu, Heiligabend hier herumzukurven.« Ivarsson sah Bartram an. »Zu Hause feiern sie jetzt Weihnachten ohne uns.«

»Ja.«

»Man muss es eben hinterher nachholen.«

»Du hast Recht.«

Kungsbacka sah aus wie nach dem Einschlag der Neutronen-bombe. Die Häuser und Straßen waren noch da, aber die Menschen waren weg. Morelius fuhr durch die Stadt, bevor es richtig dunkel wurde, sodass man die untergehende Sonne in den Fenstern leuchten sah.

»Warum bist du nicht gestern schon gekommen?«, war das Erste, was seine Mutter sagte.

»Du weißt doch, wie das ist, mein Job.«

»Habt ihr den Kerl noch nicht gefunden, der diese Louise umgebracht hat?«, fragte seine Mutter, kaum dass er den Mantel ausgezogen hatte.

»Nein, noch nicht.«

»Und die Arme war von hier.«

»Ja.«

»Vielleicht ist er auch von hier. Der das gemacht hat.« Sie ging vor in die Küche, und er folgte ihr. Den Schinken hatte sie schon aus dem Backofen genommen, und es roch nach »Janssons Verführung« und Gewürzen. In einem großen Kessel lag immer noch der Stockfisch zum Einweichen. »Haben sie daran gedacht?« Sie öffnete die Backofenklappe und schaute nach etwas dort drinnen. Jansson. »Sie müssen ja dran gedacht haben«, sagte sie zu Jansson.

»Wann essen wir?«, fragte er.

»In einer Stunde ungefähr. Das klingt ja fast, als hättest du es eilig.«

»Ich wollte nur wissen, ob ich noch helfen kann.«

»Das ist nicht nötig.«

»Dann mach ich einen kleinen Spaziergang.«

»Jetzt?«

»Ich brauch ein bisschen Luft vorm Essen. Im Auto gibt's keine frische Luft.«

»Aha, aber ich decke bald den Tisch.«

»Ich geh nur runter ins Zentrum.«

Er ging hinaus, bog jedoch nach hundert Metern in die andere Richtung ab und stand bald vor seiner alten Schule, die noch dieselbe Farbe hatte wie früher.

Sie waren durch die Fußgängerunterführung gegangen, die auch noch dieselbe, jetzt jedoch mit anderer Art Graffiti beschmiert war. Von hier aus wirkte der Tunnel wie ein schwarzes Loch.

Gelaufen, manchmal waren sie gelaufen. Die Rufe und das Lachen hatten mit tausend Dezibel widergehallt im Tunnel, schienen zwischen den Wänden hin- und herzuspringen.

»Hast du unterwegs jemanden gesehen?«, fragte seine Mutter, als er zurückkam.

»Nur einen«, sagte er.

# 39

Sture Birgersson war von seiner Reise mit unbekanntem Ziel zurückgekommen. Es war der zweite Weihnachtstag. Birgersson war nicht braun geworden, aber das war er nie, wenn er von seinen geheimen Reisen zurückkehrte.

Vielleicht bleibt er die ganze Zeit in der Stadt, dachte Winter, der dem Chef des Fahndungsdezernats gegenübersaß.

Birgersson betrachtete seinen Stellvertreter durch den Zigarettenrauch.

»War Weihnachten schön?«

»Ausgezeichnet.«

»Aber es ist ja noch nicht vorbei. Rein formell.« Birgersson streifte die Asche ab, räusperte sich vorsichtig und hielt einige Dokumente hoch.

»Interessant.«

»Wie meinst du das?« Winter zündete sich einen Zigarillo an. Er mochte keinen Zigarettenrauch, hatte ihn noch nie gemocht.

Birgersson legte die Papiere wieder hin.

»Da ist noch vieles ungereimt, aber trotzdem interessant.« Er hielt jetzt ein neues Dokument in der Hand, die Abschrift des Gesprächs mit Lareda Veitz. »Das gefällt mir. Sie ist ein kluges Mädchen.« Birgersson streifte wieder die Asche ab. »Vielleicht zu klug.«

»Wie meinst du das denn, Sture?« Winter rauchte und sah ihn an. »Das sind doch bislang nur Überlegungen, Spekulationen.«

»Und hast du eine konkrete Hypothese?« Birgersson wedelte mit den fünf Papieren. »Von dem hier ausgehend?«

»Noch nicht. Es sind ja verschiedene Ansätze.«

»Es gibt noch viele Ungereimtheiten, wie ich schon sagte. Diese Sache mit den Uniformen. Das klingt interessant, aber wir müssen vorsichtig sein.« Birgersson streifte die Asche ab und sah auf Winters Zigarillo. »Es besteht doch keine Gefahr, dass jemand bei der Presse quatscht?«

»Wer sollte das tun, Sture?«

»Die Presse wäre begeistert«, sagte Birgersson, ohne Winters Frage zu beantworten. »Begeistert!« Er sah auf die gesammelten Ermittlungen auf seinem Schreibtisch. Normalerweise hielt Birgersson seinen Schreibtisch ganz frei. Es war eine Manie, vielleicht etwas Ernsteres. Er las am Fenster, auf dem Stuhl, hielt den Schreibtisch frei von Papieren. Aber nicht jetzt. Vielleicht ist auf seiner Reise etwas passiert, dachte Winter. Birgersson sah auf. »Genau wie manche offenbar begeistert von dieser so genannten Musik sein können. Das ist genauso krank.« Er schien zu lächeln. »Da haben sie etwas gemeinsam, die Presse und die Todesrocker.«

»Nennst du die Todesrocker?«

»Oder Schwarzrocker oder wie zum Teufel soll man sie denn nennen. Ich weiß, dass es Black Metal heißt, aber hier, vor dir, nenne ich sie, wie ich es will.« Er strich sich übers Kinn und wühlte wieder in den Papieren. »Ich bin ein wenig neugierig geworden auf den Propheten Habakuk. Hast du noch mehr über ihn, was nicht hier steht?«

»Eigentlich nicht. Was du da vor dir hast, ist aus dem Schwedischen biblischen Nachschlagewerk.«

»Am charakteristischsten an diesem Propheten ist offenbar, dass er rein privat nichts Charakteristisches aufzuweisen hatte«, sagte Birgersson.

»Ja. Er war offenbar sehr verschwiegen, was sein Privatleben anging«, sagte Winter.

»Das ist eine gute Eigenschaft«, sagte Birgersson. »Man weiß fast nichts über diesen Habbe, und über seine Tochter weiß man noch weniger.« Birgersson sah Winter an. »Hatte er überhaupt eine Tochter?«

»Ich hab Halders gerade ins siebte Jahrhundert vor Christi zurückgeschickt, um genau das zu prüfen.«

»Gut. Halders muss auch mal raus.« Birgersson sah wieder auf die Dokumente. »Habakuk war also ein Berufsprophet im Tempel in Jerusalem, er war Levit, und von einem Engel an den Haaren gezogen, brachte er Daniel in der Löwengrube Nahrung aus Palästina«, las Birgersson und sah wieder auf. »Die Angaben lassen jeden historischen Wert vermissen.«

»An dem Punkt kommt Halders ins Spiel.«

»Wenn ich genauer darüber nachdenke, scheint mir das siebte vorchristliche Jahrhundert nicht reif für Halders zu sein«, sagte Birgersson. »Er könnte einiges anrichten.« Er lachte kurz, rau, heiser, legte dann das Papier beiseite und sah Winter wieder an. »Das erinnert mich an was anderes, in Klammern gesagt, bevor wir weitermachen.« Birgersson stand auf und schien seine langen Beine zu strecken. Er ragte über Winters Stuhl auf, verdeckte das Licht des zweiten Weihnachtstages, eine gigantische Schattenfigur, und der Kommissar konnte sich seinen Chef in einem knöchellangen seidenen Mantel vorstellen, mit langen Haaren und Bart vor eben entsiegelten Dokumenten auf Pergamentrollen. Oder Steintafeln. Habakuk hatte eine Botschaft vom Herrn empfangen: Und der Herr antwortete mir und sagte: Schreib deine Erscheinung nieder und meißle sie in deutlicher Schrift in Stein, damit es leicht zu lesen ist.

Habakuks Buch. Winter hatte an Ringmar gedacht und was er über das Wort Rubrik gesagt hatte, es hing zusammen.

Das Böse wird schließlich besiegt, selbst wenn es ewig siegreich scheint, hatte der Prophet gemeint. Die Geschichte hat immer einen Sinn für den, der weit blickt und das, was geschieht, aus der Perspektive des Glaubens beurteilt.

Habakuk konnte »Zwerg« bedeuten.

Birgersson sagte etwas.

»Ja?«

»Silvester sind wir neun im Stab, und ich gehör dazu. Ich muss zugeben, dass ich einen Augenblick an dich gedacht habe.« Birgersson hatte sich wieder gesetzt, der Mantel, die schulterlangen Haare und der Bart auf der Brust waren verschwunden. »Nur um zu zeigen, dass du genauso wichtig bist wie ich.

Ein gleichwertiger Stellvertreter. Aber mit Rücksicht auf diesen Fall glaube ich, wäre es nicht gut gewesen.«

»Du meinst, zu viele Ungereimtheiten?«

»Du kannst zu Hause gut nachdenken, Erik. Das kannst du bestimmt auch beim Göteborgsfest des Jahrhunderts.«

»Des Jahrtausends.«

»Ja. Ich freu mich schon darauf, zusammen mit unserer Polizeipräsidentin zu feiern.«

»Ihr werdet nicht allein sein«, sagte Winter. Er sah sie vor sich: die neun verschworenen Chefpersonen in einem besonderen Raum des Polizeipräsidiums, die sich zur Aufgabe gemacht hatten, der Kommunikationszentrale in dieser außergewöhnlichen Nacht beizustehen. Es war ein Opfer der Spitze, ein Beweis, dass die oberste Leitung die Arbeit vor das Feiern setzte.

»Es wird interessant«, sagte Birgersson. »Hinterher kann ich sagen, ich war dabei.«

»Ich werde um zwölf an dich denken«, sagte Winter. »Hoffentlich ist die Elektronik dem Ganzen gewachsen.«

»Darum sind wir ja da«, sagte Birgersson.

Winter lachte.

»Was machst du selbst beim magischen Glockenschlag? Irgendwelche besonderen Pläne?«

»Ja … wir essen zu Hause. Meine Mutter ist zu Besuch. Angela, meine Mutter und ich. Ganz ruhig und friedlich.«

»Das ist wahrscheinlich eine günstige Gelegenheit für ein bisschen Ruhe vor … dem Zuwachs. Und Angela geht's gut?«

»Sie arbeitet und schimpft über die Arbeit mehr denn je, doch ihr geht's gut.«

»Okay. Jetzt weißt du jedenfalls, wo du mich findest, wenn der Rummel in einem jubilierenden Crescendo explodiert.«

»Hoffentlich können alle mit ihrer Freude richtig umgehen«, sagte Winter.

»Wenn ich ehrlich sein soll, glaub ich, dass die Jungs da draußen eine harte Nacht erwartet«, sagte Birgersson.

»In den Autos sitzen auch ziemlich viele Mädchen«, sagte Winter, »und auf den Streifengängen sind auch viele dabei.«

»Ja, ja, aber du weißt, was ich meine.« Birgersson zündete sich seine zweite Zigarette an, seit Winter hereingekommen war. Winter dachte an den kettenrauchenden Hausmeister. Vielleicht war Birgersson dabei, es einzuschränken? Jetzt sah er auf. »Wie wir schon so oft gesagt haben, es ist immer noch so, dass nur mangelnde Fantasie unsere Arbeit bremsen kann. Aber bei diesem Fall ist es irgendwie umgekehrt. Verstehst du, was ich meine? Hier strömt die Fantasie, dass wir sie eindämmen müssen. Das Material ist irgendwie ... so überwältigend. All diese Spuren, die in dieselbe Richtung führen können, aber nicht unbedingt müssen.« Birgerssons Gesicht wirkte plötzlich schwerer, älter. »Es muss sich um einen fantasievollen Teufel handeln. Er ist dabei, ein teuflisches Blendwerk zu schaffen, das mehr Platz einnimmt als die Tat selbst. Verstehst du?«

»Ich verstehe. Es klingt interessant.« Es war interessant. Da dachte der Fahnder Sture Birgersson.

»Man muss an das Gefühl kommen, das hinter der Tat steckt, um weiterzukommen. Man muss um die Spuren herumdenken, oben und unten. Die Botschaften.«

»Ich verstehe.«

»Meinst du, der nimmt uns auf den Arm, Erik? Also, dass diese Botschaften eigentlich fakes sind?«

»Fake?«

»Eine Fantasie, die nicht mit der Tat zusammenhängt. Irgendwas, das hinterher passiert ist ... bewusst. Oder eine bewusst irreführende Information.«

»Nein.«

»Ich eigentlich auch nicht. Aber was wir haben, reicht nicht.« Birgersson sah wieder auf den Haufen Papiere. »Es gibt Zeichen und Flecken und Fingerabdrücke, aber nichts, womit man sie vergleichen könnte. Beiers Spurensucher haben prima Sperma gefunden, aber das reicht nicht.«

»Ich kann dir leider noch keinen Verdächtigen liefern.«

»Mir würde es ja schon reichen, wenn es jemanden gäbe, den man verhören könnte.«

»Nicht mal den haben wir.«

»Vielleicht wirft AFIS uns ja einen Treffer aus«, sagte Birgersson.

Ja. Das war früher auch schon passiert. AFIS war ein computerisiertes Fingerabdruck-Identifikationssystem, in dem die Abdrücke von all denen, die wegen irgendwas festgenommen worden waren, gespeichert sind. Und wenn jemand wegen eines anderen Verbrechens hineingeraten war, konnte das System Alarm schlagen. Die Sache könnte klar sein.

»Wir haben es hier doch nicht mit einem Serienmörder zu tun, oder?«

»Das wissen wir erst, wenn es eine Serie gibt.«

»In Schweden laufen keine Serienmörder mehr frei rum.«

»Wenn du es sagst.«

»Ich sage es, und ich bin bereit, es zu wiederholen.«

»Mhm.«

»Bestell die Leute mal zu Verhör her«, sagte Birgersson. »Da müssen wir ansetzen. Diese anderen Paare. Kannst du sie nicht herschleppen und ihnen das Licht ins Gesicht scheinen lassen? Da gibt's doch Unklarheiten.«

»Eher etwas Unbestimmtes in ihrem Verhalten«, sagte Winter. »So was kann auf vieles zurückzuführen sein. Eine allgemeine Unsicherheit vor der Poilzei zum Beispiel. Ganz einfach Angst.«

»Nutz das aus.«

»Ich mach das auf meine Weise.«

»Sie scheinen eine ziemlich blasse Verangenheit zu haben, diese Valkers.«

»Tja ...«

»Ein paar halbschlüpfrige Andeutungen, aber so was richtig Saftiges, was wir verfolgen könnten, gibt es nicht.«

»Mal sehen.«

»Du hast gesagt, du willst Louises Mutter selbst in Kungsbacka besuchen. Du bist also mit den bisherigen Gesprächen mit ihr nicht zufrieden.«

»Ich fahr Donnerstag hin.«


Bergenhem baute mit Ada eine Schneelaterne im Garten. Er baute auf, und sie riss sie ab.

»Wir brauchen noch eine Öffnung für die Kerze«, sagte er.

In der Nacht war mehr Schnee gefallen, Schnee, der sich pressen und formen ließ, aber noch eine Nacht, und er würde überfrieren. Die Schneelaterne würde sich vielleicht halten.

Martina brachte ihnen warmen Saft.

»Aft!«, sagte Ada.

Er strich das Haar zurück.

»Hat es nachgelassen?«, fragte sie.

»Heute Nacht hab ich nichts gespürt.«

»Und jetzt?«

»Nur ein bisschen, wenn ich mich bücke.«

Sie sagte nichts mehr, aber er wusste, sie wollte, dass er endlich zum Arzt ging. Nein. Es würde besser werden. Es war nur … der Stress. Morgen war Silvester. Das Fest der Feste. Er hatte Dienst. Das machte nichts. Er würde nüchtern bleiben und über den Fluss schauen, wenn das größte Feuerwerk in der Geschichte der Stadt den Himmel sprengte. Sie würden bei der Brücke stehen, und er würde dabei sein. Wenn er nicht woanders gebraucht wurde.

Ada war müde, und sie gingen rein. Es wurde schnell Abend. Ada schlief ein.

Als sie wieder wach wurde, ging er hinaus und zündete das Licht in der Laterne an, und sie saßen am Fenster. Wind kam auf, aber die Flamme hielt sich. Beim nächsten Windstoß verlosch sie, und Bergenhem ging hinaus und zündete sie wieder an. Innerhalb einer Stunde war es kälter geworden.

Nachts träumte er von Gesichtern, die in einem Kreis vorbeiwirbelten. Zwei erkannte er. Da war Musik, die er noch nie gehört hatte. Er war auf jemanden böse, und das Böse wollte nicht verschwinden. Es war jemand, der sich seinem Kopf näherte.

Er wurde wach, und es war schlimmer denn je. Er stand auf und nahm zwei Tabletten mit einem halben Glas Wasser. Dann legte er sich wieder hin und wartete darauf, dass sie wirkten.

Das Licht war ausgefallen, und er wusste nicht, warum. Also musste er in den Keller runter und alle Sicherungen testen.

Als er ins Haus ging, kam der Polizist raus. Er nickte. Sah aus, als wollte er zu einem feinen Essen. Elegant. *Ällegannt.* Er lächelte und nahm einen Zug von seiner Zigarette. Arbeiteten die bei der Kripo zwischen den Feiertagen? Der normale Verbrecher machte doch wohl auch frei? Vielleicht war es nicht so verlockend, zwischen den Feiertagen etwas auszuhecken, wenn man zu Hause sein und es sich gut gehen lassen konnte. Das hatte er getan, es sich gut gehen lassen, bevor er sich hier runterquälen musste.

Jetzt hatte er Licht in der Rumpelkammer. Es war nichts weiter als eine Rumpelkammer, aber er nannte sie Büro. Wenn er hier Licht hatte, bedeutete das, dass mindestens ein Drittel der Wohnungen darüber auch Licht hatte. Er prüfte es draußen auf der Treppe, aber da war kein Licht, also prüfte er weiter. Jetzt wurde es in dem Verschlag hinten im Büro dunkel, gleich darauf jedoch wieder hell.

Plötzlich merkte er, dass es roch.

Er ging tiefer in den Verschlag hinein, der immerhin so groß war, dass man in den hinteren Schatten nichts erkennen konnte. Hier war das Licht noch nie gut gewesen. Er hielt sich ja nicht häufig hier auf. Im Dunkel der Holzgitter fühlte er sich unbehaglich.

Aber in diesem Haus hier wohnte ja der Kommissar, hier konnte doch wohl nichts passieren.

Auf der Bank hinter ein paar Zwingen standen eine Schachtel von McDonald's und eine Limoflasche. Er tippte den Hamburgerkarton an, und da lagen ein paar Salatblätter. Da waren Flecken von Ketchup und von so einer ekligen Mayonnaise. In der Flasche war noch etwas Limo, aber er wollte nichts, vielen Dank.

Wer zum Teufel setzte sich hier hin und aß? Es war zwar eine nette Rumpelkammer, aber nicht gerade ein Restaurant.

So was hatte er noch nirgends erlebt. Erstens war hier immer abgeschlossen. Er prüfte das Schloss, aber dort gab es keine Anzeichen von Gewaltanwendung. Jemand war mit einem Schlüssel oder mit einem verdammt guten Dietrich hereingekommen oder mit einem Stahldraht. Das ging ja.

Ein Kind? Warum sollte ein Kind hier unten Hamburger essen? Schmeckte der besser als das Schulessen? Das wäre zwar nicht besonders schwer, tja … aber das hier war komisch.

Er kippte die Limo ins Waschbecken und stellte die Flasche darunter. Pfandflaschen warf man ja nicht weg, aber leere Hamburgerschachteln schon. Er stopfte sie in den schwarzen Abfallbeutel neben der Tür.

# 40

Es schneite wieder, als sie auf die Straßenbahn wartete. Die Schneewälle im Park waren eineinhalb Meter hoch, und es sah aus, als würden sie für immer bleiben.

Sie spürte eine Bewegung und noch eine. Noch drei Monate. Sie wollte noch nicht an Namen denken. In der Wohnung gab es noch kein Kinderzimmer. Keine Babysachen, kein Bett. Nichts, was das Schicksal herausfordern könnte. Es gab ein Schicksal. Warum dachte sie so? Was für ein Schicksal war das? Wie konnte man es herausfordern?

Mit Erik wollte sie nicht darüber reden. Er lebte nach anderen Maßstäben, aber sie war nicht so sicher wie er, ob man alles selbst in der Hand hatte.

Die Straßenbahn ließ auf sich warten. Es war ein Verkehrsmittel, dessen Pünktlichkeit extrem von trockenem Wetter abhängig war. Straßenbahnen sind für Südkalifornien geeignet, dachte sie und las die elektronische Mitteilung im Wartehäuschen, rote Schrift auf Schwarz: JETZT war in 15 MINUTEN geändert worden.

Das Kind strampelte wieder. Die Bewegung war ein Teil ihres Körpers geworden. Es würde ein merkwürdiges Gefühl sein, wieder allein zu sein ... oder plötzlich zwei. Das traf es besser: zwei zu sein.

Sie würde sich verspäten, und es gab keine Entschuldigung. Jeder vernünftige Mensch richtete sich darauf ein, dass die Straßenbahnen bei Schneefall nicht richtig fuhren. Sie trat aus dem

Häuschen und hielt nach einem Taxi Ausschau, aber wenn man eins brauchte, ließ sich nie eins blicken. So war das. Wenn man pünktlich sein wollte, fuhren die Bahnen nicht, und wenn man Plan B einsetzen wollte, gab es kein Taxi.

Sie ging zur Kreuzung, aber am Taxistand war weit und breit kein Wagen zu sehen. Sie schaute sich um. Die anderen im Wartehäuschen glauben immer noch an die Straßenbahn. Wenn eine kommt, dann kommt eine. Das ist das Schicksal.

Als sie die Straße überquerte, hielt ein Streifenwagen auf der anderen Seite vor der Bäckerei. Die linke Vordertür wurde geöffnet, der Fahrer stieg aus und winkte ihr zu. Sein Kollege blieb hinter den Scheibenwischern sitzen. Der Polizist rief etwas, und sie blieb auf dem Trottoir stehen. Er rief nach ihr. Sie ging näher.

»Wir sind auf dem Weg zu Wavrinskys«, sagte er. »Sollen wir Sie vielleicht irgendwohin mitnehmen?«

Sie wusste nicht, was sie antworten sollte. Der Junge war etwa in ihrem Alter, helle Haare, vielleicht ein bisschen zu dünn für einen Polizisten. Offenes Gesicht. Er kam ihr bekannt vor.

»Ich hab Sie wieder erkannt, deswegen frag ich.« Er sah fast ein wenig verlegen aus. »Ich kenne Erik ja ein bisschen und da ...« Er machte eine Bewegung, die das Wetter und den Mangel an Transportmitteln einschließen mochte. »Sie arbeiten doch im Sahlgrenska? Wir haben Sie im Wartehäuschen stehen sehen und dachten ...«

Sie sah auf die Uhr. Sowieso schon zu spät.

»Okay«, sagte sie und lächelte. Der andere Polizist stieg aus und öffnete ihr die hintere Tür, und sie sah sich um, ehe sie in den Streifenwagen stieg. Auf frischer Tat vor der eigenen Wohnung ertappt. Was würden die Leute sagen?

Der andere war gröber und älter. Er nannte seinen Namen, aber sie verstand ihn nicht.

Es war angenehm warm im Auto. Keiner hatte Lust auf Konversation, und darüber war sie froh. Ein paar Nachrichten über den Funk klangen fast wie eine Werbesendung. Die Polizisten setzten sie vor dem Haupteingang ab.

»Grüßen Sie Erik«, sagte der Fahrer, bevor sie die Autotür zuschlug. »Und ein gutes neues Jahr.«

Auf dem halben Weg nach Kungsbacka zögerte Winter wegen des Schnees, fuhr jedoch weiter. Die Straße war hoffentlich auf dem Rückweg auch noch befahrbar. Er war zwei Schneepflügen begegnet, denen eine lange Autoschlange folgte.

Es war Donnerstag, der 30. Dezember 1999. Morgen …! Er hatte kaum daran gedacht. Er spürte, dass er raus musste, weg vom Büro, dem Schreibtisch, der Ermittlungsakte, die er als Mitverfasser dreimal von vorne bis hinten gelesen hatte. Weg in die weiten Felder, die waren jetzt um ihn herum, überall.

Er bog von der E6 ab und fädelte sich in die Spur ein, die zur westlichen Villenstadt führte. Nah beim Zentrum drängten sich die Autos, und die Leute hoben sich im Schneefall wie schwach gezeichnete Gestalten ab. Winter ließ den Scheibenwischer auf der höchsten Geschwindigkeit laufen.

Er kam am Kulturhaus Fyren vorbei, hielt an und sah auf die Karte. Er drehte nach Süden ab, fuhr an der Schule vorbei, entdeckte das Straßenschild zu spät und musste anhalten und rückwärts fahren, als die Straße frei war.

Die letzte Sitzung hatte etwas länger gedauert als gewöhnlich. Es war schließlich das größte Fest aller Zeiten, und Polizeipräsident Söderskog und seine Verwaltungsabteilung hatten ein Jahr hart an den Vorbereitungen gearbeitet. Die Milleniumsfeier war ein besonderes Ereignis. Auf der Skala der Bedeutung vom Ergreifen eines Ladendiebs bis zum Krieg landete das Milleniumfest näher beim Krieg, auf jeden Fall in Bürgerkriegnähe.

»Wir streben eine normale Festbesatzung an«, hatte der Kollege der Verwaltungsabteilung vor langer Zeit gesagt. Das brachte Einschränkungen bei Urlaub und anderen Freizeiten mit sich, mehr Rufbereitschaft, erhöhte Dienststärke. Alle waren bereit, und niemand sollte von Panik gepackt werden, wenn Panik ausbrach.

»Aber warum sollte sie ausbrechen?«, hatte der Kollege aus der Verwaltung gefragt. Ja, warum?

Bartram und Morelius saßen mit Ivarsson bei den Schränken.

»Dieser verdammte Umzug verstopft die Stadt«, sagte Ivarsson.

»Die Göttin des Lichts führt uns in ein neues Jahrtausend«, sagte Bartram. »Das musst du bedenken.«

»Das mag ja gut sein für alle, die kaum was sehen können, aber ich komm auch so zurecht«, sagte Ivarsson. »Die Stadt ist absolut dicht. Das wird ja noch viel schlimmer als beim Chalmersfestumzug.« Er richtete sein Holster, und die Sig-Sauer blitzte im Licht der Deckenbeleuchtung. »Söderbergs Clique hat von Panik geredet. Stellt euch vor, es bricht Panik aus. Ist doch selbstverständlich, dass manche der Anspannung nicht gewachsen sind, und dann kann es zu Panik kommen, wenn wir sie wegbringen sollen.« Er befühlte seinen Gürtel. »Da kommt keiner vor und keiner zurück.«

»Welcher Weg wäre denn sicherer für den Umzug?«, sagte Bartram. »Soll der Karnevalszug über die Felder bei Hisingen ziehen?«

Ivarsson schnaubte vor Lachen. »Meinetwegen gern. Aber das Problem ist vermutlich die Sache an sich. Dieser lange Umzug mit der Göttin des Lichts an der Spitze.« Er sah Morelius an. »Wir haben doch schon eine Lichterbraut, oder?«

»Das hilft auch nicht weiter«, sagte Morelius.

»Wohin bist du abgeteilt?«

»Wahrscheinlich anfangs in Heden, bis sie Babels Turm fertig haben.«

»Was für eine blöde Idee.«

»Der steht wenigstens still.«

»Denkste«, sagte Ivarsson, »der bewegt sich doch aufwärts.«

»Apropos aufwärts«, sagte Bartram. »Wer kümmert sich um all die Brandopfer nach dem Feuerwerk?«

»Jetzt wollen wir mal nicht zu negativ denken«, sagte Ivarsson.

»Das sagst ausgerechnet du.«

»Gegen zwölf verzieh ich mich in Richtung Skansen Kronan«, sagte Ivarsson.

»Dann treffen wir uns da«, sagte Bartram.

»Vorher wollte ich mir noch Zeit für ein paar besondere Gedanken nehmen, wenn die Glocken läuten, aber ich glaub, das wird nicht klappen«, fuhr Ivarsson fort. »Wir kriegen alle Hände voll zu tun, die überschäumende Freude der Jugend zu dämpfen.«

»Du musst nicht immer bei allem der Jugend die Schuld geben«, sagte Bartram.

Louise Valkers Mutter war allein in dem Haus, das außen hell und drinnen dunkel war.

»Sie hatte keine Feinde«, sagte sie, sobald Winter sich vorgestellt hatte.

Nein. Es war vielleicht nichts Persönliches, was ihr passiert war. Plötzlich sah er sie vor sich. Das Gesicht. Den Körper. Die Schrift an der Wand, die am unteren Rand verlief, auf den Fußboden getropft war. Die Lichter vom Vasaplatsen. Dasselbe Licht wie in seiner Wohnung.

Die Mutter war groß, kräftig, ging mit gebeugtem Rücken. Sie mochte fünfundsechzig sein, bestimmt nicht siebzig. Sie führte ihn ins Wohnzimmer, das fast nur aus Schatten bestand, auf dem niedrigen Sofatisch gerahmte Fotos. Louise, als sie vielleicht zwanzig und als sie etwa zehn Jahre älter war.

»Sie hätte hier bleiben sollen«, sagte die Mutter. »Aber das wär wohl nicht gegangen.« Sie sah auf das eine Foto, sprach zu ihm. »Sie war eine gute Friseuse, und hier gibt es nicht viele Damenfrisiersalons.«

»Hatte sie viele Freunde?«

»Jaa … in ihrer Jugend schon.«

»Hatte sie eine beste Freundin?«

»Hab ich das nicht schon erzählt? Dem, der hier war … nachdem es passiert ist.«

»Ja. Ich hab gelesen, was Sie gesagt haben. Aber was die beste Freundin angeht … Darüber scheinen Sie nicht geredet zu haben.«

»Haben wir nicht? Ah so. Vielleicht, weil mir damals keine eingefallen ist.« Im Zimmer war es so dunkel, dass Winter ihre Gesichtszüge nicht erkennen konnte, nur die Konturen ihres Kopfes.

»Mein Mann ist vor fünf Jahren gestorben«, fuhr sie fort, »Louises Vater.«

Winter antwortete nicht.

»Er war ihr … bester Freund«, sagte sie, und Winter hörte an ihrer Stimme, dass sie weinte. »Sie hat ihn so vermisst.«

»Sie standen einander nahe?«

»Sehr nahe.«

Winter wartete einige Sekunden.

»Aber hatte sie auch andere Freunde?«

»Sie kamen und gingen, es ist nicht leicht, sie alle in Erinnerung zu behalten.«

»Und dann kam ... Christian.«

»Dann kam er, ja.«

Winter hörte jetzt einen anderen Tonfall.

»Haben Sie ihn oft gesehen?«

»Nein.«

»Was hielten Sie von Christian Valker?«

Sie gab keine Antwort. Winter sah jetzt einen Teil ihres Gesichtes, nachdem er sich an das schwache Licht im Zimmer gewöhnt hatte.

»Christian Valker. Wie fanden Sie ihn?«

»Sie waren ja fast nie hier. Ich glaube, er wollte nicht herkommen, und Louise tat, was er sagte.« Sie betrachtete wieder die Fotos. »Auf mich hat sie ja nicht mehr gehört.« Winter hörte, wie sie tief Luft holte.

»Ich mochte ihn nicht.« Jetzt sah sie Winter an, er konnte ihre Augen sehen. »Und ich glaube sogar, dass Louise ihn auch nicht mochte.« Die Mutter bewegte sich. »Vielleicht hat sie ihn nie gemocht.«

»Hat Sie Ihnen das erzählt?«

»Mehr oder weniger.«

»Wie soll ich das verstehen?«

»Ich glaub nicht, dass er nett zu ihr war.«

»Hat sie Ihnen das erzählt?«, wiederholte Winter.

»Sie wollte ihn verlassen.«

»Das hat sie gesagt?«

»Es war nur eine Frage der Zeit. So etwas spürt eine Mutter.«

Winter fuhr fort, sie nach Louises Leben zu fragen. Er bekam vage Antworten auf Fragen nach ihren Freunden, die Antworten verschwammen genau wie bei den Fragen nach Freundinnen und einer besten Freundin.

Er blieb eine Stunde. Als er sich wieder ins Auto setzte, stellte er das Handy an und stellte fest, dass er einige Mitteilungen auf der Mailbox hatte. Die erste war von Ringmar. Der Junge hatte nach Winter gefragt, Patrik. Er wollte nicht sagen, um was es ging. Ringmar hatte die Nummer von dem Jungen, falls Winter sie wollte. Er wusste nicht, ob Patrik von zu Hause angerufen hatte, denn er hatte sofort aufgelegt.

Winter rief Ringmar an, aber der ging nicht dran. Er machte sich auf den Weg nach Hause. Der Schneefall hatte nicht aufgehört, war aber schwächer geworden. Der Verkehr floss schneller als der auf dem Weg nach Süden. Es begann wieder zu dämmern.

Die Schneewälle entlang der Straße waren hoch, wenn auch teilweise unterbrochen. Durch die Öffnungen fuhr der Wind von den Feldern. Jetzt war der Wall wie eine Mauer, hundert Meter lang. Mauer. Wand. *The vall. The Wall. Wall.* Winters Gedanken wanderten weiter, während er in einer Schlange von Autos, die auf dem Weg in die Großstadt waren, hinterm Steuer saß. Wall. Den kurzen Gedanken hatte er in dem dunklen Haus in Kungsbacka gedacht, zum ersten Mal seit Tagen. Wall. Vallgatan. Desdemona war nicht in der Vallgatan, aber in der Nähe. Die schwarz gekleideten Männer mittleren Alters zwischen Stapeln von CDs, Computern und Plakaten. War der Musikladen nicht in der Vallgatan? Hatte er dichtgemacht? In den Ermittlungsunterlagen gab es nichts über einen Musikladen in der Straße. Der musste geschlossen haben. Vor Jahren war er mal an so einem Laden in der Vallgatan vorbeigekommen. Er dachte an Patrik und Patriks Kumpel, der eine CD von Sacrament hatte. Wo hatte er die gekauft? Hatte er nicht Haga gesagt? Aber das war nicht sicher. Hatte Winter in seiner Erregung genau genug gefragt? Hatte jemand anders gefragt?

Er kam in die Industriegebiete und bog zum Hafen ab. Von dort rief er Ringmar an und ließ sich Patriks Adresse geben. Nein, der Junge hatte nicht gesagt, was er wollte.

»Will er wieder anrufen?«

»Das hat er auch nicht gesagt.«

»Wie klang seine Stimme?«

»Schwer zu beurteilen. Es war so merk...«

»Klang sie erregt? Erschrocken? Ruhig?«

»Vielleicht ein wenig erregt.«

»Er hätte dir sagen können, was er wollte.«

»Meinst du, ich hab nicht versucht, es aus ihm rauszukriegen?«

»Dies ist nicht mein privater Fall.«

»Was redest du da, Erik? Meinst du, ich hätte mir mehr Mühe geben können?«

»Nun mal ganz ruhig, Bertil.«

»Der Junge hat nichts gesagt. Er hat sofort aufgelegt, als ich sagte, du seist nicht da. Er hat nicht nach deiner Handynummer gefragt, und ich konnte gar nichts mehr sagen, da hatte er schon aufgelegt.«

»Okay, okay.«

»Was machst du gerade? Fährst du zu ihm nach Hause?«

»Ich bin auf dem Weg. Jetzt bin ich beim Linnéplatsen.«

Ringmar murmelte ein »Na denn«, und Winter fuhr weiter nach Norden. Bertil war der Letzte, mit dem er sich streiten wollte. Es war seine Schuld, wenn Patrik mit keinem anderen reden wollte. Er hatte wohl ein falsches Signal gegeben, eine Art Besitzrecht an diesem Fall gezeigt … als ob es wichtig wäre, dass er, Winter, zuerst informiert werden würde. So was konnte schlechte Stimmung erzeugen, Ermittlungen hinauszögern.

Er parkte im Halteverbot an der gegenüberliegenden Straßenseite und stieg die drei Treppen hinauf. Im Treppenhaus roch es nach Essen. Irgendwo hatte jemand Musik an, aus allen Richtungen dröhnten die Bässe. Im zweiten Stockwerk stand ein Fahrrad und im dritten Stock eine Tüte mit leeren Flaschen vor einer Tür. An dieser Tür klingelte Winter, hörte aber nichts. Er klingelte noch einmal, doch es blieb still. Er hämmerte mehrere Male gegen die Tür. Drinnen kratzte etwas. Jemand machte die Tür einen Spaltbreit auf. Der Mann war zwischen fünfzig und sechzig und trug den Alkoholismus im Gesicht. Winter nahm den Geruch nach altem Besäufnis wahr, der sich gerade erneuerte. Der Mann war betrunken, womöglich sinnlos betrunken.

»Wer issas?«, ertönte eine Frauenstimme aus der Wohnung. »Issas Pärra?«, nuschelte die Stimme. »Isses der Arzt?«

»Wer bissu?«, fragte der Mann aggressiv. »Waswillssu?«

»Ich suche Patrik«, sagte Winter.

»Wassum Teufel … hatter gemacht?« Der Mann warf einen Blick auf Winters Ausweis, den er hochhielt.

»Er hat versucht, Kontakt zu uns aufzunehmen«, sagte Winter.

»Er is krank«, sagte der Mann.

»Wie bitte?«

»Er sagt nichts«, sagte der Mann.

»Ist Patrik zu Hause?« Winter hatte die Stimme erhoben. Jetzt sah er die Frau im Hintergrund. Als sie näher schwankte, sah er die Angst in ihren Augen, vielleicht auch etwas anderes.

»Er sagt nichts«, nuschelte der Mann wieder, und Winter fasste einen Entschluss, überschritt die Schwelle, stieß den Mann gegen die Wand und betrat die Wohnung.

# 41

Patriks Vater sackte hinter Winter zusammen, und die Frau war in eine Tür links gefallen. Winter ging rasch durch die längliche schmale Wohnung. Er sah den Jungen nicht, kam in den Flur zurück und sah auf den Mann hinunter.

»Wo ist Patrik?«, fragte Winter. »Wo ist der Junge?«

»Eh … draußen.« Dem Mann hing Speichel aus einem Mundwinkel. Der Rausch schien zugenommen zu haben, er war auf dem Weg in die Bewusstlosigkeit. »Draußen.« Er fuchtelte mit der Hand Richtung Tür.

»Was ist mit ihm? Ist er verletzt?« Winter packte den Mann am Oberarm, fühlte fast nur Knochen unter dem derben Hemd. »Was hast du verdammt noch mal mit ihm gemacht?« Winter drückte härter, merkte, dass er die Kontrolle über sich verlor. Er ließ los und ging auf ein Knie runter und versuchte, Augenkontakt mit dem Betrunkenen aufzunehmen, aber das war nicht mehr möglich.

Die Frau war herangekommen, stützte sich gegen die Wand, starrte den Eindringling an.

Winter erhob sich.

»Wann ist Patrik weggegangen?«

Sie schüttelte den Kopf, weigerte sich, so einem unerzogenen Typ zu antworten, der in ihr trautes Heim eingedrungen war.

»Ich komme wieder«, sagte Winter und ging die Treppen hinunter, hinaus auf die Straße, während er die Nummer wählte, die er in dem dünnen Adressbuch gefunden hatte.

»Hanne? Hallo. Hier ist Erik Winter. Hast du Patrik gesehen? Ja ... ja, in den letzten Stunden oder so.«

»Nein. Ich kann Maria fragen. Sie kommt gerade nach Hause.«

»Ich warte.«

Er hörte die beiden im Hintergrund reden. Hanne Östergaard kam ans Telefon zurück.

»Nein«, sagte sie. »Sie war mit jemand anders unterwegs. Aber sie wollen sich morgen Nachmittag treffen.«

»Kann ich mit ihr sprechen?« Winter wartete, während er den Hörer in die andere Hand wechselte.

»Ja, hallo?«

»Hallo, Maria. Hier ist Erik Winter von der Kriminalpolizei.«

Aber sie wusste auch nicht, was Patrik ihm hatte sagen wollen. Sie wusste nicht, wo er im Augenblick war. Er könnte im *Java* oder in einem der anderen Cafés in der Vasagatan sein. Oder bei Jimmo. Die Nummer von Jimmo könnte sie ihm geben. Ja, sie würde ihm sagen, dass er sich bei Winter melden sollte, sobald sie etwas von ihm hörte oder ihn traf. Und Ihnen auch ein gutes neues Jahr.

Winter drückte auf Aus und wählte die Nummer von Jimmo, aber bei dem Kumpel meldete sich niemand.

Er fuhr nach Hause, parkte das Auto in der Garage und ging zum *Java*. Alle Stühle waren besetzt, die Luft war dick vom Zigarettenrauch. Es roch nach starkem Kaffee und Kakao, nach feuchter Kleidung, vielleicht auch nach Parfum. Das Durchschnittsalter war höchstens achtzehn. Neben allen Tischen lagen Hand- und Schultertaschen auf einem Haufen. Jungen tragen heutzutage Taschen, dachte Winter. Das war praktisch, aber nichts für ihn, höchstens für Halders.

Er ging zwischen den Tischen hin und her und fühlte sich wie ein Fremder. Kein Patrik.

Ähnlich war es in einigen anderen Lokalen entlang der Straße. Und kein Patrik in Sicht.

Er wollte ja wieder anrufen, aber Winter machte sich Sorgen. Jetzt ging es in erster Linie nicht um die Ermittlung. Er wählte Patriks Nummer zu Hause, aber dort ging niemand ran. Der Junge wollte wieder anrufen.

Der Umzug wogte durchs Zentrum. Die Göttin des Lichts wurde an der Spitze auf einem Karren transportiert. Der sieht aus wie ein Katafalk, dachte Winter an seinem Wohnzimmerfenster. Habakuks Tochter. Der Umzug ringelte sich wie ein Leuchtwurm durch den frühen Abend, weiter ostwärts über die Kreuzung. Das Publikum war ein schwarzes Meer, füllte die Straßen, verstopfte das Viertel.

Nicht alle haben im Empire State Building gebucht oder fliegen hin und her zwischen den Latitüden, um die Zeit zu überlisten. Wir haben es ruhig und schön hier in der Stadt, wir können an den Blumen riechen, dachte er, als eine der Attraktionen da unten vorbeirollte: ein gigantischer Blumenstrauß aus Holz oder was das war, umringt von Blumen auf zwei Beinen.

Er spürte Angelas Hand auf seiner Schulter.

»Bist du sicher, dass du nicht rausgehen willst?«, fragte er.

»Bombensicher.« Sie schnupperte an der langstieligen Rose, die er ihr vor zwei Minuten geschenkt hatte.

»Alle anderen, die noch in der Stadt sind, sind da unten«, sagte er.

Es klingelte. Seine Mutter nahm das Gespräch im Flur an.

»Erik, es ist für dich!«

Angela sah ihn an.

Er ging die wenigen Schritte zum Telefon im Wohnzimmer und meldete sich.

»Ja … hallo … hier ist Patrik.«

»Hallo, Patrik. Wie geht's?«

»Äh … gut.«

»Wo bist du?«

»Ich bin zu Hause bei Maria. Wieso?«

»Du hast gestern nach mir gefragt.«

»Ja, es war nichts. Ich hatte nur so eine Idee.«

»Dann erzähl sie mir.«

»Das … eh … mit dem Mann, der aus dem Fahrstuhl kam. Sie wissen, in dem Haus, wo der Mord …«

»Ich weiß, Patrik.«

»Ich glaub, der hatte eine Art Uniform an.«

»Warum glaubst du das?«

»Unter dem Mantel.«

»Warum glaubst du, dass er eine Uniform trug?«

»Ich weiß nicht, es hat so ausgesehen.«

»Was für eine Uniform?«

»Das war so eine … mit was drauf. Dunkelblau … mit was drauf. Oder vielleicht war das Hemd hellblau und hat sich unterm Mantel bewegt … als er rausging, hat irgendwas Goldenes am Hemd geblitzt. Vorn also.«

»Du bist dabei, eine Polizeiuniform zu beschreiben, Patrik.«

»Ja.«

»Hast du an eine Polizeiuniform gedacht?«

»Da nicht.«

»Aber jetzt?«

»Vielleicht.«

»Hast du noch mehr gesehen, das zu einer Uniform gehören könnte?«

»Nee … höchstens einen Gürtel oder einen Riemen, aber ich bin nicht sicher, ob ich es gesehen habe.«

»Wie war es mit dem Kopf? Jetzt, wo du darüber nachgedacht hast. Trug er etwas auf dem Kopf?«

Winter sah, wie sich das Schwanzende des Umzuges zur Avenyn ringelte. Eine Schlange. Jetzt sah es aus wie eine Schlange, schmaler im hinteren Teil, der sich wand, gefolgt von der schwarzen Masse, die Straße und Park füllte.

Angela war stehen geblieben und hörte mit der Rose in der Hand zu. Es klang, als ob seine Mutter in der Küche den Shaker mit Eis füllte. Charlie Haden und Pat Metheny spielten sehr laut *Message to a Friend*.

»Er hatte nichts auf dem Kopf«, sagte Patrik.

»Okay.«

»Da ist noch was … ich hab so oft daran gedacht.«

Winter wartete, sagte nichts.

»Ich glaub, ich hab ihn schon mal gesehen.«


Bartram folgte dem Umzug auf Abstand, benutzte Parallelstraßen, wich den Massen aus, die vom Geschehen im Zentrum in Nebenstraßen gedrängt wurden.

Er wartete an der Ecke. Die Göttin war nach links abgebogen und kam ihm jetzt entgegen. Es waren doppelt so viele Menschen unterwegs wie beim großen Göteborgfest, und da war es schon gedrängt voll gewesen auf den Trottoiren, die breiter als die Straße waren.

Einige in seiner Nähe sangen. Andere umarmten einander aus einer plötzlichen Gemütsregung heraus. Alles war so unerhört groß. Die Zeitungen hatten sich in ihrem Eifer überschlagen, einander im Jubel über den Jahreswechsel zu übertreffen. Das Fernsehen hatte es ihnen nachgetan.

Niemand glaubte mehr daran, dass alle Elektronik außer Kraft gesetzt werden würde. Alles würde genauso schlecht funktionieren wie immer, dachte er. Die Straßenbahnen würden weiterhin Verspätung haben, die Leute würden weiterhin wütend sein. Man würde weiterhin nach ihm spucken.

Er ging in Richtung Norden. Der Umzug fing an, sich am Endziel Lilla Bommen zusammenzuziehen. Die Menschen hatten die Gesichter zum Himmel überm Fluss erhoben, warteten. Es war wieder kalt geworden, der Atem wurde zu Wolken, die langsam aufstiegen und sich verdichteten. Das kann Regen hervorrufen, dachte Bartram, aber weiter oben wurde der Dunst ausgedünnt, und plötzlich explodierte der Himmel über Hisingen. Die gesammelte Kunst von 2000 Jahren Pyrotechnik. Es begann mit einer Sonnenfeder aus Gold, die ganz Westgötaland bedeckte.


Winter war mit dem Neujahrsmenü in der Küche beschäftigt. Er hörte die Stimmen von seiner Mutter und Angela im Wohnzimmer und nippte vom Champagner, den er vor einer Weile geöffnet hatte. Er war trocken und leicht.

Patrik war ein wacher Junge, der in der Stadt herumkam. Göteborg hatte eine halbe Million Einwohner, das waren nicht viel. Man sah Gesichter immer wieder, ein-, zwei-, dreimal.

Sie mussten sich nach den Festtagen mit ihm unterhalten. Das war eine Öffnung im Tunnel, vielleicht ein Licht.

Er beschloss, sich auf den ersten Gang zu konzentrieren. Die Fischbouillon war fertig und durchgeseiht, die hatte in der letzten Nacht vier Stunden geköchelt.

Er mischte das Dressing aus frischem Limettensaft, geriebenenem Meerrettich, Meersalz und ein wenig frisch gemahlenem schwarzen Pfeffer an.

Dann verrührte er vorsichtig drei Eier mit einem Teelöffel frisch gestoßenem Rohzucker und einem halben Teelöffel Sesamöl, briet drei crêpedünne Omeletten in ein wenig Rapsöl und schichtete sie übereinander. Als sie abgekühlt waren, rollte er jede Omelette auf, schnitt die Rollen in dünne Scheiben und stellte sie beiseite.

Vor einer Weile hatte er die Austern geöffnet, zwei und ein halbes Dutzend, er kontrollierte sie noch einmal und schnitt dann fünfundzwanzig Zuckererbsenschoten diagonal durch, blanchierte sie dreißig Sekunden in kochendem Wasser und kühlte sie unter kaltem Wasser ab. Die abgetropften Zuckererbsen mischte er in einer großen Schüssel mit fein geschnittenen roten Zwiebeln, ein wenig Kresse und einem Salat, der einen delikaten, feurigen Pfeffergeschmack hatte. Dann gab er die fein geschnittenen Omelettescheiben dazu.

In einer hohen Bratpfanne erwärmte er neues Öl und sautierte die Austern sehr schnell auf beiden Seiten bei großer Hitze, dann legte er sie eine nach der anderen in die Salatschüssel. Als er fertig war, träufelte er etwas Dressing darüber. Vorsichtig mischte er den Austernsalat und gab ihn auf drei Teller.

Er fand, der Salat passte zum Hauptgericht, das aus Kalbsrippchen mit Knoblauchkartoffelpüree und Pesto bestand. Das Fleisch im Backofen wurde langsam braun und begann zu duften.

Für Morelius war die Stadt wie ein Meer aus Feuer. Nein. Der Himmel war ein Meer von Feuer, in wechselnden roten Farben, niemals still. Das offizielle Feuerwerk war vom inoffiziellen abgelöst worden. Jeder wetteiferte mit jedem. Er hatte über Funk gehört, dass fünf oder sechs Personen Raketen in die Augen bekommen hatten, und dabei war es noch nicht mal zwölf. Manchmal ertönten die Sirenen von Krankenwagen, aber er hatte nicht gehört, dass jemand umgekommen war.

Die Hänge nach Skansen hinauf waren mit Menschen gefüllt, meist Jugendliche. Die Polizei war vor Ort. Sie trugen unterschiedliche Uniformen. Er sah ein Mädchen, das sich Ivarsson an den Hals warf und ihn küsste, Ivarsson ließ es geschehen und verbeugte sich zum Dank. Es war kurz nach elf, es war ruhig, keine Panik. Der Skanstorget unterhalb von ihm begann sich zu füllen, wie ein halb arktischer Times Square. Morelius war noch nie in New York gewesen, aber er hatte Bilder gesehen.

Er stand ein wenig abseits vom dicksten Gedränge, und sie tauchten aus der Masse auf. Die erkennen mich natürlich wieder, dachte er. Es ist eine kleine Stadt. Sie scheinen alles unter Kontrolle zu haben. Jetzt kommen sie her.

»Gutes neues Jahr«, sagte Maria.

Morelius nickte als Antwort.

»Ihr lasst es ruhig angehen, wie ich sehe«, sagte er.

»*Straight edge*«, sagte das Mädchen.

»Wie bitte?«

»Wir feiern nicht«, sagte sie. »Wir nehmen nichts, wir trinken nichts.«

»Das ist klug.«

»Dann erlebt man alles viel stärker«, sagte der Junge.

»So ist es.«

»Haben Sie viel zu tun heute Abend?«, fragte sie. »Sind da viele … um die Sie sich kümmern müssen?«

»Noch ist es ziemlich ruhig.«

»Bald ist es so weit.«

»Ja.«

»Arbeiten Sie … die ganze Nacht?«

»Bis morgen früh um vier.«

»Im ganzen Stadtgebiet?«

»Im Zentrum. Aber es kann natürlich auch einen Einsatz irgendwo anders geben.«


»Das schmeckt wahnsinnig lecker«, sagte Winters Mutter.

»Es war gar nicht so leicht, gute Austern zu finden«, sagte Winter.

»Da hast du Glück gehabt«, sagte Angela.

»Tja …« Winter hob sein Glas mit Sancerre. »Dann zum Wohl.«

»Zum Wohl.« Angela und seine Mutter hoben ihre Gläser.

Sie tranken und stellten die Gläser wieder ab.

»Ich glaube an ein helles und schönes Jahr«, sagte seine Mutter. Sie sah die beiden an. Winter war keine Veränderung oder Bewegung in ihrer Stimme aufgefallen. Sie hatte vorher zwei Gläser Champagner und Tanqueray und Tonic abgelehnt, was gut war, auch wegen der Geschmacksnerven. Wer vor einem guten Essen Schnaps trinken will, sollte ihn intravenös einnehmen. »Bin ich schrecklich, wenn ich das sage? Nach allem, was passiert ist, Papa und …«

»Es ist gut, dass du es sagst, Mama.« Er hatte immer noch den trockenen, guten Erdgeschmack des Weines im Mund. »Es wird ein schönes Jahr.«

»Noch hat es nicht begonnen«, sagte Angela und sah auf die Uhr. Sie dachte wieder an das Schicksal und nahm einen Schluck Ramlösa-Wasser. Im Augenblick verhielt sich das Baby ruhig. Sie aß noch ein wenig und dachte daran, was in den nächsten Monaten passieren würde. Nichts würde mehr wie früher sein. Ein neues Leben. Ich bin nicht sentimental. Aber an diesem Jahreswechsel ist etwas Besonderes. Und es hat etwas mit uns zu tun.

Das neue Jahrtausend dröhnte über der Stadt, die Kirchenglocken erklangen. Zweitausend Menschen standen Arm in Arm auf dem Skanstorget und sangen *Auld Lang Syne* genau wie in Aberdeen, das von hier aus in direkter Linie westlich lag.

Als die Uhren anfingen zu schlagen, stürzten zwanzig Jets aus dem Weltraum. Ein Flugzeug für jedes Jahrhundert nach Christi. Zweitausend Menschen hielten sich die Ohren zu und schrien vor Erregung. Die Flugzeuge kreuzten in lebensbedrohlichen Mustern am Himmel und drehten dann nach Süden ab.

Patrik und Maria hielten einander bei den Händen und weinten vor lauter Bewegung. Ein Mädchen übergab sich über einem Schneehaufen. Zwei Männer warfen sich in den Schnee und machten Engel. Das steckte andere an, wie die Welle auf der Galerie einer Sportarena. Drei Minuten später lagen eine Menge Menschen in einer Reihe im Schnee und machten Engel. Das Feuerwerk nahm zu. Die Engel leuchteten in Rot und Gold.

»Fühlst du was Besonderes?«, schrie Patrik.

»Ich fühl mich ein bisschen älter!«, schrie Maria zurück.

»Wir sind tausend Jahre älter!«, schrie Patrik, und eine Gruppe, die Essen und Getränke auf den Steinen neben der Treppe ausgebreitet hatte, begann Hochrufe auszubringen.

»Ein gutes neues Jahr, Angela«, sagte er und küsste sie. Sie schmeckte nach den vier Tropfen Lanson, mit denen sie ihre Zunge befeuchtet hatte. »Ein gutes neues Jahr, Mama«, sagte er und beugte sich über seine Mutter, die lächelte und weinte.

Die Uhr im Radio schlug zum zwölften Mal. Die Wohnung schien im Widerschein des roten Himmels, der im Sternenregen des Feuerwerks zerriss, ihre Proportionen zu verändern. Sie hörten die Jets.

Dann hörten sie unten einen Krankenwagen, den ersten des Abends.

Angela küsste ihn.

»Ein gutes neues Jahr, Erik.«

»Es wird das beste Jahr, das wir bis jetzt erlebt haben. Ich verspreche es dir.«

Als er öffnete, sagte er, was er sich zu sagen vorgenommen hatte, und der Mann lächelte oder lachte ein wenig. Dann trat er gegen die Tür und schlug dem Mann mit dem Knüppel zweimal in den Magen und auf die Brust. Er zog sich die Maske hoch.

Sie rief etwas von drinnen, und er ging durch den Flur, der gestreift war von den Explosionen draußen, die Wände wechselten ständig das Muster. Er hörte den Mann hinten auf dem Fußboden einen Laut von sich geben. Hatte wohl Atembeschwerden.

Sie wollte sich gerade vom Sofa erheben, aber er war schon bei ihr, ehe sie sich ganz aufrichten konnte, und dann machte er dasselbe mit ihr. Sie gab einen ähnlichen Laut von sich wie der Mann vor einer halben Minute, stöhnte, rang nach Atem. Röchelte.

Er selbst atmete so heftig, dass er meinte, sich die Maske herunterreißen zu müssen, um Sauerstoff ins Gehirn zu bekommen. Er wandte sich zum Fenster, schob die Maske bis zur Nase hoch und holte tief Luft. Durch die Augenschlitze war die Welt

dort draußen eine glitzernde Folie. Die Kopfschmerzen wurden
schlimmer.

# Januar

# 42

Er war tief drinnen in der Sandburg, grub sich einen Tunnel, der auf der anderen Seite in Licht und Luft münden sollte. Dort wartete der Vater mit allem, was gesagt werden musste. Ich habe alles niedergeschrieben, sagte er, diesmal werden wir nichts vergessen. Wo wollen wir anfangen? Als du geboren wurdest? Als wir aufhörten, miteinander zu sprechen? Angela hatte ihn eingegraben, und sie hatte bestimmt, was werden sollte, aber ihn hatte sie nicht gefragt. Sie wusste mehr als er, sie verstand. Wie möchtest du es haben, Erik?, rief der Vater, jetzt stand er auf der anderen Seite am Strand, und der Berg ragte aus dem Meer auf, die Pinien gaben ihm Schatten, als er anfing, den Berg hinaufzugehen. Jetzt hast du deine Chance, Erik. Angela legte ihre Hände auf seine Schultern. Geh hin und sag es, bevor das Jahr zu Ende ist. Das Jahr ist bald zu Ende, und dann ist es zu spät, Erik. Du musst jetzt sagen, was du möchtest. Du musst Verantwortung übernehmen. Die Mutter kam in einem weißen Taxi auf den Strand gefahren, er hörte das Hupen schon, bevor sie ihn erreichte. Durchs Autofenster reichte sie ihm das Telefon, und es klingelte und klingelte. Die Mutter rüttelte ihn an der Schulter, Angela half ihr. Es klingelte, klingelte.

»Erik!«

Er murmelte eine Antwort im Traum und spürte den Druck gegen seine Schultern.

»Erik, es ist für dich.« Angela schüttelte ihn wieder an der Schulter. Er richtete sich auf. Sie hielt ihm den Telefonhörer hin.

Er fuhr nach Süden. Auf den Straßen waren Tausende von Menschen unterwegs, sie schwankten von Kneipe zu Kneipe, sangen im Chor. Heute Nacht habe ich etwas geträumt, was ich noch nie geträumt habe. Er bremste heftig, als eine Gruppe bei Rot über die Straße ging. Zeigten ihm den Stinkefinger. In diesem Augenblick waren sie unsterblich.

Die Uhr auf dem Armaturenbrett zeigte halb fünf, als er durch den Korsvägen fuhr. Liseberg erstrahlte wie in einer anderen Jahreszeit. Die ersten Busse hielten vor Menschentrauben, die endlich beschlossen hatten, nach Hause zu fahren.

Als er in die Bifrostgatan abbog, schienen Tausende von Menschen vor dem hohen Haus zu warten. Das Blaulicht der Streifenwagen hatte das Feuerwerk abgelöst. Die Wirklichkeit war zurückgekehrt. Polizisten drängten die Masse zurück, sperrten Wege. Ein Krankenwagen fuhr mit einem Aufheulen davon.

Er parkte nachlässig auf der Häradsgatan und ging wieder über den Patio und durch die Haustür. Erst kürzlich war er hier gewesen. Es war wie gestern, aber es war ein anderes Jahrtausend.

Der Zeitungsbote stand vor der Tür mit einem Polizisten aus Mölndal.

»Wie viele sind da drinnen?«, fragte Winter.

»Nur die Gerichtsmedizinerin.«

»Lassen Sie niemand anders rein. Wenn noch mehr von der Fahndung kommen, bitten Sie sie hier zu warten.«

»In Ordnung.«

»Behalten Sie den Jungen auch noch hier«, sagte Winter und nickte zu dem Zeitungsboten, der zitternd an der Wand lehnte, ein blasses Gesicht. Vielleicht sechzehn, siebzehn. Er könnte ein Cousin von Patrik sein, der gleiche magere Körper, der gleiche matte Blick.

Drinnen war es still. Keine Metal-Musik, und Winter wusste nicht, ob er es erwartet hatte. Vielleicht war die Stille noch schlimmer.

Im Flur brannte Licht. Die Wände waren Streifen, Striche, Klumpen und Punkte; ein Muster, das ihn an den Himmel in dieser Nacht erinnerte, als ob jemand versucht hätte, den letzten großen Himmel wiederherzustellen, bevor die Welt neu wurde.

»Das ist Blut«, sagte Pia Erikson Fröberg, die in der Tür zu einem Zimmer am Ende des Flurs stand. Sie war eine Silhouette, genau wie der Polizist in der Wohnung in der Aschebergsgatan eine Silhouette gewesen war.

»Ich hab den Krankenwagen gesehen.«

»Sie lebte noch, als sie abfuhren.«

»Du guter Gott.«

»Ich gebe ihr eine kleine Chance«, sagte Pia Erikson Fröberg. »Eine sehr kleine.« Winter war näher gekommen. Die erfahrene Gerichtsmedizinerin sah entsetzt aus, ihr Gesicht war wie aus Marmor gemeißelt. Nicht entsetzt – angespannt, auf der Hut. Sie machte ein paar Schritte rückwärts, und Winter ging hinein.

»Es ist dasselbe«, sagte sie. »Es muss derselbe Täter sein.«

Bengt Martell saß auf dem Sofa. Seine Kleidung lag in einem Haufen vor ihm auf dem Fußboden.

»Er hielt ihre Hand«, sagte die Ärztin. »Der Zeitungsjunge hatte ein Handy. Ich begreife nicht, wie er so geistesgegenwärtig sein konnte.« Sie machte eine Geste zum Flur. »Die Tür stand offen, als er kam.«

»Hat sie was gesagt?«, fragte Winter. »Konnte sie etwas sagen?«

Sie sah ihn an, als wüsste sie nicht, wie sie die Antwort formulieren sollte, schaute wieder zum Sofa. Dort hatte Winter gesessen. Neben ihm Bengt Martell und Siv Martell im Sessel gegenüber, der hier bei seinem Besuch gestanden hatte.

»Sprechen wird schwer für sie«, sagte Pia Fröberg und sah Winter wieder an. »Ganz gleich, wie es ausgeht.«

Er sah wieder zu dem Körper auf dem Sofa. Die gleiche Position, wie Christian Valker sie gehabt hatte.

»Wo ist … wo ist … sein …« Winter brachte das Wort nicht heraus. »Vielleicht ist das ja gar nicht Martell, der dort sitzt. Vielleicht …?«

»Ja«, sagte sie.

»Aber wo zum Teufel IST er denn?«, sagte Winter mit immer lauterer Stimme.

»Bei … ihr«, sagte die Ärztin. Winter sah, wie sich ihr bleiches Gesicht veränderte, es wurde noch weißer, wie Kreide.

»Was zum Teu… was meinst du?«

»Er ist an ihr, festgebunden an ihr. Wir hatten keine Zeit …«

»Vater unser der du bist im Himmel«, sagte Winter.

Er blieb vor dem Sofa stehen. Vielleicht war es Fantasie, aber er meinte den genauen Abdruck eines weiblichen Körpers gesehen zu haben. Es war nicht nur das Blut.

Jetzt war jede Sekunde wie ein Jahrtausend. Pia Erikson hatte den Raum verlassen, und Winter verwehrte allen anderen Personen den Zugang.

Hier gab es kein Tonbandgerät. Gestern war keins hier gewesen, und niemand hatte eine Musikanlage aufgebaut, seit er, Winter, hier gewesen war.

Für alles gibt es ein erstes Mal, dachte er. Ich hab noch nie Menschen in ihrer Wohnung aufgesucht und bin dann zurückgekehrt, um … so was vorzufinden … sie so zu finden.

Die Schrift an der Wand war deutlich in der elektrischen Beleuchtung von den nackten Straßenlaternen draußen zu lesen.

Versalien. Sechs Buchstaben.

STREET

Nur das. STREET. Die Buchstaben waren wie in die Wand geätzt und dennoch dabei, sich aufzulösen. STREET wie in WALL STREET.

Winter spürte den Schauder, den erwarteten. Wall Street hieß Vallgatan. Hast du meinen Gedanken richtig geleitet, Gott? Suchen wir die Vallgatan? Finden wir dort die Antwort? Lass mich nicht in die falsche Richtung gehen.

Pia kam zurück. Er hörte sie hinter sich, drehte sich jedoch nicht um.

»Sie lebt immer noch«, sagte sie. »Sie haben eben angerufen.«

Winter nickte zur Wand.

»Aber sie ist nicht … bei Bewusstsein, falls du daran gedacht hast.«

»Daran hab ich nicht gedacht.«

# 43

Dreht alles dreimal um«, sagte Winter zu Beier, als die Gruppe der Spurensicherung gekommen war und die Techniker anfingen zu arbeiten.

»Beleidige mich nicht, Erik.«

Der stellvertretende Chef der Spurensicherung sah konzentriert aus, nüchtern. Beier hatte sich beim Silvesterfeiern zurückgehalten.

»Irgendwie muss das neue Jahrtausend ja anfangen«, hatte er gesagt, als sie kamen, und das war kein Witz gewesen. Hier gab es nichts, worüber man Witze machen konnte.

Die Kollegen von der Spurensicherung bewegten sich vorsichtig um den Mann herum, der wie zur Begrüßung mit ausgestreckter Hand auf dem Sofa saß.

Beier kam aus der Küche zurück.

»Sie scheinen gerade beim Essen gesessen zu haben.«

»Genau wie bei Valkers«, sagte Winter.

Beier nickte und dann noch einmal zu Ringmar, der mit Schneekristallen auf der Kleidung aus dem Flur hereinkam. Winter sah, wie der Schnee draußen in der Dämmerung schwer fiel.

»Sie lebt noch«, sagte Ringmar. »Aber wohl nicht gerade aus eigener Kraft.«

»Keine klarere Prognose?«, fragte Winter.

Ringmar schüttelte den Kopf.

»Ich hab ... ihn gesehen«, sagte Ringmar und sah zu dem Mann auf dem Sofa, »im Krankenhaus.«

Niemand wollte das kommentieren.

»Ich möchte ihn jetzt mitnehmen«, sagte Pia Erikson, die geduldig darauf gewartet hatte, mit dem Körper zur Obduktion fahren zu können.

»Okay«, sagte Winter.

»Wenn sie überlebt, haben wir den Teufel«, sagte Ringmar.

Sie versammelten sich um halb neun. Der Raum roch feucht und vielleicht nach verkatertem Atem. Die ganze Stadt hatte einen Kater, nur hier drinnen mussten alle auf Draht sein.

»Ist Bergenhem krank?«, fragte Halders, als er hereinkam.

Winter nickte.

»Vermutlich wieder die schrecklichen Kopfschmerzen«, sagte Halders.

Alle setzten sich, nur Winter nicht.

»Ich brauche wohl nicht daran zu erinnern, wie wichtig die nächsten Stunden sind«, sagte er.

Die Fotos machten die Runde. Da sitzt man also wieder wie ein Spanner da, dachte Aneta Djanali.

»Es ist derselbe Scheißkerl«, sagte Halders. Er war rot und roch nach Schnaps, als er sich über Aneta Djanali beugte und eins der Bilder in die rechte Hand nahm. Er hatte sie letzte Nacht gegen halb zwei angerufen, um mit ihr zu sprechen, schien sich aber jetzt nicht mehr daran zu erinnern. »Das ist doch derselbe Scheißkerl?«

»Wir wissen es noch nicht«, sagte Winter.

»Ach, hör auf.« Halders sah Winter an. Halders' Augen waren aus der Entfernung klar, so weit aufgerissen, wie es ging. Ein Zeichen von erkämpfter Nüchternheit. »Du glaubst doch wohl nicht an einen Nachahmer?«

»Aber der hat doch keine exakte Kopie ausgeführt?«, sagte Sara Helander.

»Nein«, sagte Winter. »Aber Beier untersucht zum Beispiel gerade die Schrift, sie ähnelt schon der ersten.«

»Wie viel hat eigentlich darüber in der Presse gestanden?«, fragte Aneta Djanali. »Vorher?«

»Die Schrift haben wir raushalten können«, sagte Möllerström, der Registrator. »Die Musik übrigens auch. Ich hab's nirgends in den Zeitungen gelesen. Oder im Radio oder Fernsehen gehört. Eigentlich komisch.«

Winter dachte an die schwarz gekleideten Männer bei Desdemona. Sie wirkten nicht tratschsüchtig. Außerdem war es vielleicht nicht gerade schmeichelhaft für die Branche, wenn die Musikwahl des Täters publik wurde.

»Diesmal also keine Musik«, sagte Halders. »Oder wie man das nennen soll.«

»Nein.«

»Keine Musik bei der Arbeit.«

Aneta Djanali seufzte laut.

»Eins weiß ich«, fuhr Halders fort und machte eine Geste zu dem Foto in seiner Hand. »Die Reaktionen auf das hier.« Er sah sich sich um. »Wenn rauskommt, dass ein weiteres Paar hat dran glauben müssen, wenn man es so ausdrücken darf, dann werden sich viele Leute blitzartig scheiden lassen«, sagte Halders und sah sich wieder im Raum um. Es klang, als ob jemand kicherte. Aneta Djanali sah, wie Winter erstarrte. »Wer möchte schon ermordet werden, nur weil er …«

»Es reicht, Fredrik«, sagte Winter.

Aneta Djanali dachte an Winter, der mit seiner Freundin zusammengezogen war und bald Vater werden würde. Fredrik dagegen war zwar Vater, lebte aber allein. Wann hatte er seinen Sohn das letzte Mal getroffen? Heute Nacht hatte er versucht, darüber zu reden, aber es war ihm schwer gefallen, Worte zu finden.

»Sie haben also kein größeres Fest gefeiert«, stellte Sara Helander fest.

»Sie waren zu dritt, scheint es.«

»Wie … das letzte Mal.«

»Ja.«

»Dann warten wir ab, was Siv Martell erzählen wird. Wahrscheinlich haben sie zusammen mit ihrem Mörder gegessen.«

Winter antwortete nicht.

»Wie geht es ihr im Augenblick?«, fragte Aneta Djanali.

»Immer noch bewusstlos«, sagte Ringmar. »Vielleicht haben sie sie auch in ein künstliches Koma versetzt.«

»Was ist genau mit ihr passiert?«, fragte Halders.

Winter berichtete. Mehrere atmeten heftig, es ging wie ein Zischen durch den Raum.

»Oh, zum Teufel«, sagte Halders. »Und sie könnte also eine Zeugenaussage machen?«

»Bis sie soweit ist, haben wir unsere Arbeit zu erledigen«, sagte Winter.

»Wall Street«, sagte Halders.

»Ja?«

»Vallgatan. Da ist doch der Musikladen? Den gibt's doch noch?«

»Ja.«

»War die CD von diesem Jungen nicht von dort?«

»Stimmt«, sagte Winter. »Er hat sie da gekauft. Wir haben es gecheckt.«

»Hatten sie mehrere Exemplare?«

»Das überprüfen wir gerade«, sagte Ringmar. »Genauer gesagt, wir überprüfen es noch einmal. Die Frage hatten wir ja schon mal auf dem Tisch.«

»Irgendwo muss er sich den Scheiß ja beschafft haben«, sagte Halders. Er sah Ringmar an. »Muss aber nicht unbedingt dort gewesen sein. Könnte ja auch in den USA gewesen sein. Die Band ist doch aus den USA.«

»Kanada.«

»Dann eben Kanada. Das ist nicht so weit von den USA entfernt. Und was ist in den USA? Die Wall Street ist in den USA. In New York, um genau zu sein. Manhattan, um noch genauer zu sein.«

»Sollen wir in Manhattan suchen?«, sagte Börjesson, einer der jüngeren Fahnder.

»Manhattan«, wiederholte Winter.

»Ja …«, sagte Halders. Er sieht aus, als ob er was Dummes gesagt hätte, dachte Aneta Djanali. Wieder mal.

»Manhattan …«, fuhr Winter fort. »Janne, kannst du bitte die Textkopien von der Sacrament-CD holen?«

Möllerström erhob sich und ging in sein Zimmer, kam aber schnell zurück. Winter nahm das Blatt entgegen und las.

Es stand … irgendwo … am Schluss … da. Er sah auf, schaute wieder aufs Blatt. Da war es. An zwei Stellen.

Er las die Passagen laut, zwei Zeilen an jeder Stelle, damit der Zusammenhang deutlicher wurde. Es ging um Manhattan. Kurze Besuche auf der Erde.

»Zum Henker«, sagte Halders, »ich hatte Recht.«

»Es kann aber auch ein Zufall sein«, sagte Winter. »Auch möglich, dass all diese Spuren, oder wie man es nennen soll, reine Desinformation sind.«

»Sinnlos, es drauf ankommen zu lassen«, sagte Halders. »Ich übernehm es gerne, die Sache an Ort und Stelle zu überprüfen.«

Du bist schon auf dem Weg ins Jahr 700 vor Christus, dachte Winter und las die Zeilen noch einmal. Manhattan war da, wenngleich als Ort tief im Schattental des Todes.

»Das macht die Sache nur noch schlimmer«, sagte Aneta Djanali. Sie sah Winter an. »Wie sollen wir überprüfen, ob das irgendwie Bedeutung hat? Manhattan? Sollen wir Fredrik nach Manhattan schicken?«

Alle brachen in Gelächter aus. Winter räusperte sich.

»Das ist nur ein Teil«, sagte er, »Manhattan oder nicht Manhattan.«

»Auf der ganzen Welt gibt's Manhattans«, sagte Aneta Djanali. »Ein Kiosk kann sich Manhattan nennen, oder eine Pizzeria.«

»Was bedeutet das?«, fragte Möllerström. »Das Wort bedeutet doch etwas?«

»Es ist, glaube ich, indianischen Ursprungs«, sagte Ringmar. »Wir müssen das nachprüfen.«

»Warum hat er sie leben lassen?«, fragte Aneta Djanali plötzlich.

»Gute Frage«, antwortete Halders.

»Was hat es zu bedeuten, dass sie noch lebt?« Aneta Djanali sah Winter an. »Hast du mit Lareda darüber gesprochen?«

»Noch nicht.«

»Es ist was dazwischengekommen«, sagte Halders.

»Hast du einen Vorschlag?«, fragte Winters.

»Der Zeitungsbote.«

»Unglaublich«, sagte Möllerström. »Zum ersten Mal in der Geschichte kommt eine *Göteborg Posten* an einem Neujahrstag heraus, und seht bloß, was der arme Zeitungsbote entdeckt.«

»Es muss eher passiert sein«, sagte Winter, »die Tat.«

»Das Telefon«, sagte Halders.

»Wir überprüfen gerade die Nummern.«

»Vielleicht ist die vom Täter dabei?«

Ringmar zuckte mit den Schultern.

Ich hab die Spekulationen satt, dachte Winter.

Im selben Moment kam Beier ohne anzuklopfen herein und stellte sich neben Winter.

»Ich dachte, das interessiert euch.« Er machte eine Pause. »Die Fingerabdrücke des Mannes... die von Bengt Martell, stimmen mit mehreren Fingerabdrücken überein, die wir bei Valkers gefunden haben.«

»Donnerwetter«, sagte Halders.

Schluss mit den Spekulationen, dachte Winter.

»Sie haben doch immer behauptet, sie seien nicht dort gewesen«, sagte Halders.

»Dann haben sie also gelogen«, sagte Ringmar.

»Er jedenfalls«, sagte Winter.

»Das Sperma«, sagte Halders. »Wenn du eine Blutprobe entnommen hast, könnte der DNA-Test beweisen, dass Sperma von ihm auf Valkers Sofa war.«

Wenn noch viel Blut übrig ist, dachte Aneta Djanali, die die Fotos weitergereicht hatte, eins nach dem anderen.

»Du hältst wohl nicht viel von der Beziehung der Valkers«, sagte Sara Helander zu Halders.

»Ich glaub, ihr gemeinsames Interesse war Sex«, sagte er und stand auf. »So was kann man den Leuten nie ansehen. Aber immer mehr Mitbürger suchen Kontakt ... und sie wollen Sex miteinander haben. Frauen-Tausch-Partys. Gruppensex.« Er holte Luft. »Swingerpartys. Ich glaub, die werden so genannt.«

»Du bist ja bestens informiert«, sagte Möllerström.

»Halt die Klappe.« Halders stand immer noch. Er sah Winter an. »Das ist eine Art, sich zu treffen. Wir haben gegrübelt, wie sie sich kennen gelernt haben könnten, nicht wahr? Sie schienen nichts gemeinsam zu haben, nicht wahr? Keinen gemeinsamen Hintergrund oder so.«

Winter erkannte seine eigenen Gedankengänge, die er zu Anfang gehabt hatte.

»Es ist gut, Fredrik«, sagte er.

»Wo wir gerade darüber reden«, sagte Beier, »wir haben tatsächlich Pornokram bei Martells gefunden. Zeitschriften.«

»Was für Zeitschriften?«, fragte Halders.

»Hab ich vergessen. Warte mal.« Beier ging zum Telefon, das auf dem Ecktisch stand, und wählte die Direktnummer zu seinem Dezernat, um nachzufragen. Er legte auf. »Okay. *Aktuell Rapport.*«

»Bingo«, schrie Halders, der immer noch stand. »Bingo!«

»Du darfst gern erklären, warum du dich so freust«, sagte Winter.

»Ich hab bei Elfvegrens ein paar versteckte *Aktuell Rapport* gesehen, unter dem Tisch.« Halders sah Aneta Djanali an. »Oder, Aneta? Hab ich's nicht zu dir gesagt?«

»Ja.«

»*Aktuell Rapport*«, sagte Halders. »Und das Schöne ist, dass Elfvegrens immer noch gesund und munter sind.« Er sah Beier an. »Wann bekommen wir das DNA-Ergebnis?«

Ist das der gemeinsame Nenner?, dachte Winter. Sexkontakte ...

»In den Zeitungen gibt es also Kontaktanzeigen?«, sagte er.

Halders sah ihn an, als wäre er ein Kind.

»Nur ein paar kleine«, sagte er.

Sexkontaktanzeigen, dachte Winter wieder. Es könnte sein, dass Valkers und Martells sich so begegnet sind ... einander kennen gelernt haben. Oder preschten sie jetzt zu schnell vor? Sie mussten sich Elfvegrens wieder vornehmen. Und wenn sich die Paare getroffen hatten, dann ...

»Auf diese Weise kann der Täter mit seinen Opfern in Kontakt gekommen sein«, sagte Ringmar und verlieh damit Winters Gedanken eine Stimme.

# 44

E r hatte keine Erinnerung an Worte, an Schreie. Alles war eine große Last gewesen, die ihn wie ein Berg durchdrungen hatte.

Über die Schwelle und ins Zimmer, und dann hatte er ihn geholt.

Es war ein Laut ... und das Licht dort draußen war immer gleißender geworden, und er konnte nicht mehr sehen. Es war wie Stunden. Jemand wartete.

Jemand war draußen auf der Treppe und schrie. Das Licht war immer noch gleißend.

War es das Licht, das ... alles stoppte?

Es war wie beim letzten Mal gewesen. Sie hatten ihn angeschaut. Jetzt lachte sie nicht. Er hatte gelacht. Als wollte er das Erbarmen weglachen.

Im Fahrstuhl nach unten hielt er das Gesicht abgewandt. Draußen war das Licht wieder normal. Er glitt aus, als er die Straße überquerte. Es war nicht weit.

Etwas hatte er ausgelassen. Jetzt wusste er es. Es wurde wieder heller, sah anders aus.

Ringmar lehnte am Fenster. Sein Gesicht war jetzt schwer vom Schlafmangel. Er schaute hinaus. Der Nachmittag atmete ruhig. So still war es noch nie gewesen.

»Ein gutes neues Jahr, Erik.«

»Dir auch.«

Winter rieb sich die Stirn. Er hatte zu Hause angerufen. Angelas Stimme hatte besorgt geklungen. Seine Welt war jetzt auf sehr viel deutlichere Weise auch ihre geworden. Vielleicht war es gut für sie beide. Seine Abwesenheit war nicht... seine. Es war nicht *er* gewesen, der in der Nacht davongestürzt war wie ein Rastloser. Vor einem Jahr hatte Angela gesagt, er wolle lieber unter den Toten als unter den Lebenden leben. Es war zum Ende einer Nacht mit immer stummeren Diskussionen gewesen, und am nächsten Morgen hatten sie nicht mehr davon gesprochen. Doch er hatte die Beschreibung nicht vergessen: ein Leben unter den Toten.

Jetzt hatte sie sein Leben aus der Nähe gesehen, die Brutalität darin. Die brutalen Telefonanrufe, die in den frühen Morgenstunden kamen. Selten zu anderen Zeiten. Die tastende Suche nach der Unterhose, während der Adrenalinspiegel stieg.

»Börjesson hat noch kein Manhattan in der Stadt gefunden, ich hab eben bei ihm vorbeigeschaut.«

Winter schabte mit der Hand über die Wange und streckte sich nach den Zigarillos. Er strich sich wieder über die Augen. Sie brannten.

»Der Täter kann in Uniform auftreten«, sagte er. »Darüber hab ich nachgedacht, bevor du reingekommen bist.«

»Ja.«

»Zwei Nachbarn meinen, in den Stunden nach Mitternacht jemanden in Uniform gesehen zu haben. Etwas unklar, wann. Auch etwas unklar, wie nüchtern sie zu dem Zeitpunkt waren.«

»Gab es einen Einsatz in der Nähe?«

»Einen kleinen. Ein Wagen von Mölndals Polizei war einige Häuserblöcke entfernt.«

»Waren das die Jungs, die die Leute gesehen haben?«

»Ich weiß nicht. Wie gesagt, sie waren ein paar Häuserblöcke entfernt. Warum sollten sie zwischendurch aussteigen. Ich weiß nicht. Ich hatte noch keine Zeit, mit den Jungs zu reden.«

Winter stand auf, ohne seinen Zigarillo anzuzünden, und ging ein paar Schritte auf und ab.

»Wo kriegt man eine Uniform her? Ich geh mal von Polizeiuniformen aus.«

»Warum ausgerechnet eine Polizeiuniform?«

»Wir gehen davon aus, Bertil.«

Winter riss ein Streichholz an.

»Aber du gehst doch wohl nicht davon aus, dass es ein … Polizist ist?«

»Wenn das so wäre, würde ich sofort kündigen.«

»Mhm.«

»Wollen wir die Überprüfung der persönlichen Verhältnisse von zweitausend Polizisten einleiten?«

»Nein, nein. Es ist so schon verworren genug.«

»Wie meinst du das?«

»Uniformen … Der Junge vermutet es ja mehr.«

»Schon ein bisschen mehr als das. Patrik hat lange nachgedacht und darauf gewartet, dass es ihm wieder einfällt.« Winter nahm einen Zug und sah Ringmar an. »Und wir haben doch die Aussagen der Nachbarn in Mölndal.«

»Okay. Uniformen. Irgendein Idiot könnte seine Uniform in den Müll geworfen haben, statt sie zurückzugeben.«

»Mhm. Oder sie ändern lassen. Polizeiuniformen sind nicht geschützt.«

»Ändern? Privat?«

»Ja.«

»Aber unsere werden doch gar nicht mehr in Schweden hergestellt.«

Winter antwortete nicht. Er hatte eine Idee.

»Hat das Stadttheater keine Uniformen? Für seine Stücke?«

»Wenn Polizisten drin vorkommen«, sagte Ringmar.

»Und der Film. Filme über Polizisten gibt's jedenfalls.« Winter streifte die Asche ab. Der Rauch war unsichtbar in dem dünnen Winterlicht vom Fenster. »Hab ich nicht irgendwo gelesen, dass in der Stadt gerade so was gedreht wird? Ein Thriller? Hab ich das nicht gelesen? In der *Göteborg Posten*?«

»Ich weiß nicht, was du liest«, sagte Ringmar.

»Du weißt also nichts darüber?«

»Nein.« Ringmar drehte sich um. »Aber glaubst du etwa, wir hätten Polizeiuniformen an Filmleute verliehen? Vergiss es! Die Frau Polizeipräsidentin ist gegen so was.«

»Ich weiß.«

»Und das finde ich gut«, sagte Ringmar.

»Ich werde das überprüfen, aber vorher hab ich noch was anderes vor«, sagte Winter, legte den Zigarillo auf den Aschenbecher und holte seinen Mantel.

Nur wenige Menschen waren unterwegs. Er fuhr am Ullevi-Stadion vorbei, das seinen Schatten auf den mit grauschwarzem Eis bedeckten Kanal warf. Die Sonne blitzte über Lundens Höhe.

Er parkte in der stillen Straße. Weit entfernt begann ein Hund zu bellen. Es klang, als ob jemand Schnee schippte, und als er um die Hausecke kam, sah er, dass es Benny Vennerhag war.

Der Gangster trug eine rote Pudelmütze zum schwarzen Anzug. Mit geübten Griffen schaufelte er ein paar vereiste Schneeflecken weg.

»Immer arbeitest du, wenn ich komme«, sagte Winter. »Wenn du nicht Rosen beschneidest, schippst du Schnee.«

Vennerhag atmete heftig und stützte sich auf die Schneeschaufel.

»Ich wollte für Ordnung sorgen, weil du kommst.« Er stellte die Schaufel beiseite, nahm die Mütze ab und strich sich das dünne blonde Haar mit Hilfe von Stirnschweiß zurück. »Dein Anruf war wirklich eine Überraschung.«

»Für mich auch. Ich hab gar nicht damit gerechnet, dich zu erwischen. Hab geglaubt, du hättest längst eine Jacht in Westindien gechartert.«

Vennerhag sah Winter an.

»Du hast fast richtig geglaubt.« Er öffnete die Haustür. »Aber mir ist was dazwischengekommen.«

»Was denn, Benny?«

»Geschäfte. *You know*. Wie geht's übrigens Lotta?«

»Lass das, du.«

Benny Vennerhag war einmal kurz mit Winters Schwester verheiratet gewesen, nur ein paar wenige Tage. Lotta Winter erinnerte sich daran nur noch wie an einen vagen Alptraum.

Vennerhag ging Winter voran in ein großes Zimmer, das riesige Fenster zum Garten hinaus hatte.

»Der Pool ist leider zugeschneit«, sagte Vennerhag. »Aber du kannst in die Sauna, wenn du willst.«

Auf dem Tisch standen Flaschen, Gläser. Es roch nach Rauch im Zimmer.

»Ich hatte noch keine Zeit aufzuräumen«, sagte Vennerhag. »Nur zum Schneeschippen.« Er nahm eine Flasche und hielt sie gegen das Licht. Der Whisky leuchtete wie Bernstein. »Heute Nacht hat er gut geschmeckt, aber jetzt weiß ich nicht so recht.« Er sah Winter an. »Möchtest du Kaffee oder irgendwas anderes?«

Winter schüttelte den Kopf.

»Du siehst ein wenig matschig aus, wenn ich das sagen darf.«

»Es war ein bisschen früh heute Morgen.«

»Ich hab da was in den Vormittagsnachrichten gehört.«

»Was hast du gehört?«

»Tja ... von einem Mord in Mölndal. Das war im Großen und Ganzen alles.« Er sah Winter wieder an, diesmal etwas näher. »Du glaubst doch wohl nicht, dass ich ...«

»Nein. Aber ich brauch ein paar Informationen.«

»Über was?«

Winter dachte nach.

»Eben darüber«, sagte er, »den Mord. Oder die Morde. Es waren mehrere.«

»Aha.«

»Was tut sich im Augenblick an der Hehlerfront?«

»Wie bitte?«

»Hast du zur Zeit einen Überblick über den Betrieb?«

»Nein. Bist du sicher, dass du nicht doch etwas zu trinken möchtest?«

»Ganz sicher, Benny.«

Vennerhag entschuldigte sich und ging in die Küche. Er kam mit einem Ramlösa-Wasser zurück. »Wo waren wir noch? Hehlerei? Damit ist nicht zu spaßen.«

»Uniformen.«

»Uniformen? Was für Uniformen?«

»Weißt du etwas über einen Handel mit Uniformen? Eine Partie, die geklaut wurde ... oder aus irgendeinem Grund ausgeliehen wurde? Oder einzelne Uniformen, die im Umlauf waren? Vielleicht zum ... Kopieren.«

»Ich hab nichts mit Terrorismus zu tun, Erik.«

»Ich möchte, dass du dich schlau machst.«

»Hab noch nie was davon gehört.«

»Find's raus.«

»Ja, ja, okay, okay.«

Winter zündete einen Zigarillo an.

»Gibt's Gerede über jemanden, der sich im Kameradenkreis merkwürdig aufführt?«, fragte er. »Oder außerhalb?«

»Jetzt versteh ich nicht, was du meinst.«

»Hast du alle Verrückten unter Kontrolle?«

»Habt ihr das denn nicht?«

Das war eine gute Frage. Winter erkundigte sich nach Vennerhags kriminellen Bekannten. Vennerhags Antwort half ihm nicht weiter, und er überlegte, wie viel er erzählen konnte. Er gab einiges preis.

»Das ist ein Einzelgänger«, sagte Vennerhag. »Der gehört nicht zu unseren … Geschäftsusancen.« Er holte den Kaffee, den er trotzdem gemacht hatte. »So einer geht immer allein vor. Verrückt. Keine Kontakte.«

»Da ist noch etwas …«

Vennerhag goss Winter und sich selbst Kaffee ein.

»Verkehrst du in Kreisen, die … na ja, sich mit Sexspielen befassen?«

Vennerhag zog die Tasse zu sich heran und goss sich fast Kaffee auf die Knie.

»Was zum Teufel redest du da?«

»Das ist eine der Spuren. Wir haben einen Verdacht. Okay. Du bist sauber wie der Schnee auf dem Pool da draußen. Aber du bist ja nicht unwissend.«

»Was soll das?«

»Sexpartys. Swingerpartys oder Partnertausch, so in die Richtung.«

»Du redest über das Privatleben anderer Leute, Erik. Wie sollte ich so was wissen?«

»Ist so was üblich?«

»Keine Ahnung. Glaubst du etwa, dass ich und meine … Geschäftsfreunde eine besondere Neigung dafür haben? Langsam werde ich aber sauer.«

»Das hab ich nicht gesagt.«

»Dann hör auf.«

»Da ist noch etwas. Wenn du jemanden kennst, der als ... Vermittler derartiger Kontakte agiert, dann möchte ich es wissen.«

»Was? Eine Spinne im Netz?«

»Ja, so was. Einer, der andere kennt, die andere kennen.«

»Ich hab, wie gesagt, keine Ahnung«, sagte Vennerhag.

»Du kennst andere, die andere kennen«, sagte Winter.

»Reicht das, wenn ich nicke?«

»Ja.«

Vennerhag nickte, und Winter erhob sich.

»Ich hab gehört, dass es Zuwachs gibt«, sagte Vennerhag.

»Wo hast du das gehört?«

»Na, komm schon, Kommissar. Das Privatleben von Promis ist einfach nicht privat. In meinen Kreisen bist du ein Promi.«


Das Ehepaar Elfvegren wurde mit Hinweis auf die Ermittlung freundlich zu einem Gespräch ins Präsidium am Ernst Fontells Plats aufgefordert.

Winter hatte beschlossen, dass Halders mit Elfvegrens reden sollte. Er selbst saß dabei im Hintergrund.

Halders ging sehr vorsichtig vor: »Warum haben Sie Pornomagazine zu Hause?«

Erika Elfvegren wurde blitzschnell dunkelrot. Per Elfvegren schwieg.

»*Aktuell Rapport*«, sagte Halders. »Menschen aus Ihrem Bekanntenkreis sind ermordet worden. Darum geht es jetzt.«

Gut Fredrik, dachte Winter und machte sich in der Ecke schräg hinter Halders unsichtbar. Die Frau hatte ihn angesehen, als ob sie bei ihm Unterstützung suchte. Winter war bewegungslos geblieben.

»Was hat das ... mit den Zeitschriften zu tun?«

»Das möchten wir auch gern wissen. Darum fragen wir.«

»Ich verstehe nicht«, sagte Erika Elfvegren. Ihr Gesicht war immer noch rot, und ständig strich sie ihren Rock über die Knie. Halders hatte die heikelste Sache berührt. Winter sah, dass der Mann besser damit fertig wurde. Er wurde mitten in seiner Demütigung wütend.

»Was zum Teufel soll das?«, sagte Per Elfvegren. »Das ist ja
verrückt.« Er sah Winter an, aber der schaute in seine Notizen.
Es war ein wichtiger Moment in der Ermittlung. Vielleicht
kommen wir jetzt nah heran, dachte er. Vielleicht fängt es jetzt
richtig an. »Sind wir wegen irgendwas angeklagt?«, fuhr Elfvegren fort. »Und wir haben verdammt noch mal keine solchen
Zeitschriften zu Hause, von denen Sie reden. Wie soll das heißen? *Fib Aktuell*?«

»*Aktuell Rapport*«, korrigierte Halders. Er schaute die Frau
an. Sein Profil wurde weich. Winter sah es. »Wir brauchen nur
Ihre Hilfe. Das ist doch kein Grund, sich aufzuregen. Ich kenne
viele, die regelmäßig *Aktuell Rapport* kaufen.«

»Ich kenne niemanden«, sagte Per Elfvegren »Und ich selber
kauf auch keine.«

»Sie kennen welche, die es tun«, sagte Halders. »Das Ehepaar Valker. Die Martells.«

Halders warf Winter einen raschen Blick zu. Bei Valkers hatten sie keine Zeitschriften gefunden. Aber Winter hatte eine
Idee und machte sich eine Notiz.

»Was soll das denn jetzt?«, fragte die Frau mit dünner Stimme. »Du hast doch selbst gesagt, dass nichts dabei ist.« Sie sah
ihren Mann an. »Wenn es denn so wäre.«

»Ich sitz nicht hier und frage zum Spaß«, sagte Halders. »In
diesem Winter sind in dieser Stadt entsetzliche Morde passiert,
und Sie kennen die Opfer.« Er sah die beiden nacheinander an.
»Wir suchen in dieser Geschichte nach einem gemeinsamen
Nenner, das müssen Sie verstehen.«

»Ich hatte nicht mal eine Ahnung, dass die solche Zeitungen
hatten«, sagte Per Elfvegren.

Du lügst, dachte Winter.

»Keiner von Ihnen?«

»Nein.«

»Martells auch nicht?«

»Eh ... wie bitte?«

»Sie wussten nicht, dass Martells *Aktuell Rapport* kauften?«

»Nein.«

»Wahrscheinlich kannten Sie Martells überhaupt nicht?«

»Eh ... nein.«

Lügen ist schwer, dachte Winter. Man muss konsequent sein.

»Sie haben eben nicht reagiert.«

»Wie bitte?«

»Sie haben nie gesagt, dass Sie Martells kannten, aber Sie haben eben auch nicht reagiert, als ich sie als Ihre Bekannten bezeichnete.«

»Das muss ich missverstanden haben«, sagte Per Elfvegren.

»Sie kannten Martells also nicht?«

»Nein.«

»Ich frage noch einmal«, sagte Halders und sah zu Winter, der mit gezücktem Stift dasaß, um die Lüge aufzuschreiben. Per Elfvegren wusste, dass sie es wussten. Er sah seine Frau an. Winter fuhr durch den Kopf, dass sie oder er vielleicht allein etwas damit zu tun hatte – ohne dass der andere etwas davon wusste. »Ich frage noch einmal: Kannten Sie oder einer von Ihnen das Ehepaar Martell oder einen von beiden?«

Erika Elfvegren schien einen Entschluss gefasst zu haben. Sie sah ihren Mann an und dann Halders.

»Ja«, sagte sie, »wir kannten beide.«

»Beide? Was heißt das?«

»Wir kannten beide Paare. Auch ... Martells.«

»Dann haben wir das also erledigt«, sagte Halders. »Die nächste Frage ist: Wie?«

»Wie meinen Sie das?«

Halders wandte sich direkt an die Frau.

»Was für eine Art Kontakt haben Sie gepflegt? Haben Sie sich zum Grillen getroffen? Zum Sport? Zum Spazierengehen? Zum Sex?«

Das Ziel rechtfertigt die Mittel, dachte Winter. Gleich steht Per Elfvegren auf und haut Fredrik eine runter. Wenn er unschuldig ist, dann macht er das. Ich hätte es getan.

»Ich versteh immer noch nicht, was das mit der Sache zu tun hat«, sagte Erika Elfvegren.

»Erzählen Sie noch einmal, wie Sie in Kontakt miteinander gekommen sind«, sagte Halders.

# 45

Morelius bog nach rechts in den Kreisel ein. Der Verkehr hatte am Nachmittag zugenommen. Jemand grüßte mit blinkenden Scheinwerfern, vielleicht ein Ausdruck allgemeinen Wohlwollens gegen die Polizei.

»Es war nicht viel schlimmer als sonst«, sagte Bartram. Sie redeten über die Silvesterfeiern.

»Ein bisschen mehr Leute.«

»Sehr viel mehr Leute. Aber trotzdem gesittet.«

»Bist du eher gegangen?«, fragte Morelius.

»Was meinst du?« Bartram drehte sich zu ihm um.

»Ich hab dich um drei nicht gesehen.«

»Da gab's die kleine Auseinandersetzung vorm Park.«

»Ich hab's nicht mehr bis dorthin geschafft.«

»Du hast nichts verpasst.«

»Es gab auch Ärger mit einem Schwarztaxi.«

»Hab ich gehört. Der Afrikaner hatte seine Grenze überschritten.«

Die meisten Schwarztaxifahrer in der Stadt stammten aus einem anderen Land und befanden sich ein gutes Stück außerhalb der schwedischen Gesellschaft. Sie hatten das Zentrum untereinander aufgeteilt. Die Iraner, Iraker und Ex-Jugoslawen fuhren die Avenyn entlang, bis runter zum Wallgraben. Die Afrikaner beherrschten die Östra Nordstan.

Die Grenzen waren scharf gezogen. Messerscharf, dachte Bartram.

Von der Zentrale kam ein Ruf. Bartram meldete sich. Ein Betrunkener in der Linie 3 bei Vasa/Viktoria. Der Fahrer hatte versucht, den Alten rauszuschmeißen, der alles ordentlich einsaute.

»Verstanden«, sagte Bartram. »Wir übernehmen.«

Die Straßenbahn hatte an der Vasagatan gehalten, kurz vor der Rechtskurve. Der Autoverkehr floss vorbei. Die Passagiere hatten den Wagen verlassen und standen verstreut herum. Der Betrunkene lehnte mit heraushängendem Kopf an der Vordertür. Eine Frau hing zur Gesellschaft neben ihm.

Bartram und Morelius parkten auf dem Fahrradweg und näherten sich. Der Mann schlug mit einer halslosen Flasche um sich. Die Frau versuchte, ihm die Flasche wegzunehmen, glitt aber zur Seite, als die Polizisten näher kamen.

»Leg sie dahin«, sagte Bartram.

Der Betrunke gurgelte zur Antwort und schlug mit der Flasche in die Luft, verlor jedoch das Gleichgewicht und fiel mit einem halben Purzelbaum aus dem Wagen hinunter in den eisigen Matsch, und dort blieb er liegen. Die Frau schrie und starrte die Polizisten an. Sie war betrunken, hielt sich aber noch auf den Beinen. Der Mann griff Halt suchend in die Luft, um wieder hochzukommen. Morelius sah kein Blut. Jetzt war der Mann auf allen vieren. Er richtete sich unsicher auf.

»Ich muss weiter«, sagte der Straßenbahnfahrer, der neben Bartram stand.

»In Ordnung«, antwortete der. »Wir übernehmen ihn.«

Angela musste ihren Bauch jetzt schleppen, richtig schleppen. Es war ein schönes Gefühl. Jetzt waren sie zu sehen, sie und das Kind. Sie schleppten sich aus dem Fahrstuhl und schlossen die Tür auf.

Wenn es ein Mädchen wurde, sollte es Elsa heißen. Vielleicht. Über den Jungennamen waren sie sich noch nicht einig. Erik hatte Sture, Göte oder Sune vorgeschlagen. Warum nicht alle drei?, hatte sie gesagt. Er kann seinen Nachnamen ändern. Göte Borg. Und sich Sture, der Jüngere, nennen. Und sich zu Sune entwickeln. Das ist ausgezeichnet, hatte er geantwortet. Und war nach einer Weile wieder in diesem widerlichen Fall von Verbrechen versunken.

Sie vermied es, an das Haus ein Stück weiter die Straße hinauf zu denken. Der Hausmeister war derselbe. Er hatte genickt und verbindlich gelächelt, als sie sich neulich an der Haustür trafen, als ob sie ein gemeinsames Geheimnis hätten.

Das Telefon klingelte. Sie hob ab, ohne den Mantel auszuziehen. Sie schwitzte nach dem nassen Schneefall da draußen und dem beschwerlichen Weg nach oben.

»Hallo?«

Keine Antwort. Sie schauderte, fror fast, als ob der Schweiß erstarrt wäre.

»Hallo?«

Sie hatte es beinah vergessen, es war schon Monate her.

In der Leitung atmete jemand, lauschte. Sie sah auf ihre Hand, die leicht zitterte. Sie spürte eine Bewegung im Bauch, noch eine. Es knackte, und die Leitung war frei.

Vor der Tür kratzte es, und dann wurde sie geöffnet. Sie zuckte zusammen.

»Angela!« Siv Winter stand mit dem Schlüssel in der Hand in der Türöffnung.

»Ich hab gedacht, es ist niemand zu Hause.«

Angela legte den Hörer auf.

»Was ist?«, fragte Winters Mutter. »Ist dir schlecht?«

»Ja.«

»Zieh den Mantel aus und setz dich.« Sie half Angela aus dem Mantel. »Möchtest du Wasser?«

»Ja, bitte.«

Siv Winter ging in die Küche und kam mit einem Glas Wasser zurück.

»Du musst jetzt vorsichtig sein. Musst du ... bis zum Schluss arbeiten?«

»Das ist es nicht.«

»Was meinst du?«

»Da gibt's einen Kerl ... der ruft hier an. Der meldet sich nicht.«

»Was? Ein Telefonstreich?«

»So würde ich es nicht nennen.« Angela trank einen Schluck und behielt das Glas in der Hand. »Es ist so unheimlich. Der letzte Anruf ist schon eine Weile her, aber ...«

»Und eben hat er wieder angerufen?«, unterbrach Siv Winter sie.

»Ja.«

»Was sagt Erik dazu?«

Angela trank wieder. Ja, was sagte er? Sie hatten geglaubt, dass die Anrufe aufgehört hatten. Jetzt mussten sie etwas unternehmen.

»Wir wollten abwarten, aber jetzt weiß ich nicht«, sagte sie.

»Du musst es ihm sagen.«


Bergenhems Kopf brannte, wie der Himmel gebrannt hatte. Erst schien es, als hätten die Raketen den Schmerz gelindert, aber jetzt war er schlimmer geworden, rasend schlimm.

Heute Nacht hatte er geschrien, im Traum gesprochen. Fantasiert. Dann hatte er geschlafen, und als er aufwachte, war der Schmerz noch da, aber eher wie ein dumpfes Sausen.

Er fing an, unscharf zu sehen. Es kam in Schüben.

Martina kam zurück vom Nachbarhaus. Ada hatte nur gewinkt und gelacht. Er saß fertig angezogen im Flur, kämpfte mit den Schuhen.

»Ich fahre dich«, sagte sie, alleine hätte er das Auto ohnehin nicht mehr steuern können.

Er schloss das eine Auge, als sie über die Brücke fuhren. Eine Fähre war auf dem Weg hinaus aufs Meer. Die Hausdächer waren schwer von Schnee. Weiße Mützen, hatte Ada kürzlich gesagt und hinaufgezeigt.

In der Kurve wurde ihm furchtbar schlecht. Martina fuhr wie ein Krankenwagenfahrer.

Sie wurden sofort vorgelassen. Röntgen, kaltes Licht, Licht in den Augen. Er wusste, was es war, wusste es schon seit Tagen. Vielleicht hatte es seine Stimmung jahrelang beeinflusst, die Rastlosigkeit. Er meinte sie von Operation reden zu hören. Die Wörter grollten, hüpften in ihm herum.

Ich will meine Augen behalten.

Alle trugen Weiß. Weiße Mützen. Er versuchte zu ihnen durchzudringen, nur nicht meine Augen, bitte.

Elfvegrens waren schließlich entkommen, waren Halders entkommen. Sie hatten nichts zugegeben, aber sie hatten ihre Fingerabdrücke dagelassen.

»Ich weigere mich«, hatte Per Elfvegren gesagt. »Sie haben kein Recht dazu.«

»Bei Ermittlungen im Fall von schweren Verbrechen haben wir das Recht, Abdrücke zum Vergleich zu nehmen«, hatte Winter gesagt. »Für ein spezifisches Ziel.«

»Wer entscheidet das? Wer trifft die Entscheidung?«

»Der Leiter des Ermittlungsverfahrens.«

»Wer ist das?«

»Das bin ich.«

Sie warteten auf die Ergebnisse. Beiers Leute waren genauso darauf erpicht.

»Das ist eine heikle Angelegenheit«, sagte Halders.

»Was, ihre Freizeitgestaltung?«, fragte Winter.

»Wer will schon mit den Bullen über sein Sexleben reden.«

»Das stimmt.«

»Daran hätten sie vorher denken sollen«, sagte Halders.

»Du musst noch etwas Geduld haben«, sagte Winter. »Es könnte ja sein, dass sie doch nie zu Hause bei Valkers waren.«

Elfvegren hatte gesagt, bei dem ersten Gespräch vor langer Zeit, dass sie einmal bei Valkers gewesen waren, aber dann hatte er gesagt, er hätte sich geirrt. Er hatte es sich anders überlegt. Sie waren nie bei Valkers zu Hause gewesen.

»*Fuck me*«, sagte Halders. »Ich gehe jede Wette ein.«

»Einsatz?«

»Ein Jahreslos bei der Glückslotterie.«

Beier rief an.

»Sie stimmen überein«, sagte er. »Die waren in der Wohnung.«

»Wie ist es mit Martells?«

»Nichts da.«

Winter nickte Halders zu und legte auf.

»Hast du die Wette angenommen?«

»Wir bestellen sie noch mal her«, sagte Winter.

»Blutproben«, sagte Halders. »Denk an die Spermaflecken.«

»Geht noch nicht.«

»Bist du sicher?«

Winter war sicher. Der Staatsanwalt würde niemals einer körperlichen Untersuchung einschließlich Blutprobe zustimmen. Das erforderte einen angemessenen Verdacht, und die Elfvegrens waren nur Zeugen, eine Art Zeugen.

»Kopulierende Zeugen«, sagte Halders. »Eine kleine Schlangengrube.«

»Sei nicht so vorschnell, Fredrik. Vielleicht haben sie nur zusammen Kaffee getrunken.«

Es war das letzte Mal. Sie hatte ihm mehr Zeit gewidmet, als er wert war. So dachte er.

»Entschuldige, dass ich zu spät komme«, sagte er.

»Kein Problem.«

»Wir mussten einen Betrunkenen einsperren.«

»War es schlimm?«

»Er ist im Auto eingeschlafen.« Er setzte sich. »Übrigens ein Bekannter. Indirekt jedenfalls.«

»Wieso?«

»Es war der Vater von Patrik Strömblad. Ich bin Patrik ja mal begegnet, als …«

»Erinnere mich nicht daran«, sagte Hanne Östergaard.

»Ich hab's nicht so gemeint«, sagte Morelius.

Sie verließen Patrik und seinen Vater und sprachen über ihn selbst.

Er erzählte noch einmal von seinen Erscheinungen.

»Ich komm nicht los von diesem … Unglück«, sagte er.

Hanne Östergaard nickte. Morelius starrte auf den Tisch. Diesmal sah er sie nicht an, sah ihr nicht ein einziges Mal in die Augen.

»Es verfolgt mich. Dieses …« Er verstummte.

Durch Morelius war ein Zucken gegangen, ein Zittern. Er wiederholte seine Worte, als würde er mit sich selber sprechen.

»Es verfolgt mich.«

»Wie meinst du das?«

»Was?«

»Du hast gesagt, es verfolgt dich.«

»Hab ich?« Er schaute aus dem Fenster. »Manchmal weiß man nicht, was man sagt. Ich meine, dass dieses Erlebnis mich verfolgt, und vielleicht nicht nur das. Auch anderes, was passiert ist.«

Später sagte er, dass es ihm nicht sinnvoll erschien, die Gespräche weiter fortzusetzen.

Der Hausmeister saß in seinem Büro und wartete auf Winter.

»Zeitungen? Mit Zeitungen hab ich nichts zu tun.«

»Bringen die Leute sie direkt in den Abfallraum?«

»Immer.«

»Verstehe.«

»Ich möchte übrigens etwas melden.«

»Ja?«

»Da ist jemand, der meinen kleinen Raum in Ihrem Haus benutzt und dort isst und trinkt.«

»In Ihrem Raum? Ihrem Büro im Keller?«

»Jemand hat sich da Zugang verschafft.«

»Bricht dort ein?«

»Das ist tatsächlich einige Male in der letzten Zeit passiert. So was hab ich noch nie erlebt.«

»Ist die Tür aufgebrochen?«

»Nee. Jemand muss den Schlüssel besitzen. Oder einen Dietrich.«

»Ist was gestohlen worden?«

»Nicht, soweit ich sehen kann.« Dem Mann schien daran zu liegen, dass Winter das Vergehen nicht herabsetzte. »Das ist nicht gerade angenehm, oder? So was darf man doch nicht machen?«

»Nein. Es ist am besten, Sie erstatten Anzeige.«

»Was ich hiermit tue.«

»Gut. Aber wenden Sie sich besser an das Revier in der Chalmersgatan, dann nimmt alles seinen formell richtigen Lauf.«

Winter wünschte einen guten Abend und ging die wenigen Schritte nach Hause. Er holte ein paar Mal tief Luft. Der Januar würde bald in den Februar übergehen und einen Geruch in der Luft mitbringen, der anders war.

In London naht schon der Frühling, dachte er plötzlich. Vor

ein paar Jahren hatte er dort einen schmerzhaften Fall bearbeitet, daran wollte er jetzt nicht denken. Stattdessen dachte er daran, dass der Alte nicht geraucht hatte, als er bei ihm gewesen war.

Seine Mutter rief etwas aus der Küche, als er die Wohnung betrat.

»Angela holt Brot«, sagte sie, als er in die Küche kam.

Winter stieß mit ihr zusammen, als sie zurückkam.

»Da hat wieder einer angerufen«, sagte sie.

»Was? Wer?«

»Dieser Anrufer. Der nichts sagt und atmet und nicht auflegt.«

»Scheiße.«

»Was sollen wir machen?«

»Am besten, wir kündigen sofort und beantragen einen neuen Anschluss. Geheim.«

»Schön.«

»Ich hab schon früher daran gedacht.«

»Dann mach es jetzt.«

Damit kriegen wir wenigstens die Symptome in den Griff, dachte er. Und dann? Soll ich Birgersson um staatliche Hilfe zum Abhören des Telefons bitten? Wozu das, Erik? Das gehört zu den Ermittlungen, Sture. Nur Kosten für die Ermittlungen.

Ihm fiel plötzlich ein, was Lareda Veitz gesagt hatte. Er sah Angelas Profil in der Tür. Er dachte an den Keller.

Er schlug sein Notizbuch auf und rief die Nummer von dem Büro an, in dem er eben gewesen war. Der Alte war noch da.

»Sie haben gesagt, in Ihrem Büro hat sich jemand aufgehalten und getrunken?«

»Genau.«

»Woher wissen Sie das?«

»Die Flasche war noch da. Es ist mehrere Male vorgekommen. Mehrere Flaschen.«

»Haben Sie die aufbewahrt?«

»Was heißt aufbewahrt, ich hab alle drei beiseite gestellt. Wollte sie morgen wegbringen.«

# 46

Winter zog Handschuhe an und fuhr mit dem Fahrstuhl nach unten. Es war das erste Mal, dass er in seinem Haus Beweismaterial sammelte. Die Welt rückte näher.

Er musste einige Minuten auf den Alten warten.

»Ich wusste ja nicht, dass es so wichtig ist«, sagte er und schloss auf. »Schauen Sie, hier. Keine Kratzer, soweit ich sehen kann.«

Winter nickte.

»Da hat die Polizei aber mal schnell reagiert, das muss ich schon sagen.« Der Hausmeister öffnete die Tür. »Sie nehmen wohl alles ernst.«

»Ja«, sagte Winter. Nein, dachte er. Dies war eine Reaktion, die er selbst nicht ganz verstand. Angelas Unruhe. Ein paar stumme Telefonanrufe. Jemand, der unerlaubt im Kellerverschlag saß und Limo trank. Ein Fall für Kriminalkommissar Erik Winter.

Es waren Zingoflaschen.

»Ich nehm sie mit«, sagte Winter und ergriff alle drei mit seiner behandschuhten Linken.

»Sie sind bestimmt schon mal Kellner gewesen«, sagte der Hausmeister.

Bergenhem erwachte und sah sich um. Wenn dies das Paradies war, dann sah es genauso aus wie die Welt, die er verlassen hatte.

Er konnte den Blick fokussieren. Es brannte nicht mehr wie vorher in seinem Kopf. Martinas Gesicht war deutlich, nah. Sie sagte etwas, aber er verstand sie nicht. Er versuchte sich aufzurichten. Sie wiederholte es:

»Lieg still, Lars. Du musst vorsichtig sein.«

Jemand in Weiß schwebte auf sie zu. Es könnte ein Engel sein, und irgendwie stimmte das. Er erkannte zuerst das Gesicht und dann die Stimme.

»Ich bin nur mal vorbeigekommen«, sagte Angela.

Ich auch, dachte er.

»Sie sehen besser aus.«

Ich hab keinen Vergleich, dachte er.

»Wo bin ich?«

»In einem Zimmer vom Sahlgrenska.«

Jetzt erinnere ich mich. Jetzt stelle ich die große Frage.

»Ist der Tumor weg?«

»Der Tumor?«

»Der Hirntumor. Haben Sie ihn entfernt?«

Vielleicht lächelte sie ein wenig. Sie sah einen anderen Engel in Weiß an, der zu nicken schien.

»Wir haben zunächst einen Verdacht auf Hirnhautentzündung gehabt. Aber es war der schlimmste Migräneanfall, den man sich vorstellen kann.«

»Migräne? Ich hab doch noch nie Migräne gehabt.«

Beier hatte die Flasche. Ich wusste gar nicht, dass es immer noch Zingo gibt, hatte er gesagt. Meinst du, das ist eine Botschaft für uns? Zingo? Winter wedelte abwehrend: *end of messages*.

Er hörte sich wieder Sacrament an und las in dem Textheft. Der Sänger watete im unteren Manhattan in Blut, schaffte es jedoch zum Glück, in den äußeren Kosmos abzuheben. Winter hatte es jetzt so viele Male gehört, dass er immer mehr Wörter ohne Hilfe des Theftes verstand. Aber vielleicht bildete er sich das auch nur ein.

Wenn er durch die Stadt ging, lauschte er nach Black Metal, das sich wie Raubtiergebrüll durch die Musikberieselung aus den Kaufhäusern oder Musikläden schlängelte. Er spitzte die

Ohren, wenn jemand mit einem Walkman oder Discman vorbeiging. Es waren viele. Von außen klang alles gleich, wie ein methodisches eingesperrtes Surren. Er hörte es, wenn jemand die Ohrstöpsel herausnahm. Nie Black Metal. Aber immer laut.

Winter hatte noch nie auf diese Weise hingehört. Er wollte sich zu seiner Musik bewegen, sie aber in größerem Abstand haben statt direkt im Ohr. Wenn er jetzt genauer hinschaute, stellte er fest, dass einige Kollegen auch mit einem Discman zur Arbeit kamen.

Er hatte wieder mit Lareda gesprochen, nur kurz. Das Gespräch hatte in seinem Zimmer stattgefunden.

»Ist er unterbrochen worden?«

»Nein.«

»Was ist denn passiert?«

Lareda antwortete zunächst nicht. Sie stand am Fenster. Bald wurde es Februar, durchs Fenster war er schon zum Greifen nah.

»Er ist irgendwohin unterwegs«, sagte sie.

»Was bedeutet das?«

»Das weiß ich auch nicht genau.« Sie beobachtete den Sonnenuntergang. »Entweder hat er mittendrin das Interesse verloren, oder er hat es so von Anfang an geplant. Warte mal …«

»Wie soll ich bloß weiterkommen in dieser Ermittlung?«

»Denk über den Text nach«, sagte sie, »den Text, der an der Wand stand.«

»Ist das jetzt ein wichtigerer Leitfaden? Wall Street?«

»Ich glaube, ja.«

»Ich weiß nicht recht.«

»Versuch ihn zu verfolgen.«

»Verfolgen?«

»Das ist keine Ablenkung von ihm.«

»Ob er noch einen Versuch machen wird?«

»Die gleiche Art Verbrechen? Nein. Das glaub ich nicht. Jetzt nicht mehr.«

»Warum nicht?«

»Erinnerst du dich, was ich über eine Welt, die von Gott gelenkt wird, und eine Welt, die vom Satan gelenkt wird, gesagt habe?«

»Das werde ich nie vergessen.«

»In der Welt ist etwas passiert, in seiner Welt.«

»Etwas passiert? Was ist passiert? Hat jemand alles übernommen?«

»Vielleicht.«

»Wer? Gott?«

»Eher ... der andere.«

»Der Teufel? Der gehört doch zu einer Welt ohne Hoffnung, hast du damals gesagt.«

Sie nickte, kehrte zum Stuhl zurück und setzte sich. Winter hatte die Schreibtischlampe angeknipst. Der Schreibtisch war leer.

»In einer Welt ohne Hoffnung ist der Kampf sinnlos geworden«, sagte sie. »Da erreicht er nichts mehr. Es spielt keine Rolle mehr, was er tut.«

»Er hört also auf?«

»Vielleicht.«

»Unsere Hoffnung steht also gegen eine Welt ohne Hoffnung, die vom Satan gelenkt wird?«


Ringmar hatte Kontakt zu Sveriges Television aufgenommen. In der Stadt wurde ein Film gedreht, in dem es um Verbrechen und Strafe ging.

»Die sind schon eine ganze Weile dabei. Einige Monate, mit Unterbrechungen. Das Interessante daran ist, dass insgesamt vierzig Polizisten dazugehören. In Uniform.«

»Vierzig? Vierzig Schauspieler?«, fragte Winter.

»Nein, Statisten.«

»Sind sie jetzt grad dabei?«

»Ja, ich hab mit dem Aufnahmeleiter gesprochen, der also die Aufnahmeleitung hat.«

»So, so.« Winter lächelte.

»Ich meine ... er ist für die Besorgung der Sachen zuständig.«


Sie konnten zu Fuß zum Drehort gehen, und das taten sie. Das Team arbeitete auf dem großen Parkplatz vor dem Gamla Ullevi-Stadion. Die Allee entlang türmte sich der Schnee in zwei Meter hohen Wällen. Überall Kameras und Mikrofone, zwei

Frauen gaben Anweisungen über Megafone. Einige Polizisten lümmelten auf einem Polizeiwagen. Statisten, dachte Winter.

Ringmar ging weg und kam mit einem großen Mann mit grüner Mütze und Koteletten zurück. Er trug eine braune Lederjacke und hielt einen Ordner in den Händen.

»Nett, dass Sie sich ansehen wollen, was wir hier machen.«

»Wieso nett?«, fragte Winter.

»Tja ... es geht um einen Kommissar und seine Abenteuer in dieser Stadt.«

»Aha.«

»Einen Mann in Ihrem Alter etwa.«

»Gibt es nicht«, sagte Ringmar. »Winter ist der Jüngste.«

»Dies ist ein Film«, sagte der Aufnahmeleiter.

»Na klar.«

»Sie drehen also einen Film über einen Kommissar«, sagte Winter.

»Eine Fernsehserie über die harte Wirklichkeit in Göteborg und Schweden.«

»Wann wird sie gesendet?«

»Wird in etwa einem Jahr ausgestrahlt.«

Winter sah sich am Drehplatz um.

»Was passiert hier gerade?«

»Im Augenblick drehen wir eine Szene, in der der Kommissar ein Fernsehteam aufsucht, um einige Fragen zu stellen, die mit seinen Ermittlungen zu tun haben, haha.«

»Okay«, sagte Winter und sah in eine Kamera, die in der Nähe stand. »Dann fangen wir mal an.« Er schaute zu dem Polizeiauto und den Statisten, die sich darum herum bewegten. »Haben Sie die Uniformen besorgt?«

»Ja. Aber nicht von Ihnen.«

»Klar, versteh ich.«

»Die Göteborger Polizei ist hoffnungslos, wenn es um so was geht.«

»Und das zu Recht«, sagte Ringmar.

»Und woher kommen diese?«, fragte Winter.

»*Wed In*, dem Lager in Södertälje.«

»Wie viele haben Sie dort bestellt?«

»Einundvierzig, um genau zu sein, eine in Reserve.«

»Haben Sie die Uniformen unter Kontrolle?«

»Wie meinen Sie das?«

»Es kann keine gestohlen werden?«

»Alles kann gestohlen werden«, sagte der Aufnahmeleiter. »Jeder hat doch Zutritt zum Kostümlager. Aber wenn wir fertig sind, kontrollieren wir natürlich die Anzahl, bevor wir die Sachen nach Södertälje zurückschicken.« Er schaute zu dem Auto in der linken Parkplatzecke. »Ich hab schon mal alles kontrolliert. Nach der ersten Runde. Jetzt filmen wir die zweite.«

»Wie lange werden Sie jetzt arbeiten?«

»Bis wir fertig sind.« Er sah Winter in die Augen. Sie waren gleich groß, aber der Aufnahmeleiter war zehn Jahre jünger als Winter. »Kann noch einen Monat dauern. Vielleicht länger. Darüber müssen Sie mit dem Regisseur reden.«

Winter nickte.

»Haben Sie denn immer einen Überblick darüber, wo sich die … Requisiten befinden?«, fragte Ringmar.

»Tja … während der Aufnahmezeit hab ich keine hundertprozentige Kontrolle … nicht jede Sekunde.«

»Jemand könnte also eine Uniform mit nach Hause nehmen zwischen … den Aufnahmen oder wie das heißt?«, fragte Winter.

»Ja … das wäre möglich.«

»Ist das schon mal vorgekommen?«

»Ist es wohl. Wenn wir bis spät in die Nacht filmen und früh am nächsten Morgen weitermachen … ja … dann landen vielleicht nicht alle Uniformen nachts im Lager. Ich weiß es wirklich nicht.«

»Okay.«

»Eins hab ich allerdings gemacht.« Der Aufnahmeleiter klemmte sich den Ordner unter den Arm und rieb seine Hände, um sie aufzuwärmen. »Sie müssen wissen, wir drehen auch draußen in den Vororten, und in ein paar Szenen sind Einwanderer dabei, ethnische Gruppen, die mit der Handlung zu tun haben.«

Winter nickte.

»Und ich will, dass es da keine Probleme gibt. Was ich sagen will … hier sind vierzig Polizisten in Uniform, und manchmal treten fast alle gleichzeitig auf … sagen wir mal, draußen in Hammarkullen oder Biskopsgården, und ich will ja nichts riskieren, verstehen Sie? Dass irgendein Durchgeknallter etwas zu den Einwanderern sagt oder so. Die Gelegenheit wahrnimmt, sozusagen.«

»Sie meinen, dass ein Statist rassistische Sprüche loslassen könnte?«

»Genau.«

»Und?«

»Deshalb hab ich alle … wir können sie ja Polizeistatisten nennen … hab ich von allen die Namen und Ausweisnummern eingeschickt.« Er hielt den Ordner wieder in der Hand.«

»Eingeschickt? Zur Polizei geschickt, meinen Sie?«

»Ja. Zur Kontrolle sozusagen. Sicherheitshalber. Die Unterlagen sind bei Ihnen.«

Beier hatte das Ergebnis von dem DNA-Test vom SKL bekommen.

»Es ist Bengt Martells Sperma.«

»Teufel, Teufel«, sagte Ringmar. Wer Wind sät, wird Sturm ernten, dachte er.

»Wie geht es der Frau?«, fragte Beier.

»Schlecht«, antwortete Winter.

»Immer noch mehr tot als lebendig«, sagte Ringmar.

»Ich mag solche Redensarten nicht«, sagte Beier. »Entweder ist man tot, oder man ist lebendig. Es gibt nichts dazwischen.«

»Hast du sie gesehen?«, fragte Ringmar.

»Nein.«

Ringmar war still, das Schweigen sprach für sich.

Winter brach es: »Die Elfvegrens kommen morgen wieder her.«

Winter rief bei Patrik zu Hause an. Sein Vater meldete sich so schnell, als hätte er neben dem Telefon gewartet. Winter stellte sich vor.

Er hatte beim Jugendamt nachgefragt. Die Familie war als asozial bekannt, aber es lag nichts wegen Kindesmisshandlung gegen sie vor.

Es war Winters Pflicht, seinen Verdacht auf Misshandlung zu melden. Es war seine Pflicht und Schuldigkeit. Trotzdem hatte er gezögert, hatte mit den Behörden gesprochen. Aber jetzt hatte er Anzeige erstattet. Er sagte nichts zu dem Mann.

»Ich möchte gern Patrik sprechen.«

»Können Sie uns nicht in Ruhe lassen?«

»Ist Patrik zu Hause?«

»Sie sind schon der zweite Bulle, der heute hier anruft und nach ihm fragt.«

»Wie bitte?«

»Sogar der dritte.«

Die Ermittlung, dachte Winter. *Die* Ermittlung. Aber drei?

»Wie heißen die Kollegen?«

»Vergessen.«

»Hat Patrik mit den anderen gesprochen?«

»Er ist nicht zu Hause.«

»Kann ich jetzt mit ihm sprechen?«

»Ich hab doch gesagt, er ist nicht da.«

Das Wetter war wieder klar, als sie nach Landvetter fuhren. Am frühen Nachmittag war der Verkehr ruhig.

»Der Himmel ist heute blau wie in Spanien«, sagte seine Mutter. Sie drehte sich nach links und sah ihren Sohn an. »Ich komme wieder, wenn … das Kind da ist.«

Sie fuhren um den Terminal herum, und er parkte nahe dem Eingang. Dann holte er einen Gepäckwagen, und sie betraten die Abflughalle.

»Es scheint keine Verspätung zu geben«, sagte seine Mutter und brach in Tränen aus.

Er nahm sie in die Arme.

»Es ist das erste Mal … das erste Mal, dass ich allein zurückfliege«, sagte sie mit dünner Stimme. Sie sah zu ihm auf. »Ich weiß, du möchtest, dass ich bleibe, aber ich muss fahren. Verstehst du das?«

»Ich verstehe es.«

»Papa ist doch … da unten.«

Winter sah das Grab, den Hain, den Berg, den Hügel, das Meer, die Erde.

»Er ist dort, und er ist … hier.«

»Natürlich, Erik.«

Das eine oder andere ist ungesagt geblieben, aber er ist hier, dachte er. Vielleicht wird es leichter.

Sie winkte von der Rolltreppe auf dem Weg hinauf zur Pass- und Ticketkontrolle. Sie war spät dran.

Er wartete im Auto, bis das Flugzeug wie ein schwerer Zugvogel aus Silber abhob. Es wurde achttausend Meter aufwärts ins Blaue gesogen.

# FEBRUAR

# 47

Auf den Zingoflaschen gab es Fingerabdrücke, aber allzu viele.

»Gib mir was, womit wir sie vergleichen können«, hatte Beier gesagt.

»Wir können sie doch wohl nicht mit allen Fingerabdrücken Göteborgs vergleichen«, hatte Winter geantwortet.

»Die halbe Stadt hat die Flaschen in den Händen gehabt.« Beier hatte Winter angesehen, als würde er ihn studieren. »Sind sie so wichtig?«

Winter hatte nicht geantwortet.

Er fuhr zur Häradsgatan und parkte ungefähr an derselben Stelle wie beim ersten Besuch. Der Wind hatte zugenommen und Wolken mitgebracht. Es fiel ein unangenehmer Schneeregen. Wieder war es Nachmittag.

Die Wolken bewegten sich rasch über den Himmel, als er zu den Fenstern der Wohnung von Ehepaar Martell im siebten Stock hinaufschaute. Er ging um das Gebäude herum zum Eingang mit seinen glatten Fliesen. Ein Schild rechts über einer Tür teilte mit, das Hausmeisterbüro sei jeden letzten Montag im Monat zwischen halb sechs und halb sieben geöffnet. Heute Abend also, dachte er. Sie hatten den Hausmeister verhört, aber nichts Wesentliches erfahren.

Hier war also jemand, der eine Polizeiuniform trug, in der Silvesternacht ins Haus gegangen. Niemand hatte einen Streifenwagen gesehen. Eine Uniform hatte man gesehen. Die Zeugen waren sich einig: eine Polizeiuniform. Es war nach dem Mord gewesen, oder den Morden, falls Siv Martell nicht überlebte. Für was?, dachte Winter. Zu einem Leben in irgendeiner Form.

Er ging zurück zur Straße und die wenigen Meter zur Straßenkreuzung. Von hier konnte er den Kirchturm sehen. Er ging die Treppe hinunter und bog rechts ab.Vor ihm lag der Laden, der Krokens Livs hieß, wo er damals eine Schachtel Läkerol gekauft hatte. Jetzt wie damals spielte der Wind mit den beiden Filmplakaten, die draußen hingen. Es waren dieselben Filme: *Die Stadt der Engel* und *The Avengers*.

Jetzt wie damals kam der Bus, er hielt zehn Meter entfernt, um ein paar alte Leute aussteigen zu lassen. Winter ging wieder hinein, um sich eine Schachtel Streichhölzer zu kaufen. Er stand zwischen den Milchprodukten, Chipstüten, Videokassetten, Süßigkeiten, Spülbürsten und Zeitungen. Draußen zerrte der Wind kräftiger an der *Stadt der Engel*. Er sah es durch das Türfenster. Die südländische Frau an der Kasse lächelte. Winter bekam seine Streichhölzer und bezahlte. Hinter der Frau hing ein Bild von dem Haus, in dem er stand. Es war ziemlich stark beschnitten und zeigte den Laden im Sonnenlicht. Kein Zweifel, dass es derselbe Laden war. Damals wie jetzt standen zwei Rahmen mit Filmplakaten vor der Tür. Das Foto, teilweise von der Zigarettenwerbung verdeckt, war eine Vergrößerung von vielleicht fünfzig mal siebzig Zentimetern. Winter erinnerte sich nicht, ob er es hier vorher schon gesehen hatte, aber es musste doch wohl dort gehangen haben? Die Farben waren verblasst, matt. Das Bild mochte drei Jahre alt sein oder auch zehn. Ein älterer Mann stand vor dem Laden mit einem Stapel Zeitungen auf dem Arm und sah aus wie der stolze Besitzer. Aber es war nicht sein Aussehen, das Winter dazu veranlasste, das Bild weiter zu betrachten, sein Wechselgeld zu vergessen und nicht zu hören, dass die Frau etwas zu ihm sagte. Über dem Kopf des Mannes war deutlich ein Schild zu sehen, das es jetzt nicht mehr gab.

Auf diesem Bild stand in roten Buchstaben: Manhattan Livs.

Börjesson hatte wieder im Powerhouse, dem Musikladen auf der Vallgatan, nachgefragt. Der junge Fahnder ging ganz gerne dorthin. Er war gelegentlich schon früher dort gewesen.

»Ich war früher schon mal hier, privat, wenn man so sagen will.«

»Wie nett.« Der Junge hinter dem Tresen kaute auf irgendwas und ging einen Stapel gebrauchter CDs durch. »Ich kann mich nicht an Sie erinnern.« Er öffnete eine Hülle und prüfte den Zustand der CD. »Aber im letzten Jahr war ich gar nicht hier.« Er steckte die CD wieder in die Hülle und sah Börjesson lächelnd an. »New York, L.A., Sidney, Borneo.«

»Klingt super«, sagte Börjesson. Er holte eine CD aus der Tasche. »Kennen Sie die hier?«

Der Junge griff nach Sacrament und sah das Cover an, dann Börjesson.

»Sie meinen, ob ich die verkauft habe? *Yes, Sir.*«

»Sie erkennen sie also wieder?«

»Ich erkenne das meiste wieder.« Der Junge sah auf die düstere Landschaft auf dem Cover. »Vielleicht hat mich diese grässliche Landschaft dazu gebracht, mich nach der Sonne zu sehnen.« Er öffnete die Hülle. »Wir hatten zwei davon«, sagte er.

»Genau das wollte ich fragen«, sagte Börjesson.

»So schlecht sind die Sachen gar nicht, wenn man mal von der Produktion selbst absieht.«

»Sie können sich nicht erinnern, an wen Sie sie verkauft haben?«

»Machen Sie Witze? Erstens arbeite nicht nur ich hier, und zweitens kann ich mich besser an Umschläge als an Gesichter erinnern.« Er drehte die Hülle, betrachtete die Bilder der Dunkelmänner vor dem grellbunten Hintergrund. »Manchmal erinnere ich mich, wem ich was abgekauft habe. Manche kommen mit Stapeln von CDs. Manchmal sind echte Fundstücke darunter.« Er sah Börjesson an. »Dies hier gehört wohl ins Grenzgebiet.« Er nahm das Textheft hervor und schlug es auf. »Warum ist das so interessant?«

»Die Musik gehört zu einem Fall, an dem wir arbeiten«, sagte Börjesson.

»Diesem Mord, von dem ich gelesen habe?«

»Warum fragen Sie das?«

»Tja ... das liegt doch wohl nahe, oder?« Der Verkäufer sah Börjesson an. »Das hier ist ja etwas bluttriefend. Aber trotzdem ziemlich brav.« Er lachte. »Das Blut tropft, das Blut tropft.«

»Erinnern Sie sich denn, wann Sie diese CD eingekauft haben?«

»Wirklich nicht. Vielleicht war ich das auch gar nicht selbst. Nein, ich war das nicht. Haben Sie die anderen schon gefragt?«

»Ja. Die erkennen die CD überhaupt nicht.«

»Dann war ich es vielleicht doch ... ich erinnere mich ja, dass wir diesen ... mal sehen ... wir hatten also zwei, die eine gab es tatsächlich schon, als ich hier anfing ... das Ding ist ja schon ein paar Jahre alt ...« Er verließ den Tresen und ging zu einer Ecke mit Hardrock-CDs und blätterte. »Nichts da. Wir hatten zwei, aber nicht gleichzeitig.«

Börjesson dachte nach. Jemand im Hintergrund hatte die Musik gewechselt und Led Zeppelin aufgelegt.

»Als ich ging, gab es ein Exemplar«, sagte der Junge und sah Börjesson an. Sie waren etwa gleichaltrig. »Als ich zurückkam, war sie weg.«

»Okay.«

»Und wir verkaufen an so viele, dass man sich unmöglich an alle erinnern kann, das werden Sie verstehen.«

»Klar, verstehe.«

Börjesson sah sich um. In dem großen Raum, in dem sie sich befanden, waren mehr als zwanzig Personen, alle männlichen Geschlechts. Die meisten waren Jugendliche, aber auch einige Männer in den Dreißigern blätterten die CDs in den Fächern durch, und in diesem Augenblick kam einer um die fünfundvierzig mit einem Stapel LPs unter dem Arm herein, nach ihm zwei junge Mädchen.

»Das Personal wechselt ja auch. Im letzten Jahr haben einige angefangen, andere aufgehört.«

»Die Geschäfte gehen gut?«

»Das kann man so sagen.« Der junge Mann kehrte an den Tresen und zu dem Stapel CDs zurück, die jetzt Gesellschaft von den Platten bekommen hatten. Er blieb stehen, drehte sich wieder zu Börjesson um. »Wo ich Sie gerade in Uniform sehe, fällt mir jetzt tatsächlich einer ein, der manchmal kam und die Sachen durchcheckte. Einige Male. Also ein Bulle. Es war kurz bevor ich gefahren bin.«

»Ein Bulle? Ein Polizist? Wie wissen Sie das?«

»Ich erkenn doch hoffentlich eine Polizeiuniform. Den Mann würde ich nicht wiedererkennen, aber die Uniform.«

»Was heißt, er checkte die Sachen durch? Sie meinen … als Kunde?«

»Na klar.«

»Ist das ungewöhnlich?«

»Dass Polizisten in Uniformen reinkommen und CDs checken? Er ist der Einzige, den ich gesehen hab. Sie müssen die anderen fragen. Hat niemand was darüber gesagt?«

»Nein.«

Er sah Börjesson wieder an. »Haben Sie denn Zeit, während der Arbeitszeit CDs zu kaufen?«

Die Frau wiederholte ihre Worte. Winter nahm den Blick vom Foto.

»Haben Sie's nicht kleiner?«, fragte sie.

»Leider nein.« Er sah wieder zu dem Bild hinter ihr.

»Hat dieser Laden mal Manhattan Livs geheißen?«, fragte er und zeigte auf das Foto. Sie drehte sich mit dem Stuhl herum, guckte und kreiselte wieder nach vorne.

»Ich weiß nich«, antwortete sie. »Hab gerade angefangen hier.«

Winter wusste, dass der Ladenbesitzer ein Mann war. Sie hatten die Leute in der Umgebung routinemäßig gefragt, und er hatte das Vernehmungsprotokoll gelesen, genau wie alles andere der Ermittlungen.

»Bertil kommt heute Abend, ihm gehört der Laden.«

»Kann ich bitte seine Telefonnummer haben?«

Bertil Andréasson meldete sich beim zweiten Klingeln. Winter stellte sich vor und fragte nach dem Namen des Ladens. Er war zurück in sein Büro gefahren und hatte seinen nassen Mantel auf den Bügel neben dem Waschbecken gehängt.

»Ich hab ihn geändert, als ich den Laden gekauft hab«, sagte Andréasson.

»Wann war das?«

»Ehh … vor bald drei Jahren.«

»Sie haben den Namen sofort geändert?«

»So gut wie. Manhattan … ich hab den Bezug nicht verstanden. Jetzt bin ich in New York gewesen, aber da sieht es nicht gerade aus wie in der Gegend um die Hagåkersgatan. Jedenfalls nicht das Manhattan, das man vom Film kennt.«

»Sind Sie oft im Laden?«, fragte Winter.

»Wie bitte?«

Winter hörte, wie die Stimme des Mannes gleichsam erstarrte, wachsamer wurde.

»Kümmern Sie sich oft selbst um den Laden?«

»Wieso? Meinen Sie, ob ich Angestellte habe? Sie haben doch Jilna gesehen.«

»Sie ist wahrscheinlich neu?«

»Ich hab zwei vor ihr gehabt. Schließlich hab ich noch einen anderen Job.«

»Zwei frühere Angestellte? Haben die aufgehört?«

»Eine ist weggezogen, und der andere konnte nicht rechnen«, antwortete Andréasson.

»Ich hab noch ein paar Fragen«, sagte Winter. »Es wäre gut, wenn wir das nicht am Telefon besprechen müssten. Können Sie hierher kommen?«

»Worum geht es eigentlich?«, fragte Andréasson. »Ich hab doch schon mit der Polizei gesprochen nach diesem Mord. Ich weiß nichts Neues.«

»Nur eine Routineangelegenheit«, sagte Winter. »Wenn wir an einer Ermittlung arbeiten, müssen wir manchmal mehrmals mit den Leuten reden. Wenn neue Erkenntnisse auftauchen.«

»Was sind das für neue Erkenntnisse … na klar, der Name.«

»Ich hab das Foto gesehen«, sagte Winter.

»Das Bild von Killdén? Hinter dem Tresen? Ich hab mindestens schon achtzigmal gedacht, dass ich es abnehmen sollte. Aber irgendein alter Kunde spricht immer wieder mal über den Alten, und da hab ich ihn aus Sentimentalität hängen lassen.«

»Killdén? War das der Vorbesitzer?«

»Åke Killdén. Er hatte mehrere Läden, dann hat er sie verkauft, und jetzt sitzt er in der Sonne.«

»In der Sonne?«

»Er hat sich eine Wohnung oder ein Haus in Spanien gekauft.
Costa del Sol, glaub ich.«

# 48

Bertil Andréasson war gekommen. Offenbar machte er sich
Sorgen, wie viel sie nach seinen sonstigen Beschäftigten fragen würden. Winter hatte versucht, ihm zu signalisieren, dass
er sich nicht für seine Schwarzarbeiter interessieren würde,
wenn Andréasson zur Zusammenarbeit bereit war.

Der Ladenbesitzer gab die Namen und die zuletzt bekannten
Adressen seiner beiden früheren Angestellten an. Jilna arbeitete
ungefähr seit einem halben Jahr bei ihm. Fünf Monate, um es
genau zu sagen. Sie war kein Meister der schwedischen Sprache, aber sie konnte rechnen und aufpassen, dass kein Scheiß-
typ die Preisauszeichnungen der Waren änderte. Sie schaffte es
auch, Jugendlichen kein Bier zu verkaufen.

Winter hatte das Gespräch mit ihr vor Ort fortgeführt, aber
ihr war nichts Besonderes aufgefallen. Wenn sie Stammkunden
identifzieren sollte, würde er ihr Fotos zeigen oder Kollegen
vorbeischicken müssen, denen sie zunicken würde, wenn jemand hereinkam, den sie kannte. Da gab es wohl einige, hatte
sie gesagt. Wir schicken jemanden vorbei, beschloss Winter.

Halders und Winter trafen sich wieder mit Elfvegrens, im selben
düstren Zimmer. Sie sah aus, als würde sie frieren. Winter fragte
sich immer noch, ob es hier vielleicht nur … um ihn ging. Herrn
Elfvegren. Sie schien sich in einem Schockzustand zu befinden.

»Okay«, sagte der Mann. »Wir sind mal da gewesen … zu einem kleinen Imbiss. Zweimal, glaub ich.«

»Warum haben Sie vorher gelogen?«

»Ich weiß nicht.«

»Es ist nicht grad üblich, dass man lügt, wenn man nur auf eine Tasse Kaffee bei jemandem war.«

»Wir haben wahrscheinlich ... Angst gehabt«, sagte er. Seine Frau sah aus, als hätte sie Angst.

Halders seufzte.

»Erzählen Sie uns jetzt bitte, wie es wirklich war«, sagte er.

Elfvegren antwortete nicht.

»Sie hatten eine Beziehung«, sagte Halders.

Elfvegren schüttelte den Kopf.

»Wir könnten gezwungen sein, Ihnen eine Blutprobe zu entnehmen«, sagte Halders.

»Warum?«

Halders berichtete von den Spermaflecken, und Frau Elfvegren wurde weiß.

Ihr Mann biss sich heftig auf die Unterlippe, sah Winter an. Winter erkannte, dass sie sich entschieden hatten, vielleicht für die Wahrheit.

»Okay«, sagte er. »Wir haben sie ... durch eine Anzeige kennen gelernt.«

»Was für eine Art Anzeige?«

»Eine Kontaktanzeige.«

»Was für eine Art Kontaktanzeige?«

Elfvegren sah wieder seine Frau an, und sie nickte kaum merklich.

»Es war eine Anzeige in ... eh ... in der Zeitschrift.«

»Zeitschrift? Welcher Zeitschrift?«

»Über die wir schon mal gesprochen haben. *Aktuell Rapport*.«

»Haben Sie inseriert?«

»Wir haben geantwortet«, sagte Per Elfvegren. »Es war eine Anzeige ... von Valkers also ..., auf die wir geantwortet haben.«

»Wann war das?«

Elfvegren gab eine ungefähre Antwort.

»Es war das einzige Mal, dass wir das gemacht haben«, sagte sie.

Wer's glaubt, wird selig, dachte Halders.

»Haben Sie die Martells auf die gleiche Weise kennen gelernt?«

»Nein«, sagte Elfvegren.

»Wie haben Sie sie dann kennen gelernt?«

»Durch ... Valkers. Aber wir ... aber wir ...«

»Ja?«

»Wir hatten zu denen nie eine ... Beziehung.«

Halders war still.

»Nur zu ... Valkers.«

»Haben Valkers noch andere getroffen?«, fragte Halders.

»Wie meinen Sie das?«

»Als Sie eine ... Beziehung hatten. Waren da auch andere zugegen?«

»Nie.«

»Nie?«

»Nie. Das schwöre ich«, sagte Per Elfvegren. Er sah aus, als ob er sich für die Wahrheit entschieden hätte und nichts anderes, aber Gesichter konnten lügen.

»Haben Sie sie von einer anderen Beziehung sprechen hören?«

»Nein.«

»Valkers haben nicht von anderen Kontakten erzählt? Ob sie auf ... die Weise mit anderen Umgang hatten?«

Winter schätzte jetzt Halders' Feinfühligkeit. Halders hatte unbemerkt die Rolle des Verhörleiters übernommen.

»Nein.«

Die Frau räusperte sich. Sie sah ihren Mann an und räusperte sich wieder, wollte etwas sagen. Halders wartete. Winter war vom Tisch aus, der mitten im Zimmer stand, kaum zu sehen, war mehr ein Schatten an der Wand.

»Es gab ... einen Mann«, sagte sie. Per Elfvegren sah echt überrascht aus. »Louise hat einmal etwas erzählt ... mir also ... von einem Mann, den sie einige Male getroffen haben.«

Patrik versuchte zu lesen. Es war Abend geworden. Er schaute eine Weile zum Himmel, der zu glühen schien. Es wird doch Frühling, dachte er, dann kann man mehr raus.

Er setzte sich aufs Sofa, draußen im Flur rumorte Ulla, als sie die Wohnungstür schloss und sich die Schuhe auszog. Patrik stand auf, stellte die Musik mitten im Lied ab und setzte sich wieder.

Ulla kam herein und musste zwei Schritte rückwärts machen, um einen vorwärts zu schaffen.

»Wo ist Vater?«, fragte er.

»Weiß ich nicht«, antwortete sie und ließ sich einen Meter von ihm entfernt wie ein weicher Sack aufs Sofa fallen. Er rutschte beiseite. »Ich bin gegangen.« Sie schüttelte den Kopf, bewegte ihn vor und zurück. »Er hat mir zu viel Randale gemacht.« Sie richtete ihre Augen auf Patrik, versuchte den Blick scharf zu stellen. »Du bist tüchtig, Patrik. Du bist nicht wie er.«

Und nicht wie du, dachte Patrik und stand auf. Sie griff nach seinem Arm, hielt ihn fest.

»Bleib doch ein bisschen sitzen und red mit mir«, sagte sie.

»Ich muss gehen.«

»Nur ein bisschen.« Sie packte fester zu, fing an, eine Melodie zu summen, lachte plötzlich auf. Himmel, die Alte war sternhagelvoll. »Jetzt bleib hier schön sitzen und unterhalt dich ein bisschen mit Tante Ulla.« Sie zog wieder, zerrte an ihm. Sein Pulloverärmel wurde einen halben Meter länger. Er roch den bekannten Gestank nach alter Fahne, die mit frischem Schnaps begossen worden war.

Sie zog wieder, er verlor die Balance, fiel über sie.

Die Wohnungstür wurde aufgerissen. Während er fiel, hörte er Schritte durch den Flur schlurfen.

»Was zum Teu…« Er hörte die Stimme seines Vaters und spürte, wie er seinen Arm packte und ihn hochzog. Diesmal war es der Arm und nicht der Ärmel, es tat weh, und er schrie, und dann krachte es in seinem Kopf.

Maria backte Kuchen. Es war, als wäre es zweitausend Jahre her. Hanne Östergaard sah ihrer Tochter zu, die Mehl in der Küche verteilte. Vor ein paar Jahren war es eine Zeit lang das Einzige gewesen, was sie getan hatte. Sandkuchen backen. Von mir aus gern. Zweitausend in einer Reihe.

Sie ging zurück ins Wohnzimmer, setzte sich aufs Sofa und

nahm wieder ihr Buch vor. Das Blau des Himmels ging in Schwarz über, und dennoch war das Versprechen von Frühling noch da. Oder ist das Einbildung?, dachte sie. Oder der Traum vom Licht. Wir spüren schon den Frühling, bevor der Winter überhaupt angefangen hat, sich zurückzuziehen.

In der Küche klapperte es. Sie liebte dieses Geräusch. Vom Sankt Sigfrids Plan ertönte eine Sirene. Ein einziger sich steigernder Ton, der von einem Polizeiwagen kommen musste. Bei ihrer Arbeit im Polizeipräsidium hatte sie gelernt, Sirenen zu unterscheiden. Der Ton war noch einmal zu hören und brach dann jäh ab. Vielleicht ein Raser, ein Knall. Sie dachte an Simon und seinen entsetzlichen Verkehrsunfall, mit dem er einfach nicht fertig wurde. Die Erinnerung war zu stark für ihn, zu schmerzhaft. Es könnte dazu führen, dass er seinen Job aufgab. Sie kannte niemanden sonst, der sich von solchen Erlebnissen derart beeinflussen ließ.

Immer wieder erzählte er die schrecklichen Details, als ob sie verschwinden würden, wenn er sie oft genug erzählte. Es rief das genaue Gegenteil hervor. Sie konnte die Einzelheiten inzwischen selbst wiederholen. Aber sie war nicht dabei gewesen, hatte es nicht gesehen. Das letzte Mal hatte er gesa…

An der Tür klingelte es.

»Ich mach auf«, rief sie und erhob sich.

Draußen stand Patrik. Er hatte Blut im Gesicht, ein erstarrtes Rinnsal unter dem einen Auge.

»Patrik!«, schrie Maria, die jetzt hinter ihr war.


»Ein Mann!?«, sagte Halders. »Louise Valker hat von einem Mann erzählt?« Warum hast du das für dich behalten, dachte er. Das kann LEBEN gekostet haben.

»Einmal …«, fing sie an und verstummte.

»Reden Sie weiter.«

Winter spürte Anspannung in seinem Körper, sah auch Halders die Spannung an. Per Elfvegren schien wie paralysiert. Seine Frau wirkte jetzt ruhiger. Sie hatte sich entschieden.

»Sie hat gesagt, dass sie ein paar Mal einen Mann getroffen haben. Das war alles.«

Halders sah sie an. Sie verstand.

»Ich hab nie daran gedacht, dass es mit … mit dem zusammenhängen könnte.«

»Erzählen Sie genau, was sie gesagt hat«, forderte Halders sie auf.

»Aber das hab ich doch schon.«

»In welchem Zusammenhang hat sie es erwähnt?«

»Daran kann ich mich nicht genau erinnern.« Sie sah ihren Mann an. »Wir waren jedenfalls allein.«

»Was hat sie gesagt?«

»Dass sie Besuch gehabt haben … einige Male, von einem Mann.«

»Ja?«

»Ich hatte den Eindruck, dass er … aufregend war.«

»Wie haben sie ihn kennen gelernt?«

»Ich weiß nicht …«

»Durch eine Anzeige?«

»Ja, vielleicht hat sie das gesagt.« Sie schien nachzudenken. »Vielleicht hat sie so was gesagt wie, dass sie Glück gehabt haben … ja, dass sie Glück mit ihren Anzeigen hatten.«

»Hat dieser Mann sich auf deren Inserat gemeldet, oder hat er die Anzeige selbst aufgegeben?«

»Ich weiß nicht.«

»Kannten Sie ihn?«

»Überhaupt nicht.«

»Hat Louise Valker sein Aussehen beschrieben?«

»Nein.«

»Nichts … Persönliches über ihn?«

»Nichts.«

»Seine Kleidung?«

»Kein Wort.«

»Sie hat ihn nur erwähnt, und das war alles?«

»Ja …«

Winter hörte ein schwaches Zögern. Halders hatte es auch gehört, wartete.

# 49

Winter rief Möllerström an. Der Registrator meldete sich beim ersten Klingeln.

»Besorg mir doch bitte sofort die letzte Nummer von *Aktuell Rapport*, Janne.«

»Das Sexmagazin?«

»Gibt's noch ein anderes?«

Winter legte auf und nahm sich die Liste mit den vierzig Statisten vor, die in dem Film über die Abenteuer eines Kommissars in Göteborg Polizeiuniformen trugen. Warum nicht eines Inspektors?, hatte Halders gefragt. Du kommst auch drin vor, hatte Ringmar gesagt. Wir kommen alle drin vor.

»Wollen wir es machen?«, fragte Ringmar, der Winter gegenüber saß. »Hast du mit Sture geredet?«

»Er ist einverstanden, wenn wir die Arbeit für sinnvoll halten.«

»Vierzig Personen«, sagte Ringmar. »Das heißt, etwa zehn bis fünfzehn Mann in einer Woche. Wie viel Zeit mag das dauern pro Statist? Eineinhalb Stunden. Eine Stunde. Wir müssen sie aufstöbern, die Adressen kontrollieren, einen Termin vereinbaren, sie verhören.«

»Und vergleichen«, sagte Winter.

»Das ist dein Job.«

»Zehn Mann kann ich nehmen«, sagte Winter. Er zündete sich einen Zigarillo an. Draußen war es immer noch nicht ganz dunkel. Er sah Ringmar in die Augen.

»Sind wir auf der richtigen Spur mit dieser ... Polizistentheoriespur? Der Uniformspur?«

»Wenn ich das wüsste, Erik.«

»Sag, was du meinst.«

Ringmar kniff die Augen zusammen, rieb sich die Stirn mit einem Geräusch, das klang wie Sandpapier auf rauem Holz. Seine Gesichtszüge wurden deutlicher im Dämmerlicht, die Falten tiefer, wenn die Sonne Reflexe von den Häusern gegenüber ins Zimmer warf. Auch in diesem Februar würde Bertil keinen Winterurlaub machen können. Vielleicht, wenn die Enkel kamen. Jetzt war die Saison sowieso vorbei.

»Es ist ein wenig zu oft über Polizeiuniformen gesprochen worden, als dass wir es jetzt einfach beiseite schieben könnten«, sagte er schließlich.

»Das stimmt.«

»Börjessons Bericht von dem Musikladen war ja interessant.«

»Ja.«

»Wir haben alle Stellen überprüft, die Uniformen haben. Aber niemand hat gemeldet, dass eine fehlt.«

»Hm.«

»Bleiben nur noch die Filmaufnahmen. Vielleicht ist das ein Omen.«

»Ein gutes Omen?«

»Gibt's gute? Ich hab mal einen Film gesehen, der hieß *Omen*. Da kam nicht gerade Gutes drin vor.«

Ringmar rieb sich wieder den Schädel.

»Komm, lass uns anfangen.«

»Nimmst du die?«

Ringmar nickte, nahm die Liste und ging in sein Zimmer, um die Arbeit zu organisieren. Ein Bote brachte ein Kuvert mit der Aufschrift »Hauspost«, Winter streckte die Hand aus und nahm es entgegen. Er öffnete es, und der Bote verdrehte die Augen. Das Titelmädchen war leicht bekleidet. Eine große Überschrift in Gelb kündete von einem Artikel mit den zehn besten Tipps zu Sex am Arbeitsplatz. Winter blätterte weiter bis zur Rubrik »Blitzkontakt«. Es waren viele Anzeigen. Einige Bilder von nackten Geschlechtsorganen und Gesichtern mit schwarzen Streifen über den Augen. Warum nicht umgekehrt, dachte er.

Am Ende gab es ein Anzeigenformular. So eins müssen die Valkers also ausgefüllt und abgeschickt haben, dachte er. Vielleicht auch Elfvegrens und Martells.

Vielleicht der andere.

Wie funktionierte das?

Er blätterte nach vorn und fand Informationen darüber. Telefonische Antwort. Briefantwort. Sie hatten Elfvegrens nach dem Typ der Anzeige und ihrer Antwort gefragt.

Sie hatten die Listen ihrer Telefongespräche, man konnte es also nachprüfen.

Bei Valkers oder Martells hatten sie keine Anzeigenformulare gefunden. Weder Formulare noch Antworten.

Winter rief bei der Redaktion von *Aktuell Rapport* an, eine Frau meldete sich, und er stellte sich vor.

»Anzeigenformulare werden bei uns drei Monate aufbewahrt«, sagte sie.

»Heißt das, Sie haben drei Monate lang die Adressen von den Leuten, die bei Ihnen inseriert haben?«

»Ja, normalerweise.«

»Normalerweise? Was bedeutet das?«

»Manchmal schaffen wir es nicht, sie regelmäßig zu makulieren. Es sind ziemlich viele ...«

Makulieren, dachte er. Dieses verdammte Makulieren. Es sollte ein Gesetz gegen das Makulieren eingeführt werden. Aus Rücksicht auf die Ermittlungsverfahren bei schweren Verbrechen.

»Wie lange können sie dann aufbewahrt werden?«

»Vielleicht ein halbes Jahr, aber das kommt selten vor.«

»Und wie werden die Adressen verwahrt?«

»Wir haben ein Datenarchiv. Und die Formulare selbst.«

»Sind es meistens Privatadressen?«

»Jaa ...«

»Gibt es keine anonymen Chiffrenummern, die man nutzen kann?«

»Da ziehen wir Grenzen. Es hat sich herausgestellt, dass das zu ... unseriös ist.«

Winter fragte nicht weiter nach.

»Können Sie sehen, wer antwortet?«

»Nein. Wer antwortet, steckt seinen Brief in einen Umschlag, klebt ihn zu und schreibt darauf die Chiffrenummer der An- nonce. Dann steckt man das Kuvert in ein anderes Kuvert und schickt es an uns. Wir leiten die Antworten weiter an die Inse- renten.«

»Und wer antworten will, hat also drei Monate Zeit?«

»Ja.«

Winter dachte nach. Wenn sie Glück hatten, war Valkers An- zeigenformular noch in dem Redaktionsarchiv vorhanden, oder die Adresse, die bestätigte, dass sie inseriert hatten. Er würde die Kollegen in Stockholm anrufen, wo *Aktuell Rapport* seine Redaktion hatte. Es war nicht das erste Mal.

Sie könnten auch ein Anzeigenformular von Martells finden. Oder Elfvegrens. Martells. Er dachte wieder an sie. Martells. Sie waren vor weniger als drei Monaten ermordet worden.

Sollten sie inseriert haben, hatten sie ihre Antworten viel- leicht noch nicht bekommen.

Auf der Redaktion könnten noch unabgeschickte Antworten liegen. Er dachte daran, dass Erika Elfvegren von »einem Mann« erzählt hatte.

Der Mann war per Kontaktanzeige ins Spiel gekommen. Winter hatte sich gefragt, wie er in die Wohnungen gelangt war, und hier gab es vielleicht eine Antwort, eine Lösung.

Aber die konnten wer weiß wann inseriert haben, vielleicht vor mehreren Jahren. Jetzt mal ganz ruhig.

Er stellte der Frau in der Redaktion rasch ein paar praktische Fragen, legte auf und rief gleich danach einen Kommissarkolle- gen in Stockholm an.


Bei Matilda Josefsson, die bei Krokens Livs gearbeitet hatte, ging niemand ans Telefon. Aneta Djanali wählte die andere Nummer, und ein Mann meldete sich. Sie schilderte ihm den Anlass ihres Anrufs.

»Das ist schon eine Weile her, dass ich da gearbeitet hab. Der Kerl hatte sie doch nicht mehr alle.«

»Der Kerl?«

»Andréasson. Hat behauptet, ich könnte nicht rechnen. Da hab ich gekündigt. Freiwillig.«

Aneta Djanali fragte nach Stammkunden.

»Da gab's schon ein paar, die oft kamen. Wäre ja auch komisch, wenn's nicht so wäre.« Sie hörte eine Pause. »Und dann waren da noch die Ladendiebe.«

»Wie bitte?«

»Es gab da einige. Sachen verschwanden. Ich hab nie einen gesehen, aber es gab ein paar ... Zwischenfälle.«

»Wann?«

»Daran kann ich mich nicht genau erinnern. Ich hab's ja nicht in einem Kalender oder so aufgeschrieben. Aber die, die gleichzeitig mit mir da arbeitete, weiß mehr.«

»Matilda? Matilda Josefsson?«

»Genau. So hieß sie.«

»Hat sie was von Ladendieben erzählt?«

»Es hat einen Zwischenfall gegeben, als sie da arbeitete. Fragen Sie sie.«

»Das machen wir. Aber sie hat auch aufgehört.«

»Da sieht man mal. Und sie konnte immerhin rechnen, haha.«

»Wir versuchen jetzt, sie zu erreichen.«

»Sie hat immer davon geredet, sie wollte in die Sonne fahren. Suchen Sie sie da.«

Winter suchte in der Sonne. Seine Mutter kannte keinen Åke Killdén. Er wohnte vermutlich nicht in Nueva Andalucía, aber es gab ja noch mehr Kolonien. Der schwedische Konsul in Fuengirola meldete sich beim dritten Klingeln. Winter sah die Stadt vor sich, die Autostraße, die sie wie eine schwarze Wunde durchschnitt, die Häuser, die von den Bergen herunter ins Meer geworfen zu sein schienen.

»Natürlich kenne ich Åke«, sagte der Konsul. »Und Ihr Name kommt mir übrigens auch bekannt vor.«

Bei Killdén in der Elviria-Kolonie meldete sich niemand. Sie lag östlich vom Krankenhaus, auf der anderen Seite von Marbella. Er erinnerte sich an Restaurants, Hotels, Golfplätze, gekalkte kleine Häuser.

Eine nächtliche Fahrt daran vorbei im Taxi nach Torremolinos. Den Geschmack nach Wein weit hinten am Gaumen.

Winter fuhr ins Sahlgrenska. Siv Martell befand sich immer noch in ihrer bewusstlosen, barmherzigen Welt. Er hatte nicht hinfahren müssen, um das zu erfahren, aber er wollte aus seinem Zimmer raus. Ihr Körper war eine Erinnerung an etwas.

Er sah sie durch die Glasscheibe. Hätte sie Antworten, wenn sie aufwachte? Wenn man ihr erlaubte aufzuwachen. Er fror plötzlich, als ob er Eis unter der Kleidung hätte.

Er ging hinaus. Das Krankenhaus mit seinen neuen und alten Gebäuden war wie die Kulisse auf einer Bühne. Krankenwagen und Polizeiwagen fuhren hin und her. Pfleger in Weiß liefen über die Bühne, Ärzte, Engel. Er ging selber durch die Kulissen, aber es gab keine Scheinwerfer.

Er hatte keinen Text. Nur das Gefühl, dass eine Katastrophe auf ihn zukam.

# 50

Bartram kaufte die Zeitung und lieh sich einen Kriegsfilm. Die Frau lächelte freundlich. Er wusste nicht, ob sie ihn erkannte. Eigentlich müsste sie das. Auch wenn sie von der anderen Seite der Welt kam, oder woher auch immer.

Sie war ziemlich neu. Die Kassierer kamen und gingen. Den Jungen hatte er nicht gemocht. Er war nicht für die Servicebranche geeignet. Wenn man im Service arbeitet, muss man für die Kunden da sein. Sonst sollte man sich was anderes suchen.

Den Alten hat er manchmal abends gesehen. Dem gehörte der Laden vermutlich. Er sah auch nicht aus wie ein Servicetyp. Schien Hummeln im Hintern zu haben. Konnte nicht still sitzen.

Das Mädchen hatte er gemocht. Eines Tages war sie weg. Vielleicht hatte sie eine Woche vorher gekündigt. Aber warum sollte sie ihm das erzählen? Nur weil er sie mochte, brauchte sie ihn nicht zu mögen. Vielleicht lachte sie, wenn er ging. Oder hinter seinem Rücken. Einmal hatte er sich blitzartig umgedreht, und da hatte sie nicht gelacht, aber vielleicht traute sie sich auch nicht. Sie wusste, dass er manchmal Polizist war. Wenn er in Uniform hereinkam, war er Polizist. Jetzt war er kein Polizist, da er anders gekleidet war. Jetzt konnte er die Leute nicht auffordern, sich anzuschnallen, und konnte nicht damit rechnen, ernst genommen zu werden.

Sie war da gewesen, als er dem Jungen im Weg gestanden hatte, der ein paar Videofilme geklaut hatte. Er fand es besser, es so

zu sehen. Er hatte im Weg gestanden. Der Junge wollte ja bezahlen, sagte er. Hatte es nur vergessen.

Er hatte ein Zugeständnis gemacht. Er hatte Namen und
Adresse aufgeschrieben, aber eigentlich nur, weil das Mädchen
zuguckte. Sie wollte keine Anzeige erstatten. Der Junge zeigte
seinen Ausweis vor. Damit waren seine Daten aufgenommen,
und er konnte gefasst werden. Er ließ ihn schwitzen, dann aber
doch gehen. Mach das nicht noch mal. Und all dieser Scheiß.
Der Junge wirkte etwas merkwürdig. Er konnte einem fast Leid
tun. Starrte auf die Uniform, als wäre es die eines Generals, als
ob sie voller Glitzer wäre. Murmelte etwas.

Er hatte sie gefragt, ob sie den Jungen kannte, und sie hatte
mit den Schultern gezuckt. Er hatte nicht gefragt, was das bedeuten sollte.

Er ging über die Straße und durch die Stille. Der Berg linker
Hand dämmte die Geräusche der Stadt, und der Hügel, auf dem
die Kirche lag, dämpfte das Brausen des Verkehrs von der
Schnellstraße.

Die Straße war lang, aber er wurde nicht müde. Es gab ja gelbe Häuser, die er anschauen konnte. Sie unterschieden sich von
dem roten Haus, in dem er wohnte.

Zwei alte Männer kamen aus dem Haus mit dem Reklame-
schild am Giebel. Sie trugen eine ausgediente Badewanne zwischen sich. Bartram badete nicht. Dazu hatte er keine Zeit.

Drei Kinder liefen auf dem Spielplatz herum, als er vorbeiging. Der Wind zerrte an den Birkenzweigen. Jetzt war der Verkehr vom Göteborgvägen zu hören. Das Haustürschloss funktionierte immer noch nicht. Die Wände im Treppenhaus waren
blau wie der Himmel gestern. Die Tür zur Wohnung war braun
wie die Scheiße heute Morgen. Er schloss auf und ging hinein
und rief, er sei zu Hause. Eines Tages würde vielleicht jemand
antworten.

Er setzte sich vor den Computer, ohne die Jacke auszuziehen,
bald hatte er die richtigen Files gefunden. Er verfolgte die Ermittlung. Alles war da, er wusste alles und lächelte.

Hanne Östergaard rief Winter an.

»Wie geht es ihm?«

»Der Alte hat ihn voll am Kopf getroffen.«

»Das verdammte Schwein. Ich schick einen Wagen zur Wohnung, dann nehmen wir den Mistkerl fest.«

»Und was machen wir dann mit Patrik?«

»Wie meinst du das?«

»Er liegt hier. Ich glaube, er muss ins Krankenhaus.«

»Soll ich einen Krankenwagen schicken?«

»Nein, ich fahr ihn lieber selbst hin.«

»Okay.«

»Es ist …«

»Ja?«

»Ich wollte dich etwas fra…«, sagte sie. »Ach nein, das kann warten. Ich fahr jetzt mit Patrik ins Sahlgrenska.«


Morelius und Ivarsson holten Patriks Vater ab. Der war bewusstlos, als sie dort ankamen. Die Frau öffnete ihnen und lief dann ohne Schuhe die Treppe hinunter. Unter ihrem rechten Auge schillerte ein rotblauer Fleck. Auf ihrer Bluse war Blut.

Sie schleppten ihn nach unten. Ivarsson breitete Plastikfolie auf dem Rücksitz aus.

Der Alte war immer noch mehr oder weniger ohne Bewusstsein, als sie ihn einsperrten. »War das nötig?«, fragte Ivarsson.

»Ja«, sagte Morelius.

»Hast du vor einer Woche bei denen zu Hause angerufen?«, fragte Winter, der mitgekommen war. Sie gingen den Korridor entlang, der nach abgestandener Luft roch.

»Was meinst du?«

»Hast du wegen irgendwas bei Patrik angerufen?«

»Nein.«

»Irgendjemand von uns hat angerufen, jemand anders als ich.«

»Ich war's nicht.«

»Du kennst ihn ja ziemlich gut.«

»Das ergibt sich so, wenn man durch die Straßen läuft.«

»Hat er sich denn wieder beruhigt?«

»Er ist wahrscheinlich immer ruhig gewesen«, sagte Morelius. »Es ist eher das Mädchen … eh … die Tochter von der Pastorin, die war ein bisschen wild.«

»Ja, offenbar.«

»Aber das hat sich wohl wieder gelegt.«

Winters Kollege aus Stockholm rief an.

»Wir sind in der Redaktion gewesen.«

»Gut, Jonas.«

»Interessanter Ort.«

»Hast du Anzeigenformulare gefunden?«

»Ja, wir haben Glück. Erstens ist Valkers Formular noch vorhanden. Zweitens gibt es auch eins von den Martells.«

»Das hab ich gehofft.«

»Und die Antworten kamen per Brief«, sagte Kommissar Jonas Sjöland. »Nicht als Telefonnachrichten. Deine Hoffnungen haben sich auch erfüllt, was die Antworten an Martells selbst angeht. Die Briefe an Valkers waren schon abgeschickt, aber die an Martells sind noch da. Die sind noch nicht abgegangen.«

»Wie viele Briefe hast du, an Martells?«

»Ich hab sie noch nicht gezählt …« Winter lauschte auf die Pause. »Bist du für diese Sache zuständig, Erik?«

»Mach dir deswegen keine Sorgen.«

»Und was sagt die Strafprozessordnung in deinem Regal zu dem Fall? Bist du dir im Klaren darüber, was du da vorhast?«

»Ich hab doch gesagt, mach dir keine Sorgen.«

»Ich hab's interessehalber nachgeprüft«, sagte Sjöland. »27. Kapitel, Paragraph 3. Interessant.«

»Besonders, wenn er noch nie benutzt wurde«, sagte Winter.

»Wer ist in diesem Fall Staatsanwalt?«

»Molina. Kennst du ihn?«

»Nur dem Namen nach.«

Winter hatte beschlossen, die Staatsanwaltschaft direkt zu unterrichten, gleich nachdem die ersten Morde entdeckt worden waren. Staatsanwalt Peter Molina hatte die Ermittlungen kontinuierlich verfolgt.

»Das ist eine heikle Angelegenheit. Anderer Leute Briefe zu öffnen«, sagte Sjöland.

»Wenn du den Paragraphen studierst, siehst du, dass der Untersuchungsleiter bei einem Verbrechen wie diesem Spielraum hat, Entscheidungen zu fällen.«

»Ja, so kann man es auch auslegen.«

»Aber ich hab einen Staatsanwaltbeschluss angefordert. Und bekommen. Positiv.« Endlich positiv, dachte Winter. Er war Molina Dank schuldig.

»Okay. Dann geb ich mich geschlagen.«

»Ich möchte die Briefe am liebsten noch heute Abend haben. Und das Anzeigenformular kannst du faxen.«

»Das kriegen wir hin.« Sjöland machte wieder eine Pause. »Hast du schon daran gedacht, dass die Briefberge bei Martells gelandet wären, wenn du nicht so verdammt schnell gewesen wärst? Sie haben ihre eigene Adresse angegeben, nicht irgendeine zwielichtige Chiffre. Das Mädchen bei der Zeitschrift sagte, sie hätten die Briefe vermutlich in einer Woche oder so abgeschickt. Stell dir vor, das wäre interessant gewesen. Plötzlich plumpst eine mögliche Lösung durch den Briefeinwurfschlitz.«

»Ich bin nicht schnell gewesen«, sagte Winter.

Er rief Åke Killdéns Nummer in Fuengirola an. Niemand meldete sich. Als er auflegte, änderte sich das Bild in seinem Kopf. Von den weiß gekalkten kleinen Häusern an dem verbrannten Hang zu gläsernen Stahlkonstruktionen, Monster, die sich wie in Manhattan in die Wolken reckten.

Aber vielleicht lagen sie hier total falsch. Nein. Das war kein Zufall, dass es einen Laden gab, der einmal Manhattan Livs geheißen hatte, und dass es ihn immer noch gab: hundertfünfzig Meter von dem Siebenstockwerkhaus entfernt, wo Martells gewohnt haben. Kein Wolkenkratzer, aber das höchste Haus in weitem Umkreis. Eine halbe Meile oder mehr vom Gothiaskrapan in der Stadt entfernt. Mölndals Manhattan: Die HSB-Häuser mit ihren hübschen Eingängen.

Hier gab es einen Schlüssel. Aber wo lag er?

Das Telefon klingelte.

»Ich hab Matilda Josefsson in der Leitung«, sagte Möllerström. »Die frühere Kassiererin von Krokens Livs.«

Winter wartete, dass das Gespräch durchgestellt wurde. Ihre Stimme ertönte.

»Ja, hallo?«

»Hier ist Kommissar Erik Winter.«

»Ja … ich hab eine Nachricht vorgefunden, dass ich mich melden soll.«

»Gut. Ich möchte mich gerne mit Ihnen unterhalten.«

»Ich bin gerade nach Hause gekommen … passt es morgen?«

»Nein, lieber gleich, ich kann zu Ihnen kommen, wenn Sie wollen.«

»Ich weiß nicht …«

»Ich werde meinen Ausweis gut sichtbar tragen«, sagte Winter.

Er hörte ein Kichern.

»Um was geht es?«, fragte sie.

»Wir ermitteln in einigen schweren Verbrechen und wollten Sie über die Zeit befragen, als Sie in einem Laden in Mölndal gearbeitet haben.«

»Krokens Livs? Was ist mit der alten Scheißbude passiert?«

»Kann ich in einer halben Stunde bei Ihnen vorbeikommen?«

»Eh … okay. Die Adresse haben Sie ja wohl.«


Winter fuhr über die Brücke. Die Zisternen blinkten wie immer im Sonnenschein. Im Westen weit hinter Vinga war es klar. Das Meer lag still, wie blaues Öl.

Matilda Josefsson wohnte hinter dem Backaplan. Sie hatte braune Haare und blaue Augen und war um die fünfundzwanzig. In der Wohnung lag Kleidung in kleinen Haufen verstreut. Im Flur stand ein Golfset. Es roch auf besondere Weise nach Meer und Sand dort drinnen. Winter erkannte den Geruch sofort.

»Golf an der Costa del Sol«, sagte sie, ohne dass er fragen musste. »Ich arbeite als Golflehrerin. Die Hochsaison da unten läuft jetzt aus.«

»Kennen Sie Åke Killdén?«, fragte Winter, der auf einem Stuhl in der Küche saß.

»Nur vom Namen her. Der Besitzer, der mich angestellt hat, hieß Andersson.«

»Andréasson.«

»Okay. Was haben Sie gesagt, wie heißen Sie? Winter?«

»Ja.«

»Auf dem Platz, wo ich gearbeitet habe, spielte manchmal ein

Mann mit dem gleichen Namen. Las Brisas. Es war in der letzten Saison. Großer, älterer Herr. Bengt Winter. Schwede also.«

Winter nickte.

»Ein Verwandter von Ihnen? Winter ist ja nicht gerade ein üblicher schwedischer Name.«

»Das war mein Vater.«

»Aha. Manchmal ist die Welt klein.« Dann schien ihr bewusst zu werden, was Winter eben gesagt hatte. Das *war* mein Vater.

»Wann haben Sie bei Krokens Livs aufgehört zu arbeiten?«

Sie sah ihn an, als sie antwortete, bemerkte den schnellen Themenwechsel.

»Schon 'ne Weile her. Ich such mir immer was Neues, wenn ich zu Hause bin«, sagte sie. »Golf ist ja ein Saisongeschäft.«

Winter gab einen Teil des Hintergrundes preis, warum er hier war. Stellte ein paar Fragen, hakte nach.

Sie hatte das Foto von Manhattan Livs gesehen. Aber das Einzige, woran sie sich erinnerte, das überhaupt von Interesse war, das war der Tag, als der Polizist den Ladendieb festnahm.

»Wie bitte?«

»Es war ein Polizist da, einer von der Funkstreife, und er hat einen Ladendieb festgenommen, der sich gerade mit ein paar unbezahlten Videos verdrücken wollte. Er sagte, er hätte vergessen zu zahlen, und das glaubt man ja auch.«

»Es war ein Ladendieb?«

»Ich glaub, er hatte früher schon mal was mitgehen lassen. Mir kam er jedenfalls bekannt vor.«

»Was ist passiert?«

»Der Polizist fragte mich, ob ich eine offizielle Anzeige erstatten wollte, wie er sich ausdrückte. Aber der Junge sah so jämmerlich aus ... ich hab's abgelehnt.«

»Dann haben Sie ihn also nicht angezeigt?«

»Der Polizist sagte, er wolle sich darum kümmern. Der Ladendieb hat seinen Ausweis gezeigt, das hab ich gesehen.«

»Was ist dann passiert?«

»Er hat ihn nur hochgehalten.« Sie hob die Hand, um es zu demonstrieren. »Der Polzist hat was aufgeschrieben, und dann sind sie weggegangen, und mehr weiß ich nicht.«

»Dann haben Sie also keine Anzeige erstattet?«

»Nein, hab ich doch gesagt. Der Polizist wollte sich drum kümmern.«

»Warum war er im Laden, der Polizist, meine ich?«

»Daran erinnere ich mich nicht. Er hat was gekauft. Oder einen Film geliehen. Das hat er früher auch schon gemacht.«

»Kannten Sie den Polizisten?«

»Ja, er war mehrere Male im Laden. Einige Male in Uniform, einige Male wie … in Zivil.«

»Haben Sie mit ihm gesprochen?«

»Wir haben uns unterhalten, als der Laden…«

»Bei anderer Gelegenheit, meine ich.«

»Nein, das glaub ich nicht.«

»Sie wissen nicht, wie er heißt?«

»Nein. Ist das wichtig?«

Ich weiß nicht, dachte Winter. Es kann furchtbar wichtig sein oder nur eine alltägliche Bagatelle.

»Würden Sie den Polizisten wiedererkennen, wenn Sie ihn sehen?«

»Das weiß ich nicht. Ich hab kein gutes Gedächtnis für Gesichter.«

»Sie haben doch den Ladendieb wiedererkannt.«

»Ja, das war auch was andres. Das war ja sozusagen ein Verbrechen. Ich hab mehr ihn als den Polizisten angesehen.«

»Haben Sie den Ladendieb hinterher noch mal gesehen?«

»Nicht im Laden.«

»Irgendwo anders?«

»Irgendwann draußen auf der Straße, als ich kam oder ging. Er wohnte wahrscheinlich in der Nähe. Er hat weggeguckt, wenn er mich sah.«

»Sie erinnern sich nicht an seinen Namen?«

»Den hab ich gar nicht mitgekriegt. Der Polizist hat ihn nur aufgeschrieben.«

»Stand draußen ein Funkstreifenwagen? Hatte der Polizist ein Auto vor der Tür?«

»Das ist auch so eine Frage. Nee, daran kann ich mich nicht erinnern. Aber ich hab in dem Moment wohl auch nicht aus dem Fenster geschaut.« Sie sah Winter an. »Polizisten sehen übrigens alle gleich aus. Blond, groß. Da ist es schwer, einen Unterschied festzustellen.«

Morelius fuhr durch die Felder zurück. In der Höhe von Aksim war es glatt. Die Reifen rutschten etwas.

Auf der südlichen Schnellstraße wurde der Verkehr dichter. In Höhe vom Platz des Golfclubs blieb er in einer Schlange hängen. Die Idioten standen in Steppanoraks und Mützen herum und versuchten, die Bälle zehn Meter weit in die Schneewehen zu schlagen.

»Das ist ja eine Überraschung«, hatte seine Mutter gesagt.

»Ich hatte Lust auf einen Ausflug.«

»Du hast abgenommen, Simon.«

»Das scheint nur so.«

Er hatte das Porträt vom Vater angesehen, das in der düsteren guten Stube überm Piano hing. Er trug seine übliche strenge Miene zur Schau, die noch vom Pfarrerskragen unterstrichen wurde. Das Weiße gegen all das Schwarze.

# 51

Er saß im Dunkeln. Kürzlich hatte er geglaubt, sie hätten vielleicht ein neues Schloss angebracht, aber es war das alte. Nicht, dass es etwas zu bedeuten hätte.

Leute kamen und gingen. Hier drinnen hallte es auf besondere Weise wider. Die Geräusche drangen wie in einem Tunnel durch den Verschlag, das Klappern auf der Treppe, der rauf- und runter fahrende Fahrstuhl, der teuflisch widerhallte, die knallende Haustür. Man könnte sich schon bei weniger Lärm die Ohren zuhalten.

Vielleicht waren das jetzt seine Schritte da draußen. Energisch. Wer hatte jetzt die Kontrolle? Wer die Kontrolle über die Situation hat, hebe die Hand.

Er hob den rechten Arm, und soweit er sehen konnte, war er der Einzige hier drinnen, der die Hand hob. Kontrolle.

Ihm war anzusehen, dass er die Kontrolle hatte, als er kam. Jeder, der nicht blind war, konnte das sehen.

Er weinte.

Er vermisste sie. Ihr Gesicht irgendwann einmal, als sie sich auf dem Fahrrad umgedreht und gelacht hatte.

Er wiederholte den Namen des Propheten wie ein Mantra. Wiederholte. Den anderen Gott hielt er da raus. Er hielt die Gesichter raus, und wenn er so weitermachte, würden sie verschwinden.

Er weinte.

Wo waren sie? Er saß doch hier.

Vielleicht waren das seine Schritte dort draußen. Oder ihre.

Er war an dem Geschäft vorbeigekommen, als ein Auto davor stand, das *seins* sein könnte. Da war er nach Hause gelaufen. Das Herz hatte ihm bis zum Hals geschlagen.

Jetzt stand er auf im Dunkeln. Diesmal hatte er nichts zu trinken dabei.

Die Sonne dort draußen brannte heiß auf sein Gesicht.

Jemand sah ihn an, als ob er immer noch ... als ob er bestimmte. Jetzt war es seiner Kleidung nicht anzusehen, aber es war ihm trotzdem anzusehen. Jetzt.

Er ging den ganzen Weg zu Fuß und folgte dem Hügel hinunter zum Krankenhaus. Er stand draußen, wartete. Sah sie. Er wusste, dass sie es war.


Es war fünf geworden. Sie waren sechs Paare, und jeder hatte sich gerade vorgestellt. Der Mann, der rechts von Winter saß, hatte großes Bedürfnis, von seiner Arbeit zu sprechen.

Die Elterngruppe war gemischt, einige hatten schon Kinder. Winter erkannte die Hebamme wieder. Es war dieselbe Frau, die er vorher mit Angela getroffen hatte. Elise Bergdorff. Sie gab ihnen zehn Minuten, in denen sie aufschreiben konnten, was sie wissen wollten und was sie von dem Vorbereitungskurs erwarteten. Es sollten fünf Treffen werden. Bis Ende März. Bis kurz vorher.

»Frag nach Schmerzlinderung«, sagte Winter.

»Frag doch selbst.« Angela kicherte.

»Sachen zum Anziehen«, sagte Winter, »was wir jetzt kaufen sollen. Wie viel man vorher planen sollte.«

»Wir haben doch beschlossen, dass wir nichts planen wollen.«

»Fragen können wir aber trotzdem.« Er schrieb weiter.

»Was schreibst du?« Angela sah froh aus. Alle hatten froh ausgesehen bis auf den Mann, der von seiner Arbeit erzählt hatte, als ob er sich danach sehnte.

Ich hab mich nie gesehnt, hatte Winter gedacht. Nicht auf diese Weise. Dies ist wichtiger.

»Wie weiß man, wann das Kind Hunger hat und wann es satt ist?«

»Gut, Erik.«

»Das Schlafbedürfnis.«

»Wessen?«

»Meins natürlich«, sagte er. Nach einer kleinen Pause schrieb er weiter.

»Was schreibst du jetzt?«

Er blickte mit einem anderen Gesichtsausdruck auf.

»Darf ich mal sehen?« Angela drehte den Notizblock zu sich herum, las und sah ihn an. »Lese ich richtig? ›Internetadressen mit Pornoantworten vergleichen‹. Ist das eine der Fragen, die du hier stellen willst?«

»Mir ist grad was eingefallen.«

»Erik …«

Die Hebamme lud sie zu Kaffee ein, da es das erste Mal war. In Zukunft könnten sie sich ja abwechseln, etwas Leckeres mitzubringen, falls sie Lust dazu hatten.

Ich kann Brownies backen, dachte er.

Die Hebamme sprach über die Partnerbeziehungen, wie sich das Verhältnis während der Schwangerschaft veränderte, nach der Entbindung. Die Männer und Frauen sahen einander an.

»Die Frau ist mehr von dem Kind in Anspruch genommen«, sagte der Mann rechts, auf den ein Arbeitsplatz wartete. »Das kann man daran erkennen, dass sie dem Kind viel Zeit widmet.«

»Der Mann kann doch wohl auch vom Kind in Anspruch genommen sein?«, sagte Winter. Hab ich das gesagt?, dachte er.

Es kommt darauf an, die Liebe lebendig zu erhalten, wenn das Kind da ist, dachte Angela. Wir sollten versuchen, andere zu treffen, die in derselben Lebenssituation sind. Vielleicht kann man von denen was lernen.

Eine kleine Diskussion entstand. Wahrscheinlich will die Hebamme damit erreichen, dass wir unsere Rollen stärker einüben, dachte Winter. Als Eltern. Vater und Mutter zu werden. Rollen. Konnte man es so nennen? Manche ließen sich nie auf die Rolle ein, niemals.


Sie gingen zu Fuß nach Hause. Der Geruch nach Winter wurde langsam vertrieben, es lag schon ein Hauch Frühling in der Luft, obwohl der noch weit entfernt war.

»Wie findest du die Gruppe?«, fragte Angela.

»Tja …«

»Wir sehen uns auch noch einmal, wenn alle ihre Kinder bekommen haben.«

»Glaubst du, der Werbefuzzy ist dann auch dabei?«

»Bist du denn dabei?«

»Man soll eine Frage nicht mit einer Gegenfrage beantworten.«

An der Allén warteten sie darauf, dass die Ampel grün wurde.

»Er wird kommen«, sagte sie. »Es ist üblich, dass die Gruppen sich hinterher weiter treffen, hab ich gehört, sie feiern den Jahrestag und freunden sich an.«

Erst mal müssen wir dies alles unbeschadet überstehen, dachte er.

»Klingt nett«, sagte er.

»Findest du wirklich?«

»Ich glaub schon.«

Sie standen vor der Haustür. Der Abend war klar, wie so viele andere in diesem Winterhalbjahr. Der Zeitungskiosk vor dem alten Universtätsgebäude vermittelt den Eindruck eines Kleinstadtmarktplatzes, hatte Winter manchmal gedacht. Er wusste nicht viel von Marktplätzen in Kleinstädten, aber das Gefühl kannte er. Wenn er spätabends allein nach Hause gekommen war, hatte er es im Licht des Kiosk gespürt. Vielleicht eine Sehnsucht ohne Ziel.

Angela atmete tief durch.

»Was für eine Luft«, sagte sie, »dafür, dass wir in einer Großstadt leben.«

»Es ist eine Kleinstadt«, sagte Winter. Leute kauften etwas am Kiosk. Aus dem Restaurant an der Ecke schwebten Musikfetzen herüber. Die Häuser auf der anderen Seite vom Park ragten hoch auf. Straßenbahnen fuhren wie ruckartige Fackeln in alle Richtungen. Der schwache Wind trieb Wortfragmente vorbeigehender Jugendlicher zu ihnen herüber. Sie betraten das *Java* an der Kreuzung.

»Jetzt gehen wir rauf und trinken eine Tasse Café con leche«, sagte er.

Sie fanden keine Anzeige gegen den Ladendieb im Manhattan Livs, das jetzt Krokens Livs hieß.

»Unter gewissen Umständen kann ein Polizist auf eine Anzeige verzichten«, sagte Ringmar.

»Aber irgendwas stimmt da nicht«, sagte Winter.

»Jetzt mal ganz ruhig, Erik.«

»Ich brauche diese Anzeige so sehr.«

»Du hast doch genug anderes zu lesen.«

Die Anzeigenformulare lagen vor ihm. Er hatte schon mal Besseres gelesen: *Wir sind ein normales Paar an der Grenze zum Mittelalter im Raum Göteborg, das sich seinen Appetit auf Sex und Neugier erhalten hat. Wir suchen einen Mann, da sie im Mittelpunkt sein soll. 100 Prozent Diskretion. Wir lieben Wasser und Seife. Gesundheit garantiert. Wenn die persönliche Chemie stimmt, werden wir bestimmt viel Spaß miteinander haben.*

»Viel Spaß miteinander haben«, sagte Ringmar, der sah, dass Winter es zu Ende gelesen hatte.

»Lieben Wasser und Seife.«

»Das ist ja richtig pervers. Mit einem Stück Seife.«

Winter grinste und wurde wieder ernst.

»Ich kriege trotzdem langsam Zweifel daran«, sagte er. »Nichts spricht dafür, dass der, den wir suchen, auf dieses Inserat geantwortet hat.«

»Nein.«

»Valkers müssen die Antworten weggeworfen haben«, sagte Winter. »Aber warum?«

»Vielleicht hat es der Mörder getan.«

»Möglich.«

»Er … wenn es nun dieselbe Person ist … hat zu Hause bei Martells nach etwas gesucht.«

»Ja.«

»Was hältst du denn von den Antworten?«

Die Kopien der Briefantworten auf Martells Inserat lagen neben den beiden Anzeigenformularen. Martells Text war in etwa wie Valkers Anzeige formuliert, vielleicht etwas vorsichtiger. Wenn man ihn nur flüchtig las, könnte man den Eindruck haben, als würden sie Gesellschaft zum Kaffee suchen.

»Dass es so viele sind«, sagte Winter.

»Ich hab schon befürchtet, wir würden irgendeine bekannte Person finden«, sagte Ringmar.

»Den Amtsleiter?«

»Oder den Regierungspräsidenten.«

»Den Chefredakteur.«

»Ich hab keinen gefunden.«

»Ich auch nicht.«

»Komm, lass uns endlich anfangen.«

»Das wird ... delikat.«

Halders war ungeduldig.

»Hast du mit Molina geredet?«

»Wir können sie nicht festnehmen, Fredrik.«

»Das ist mir ja klar. Aber was wollte er haben?«

»Einen konkreten Verdacht«, sagte Winter. »Wir müssen noch was finden. Wir bestellen sie wieder her.«

»Gut.«

Åke Killdén meldete sich auf das dritte Klingeln. Es klang, als säße er am Strand, mitten im Wind.

»Warten Sie eine Sekunde, ich mach die Verandatür zu«, sagte er. »Die Jungs schneiden die Hecke«, bemerkte er, als er zurückkam.

Winter nannte den Grund seines Anliegens.

»Das ist ja grausam.« Killdén atmete schnell, so, als hätte er die Hecke selber geschnitten. »Sonst ist da doch immer absolut tote Hose auf der nördlichen Halbkugel.« Er hickste. »Ich meine ... es ist so langweilig da oben.«

Im Unterschied zu Fuengirola, dachte Winter und fragte nach den Angestellten.

»Es waren nur drei, alle Teilzeit.«

»Könnte ich bitte die Namen bekommen?«

»Klar.«

»Haben Sie die Adressen irgendwo?«

»Irgendwo in der Buchhaltung gibt's sie wohl.«

»Wo ist die?«

»Wenn sie noch existiert, dann ist sie im Archiv von meinem Wirtschaftsprüfer«, sagte Killdén.

Die Angestellten, dachte Winter. Wir haben nicht genug an die Angestellten bei Manhattan Livs gedacht.

»Hatten Sie viele Stammkunden?«

»Alle waren Stammkunden.«

»Könnten Sie mir ein wenig helfen und über Ihre … Stammkunden nachdenken? Irgendjemand, der auffiel. Jemand, der sich bei irgendeiner Gelegenheit merkwürdig verhielt. Irgendwas.«

»Irgendwas«, wiederholte Killdén.

»Hatten Sie einen Stammkunden, der Polizist war?«

»Polizei? Wie das? Einer, der in Uniform kam?«

»Ja, oder ohne.«

»Nee … manchmal kauften zwar Polizisten was ein, aber kein bestimmter.«

»Denken Sie bitte auch darüber nach.«

»Kann ich ja mal machen.«

Winter verabschiedete sich und legte auf.

Die Angestellten. Matilda. Der Junge, der nicht rechnen konnte. Ihn hatten sie nur telefonisch verhört. Winquist. Kurt Winquist. Die anderen im Archiv vom Wirtschaftsprüfer. Er arbeitete an einer Ermittlung, die ihn ersticken könnte.

Die Polizei von Mölndal. Deren Dienstplan für die Silvesternacht.

In den Ermittlungen gab es Antworten. Die Papiere vor ihm enthielten alles. Wie oft musste er sie noch lesen, um es zu durchschauen?

Das Telefon auf dem Tisch und das Handy klingelten gleichzeitig. Er sagte »einen Augenblick« ins Handy und hob den Hörer vom Tischapparat ab. Es war Möllerström.

»Diesem Jungen Patrik im Sahlgrenska geht es schlechter.«

Winter meldete sich am Handy, aber der Anrufer hatte aufgelegt.

# 52

Hanne Östergaard und ihre Tochter saßen im Wartezimmer, als Winter von der Station zurückkam.

»Sie wissen noch nichts Genaues«, sagte er. »Es ist was mit dem Gehirn.«

»*Shit, shit, shit*«, sagte Maria.

»Vielleicht waren es zu viele Schläge«, sagte Hanne Östergaard. »Über einen langen Zeitraum.«

»Er hat gesagt, dass ihm noch was eingefallen ist«, sagte Maria.

Winter sah sie an.

»Dass er jemand erkannt hat, auf der Treppe.«

»Das hat er gesagt?«

»Gestern.«

»Hat er … noch mehr gesagt?«

»Nein.«

»Aber er hat jemanden wieder erkannt? Also jemanden, den er früher schon mal gesehen hat?«

»Ich kann's nicht sagen.«

Jetzt hab ich zwei Zeugen, die uns weiterhelfen könnten, dachte Winter, und beide sind bewusstlos. Wir müssen hier im Sahlgrenska Leute postieren. Ich werde es Angela sagen. Sie muss sich an Polizisten an ihrem Arbeitsplatz gewöhnen.

Vor der Tür begegnete er Morelius.

»Ach, du bist auch hier«, sagte Morelius und richtete seinen Gürtel. »Es ist ja schon fast so, als gehörte man zur Familie.«

»Bist du allein?«

»Greger ist draußen im Auto. Ich wollte nur hören, wie es geht.« Er schaute in den Raum hinein, nickte Hanne und ihrer Tochter zu. »Das verdammte Schwein.«

Winter fuhr über Toltorpsdalen hinunter zu Krokens Livs. Jilna lächelte ihn an, aber er war nicht sicher, ob sie sich an ihn erinnerte. Er ging hinaus. Der Wind zerrte wieder an der *Stadt der Engel*, schlug und schlug. Die Alten stiegen aus den Bussen. Er drehte sich um, ließ den Blick herumirren. Irgendwo …

Sollten sie eine Kamera im Laden anbringen? Ein Video aufnehmen und es Killdén, Andréasson, Matilda Josefson und allen anderen früheren Angestellten vorführen? Über welchen Zeitraum?

Die Möglichkeiten waren unendlich. Die Zeit gewissermaßen auch, aber nicht für ihn. Er hatte das Gefühl, als entglitte sie ihm, und gleichzeitig war sie zu etwas geworden, das bedrohlicher sein könnte als irgendetwas anderes. Er spürte es.

Das Handy klingelte wieder. Es war Angela.

»Hast du vorhin angerufen?«, fragte er. Das Display hatte keine Nummer angezeigt.

»Nein.«

»Wie geht es dir?«

»Ich bin grad nach Hause gekommen, und … ich weiß nicht. Ich hab plötzlich Angst. Kannst du nicht auch kommen, Erik?«

»Ist etwas passiert?« Er fühlte, dass seine Hand leicht zitterte.

»Nei-ein, das nicht. Ich hatte plötzlich nur so ein komisches Gefühl … als ich reinkam. Einfach so. Als ob da jemand stände und mich beobachtete.«

»Du hast niemanden gesehen?«

»Nein. Ich hab mich umgeguckt, aber da war niemand. Es ist ja wirklich albern. Vielleicht war es diese Tür zum Keller hinter der Treppe.«

»Was war mit der?«

»Sie stand offen. Es war so … schwarz und unheimlich da drinnen.«

Winter fuhr nach Hause. Er rief Ringmar vom Auto aus an.

»Ich möchte jemanden haben, der ein Auge auf Angela hält.«

Er hatte Bertil über die Telefonanrufe und den Einbruch informiert.

»Hast du mit Sture geredet?«

»Scheiß auf Sture. Kannst du dafür sorgen?«

»Von wann an?«

»Von morgen früh. Draußen. Ich rufe später wegen der Termine an.«


Bergenhem hielt den Kopf still. Er konzentrierte sich auf den Rahmen des Bildes, zuerst mit den Augen und dann mit dem Kopf. Es klappte gut, besser als gestern.

»Wie geht es?«

»Schon besser.«

Martina hatte Ada zu Bett gebracht. Das Kind war stiller als sonst, seit er nach Hause gekommen war.

Er richtete sich auf.

»Schaffst du das wirklich, jetzt rauszugehen?«

»Ich muss mich ein bisschen bewegen.«

»Hältst du es für eine gute Idee, am Freitag schon wieder arbeiten zu gehen?«

»Nein.«

»Tu's nicht, Lars.«

»Ich kann doch nicht immer zu Hause sein, Martina. Dauernd.«

»Ich möchte nur, dass du wieder gesund wirst.«

»Ich bin gesund. Fast. Bis Freitag bin ich wieder gesund.«

Draußen leuchtete der Abend über Torslanda. Es sah aus, als wäre ein Scheinwerfer auf die Reihenhäuser gerichtet. Vielleicht leuchtet er nur auf mein Haus, dachte er.


»Ich weiß nicht, was ich sagen soll«, sagte Angela.

»Ich hab gelernt, dass das meiste es wert ist, ernst genommen zu werden«, sagte Winter.

»Man fühlt sich ja bescheuert«, sagte Angela. Sie lächelte ihn an. »Dein Job fängt schon an, mich zu beeinflussen.«

Er erzählte ihr nichts von den mysteriösen Besuchen im Verschlag des Hausmeisters da unten. Er wusste ja selbst nicht, was er davon halten sollte.

»Kannst du nicht aufhören zu arbeiten?«, fragte er.

»Noch nicht.«

»Kannst du es nicht ein bisschen ruhiger angehen lassen, bis zum 1. April?«

»Soll das ein verfrühter Aprilscherz sein?«

»Nein.«

»Ich *will* arbeiten, Erik. Das ist gut für mich. Ich mag nicht zu Hause rumhängen und warten.«

»Wir haben uns gedacht…« Er überlegte, wie er es ihr beibringen sollte. »Wir … ich hab dafür gesorgt, dass hin und wieder eine Funkstreife vorbeifährt und die Situation checkt.«

»Die Situation checkt?«

»Ja … du weißt schon.«

»Soll ich eine Leibwache bekommen?« Sie stand am Küchentisch. »So schlimm ist es doch wohl nicht?«

»Keine Leibwache. Eher eine diskrete … Beobachtung.«

»Wenn ich in die Stadt gehe?«

Er gab keine Antwort.

»Wenn ich zur Arbeit fahre?«

»Nur ganz diskret«, sagte er.

»Aha. Wer macht das?«

»Kann ich dir noch nicht sagen. Spielt das eine Rolle?«

»Ich weiß nicht. Es hängt wohl davon ab, wer dafür abgestellt werden kann.«

»Okay. Für ein paar Tage kann ich Bergenhem bitten.« Es ist gut für ihn, wenn er wieder kommt, dachte Winter. Und er ist ein guter Beschatter.

»Aber meine Hand halten soll er nicht?«

»Du wirst ihn nicht mal bemerken.«

Es war spät. Aufmerksam las er die Berichte über die Gespräche mit den Statisten. Die Protokolle waren gerade gekommen, die erste Zusammenfassung. Es war eine bunte Sammlung von allen Berufen oder Berufslosigkeiten. Einige Individuen mochten auf den ersten Blick verrückt wirken, aber das bedeutete selten etwas. Bei den scheinbar Normalen muss man aufpassen, dachte er.

Die Dreharbeiten gingen weiter. Das Team hatte in der Nähe des Polizeipräsidiums gefilmt, durfte aber nicht hinein. Der Amtsleiter machte es der Produktionsfirma schwer. Wer den Film sieht, muss erraten, dass das Gebäude irgendwie mit den Polizisten zusammenhängt, dachte er.

Er hielt einige Papiere in der Hand. Namen, Adressen. Keiner der Namen sagte ihm etwas. Er rief Möllerström an.

»Janne? Kannst du sofort mit dem Vergleich der Adressen und Namen von den Filmstatisten mit den Namen aus Mölndal anfangen, die von der Routinebefragung an den Wohnungstüren nach dem Mord?« Oder den Morden, dachte er. »Ringmar schickt dir noch ein paar Leute.«

»Okay. In welchem Radius?«

»Erfass einen recht großen Kreis. Ich komm später zurück.«

»Okay. Soll ich mit dem Vasaplatsen warten?«

»Nimm dir erst die Siedlung in Mölndal vor.«

Winter legte auf und holte die Fotos aus einer der Schreibtischschubladen. Er betrachtete eins der Bilder auf dem Schreibtisch, hielt es dann hoch und studierte die Hälse der beiden Toten auf dem Sofa.

Hier könnte eine der Antworten liegen, hatte Lareda gesagt. Die Antwort war im Tausch der Köpfe enthalten. Oder der Körper.

Er saß vor der Kirche. Neben ihm standen zwei Statuen. Er fragte den Guide. Es war Alicia, und sie antwortete, dass es immer so war in Torremolinos. Die Mauren schlugen die Köpfe ab. Einfach runter mit den Köpfen. Ihr Gott war ein anderer. Wenn der Kopf ab ist, verschwindet der Mensch. Die Gesichter werden ausradiert. Jetzt zeigte eine der Statuen auf ihn. Angela saß neben ihm. Sie zeigt auf mich, sagte sie. Die Statuen standen in einer Reihe vor der Kirche. Keine Köpfe, keine Arme. Er hörte die Musik, die Gitarren, dann das Schlagzeug.

Winter wurde von einem Pulsen in seinen Ohren wach. Angela bewegte sich, erwachte aber nicht. Er stand auf und trank Wasser. Es war Viertel nach drei. Auf seinem Notebook leuchtete die kleine rote Lampe. Sie hatte gute Nacht gesagt, und er hatte bis spät in die Nacht gearbeitet.

Bei Valkers oder Martells hatten sie keine Computer gefunden. Das musste nicht bedeuten, dass es nie welche dort gegeben hatte. Aber die Administratoren hatten sie nicht im Netz gefunden, dafür Millionen Kontaktchatter. Zehntausende Sexkontakte.

Winter ging ins Schlafzimmer und nahm seinen Morgenmantel vom Stuhl. Dann kehrte er ins Wohnzimmer zurück und setzte sich in den Sessel am Fenster.

Was sollte er mit Per Elfvegren machen? Der hatte etwas ... etwas, das ihn nicht loslassen wollte.

Winter hatte Molina gebeten, eine Körpervisitation zuzulassen, aber es gab keine Chance, noch nicht.

Setz ihn noch ein wenig unter Druck, hatte Molina empfohlen. Dann können wir über ein Gesuch reden.

Ihn unter Druck setzen. Mit was?

Halders. Lass ihn noch mehr auf ihn los.

Es geht nicht. Ich wage es nicht.

Sie hatten mit ihnen gesprochen, einzeln.

»Nennen Sie mir die Details«, hatte Halders zu der Frau gesagt.

»Die ... Details?«

»Alles. Vom ersten Schritt an über die Schwelle.«

Per Elfvegren sprach jetzt von einem Anwalt. Es ist an der Zeit, dachte Winter.

Dann überlegte Elfvegren es sich anders. Ich hab nichts zu verbergen.

Sie waren bei Elfvegrens zu Hause gewesen. Nichts dort, kein Computer. Halders hatte die Zeitschriften. Valkers Anzeigentext hatten sie schon gelesen. Per Elfvegrens Antwort war verschollen.

Warum hatten sie bei Valkers nichts gefunden? Nichts. Dort gab es nichts. Es hätte etwas geben müssen. Warum hatten sie alles weggeräumt? Nicht weggeräumt. Vernichtet. Keine Zeitschriften. Keine Notizen. Hat der Mörder alles mitgenommen? Vielleicht. Vielleicht nicht. War er damals überhaupt in einer Verfassung gewesen, dass er suchen konnte? Wer sonst?

Elfvegren schien nicht zu begreifen, dass der Täter noch mal zuschlagen könnte. Er wahrte seine Maske, wahrte seine Maske. Sie könnte abfallen.

Wir können dich retten, hatte Halders beim Verhör gedacht, und dann hatte er es Elfvegren ins Gesicht gesagt. Sie oder andere.

# 53

Zwischen der anderen Post lag ein flaches Päckchen auf dem Flurboden.

»*Why don't you try this tonight*«, schrieb Steve Macdonald in dem beigelegten Brief zu der CD. Winter las: Tom Waits. *Swordfishtrombones.* »*His real breakthrough in a way*«, schrieb Macdonald, »*and there's more to come: it has got some jazz in it, too! And: good luck with the baby.*«

Der Kollege in Croydon hatte die selbst gestellte Aufgabe, Winter in klassischem Rock und anderer Musik, die mehr als eine Armeslänge von Coltrane entfernt war, zu bilden, nicht aufgegeben.

»Steve hat wieder eine CD geschickt«, sagte Winter zu Angela, die mit hochgelegten Füßen in der Badewanne lag. Er ging ein paar Schritte in den warmen Dunst hinein. »Schwerer Tag?«

»Für die Patienten ist es immer noch schlimmer.« Sie bewegte sich, Wasser plätscherte. »Das ist meine berühmte Imitation eines Walrosses, das sich in der Badewanne umdreht.«

»Imitation?«

»*Shut the fuck up.* Was hat Steve diesmal geschickt?«

»Tom Waits.«

»Der ist gut.« Sie richtete sich auf und reckte sich nach der Shampooflasche. »Wäre nett, ihn zu treffen. Und seine Familie.«

»Tom Waits?« Winter lächelte.

Angela streckte ihm die Zunge heraus.

»Wir fahren nach London, sobald ... wir können«, sagte Winter. »Alle drei.«

»Ich seh dich schon vor Steve und in ganz Südengland herumstolzieren«, sagte sie und spähte durch den Schaum. »Der stolze Familienvater.«

»Mit allem Recht«, sagte er und hörte das Telefon draußen klingeln.

»Hoffentlich stör ich nicht«, sagte Benny Vennerhag.

»Wenn du mich hier anrufst, muss es um was Wichtiges gehen«, sagte Winter. Vennerhag hatte von ihm die neue geheime Telefonnummer bekommen und seine Bitte um Hilfe ernst genommen.

»Ich weiß nicht, aber da ist eine Sache. Wie du vielleicht weißt, kennen einige meiner Geschäftskollegen die Polizisten in der Stadt ganz gut.«

»Ihr überprüft uns genauso wie wir euch«, sagte Winter.

»Hmm. Meine ... Bekannten würden in der Beschreibung vielleicht noch etwas weitergehen. Aber okay. Ich hab mich ein bisschen umgehört und bin nicht gerade auf massiven Widerstand gestoßen, wenn man so sagen kann. Was da passiert, ist für niemanden gut. Die Leute werden unruhig. Deine Männer könnten etwas aufdringlich werden, sozusagen.«

»Du hast also rumgefragt?«

»Okay, Erik. Man hat einige Male jemanden rumlaufen sehen, der wie ein Bulle gekleidet ist, den man aber nicht kennt. Er könnte auch neu sein, aber das glaub ich nicht.«

»Weiter.«

»Einige Male. Aber das ist jetzt schon eine Weile her.«

»Wo und wann? Wer?«

»Du kannst nicht von mir verlangen, dass ich die Quelle nenne. Aber ich helf dir gern, das weißt du ja.«

»Also dann wo und wann?«

»An einigen Stellen im Zentrum.«

»Tag oder Nacht?«

»Beide Male nachts.«

»Wann?«

Vennerhag nannte ein paar Daten.

»Gut«, sagte Winter.

»Das war's. Falls es dir nun was hilft.«

»Jetzt brauche ich noch ein Gesicht und einen Namen. Oder eine Adresse.«

»Das brauchen wir wohl alle.«

»Du hast die Sache ernst genommen, Benny. Ich danke dir.«

»Mehr kann ich wohl nicht tun. Soll ich einen Schatten auf den falschen Bullen ansetzen, falls er noch mal gesichtet wird?«

»Das wäre sehr gut.«

»Machst du Witze?«

»Nein. Verbreite das unter deinen Kollegen.«

Der Morgen war hell. Fast März. Am fünften wurde er vierzig. Knapp einen Monat später würde er Vater werden, und dann fing das Leben erst richtig an.

Sie hatten gestern Abend die CD von Steve gehört, und Winter wollte sich alles andere kaufen, was der Bursche gemacht hatte, wenn er Zeit fand. Ich glaub, letztes Jahr ist was Neues rausgekommen, hatte Angela gesagt. Seine erste CD seit mehreren Jahren. Im letzten Jahr. Im letzten Jahr, das war noch was mit neunzehn gewesen. Jetzt musste man zwanzig sagen lernen. *Year of the zeroes*, wie Halders es nannte.

»Kann ich das Auto heute haben?«, fragte Angela.

»Klar.«

»Ich schaff die Straßenbahn nicht mehr.«

»Du solltest überhaupt zu Hause bleiben.«

»Dafür hab ich später noch Zeit genug.«

Sie hätte ein Taxi nehmen können, aber sie wollte selber fahren. Ein bisschen Freiheit. Der Mercedes wirkte sicher, der Duft, die dunklen Farben dort drinnen.

Die Ermittlungen wuchsen ins Unermessliche, Namen, Adressen, Gesprächsberichte.

»Wir haben immer noch keine passenden Adressen gefunden unter denen, die geantwortet haben«, sagte Ringmar. »Bei mehreren stimmen die Namen nicht, aber das hat man ja häufig, wenn man die Anschrift kontrolliert.«

»Ein solidarischer Nachbar, der sich als Strohmann hergibt?«

»Zum Beispiel.«

»Wir sollten noch einen Schritt weitergehen und uns die Nachbarn vornehmen.«

»Puh«, sagte Ringmar.

Winter hielt den Blick auf den Schreibtisch gesenkt, auf die Listen, die dort lagen. Er hatte seine Lesebrille auf der Nase.

Noch sechs Tage bis zum Vierzigsten.

»Mit diesen zwei Adressen ist irgendwas«, sagte Winter. »Du kannst mich wieder paranoid nennen, aber ich hab mir die Adressen von allen Kollegen kommen lassen … tja, wenn du sie vergleichst, hat niemand von unseren Jungs auf das Inserat geantwortet.«

»Das haben wir soweit festgestellt. Schön, nicht?«

»Irgendwie schon. Möllerström hat sich mit beiden beschäftigt, mit den Statistenadressen und mit diesen. Sture hat sein Okay gegeben zu einer Verstärkung um ein paar Mann. Wenn er das Gefühl hat, da ist was in der Luft, dann ist was in der Luft, wie er sich ausdrückte.«

»Und?«

»Es sind die Uniformen …« Winter dachte an Vennerhag, aber er war nicht hundertprozentig überzeugt, dass es sich hier um einen verkleideten Polizisten handelt.

Bartram stellte den Computer an. Es rauschte und zischte. Der Bildschirm baute sich vor ihm auf. Manche lernten es nie. Manche kamen zu ihm, weil er der Beste war. Besonders im letzten Jahr hatte es Panik vor dem Milleniumbug gegeben. Files wurden hin und her geschickt, Backups und Sicherheitskopien gemacht, alles da draußen in der elektronischen Nacht.

Er wollte nicht richtig zeigen, wie gut er war. Das könnte lästig werden. Dann müsste er alle idiotischen Fragen beantworten.

Wenn er bei der Fahndung wäre und bei dem neuen Citydezernat. Aber von dort kamen nie Fragen. Nie.

Bartram war ein Hacker. Das war nicht schwer für jemanden, der es beherrschte. Er mochte das Wort. Hacker. Sich irgendwo reinzuhacken und dann wieder zu verschwinden, diskret, mit Wissen.

Morelius kam von der Toilette. Blass. Vielleicht hatte er wieder Probleme mit dem Magen. Der Junge sollte sich einen anderen Job suchen. Vielleicht war er schon dabei.

Bartram schrieb.

Er wechselte das File, und dann war er zu Hause. Es war immer noch interessant, plötzlich in seinem eigenen Computer zu Hause zu landen, in der Software herumzugleiten, wie darin zu schaukeln.

Die Listen der vierzig Statisten leuchteten auf dem Bildschirm auf, aus dem Internet geliehen. Verschwanden, als er etwas aus dem Augenwinkel sah. Heute Abend würde er sie sich näher anschauen. Kriminalinspektor Greger Bartram. Oder Kriminalkommissar, wie Winter, der sich einbildete, er wäre etwas Besonderes. Oder sein Registrator. Greger Bartram war ein besserer Registrator. Guckt euch das hier nur mal an.

Halders hielt vor dem Serviceladen.

»Hier ist mir das Auto geklaut worden«, sagte er zu Aneta Djanali, die neben ihm saß. »Ich bin nur mal kurz reingegangen, und er hat mir das Auto geklaut.«

»Ich weiß, Fredrik.«

Halders stieg aus.

»Ich brauch Schnupftabak. Pass auf das Auto auf.«

Aneta Djanali drehte das Fenster herunter und roch Abgase und trockene Spätwinter- oder Vorfrühlingsluft. Die Sonne blitzte auf dem Turm von Babel, der noch stand seit Silvester, am nördlichen Ende von Heden, als Symbol für etwas, das sie nicht begriff. Wollten sie ihn für irgendetwas verwenden? Genau genommen war das doch bloß eine Rostlaube. Wahrscheinlich hatten sie kein Geld, das Ding wieder abzureißen. Der Kater kommt immer erst hinterher.

Sie sah Halders mit dem Jungen dort drinnen reden. Halders warf ihr einen Blick zu, als ob er kontrollieren wolle, dass sie auch wirklich auf das Auto aufpasste.

»Er hat mir von den Problemen mit diesen verflixten Ladendieben erzählt«, sagte Halders, als er sich wieder hinters Steuer gesetzt und in den Södra Vägen eingebogen war. »Heute morgen war jemand da und hat eine Tüte Chips mitgehen lassen.«

»Vielleicht sollten sie keine Chips mehr verkaufen«, sagte Aneta Djanali.

»Vielleicht sollten sie gar nichts mehr verkaufen«, sagte Halders. »Wir sind auf dem Weg dorthin.«

»Zu leeren Kaufhäusern?«

»Ja. Die große Leere. All diese verdammten Miniläden und so was sind die Zeichen der Zeit, die die sterbende Gesellschaft spiegeln«, sagte Halders und bog wieder nach rechts in Richtung Lorensberg ab. »Es geht nur noch um Chips und Tabak und Scheiß und Videofilme.«

»Danach zu urteilen, musst du bei denen Großkunde sein«, sagte Aneta Djanali.

»Ich bin ein Opfer. Nimm die Filme. Die Leute betäuben sich mit Videos, so gut es geht.« Jetzt waren sie auf der Avenyn. »Harry Martinson hatte Recht. Film ist der Tempel der Lebensfeigen.«

»Harry Martinson«, sagte Aneta Djanali zögernd.

»Schwedischer Schriftsteller. In Ougadougou unbekannt.«

»Nein, den hatten wir nicht in der Schule, soweit ich mich erinnere«, sagt Aneta Djanali.

»Guck mal einer an, da geht ein Schutzmann«, sagte Halders. »Zwar in Zivil, aber man erkennt es sofort.«

»Das ist Simon.«

»Kennst du ihn auch?«

»Nicht direkt, aber man erkennt ja doch alle Jungs von der Truppe.«

»Da hast du leider Recht.«

Halders bog in die Parkbucht für Taxis vorm Hotel ein, da sie dort etwas zu erledigen hatten. Morelius hörte Walkman und war allein unterwegs, den Blick hatte er auf den Boden gerichtet. Halders stieg aus, als Morelius in gleicher Höhe mit dem Auto war.

»Treibst du dich hier auch in der Freizeit herum?«, fragte Halders. Morelius sah ihn, hörte ihn aber nicht. Er nahm die Ohrstöpsel heraus, und sie konnten beide die Musik hören.

»Mensch, wie laut. Die klingt aber ziemlich gemein.«

Morelius nahm seinen Walkman aus der Tasche und stellte ihn ab.

»Hallo, Halders.«

»Reicht es dir nicht, dass du während der Arbeitszeit auf der Avenyn zu tun hast?«

»Ich hab hier leider was zu erledigen.«

»Wir auch.«

Aneta Djanali winkte hinter der Autoscheibe.

»Ich hör auf«, sagte Morelius plötzlich.

»Was?«

»Ich werde aufhören.«

Angela spürte jetzt die Müdigkeit. Als sie die Diagnose des letzten Patienten auf Band gesprochen hatte, kam die Müdigkeit wie ein Stein, ein riesiger Gesteinsbrocken.

Für heute hör ich auf, dachte sie. Es ging gut, solange es Spaß machte. Jetzt ist der Kopf nicht mehr dabei.

Sie stand auf, ging zum Waschbecken und spritzte sich Wasser auf die Stirn. Es klopfte an der Tür, sie rief »herein«, und Hildur steckte den Kopf ins Zimmer. Die Schwester sah besorgt aus.

»Ein neues Bein«, sagte sie, »es schein…«

»Ich komme«, sagte Angela.

Angela nahm den Fahrstuhl zum dritten Parkdeck und studierte ihre Blässe im Spiegel. Aber jetzt war es vorbei.

Alle hatten Verständis für sie. Ich hab mich schon gefragt, wie lange du dich noch quälen wolltest, hatte Hildur gesagt. Bis zu diesem Augenblick, hatte sie geantwortet.

Morgen Abend würde sie als Ganztagsmutter zur Elterngruppe gehen. In Gedanken war alles klar, vorbereitet.

Sie öffnete das Auto mit der Fernbedienung und erblickte die Uniform. Der Polizist kam die Abfahrt herauf, zögernd, ein wenig verlegen vielleicht. Okay, dachte sie. Jetzt bleib ich in der Wohnung, ohne Schutz. Sie haben frei, Wachtmeister.

Der Polizist hatte sie fast erreicht. Sie wartete mit dem Zündschlüssel in der Hand. Vom oberen Parkdeck kam ein Auto herunter, und der Polizist blieb auf der anderen Seite stehen, während das Auto vorbeifuhr und in der Abfahrt verschwand.

Er überquerte die Fahrspur. Immer noch sah er verlegen aus. Abkommandiert. Sie erkannte ihn doch wieder? Er war ein Bekannter von Erik.

»Frau Winter?«

Sie nickte, weil es das Einfachste war. Sie war nicht verheiratet, noch nicht jedenfalls.

»Ich wollte dafür sorgen, dass Sie gut nach Hause kommen.«

»Ich bin schon unterwegs«, sagte sie und machte eine Geste zum Auto. »Das ist mein letzter Tag hier. Aber vielen Dank.«

»Lassen Sie mich fahren.« Er sah sie nicht an. Noch ein Auto fuhr vorbei. Es roch nach Abgasen. Sie wollte nicht länger als nötig in dieser Giftluft stehen. Sie trug Verantwortung. »Lassen Sie mich fahren, Frau Winter«, wiederholte er und streckte die Hand nach den Schlüsseln aus. Sie sah den Gürtel, das Glitzern auf den Brusttaschen, die Mütze. Es blinkte. Irgendwie gab es ihr ein Gefühl von Sicherheit. Das Gesicht war ihr bekannt.

»Nicht nötig«, sagte sie.

»Ich finde den Weg«, sagte er. »Es ist doch mein Job, Ihnen zu helfen.«

Sie war todmüde. Jetzt spürte sie es, mehr als in der schlechten Luft da drinnen. Sie spürte eine Bewegung im Bauch. Mich hinter das Steuer quetschen, dachte sie, uns hinter das Steuer quetschen. Nein.

»Okay«, sagte sie und gab ihm die Schlüssel.

# 54

Winter las die Verhöre mit den Statisten. Alle hatten unterschiedliche Motive für ihren Exhibitonismus. Keiner
wirkte interessanter als der andere. Einige Potokolle fehlten.

Fünf Personen wohnten in Mölndal. Drei im Abstand eines
Spaziergangs von Krokens Livs, wenn man das als Ausgangs-
punkt nehmen wollte.

Er rief Möllerström an.

»Hast du mit Bertil über die Adressen in Mölndal geredet?«

»Ja.«

»Ich krieg ihn nicht zu fassen. Weißt du, ob er hingefahren
ist?«

»Hat er nichts zu dir gesagt?«

»Was?«

»Zwei hat er nicht erwischt.«

»Ich seh die Namen hier«, sagte Winter und las von unten
nach oben. »Wir fahren heute Abend noch mal hin.«

»Vielleicht gehen die Aufnahmen bis spät in die Nacht«, sagte Möllerström.

»Ich weiß nicht.«

»Du weißt, dass sie nächste Woche hier abhauen, wenn alles
nach Zeitplan geht.«

»Das hab ich gehört.«

Er sagte tschüs, sah auf die Uhr und rief zu Hause an. Niemand meldete sich. Er sah wieder auf die Uhr.

Bertil rief an, als er aufgelegt hatte.

»Dem Jungen scheint es besser zu gehen.«

»Dem Jungen?«

»Patrik. Der Junge, der im Sahlgrenska liegt.«

»Ja.« Sein Vater war aus der Untersuchungshaft entlassen worden, der Alte zog durch die Kneipen am Skanstorget. Winter war an dem Haus vorbeigefahren, wäre fast hineingegangen. »Das freut mich. Ich muss mit ihm reden, sobald es möglich ist.«

»Sie haben eben angerufen. Bei dir war besetzt, sagen sie.«

»Um was ging es?«

»Er hat nach dir gefragt.«

Winter bestellte einen Wagen, um zum Sahlgrenska zu fahren. Er verbrachte immer mehr Zeit dort. Vom Handy rief er zu Hause an, noch immer meldete sich niemand, und er sprach ein paar Worte auf den Anrufbeantworter.

Patriks Gesicht hatte die gleiche Farbe wie die Umgebung. Ein Chamäleon. Die Augen waren schwarz und lagen tief in den Höhlen.

»Ich hab geträumt, dass ich ihn wieder erkannt habe«, sagte er.

»Wieder erkannt? Den Mann, der aus dem Fahrstuhl kam?«

»Es war was mit dem Gesicht, als er sich umdrehte.« Patrik sah Winter an, dann an ihm vorbei auf etwas neben ihm. »Wenn ich ihn noch mal sehe, würde ich ihn erkennen.« Er schloss die Augen und murmelte etwas.

»Was hast du gesagt?«, fragte Winter.

Der Junge murmelte wieder etwas.

»Patrik?« Winter beugte sich über ihn, aber der Junge war eingeschlafen.

Winter rief vor dem Krankenzimmer wieder zu Hause an, aber keine Angela. Er fragte sich zu Angelas Abteilung durch, aber sie war schon vor mehreren Stunden gegangen.

Er bat den Fahrer, ihn nach Hause zu bringen.

Die Wohnung war leer und still. Er begriff, dass sie nicht zu Hause gewesen war. Sie hinterließ immer Spuren, wenn sie nach der Arbeit heimgekommen und noch einmal zum Einkaufen oder zu einem kurzen Spaziergang weggegangen war. Er nahm den Fahrstuhl und ging in die Garage im Nachbarhaus, doch das Auto war nicht da.

Er ging auf die Straße und sah sich um. Der Mercedes stand auf der anderen Seite, einer von dreien in einer Reihe. Er ging rasch hinüber und sah den Bußgeldbescheid und riss das Kuvert auf. Vor zwei Stunden. Das Auto hatte vor zwei Stunden einen Strafzettel bekommen. Er sah wieder auf die Uhr. Um diese Zeit arbeitete Angela längst nicht mehr. Warum war sie so spät losgefahren und hatte das Auto hier abgestellt, anstatt es in die Garage zu bringen? Hatte sie Angst hinunterzufahren?

Bergenhem hatte aufgehört als Bodyguard zu arbeiten, ohne dass Angela ihn zu Gesicht bekommen hatte. Er war wieder in die Ermittlungen einbezogen. Winter und Angela hatten einander angesehen und ein wenig gelacht, vielleicht die Schultern gezuckt wegen der ganzen Aufregung. Übertrieben. Es war einfach zu viel im Augenblick.

Einer der Wagen von Lorensberg drehte ein paar Runden, aber das war alles. Wartete draußen, wenn sie Schluss hatte, aber nicht immer.

Er fuhr mit dem Fahrstuhl wieder nach oben, wusste nicht, was er tun sollte. Ihm saß etwas im Magen, das aufstieg wie kalte Lava.

Er rief seine Schwester an. Lotta meldete sich nach dem zweiten Klingeln.

»Ist Angela bei dir?«

»Nein ... warum ...«

»Sie ist nicht da, und das Auto steht seit Stunden mit einem Strafzettel vor der Tür.«

»Hast du im Krankenhaus angerufen?«

»Ich bin sogar da gewesen.«

Bartram zog die Schuhe aus und ging zum Computer, der wie ein wartendes Gesicht leuchtete.

Er war ein paar Minuten im Netz, er blätterte, überprüfte. Druckte aus. Breitete die Papiere auf dem Tisch aus und ging in die Küche, um sich Wasser zu holen. Er hatte keinen Hunger.

Seit Tagen hatte er nicht abgewaschen, aber niemand würde sich beschweren. Wer beschwert sich, wenn ich es nicht tue?, dachte er.

Er kam zurück. Der Bildschirm beleuchtete den Raum schwach zusammen mit der Schreibtischlampe, die ihren Schein von hoch oben warf.

Er nahm den Finger zu Hilfe, als er die Spalte von oben verfolgte.

Er hatte sein Notizbuch aufgeschlagen. Es war dasselbe Buch wie damals, abgenutzt, aber noch gut erhalten. Er war ein Mann weniger Worte. Sich konzentrieren.

Zufall oder nicht? Er hatte ihm die Telefonnummer abgerungen, aber niemand meldete sich, als er anrief. Der Ladendieb. Die Adresse war noch da.

Bartram verglich Namen und Adresse im Buch mit den Statisten auf der Liste. Man brauchte kein Genie zu sein, um zu erkennen, dass es dieselbe war. Es genügte, lesen zu können und der richtige Mann am richtigen Ort im richtigen Moment zu sein. Wenn er Fahndungsleiter wäre, hätte er zeigen können, wie man eine Ermittlung vorantrieb. Er wusste mehr als die anderen.

Winter hatte das Auto durchsucht, aber dort gab es nichts Verdächtiges. Er berührte das Lenkrad. Beiers Jungs waren unterwegs.

Er rief Bertil an, der ihm mit vollem Mund antwortete.

»Warte, ich hab mir grad eine Nachtstulle …«

»Angela ist verschwunden«, sagte Winter.

»Was zum Teufel sagst du?«

»Es ist etwas passiert.«

»Hast du Alarm gegeben?«

»Ja.« Winter spürte die Kälte im Körper, den Lavastrom. Er hatte plötzlich Würgegefühle. »Das war nicht mehr zu erwarten.«

Ringmar fragte nicht, was Winter dachte, glaubte.

Im Augenblick dachte er an die Elterngruppe. Er und Angela über Fragen der Schmerzlinderung gebeugt. Der Duft nach Kaffee.

»Wo bist du?«, fragte Ringmar.

»Hier«, sagte Winter. »Zu Hause.«

»Ich komme.«

# MÄRZ

# 55

Bertil war sofort gekommen, innerhalb einer halben Stunde, Winter hatte ihn informiert, schnell, kurz. Er war wie eine sprechende und denkende Kopie seines anderen Ichs. Er hatte genickt, geschrieben, gesprochen. Bertil hatte ins Telefon gebrüllt. Es hatte geklingelt, geklingelt.

Er hatte es nie gut geschafft abzuschalten ... von der Arbeit. In eine ganz andere Richtung zu gehen, wenn der Arbeitstag vorbei war, oder die Arbeitsnacht. War ihm immer schwer gefallen. Schwer, sich abzuschirmen und sich zu entspannen.

Gott. Ich hab immer an dich geglaubt. Gib mir jetzt die Kraft zu denken, lass mir meine Kraft. Später darfst du sie mir wegnehmen, aber nicht jetzt. Teile mich jetzt. Zwei Wesen, ein Herz. Jetzt nur keine Panik.

»Erik?«

Da stand Bertil. Hatte er die ganze Zeit dort gestanden? Dort an der Tür?

Winter richtete sich auf und versuchte wieder *anwesend* zu sein.

»Hier ist jemand von deinen Kontaktleuten in der Leitung.«

»Wer?«

»Benny.«

Winter griff nach dem Hörer.

»Was zum Teufel wird da gespielt?«, fragte Vennerhag.

»Da bist du endlich. Ich hab versucht, dich zu erreichen.«

»Ich war unterwegs. Was zum Teufel ist da los? Angela ist ver…«

»Deine Hilfe. Die ist jetzt wichtiger denn je.«

»Bist du das, Winter? Ich erkenne deine Stimme ni…«

»Streng dich an, Benny.«

»Hängt das wirklich mit …«

»Ja.«

»Jesus.«

»Streng dich an.«

»Ich weiß nur nicht, wie. Aber ich werd … tun, was ich kann. Leute … fragen.«

»Streng dich an«, wiederholte Winter.


Winter schlief nicht mehr. Wenn Rauschgift nötig war, er würde es nehmen. Er wusste, dass alles zusammenhing. Bertil wusste es, alle wussten es. Angela war nicht einfach im Erdbo…

Er schüttelte den Kopf. Bertil stand wieder in der Tür. War es der dritte Tag in der Hölle? Der vierte?

Morgen wurde er vierzig. Er hatte es gesehen, als er zu Hause gewesen war, um sich eine frische Unterhose und die Post zu holen. Er wollte allein fahren, hatte Bergenhem zugenickt, der draußen im Dunkeln auf dem Vasaplatsen gestanden hatte. Andere hielten die Stellung. Für den Fall, dass …

Vierzig Jahre. Er hatte es vergessen. Angela hatte das Datum mit rotem Lippenstift auf dem Kalender eingeringelt, der an der Wand neben dem Herd hing. Zehn Zentimter von der Anrichte entfernt und einen halben Meter über dem Boden. Als er dort gestanden hatte, hatte er erwogen, seinen Zollstock zu holen, um die Abstände zu kontrollieren, um irgendwas zu tun, was im Alltag wurzelte. Aber die totale Kontrolle grenzte an Wahnsinn.

Nachts hatte er wieder an den Jungen gedacht, im Krankenzimmer.

Der Junge hatte jemanden erkannt, wieder erkannt. Wann war dieser Mann das erste Mal auf der Bildfläche erschienen? Es war eine Geschichte, die parallel lief … aber sie hatte mit ihm selbst zu tun, mit den Morden.

Winter war in seinem eigenen Auto zurückgefahren, in dem es keine Spuren gab. Er hatte Hanne Östergaard angerufen. Sie hatte gequält ausgesehen, als ob sie zu einem Spiegel geworden wäre. Sie hatten in Winters Zimmer gesessen, und plötzlich hatte er ihr erzählt, was mit den Menschen passiert war, die in ihrer Wohnung ermordet worden waren. *Was passiert war*. Drei Sekunden lang hatte er keinen Boden mehr unter den Füßen gehabt, hatte seine Hölle über ihr ausgekippt.

Sie meldete sich nach dem ersten Klingeln.

»Ich war wach«, sagte sie. Ihre Stimme hatte etwas Dringendes.

»Als Maria ... aufgegriffen wurde ...«, sagte Winter und stellte noch ein paar weitere Fragen, und sie beschrieb, was passiert war, wer dabei gewesen war. Das ... Dringende war immer noch in ihrer Stimme, als ob sie darauf wartete, dass ihre Zeit kam.

Dann sagte sie es. Brach ihr Schweigen, wenn man es so betrachtete. Eine Pflicht löste eine andere ab.

»Ich weiß nicht, was es bedeutet«, sagte sie. »Aber als du erzählt hast, was passiert ist ...« Sie berichtete von ihren Gesprächen mit Morelius.

Winter spürte wieder die Lava, die aufstieg, immer noch genauso kalt.

»Hat er mehrmals davon erzählt? Von dem Unfall, den Körpern?«

»Ja.«

»Erik?«

Winter sah auf. Er war allein im Zimmer. Ringmar stand in der Tür.

»Wir sind die Adressen noch mal durchgegangen«, sagte Ringmar mit den Abschriften in der Hand. »Von diesem Pornoverein. Und haben sie mit denen von unseren Leuten verglichen und, tja ... es besteht da so eine Verbindung.«

»So eine Verbindung? Was hab ich gesagt!« In diesem Augenblick war sein Gehirn ganz leer, weiß und blank, wie Himmel und Erde Mitte Januar gewesen waren.

»Ein Polizist wohnt unten in Askim.«

»Ja?«

»Es ist ein ziemlich gewagter Verdacht«, sagte Ringmar. »Wir müssen vorsichtig vorgehen.«

»Wer ist es?«, fragte Winter.

»Morelius, Simon Morelius. Er ist Po…«

»Ich weiß, wer das ist«, sagte Winter.

»Aber jetzt ganz ruhig.«

Er war ruhig. Gott war zugegen und hielt ihn fest.

»Weißt du, woher Morelius stammt?«, fragte er.

»Nein.«

»Hat er im Augenblick Dienst?«

»Ich hab's schon überprüft. Er hat frei.«

»Ist er zu Hause?«

»Ich weiß nicht. Ich hab noch nicht angerufen. Ich wusste nicht, was ich hätte sagen sollen.«

»Hast du die Nummer?«

Es meldete sich niemand, als Winter anrief.

Er legte auf und verlangte Lorensberg über die Vermittlung.

»Hallo, hier ist Winter. Ja … ich weiß … da ist eine Sa… ja, genau.«

Er fragte nach Morelius, genau wie Bertil kurz vorher. Morgen wieder da. Freizeit nach Neujahr abbummeln. Müssen Sie ihn sprechen?

»Ja.«

»Vielleicht ist er zu Hause.«

»Nein.«

»Schon bei seinen Eltern in Kungsbacka probiert?«

»Was? Nein.«

»Er stammt wohl von dort.«

»Aus Kungsbacka?«

»Ja. Das hat neulich irgendjemand erzählt, ich glaub, sogar er selber.« Winter hörte im Hintergrund Gespräche im Revier auf der Chalmersgatan, klingelnde Telefone … »Wir sprachen darüber im Zusammenhang mit diesem Mord. Sie stammte doch auch aus Kungsbacka, nicht? Die Frau, die ermordet wurde?«

»Ja«, sagte Winter und sah Ringmar an, der gespannt zuhörte. Winter legte auf, erhob sich und nahm das Telefonbuch aus dem Bücherregal.

In Kungsbacka gab es einen Eintrag unter dem Namen Morelius. Elna Morelius. Frau. Sie meldete sich beim dritten Klingeln. Nein, ihr Sohn war nicht zu Hause. Um was es denn gehe? Eine dienstliche Angelegenheit? Natürlich würde sie ihm sagen, dass er sich melden sollte. Aber er hatte schon eine ganze Weile nicht mehr angerufen. Sie wünschte, er würde öfter anrufen. Ja, so ist das. Wann er sich das letzte Mal gemeldet hat? Noch nicht lange her. Ihm ging es nicht gut.

Winter versuchte zu denken.

»Was ist der Beruf Ihres Mannes, Frau Morelius?«

»Mein Mann? Was ist das für eine Frage? Mein Mann ist tot.« Sie war still, und Winter wartete. »Mein Mann war Pastor«, sagte sie schließlich.


Morelius. Winter sah sein Gesicht über der Uniform schweben. Die Funkstreife den Vasaplatsen rauf und runter auf Patrouille.

Ein richtiger Polizist. Patrik. Maria. Immer in der Nähe, wenn etwas passierte.

Als Winter in Valkers Wohnung gekommen war, hatte Morelius dort drinnen gestanden. Die Silhouette. Er hatte auf die Wand gezeigt.

Winter dachte jetzt an Lareda Veitz, was sie gesagt hatte. Sie hatte gestern angerufen, aber er hatte keine Kraft gehabt, nicht in dem Augenblick.

Winter sah Ringmar an.

»Wir fahren hin«, sagte Winter. »Jetzt.« Er stand auf, spürte die Waffe, die gegen die Rippen schlug.

»Zu Morelius? Nach Askim?«

»Was zum Teufel soll ich denn sonst meinen!?«

»Erik …«

»Du kannst hier bleiben, wenn du willst«, sagte Winter, ging zum Bügel und nahm seinen Mantel. Am liebsten wäre er durch die Korridore gerannt, gerannt wie ein Verrückter, geflogen.

Ringmar rief wieder an, bei Morelius meldete sich niemand.

»Wollen wir einen Wagen von Frölunda anfordern?«

»Ja, aber keiner geht rein, bevor wir nicht da sind.«

Winters Hände hatten gezittert, wieder hatte er die Sig-Sauer an seiner Brust gespürt. Jetzt liefen sie beide.

»Ich fahre«, sagte Ringmar.

Es war Abend. Ringmar fuhr schnell südwärts. Winter befestigte das Blaulicht auf dem Dach, als sie in einem Stau in Höhe von Liseberg stecken blieben, Ringmar stellte die Sirene an, und sie schlängelten sich über die Schnellstraße.

Der Nebel kroch in einem halben Meter Höhe über die Felder zu beiden Seiten vom Söderleden. Ringmar fuhr bei Järnbrott runter. Winter dachte an Elfvegrens in dem gefälligen Villenviertel auf der anderen Seite der Schnellstraßenkreuzung. Sie hatten nichts mehr über den Mann gesagt, von dem Louise Valker erzählt hatte. Louise Valker aus Kungsbacka. Er sah Ringmar schnell an. Wenn sie hier nichts fanden, würde das nächste Ziel heute Abend Elfvegrens Eigenheim sein.

Sie sahen das Blaulicht des Streifenwagens vom Frölundarevier. Ein Pulk kleiner Jungen hatte sich schon versammelt. Das Licht huschte kreiselnd über ihre Gesichter.

»Stellt es ab«, sagte Winter, als sie den Wagen erreichten.

»Nummer sieben«, sagte Ringmar hinter ihm, und Winter drehte sich um. Ringmar zeigte auf den Eingang 7D. Die Häuser waren aus Ziegel, vielleicht rot. Drei oder vier Stockwerke.

»Er wohnt im zweiten Stock«, sagte Ringmar.

Die Haustür war offen, mit einer Kette an der Wand befestigt. Als sie das Haus betraten, kam ein Mann mit einer Kiste aus dem Keller. Er nickte ihnen zu und löste die Kette von der Wand.

Niemand öffnete, als sie auf die Klingel neben Morelius' Tür drückten. Der Name stand in weißen Buchstaben auf schwarzem Filz auf der Briefeinwurfklappe. Winter klingelte wieder und hörte die Signale drinnen widerhallen, aber er hörte keine Schritte, keine Stimmen. Er rief durch die Tür, lauschte. Er zog seine Waffe und schoss in die Tür in Höhe des Schlosses.

# 56

Winter griff durch das Loch nach der Klinke. Es gab keinen Riegel.

Er schob die Tür auf. Sein Gehirn war jetzt wie losgelöst von seinen Bewegungen, alles war Instinkt, wie bei einem Tier. Kordit brannte in seiner Nase. Er bereute nichts.

Auf dem Fußboden lag Post, ein Kuvert, eine Zeitung.

Die Wohnung wurde von den Lichtern der Schnellstraße und den Straßenlaternen des Wohnviertels erhellt. Es war still. Keine Gitarren, kein Schlagzeug, kein Fauchen.

Keine Angela. Sie gingen von Zimmer zu Zimmer. Alles war aufgeräumt, sehr ordentlich. Die Spüle war sauber und glänzte im Licht vom Küchenfenster. Nichts auf dem Tisch.

Im Schlafzimmer lagen zwei Sexmagazine auf dem Nachttisch, daneben ein Wecker. *Aktuell Rapport.* Im Wohnzimmer war ein Regal voller Taschenbücher, ein Sofa aus imitiertem Leder, zwei Sessel, die einem großen Fernseher zugewandt waren. Ordentlich. Alles unter Kontrolle.

»Tja«, sagte Ringmar und sah sich zerknirscht um. Dann sah er Winter an.

Winter spürte, wie es in seinem Gesicht zu zucken begann, wie die Anspannung und der Schock an ihm zerrten. Ringmars zerknirschtes Gesicht. Die leere Wohnung. Der Schuss. Das Gefühl von Verwirrung, Enttäuschung und unendlicher Erleichterung. UNENDLICHER ERLEICHTERUNG. In ihm zuckte es, er zitterte, in ihm stieg etwas auf, wollte heraus, es konnte Weinen oder Lachen sein, das Lachen kam zuerst, wahnsinnig und laut: *Du solltest dein Gesicht sehen, Bertil.* Er sah, wie Bertil einen Schritt auf ihn zumachte, wie ein Pfleger, und er bekam noch einen Anfall, und dann war es vorbei, er hob die Hand, die nicht die Waffe hielt, und sagte »Lass uns fahren, Bertil« und ging hinaus durch den Flur.

Winter gab den beiden Polizisten aus Frölunda Instruktionen, es waren ein Mann und eine Frau.

»Wie geht es dir, Erik?«, fragte Bertil, als sie wieder im Wagen saßen.

»Besser«, sagte er und nahm die Abfahrt Järnbrott.

»Wohin fahren wir?«

»Zu Elfvegrens.«

»Es ist bald zwölf.«

Winter gab keine Antwort, er suchte in den kleinen Straßen nach dem richtigen Haus. Die kleinen Villen sahen alle gleich aus. Es war, als führen sie durch eine andere Zeit, die fünfziger Jahre. Kleine Villen, große Gärten.

Elfvegrens Haus war dunkel. Winter klingelte. Bertil stand hinter ihm, abwartend, als hätte er Angst, Winter würde wieder die Schusswaffe ziehen.

Die Tür wurde nicht geöffnet, es wurde kein Licht gemacht. Winter hämmerte gegen die Tür, drehte sich dann um und ging die Treppe halb hinunter.

»Hier ist sie jedenfalls nicht«, sagte er, und Ringmar verstand, wen er meinte.

Sie fuhren am Radiotorget vorbei. Winters Handy klingelte.

»Ja?«

»Sie haben nach Morelius gesucht … in Lorensberg …« Die Verbindung wurde schwächer, drohte abzureißen und war dann wieder da.

»Ich höre«, sagte Winter, »habt ihr ihn gefunden?«

»Er ist hier im Revier«, sagte der Dienststellenleiter in Lorensberg, mit dem Winter vorher schon gesprochen hatte. »Er ist mit Ivarsson gekommen, der hat ihn in der Stadt getroffen. Er ist ja nicht im Die…«

»Sorgen Sie dafür, dass er dort bleibt«, sagte Winter.

»Das ist kein Problem. Er wollte Sie sprechen, hat er gesagt.«

Morelius saß im Fernsehzimmer und stand auf, als sie hereinkamen. Er trug Jeans, eine schwarze Lederjacke und schwarze Boots.

»Vielleicht kann ich euch helfen«, sagte er. »Ich weiß nicht.« Er sah Winter an, als ob er sagen wollte, *dir* helfen. Winter gab keine Antwort. Vor einer Stunde war er bereit gewesen ... Jetzt konnte er ihn packen, eine Antwort verlangen. »Ich verstehe, dass es eilig ist«, sagte Morelius und ging auf die Spüle zu.

»Wohin willst du?«, fragte Ringmar.

»Was ist?« Morelius sah sie an, erst Ringmar, dann Winter. In seinem Gesicht geschah etwas, er begriff. »Aber zum Teufel, ihr glaubt doch nicht, dass ich es war?«

»Das Inserat«, sagte Winter.

»Was? Das Inserat?«

»Wir haben mit deinem Nachbarn geredet. Er hat zugegeben, dass er ... Briefkasten gespielt hat, oder wie man das nun nennen soll«, sagte Ringmar.

»Himmel, das hat doch keine Bedeu... Ich hab nicht mal ...« Er sah Winter an. »Es ist nie was draus geworden.«

Winter machte einen Schritt auf ihn zu.

»Wenn das so ist, hast du uns etwas vorenthalten.«

»Darüber können wir später reden«, sagte Morelius. »Aber wenn's eilt, dann eilt es, oder, Winter?«

»Was meinst du?«

»Es gibt also eine Spur, die zur Polizei führt. Die Uniformen und das. Das wissen wir hier im Revier ja auch. Ich hab drüber nachgedacht, weil ich im Augenblick auch über meinen Job nachdenke. Ich werde aussteigen, aber ich hab einen Kollegen, der das nicht tut. Er will Fahnder werden, bildet sich ein, dass das was Feineres ist.« Morelius sah Winter wieder an. »Ich rede von Bartram. Greger Bartram.«

»Und?«

»Ihr habt ihn in der letzten Zeit nicht gehört, ihm nicht zugehört. Ihn nicht gesehen. Mit ihm ist irgendwas. Ich weiß nicht ... ich hab viel darüber nachgedacht. Bin durch die Stadt gelaufen. Hab mir einen Tag frei genommen. Hab gedacht, er hat wohl Recht zu spiel...« Er sah Winter wieder an. »Aber dann kam die Sache mit deiner Frau.« Er sah Ringmar an. »Ich wollte ihn besuchen, aber er war nicht zu Hause. Das heißt, er wohnt gar nicht mehr dort. Er ist vor über einem Jahr umgezogen, aber er hat seine neue Adresse nicht gemeldet.« Jetzt sah er Ivarsson an. »Wir haben also die ganze Zeit seine alte Adresse gehabt.«

»Und wo wohnt er jetzt?«, fragte Ivarsson.

»In der Tolsegårdsgatan, in Mölndal. Ich bin nicht dort gewesen, aber …«

»Woher weißt du das?«, fragte Ringmar. »Die neue Adresse?«

»Von der Auskunft«, sagte Morelius. »Ganz einfach.«

»Wo liegt die Tolsegårdsgatan«, sagte Winter. »Die kommt mir bekannt vor.«

»Sie ist genau am Ende der Hagåkersgatan«, sagte Morelius. »Und die ist ja in der Nähe vom HSB-Haus, wo das Paar umgebracht wurde. Oder er … falls sie überlebt. In der Häradsgatan war das.«

Er hat nicht Kroken gesagt, dachte Winter. Oder Manhattan Livs. Niemand außerhalb meines innersten Kreises weiß etwas von Manhattan Livs. Hätte er den Laden genannt, wären wir da gewesen.

»Wo hat er früher gewohnt?«, fragte Winter.

»In der Nähe«, sagte Morelius. »Noch näher am HSB-Haus.« Er machte eine kurze Pause. »Im Erdgeschoss ist ein kleiner Supermarkt, glaube ich.«

Bevor Winter etwas sagen konnte, hob Morelius die Hand.

»Ich will euch was auf seinem Computer zeigen.«

»Seinem Compuer?«

»Kommt mit«, sagte Morelius. Sie gingen die Treppe hinunter und durch das neu eingerichtete Gebäude auf der anderen Seite vom Lichthof. Niemand sagte etwas. Morelius stellte sich vor den Computer und loggte sich ein. Er wartete und klickte weiter. Wartete.

»Du kannst das offenbar«, sagte Ivarsson, der auch mitgekommen war.

»Ja«, sagte Morelius. »Sonst scheinen Computer ja nicht kompatibel mit beschränkten Bullen zu sein.«

Er gab noch einen Befehl ein und sah die anderen an, dann ließ er den Blick zum Bildschirm zurückkehren.

»Was ist das?«, fragte Winter.

»Das sind die Listen mit Adressen und Namen von diesen Statisten, die in dem Film mitspielen, der hier gedreht wurde.« Er sah Winter an und dann wieder auf den Bildschirm. »Alles scheint da zu sein. Er hat sie sich von euch geholt.«

Sie starrten auf den Monitor.

»Und es gibt noch mehr«, sagte Morelius. »Er scheint Zugang zu fast allem gehabt zu haben. Entweder betreibt er eine Art Privatfahndung, oder...«

»Hat er nie davon gesprochen?«

»Nein.« Morelius gab einen neuen Befehl ein. »Guckt mal, hier.« Winter beugte sich vor. »Wir haben ja seine alte Adresse gehabt, in der Nähe vom Ort des Verbrechens, aber er hat sie geändert. Nach diesen Angaben wohnt er in Hisingen.«

Winter dachte an all die Adressen von Polizisten, die ihnen zum Vergleich vorgelegen hatten. Hätte er Bartrams richtige Adresse zu dem Zeitpunkt gesehen...

Bartram hatte die Listen geändert.

Wenn man sich auf Morelius verlassen konnte.

»Hat er heute frei?«, fragte Winter.

»Ja«, antwortete Ivarsson.

»Ich fahre«, sagte Ringmar.


Sie kamen an Krokens Livs vorbei, Manhattan. Die Filmplakate hingen immer noch da. *Die Stadt der Engel. The Avengers.* Ringmar parkte auf der Straße, und sie waren schon ausgestiegen, ehe das Auto richtig hielt. Morelius war dabei.

Winter hatte im Auto auf die Uhr gesehen. *Happy birthday to you.*

Sie gingen am Spielplatz und an einigen Bänken vorbei. Die Häuser lagen fünfzig Meter entfernt, die Einfahrt war auf der anderen Seite. Ein Birkenhain auf der Rückseite war wie mit Silber bestreut. »Dreiundsechzig«, sagte Morelius. In einem Fenster im zweiten Stock brannte Licht.

Die Tür schien aus imitiertem Teak zu sein.

Ein Polizist, dachte Winter. Wie konnte man sich dagegen schützen? Die Welt bricht zusammen, wenn der Polizist die Grenze zur anderen Seite überschreitet.

Das Licht im Treppenhaus ging aus. Sie sahen einen Lichtstreifen unter der Türritze. Winter klingelte. Ganz ruhig, Erik. Wir wollen nur ein paar Fragen stellen, wir müssen es wissen. Weil es vorbei ist, müssen wir es wissen.

In ihm tauchte ein Bild von Angela auf, aber er stieß es mit den Knöcheln seiner Hände gegen das Holz der Tür beiseite.

»Was ist los?«, fragte von drinnen eine Stimme.

Winter sah Morelius an und nickte.

»Ich bin's, Greger. Simon. Ich brauch … deine Hilfe.«

»Was? Jetzt?«

»Es … eilt, Greger. Bitte, mach auf.«

Von drinnen war nichts zu hören, nicht ein Laut. Winter spürte die Waffe an seiner Brust, ließ sie aber dort. Jetzt war er ruhiger, besser auf das vorbereitet, was sie vielleicht erwartete.

»Du hättest doch anrufen können«, sagte die Stimme von drinnen.

»Warum machst du nicht auf?«, fragte Morelius.

Winter nannte seinen Namen. Er wusste, dass Bartram schon vorher gewusst hatte, dass er hier war.

Jetzt hörte er Geräusche an der Tür. Ringmar sah Winter an. Das Geräusch wurde deutlicher. Winter hörte die Musik. Morelius sah bestürzt aus im dünnen kalten Licht der Treppenbeleuchtung. Winter hörte die Gitarren, das Schlagzeug, die Stimme, die durch die Tür fauchte und gurgelte. Er konnte sich nicht rühren. Ringmar schoss. Das zweite Mal gilt, dachte Winter. Morelius und Ringmar traten die Tür ein, zwängten die Hände durch das harte Plywood. Ringmars Hände waren blutig. Morelius schrie etwas, aber er hörte nichts. Ringmar schrie, wie von einem anderen Planeten.

Sie waren drinnen, tief dort drinnen. Er hörte die Schreie. Sein Körper löste sich vom Steinboden der Treppe. Er begann zu laufen. Er flog.

# April

# 57

Morgens um Viertel nach drei, zwei Tage nach dem er-
rechneten Datum, brachte Angela Elsa zur Welt. Das
Mädchen wog 3925 Gramm und war fast 51 Zentimter lang.
Winter war mehrere Male kurz davor, in Ohnmacht zu fallen,
und überließ der Hebamme die Kamera.

Er hielt Elsa im Arm, die an seiner Brust schlief. Sie hatte
dunkle Haare, und er war ganz überrascht, dass es so viele waren. Sie sagten, Elsa habe seine Nase und Ohren. Er weinte und
summte *You Leave Me Breathless* nah an diesen Ohren. In den
letzten Wochen hatte er nur Coltrane gehört und für die Zukunft gebetet. Das Verhörzimmer war für andere da. Er hatte
die Protokolle gelesen, war aber nicht hingegangen.

Angela beugte sich vor und sagte etwas. Er sah auf, als sie es
wiederholte. Ja, antwortete er, es ist ein Wunder.

Angela strahlte. Es war ein Wunder. Irgendwann würde alles
wiederkehren, aber nicht jetzt, dachte er. Vielleicht auch nie. Sie
war stark, stärker als er.

Sie hatten in Spanien angerufen, und er hatte den Hörer
rasch an Angela weitergegeben.

Die Sonne ging hinter den Bergen auf, als er die Entbindungs-
station verließ. Es war wie eine neue Welt. Die Gerüche waren
neu im Jahr. Es war der Frühling. Er sah Kinder, die zur Schule
gingen, auf den Kieswegen trödelten, mit etwas warfen. Spielten Kinder immer noch mit Murmeln?

Die Sonne schien ihm in die Augen, und er klappte den Sonnenschutz herunter. Er verließ Mölndal, konnte aber immer weniger sehen, weil seine Augen tränten.

Ein älterer Herr, den er nicht kannte, kam an ihm vorbei, als er die letzte Treppe hinaufstieg. Herrenbesuch bei Frau Malmer.

Es roch anders in der Wohnung, fast wie da draußen. Er riss alle Fenster auf. In der Küche öffnete er eine Flasche, goss etwas in ein Kristallglas und trank.

Bartram hatte sich bei ihm bedankt. Sich persönlich bedankt. Bartram wollte gerettet werden, aber er hatte es ihnen schwer machen wollen. Er war Winter so nah wie nur möglich gekommen.

Angela hatte keine physischen Verletzungen gehabt.

In Bartrams Schlafzimmer hatte ein Foto gehangen. Ein junger Mann und eine junge Frau. Sie hielten einander bei den Händen. Winter war näher herangegangen. Die Gesichter waren aus dem Bild ausgeschnitten und vertauscht worden. Sie war er, und er war sie. Das Gesicht war Bartrams Gesicht. Jünger.

Winter ging in das große Zimmer und stellte sich ans Fenster, das zum Park schaute.

Er trank den Gedanken weg. In zwei Tagen würden sie zu dritt in der Wohnung sein. Er nahm einen Schluck, der Champagner perlte leicht in seinem Mund. Er drehte sich um, und in seinem linken Knie zuckte es. Fast hätte er die Balance verloren, einen Augenblick stand er still, dann ging er in die Küche und stellte das Glas auf die Spüle.